Répertoire de la presse

Premier volume

Référendum 80

 Le Directeur général des élections du Québec

Dépôt légal - 1er trimestre 1985

Bibliothèque nationale du Québec
Bibliothèque nationale du Canada

ISBN 2-551-06519-4 (éd. complète)
ISBN 2-551-06520-8 (premier volume)

TABLE DES MATIÈRES

VOLUME III

PRÉSENTATION

Le répertoire de la presse pendant la campagne référendaire a pour but de rendre accessible, à ceux qui s'intéressent au référendum du 20 mai 1980, l'information contenue dans les journaux, de l'émission des brefs référendaires à la publication des résultats officiels.

1. LA COLLECTION DE JOURNAUX

Le répertoire regroupe plus de 17 000 coupures de presse extraites des quotidiens et hebdomadaires du Québec et du Canada pour la période du 15 avril au 15 juin 1980. La collection compte 164 journaux et revues répartis comme suit:

1.1 Québec

11 quotidiens: 2 anglophones
                          9 francophones

128 hebdomadaires: 11 anglophones
                       112 francophones
                        5 bilingues

3 mensuels (francophones)

2 publications à parution irrégulière (francophones)

1.2 Hors Québec

9 quotidiens: 7 anglophones
                         2 francophones

10 hebdomadaires: 2 anglophones
                        8 francophones

1 mensuel (anglophone)

La cueillette des articles a été confiée à une maison spécialisée dans la sélection de coupures de presse. Son mandat consistait à isoler les articles concernant le référendum, sans critère d'ordre qualitatif ou quantitatif.

2. LE CLASSEMENT

Pour repérer les articles qu'il désire, l'utilisateur disposera du classement général et de deux index. Le classement général est composé de 14 grands thèmes subdivisés en 34 sous-thèmes.

Exemple: Les options politiques (thème)
- Les Québécois pour le Non et le Regroupement national pour le Oui; (sous-thème)
- Les Québécois pour le Non;
- Le Regroupement national pour le Oui;
- Abstentions et annulations.

Parfois ces sous-thèmes sont subdivisés pour une plus grande précision.
Exemple: Les options politiques

- Les Québécois pour le Non et le Regroupement national pour le Oui;
  - Les aspects organisationnels
  - Les thèses.

Les paramètres que nous nous sommes fixés pour le traitement des articles se résument ainsi: les reportages sont classifiés d'après les principaux intervenants, et les articles d'opinion ou d'analyse selon la thèse traitée ou défendue. Ainsi, une nouvelle qui rapporte les propos tenus par la direction d'une entreprise sera classée au thème Les groupes de pression et au sous-thème Le monde des affaires. Par contre, l'analyse d'un commentateur politique sur le déroulement des assemblées du Oui sera classée au thème Les options politiques, au sous-thème Le Regroupement national pour le Oui et à la subdivision Les aspects organisationnels.

Afin de bien saisir les possibilités du plan de classement, nous vous suggérons de lire la table des matières et de porter une attention particulière aux explications suivantes:

A. En raison du nombre élevé de nouvelles et/ou d'analyses concernant les deux comités nationaux, ces derniers ont été regroupés dans un même sous-thème. (Regroupement national pour le Oui et les Québécois pour le Non).

B. La sous-subdivision Généralités du thème Les organes représentatifs regroupe les articles qui ont rapport au gouvernement à l'exception de ceux qui ont trait aux partis politiques. Par exemple, c'est à la rubrique Généralités du Gouvernement du Canada que seront classés les articles relatifs au Commissaire aux langues officielles.

C. La rubrique intitulée Entrefilets regroupe des articles qui n'ont pas été classés par sujet en raison de la diversité d'information qu'ils contiennent.

A l'intérieur des divisions thématiques, les articles sont regroupés par journal, dans l'ordre chronologique.

Exemple: Les aspects organisationnels
        L'Argenteuil
        16 avril
        "Débat public dans la région de Sainte-Thérèse"

3. LE REPÉRAGE DE L'INFORMATION

Pour faciliter la recherche, un index des auteurs et un index des noms de personnes et des sujets ont été élaborés.

L'index des auteurs inclut le nom des journalistes et des collaborateurs attachés aux journaux auxquels s'ajoutent les noms de diverses personnalités de la scène publique dont les commentaires ont été publiés par les médias.

L'index des noms de personnes et des sujets est constitué d'une part des principales personnalités de la scène publique, nationale et locale ainsi que des raisons sociales des organismes, associations, compagnies. On y retrouve également les principaux sujets évoqués lors de la campagne.

Chaque article de journal s'est vu attribuer une cote numérique pour qu'il puisse être repéré facilement. Les pièces ainsi numérotées se retrouvent dans le répertoire en séquence continue de 1 à 17 163. Pour chaque article le lecteur trouvera les données suivantes: le journal, la date de parution, le titre, l'auteur et la page. A l'occasion, un bref résumé vient compléter ces renseignements, celui-ci vise à éclairer le lecteur sur le contenu de l'article lorsque le titre de ce dernier n'est pas suffisamment significatif. A la fin de chaque description se retrouve une mention de la forme de l'article qui permet de différencier le reportage, l'éditorial, le communiqué, la libre opinion ou l'analyse.

Pierre-F. Côté, C.R.
Directeur général des élections
Président de la Commission de la représentation électorale

Février 1985

NOTE: Monsieur Martin Rochefort, bachelier en histoire, qui exerce ses fonctions au Service de la gestion documentaire du Directeur général des élections, est la personne à qui a été confiée la responsabilité de la réalisation de ce répertoire. Il agissait sous l'autorité de monsieur Yvan Caron, chef de ce service.

LES INSTITUTIONS CHARGÉES DE L'APPLICATION DE
LA LOI SUR LA CONSULTATION POPULAIRE

Le Directeur général des élections

Les responsabilités qui incombent au Directeur général des élections pour la tenue d'un référendum s'apparentent à celles qui sont reliées aux élections générales.

Dans le cadre des responsabilités inhérentes à la constitution des listes électorales, s'inscrivent entre autres, l'exécution des dispositions concernant la nomination des recenseurs, le dénombrement et l'inscription des électrices et électeurs, la nomination des réviseurs, l'établissement de bureaux de dépôt et de commissions de révision ainsi que la révision des listes.

L'exécution des dispositions de la Loi sur la consultation populaire concernant le scrutin implique, pour sa part, une grande quantité d'interventions.

Préalablement au vote, figurent la convocation des électrices et des électeurs et la préparation d'un calendrier des opérations. A l'intérieur de cette période s'inscrit également la participation du Directeur général des élections à la formation des comités nationaux et à la production d'une brochure informant l'électorat des options qui lui sont offertes. Il faut de plus veiller à l'établissement des bureaux de vote, à l'impression des bulletins référendaires, à la préparation des urnes et à la distribution du matériel électoral.

Le scrutin lui-même implique la mise en application de plusieurs dispositions législatives auxquelles sont rattachées notamment les mesures particulières inhérentes au vote par anticipation et au vote des détenus. La compilation des résultats, leur transmission à l'Assemblée nationale, leur publication et la garde des documents référendaires complètent le tableau sommaire des tâches reliées au scrutin.

Enfin, en raison de la grande nouveauté que représentait la tenue d'un référendum, le Directeur général des élections s'est vu dans l'obligation de faire un sérieux effort d'information tant au niveau de la publicité et des renseignements au public que des relations avec les médias d'information.

Le Directeur général du financement
des partis politiques

La Loi sur la consultation populaire prévoit l'application des principes généraux de la Loi régissant le financement des partis politiques à tout référendum tenu au Québec.

A l'occasion du référendum, c'est par l'entremise d'un comité national que le fonds en faveur d'une option est constitué et dépensé. Ce dernier se compose d'une subvention fixée par l'Assemblée nationale, de montants transférés ou prêtés par les représentants officiels de l'ensemble des partis politiques autorisés et des contributions des électeurs. C'est sous l'autorité d'un agent officiel désigné par le président d'un comité national qu'est rassemblé le "fonds du référendum" et que sont effectuées les dépenses réglementées. Celles-ci recouvrent tous les frais encourus pendant une période référendaire pour favoriser ou défavoriser une des options soumises au référendum. L'agent officiel de chaque comité national doit produire un rapport sur l'ensemble des sommes versées dans un fonds du référendum ainsi que sur toutes les dépenses réglementées.

La Loi sur la consultation confie au Directeur général du financement des partis politiques l'application des dispositions concernant le financement et les dépenses des comités nationaux lors d'un référendum.

Il doit notamment, contrôler les sources de financement du fonds du référendum de chaque comité national et s'assurer que les dépenses encourues à l'occasion du référendum soient conformes aux exigences de la loi.

Il lui incombe de veiller à ce que les rapports financiers soient produits et divulgués. De plus, il lui revient de prendre les mesures nécessaires, incluant les poursuites judiciaires, pour s'assurer que les exigences propres au financement des dépenses référendaires soient respectées.

Pour y arriver, le Directeur général du financement des partis politiques est revêtu de certaines prérogatives. La loi l'autorise à émettre des directives et à prescrire certaines formules. Il est investi des pouvoirs et de l'immunité accordés aux commissaires nommés en vertu de la Loi sur les commissions d'enquête.

Le Conseil du référendum

Le Conseil du référendum était composé de trois (3) juges de la Cour provinciale nommés par le juge en chef de cette cour. Le Conseil avait un rôle judiciaire et consultatif. Le premier aspect s'étend à toute procédure judiciaire concernant le référendum et à l'application de la Loi sur la consultation populaire, y compris le recomptage du vote et toute contestation concernant la validité du référendum. La fonction consultative s'étend aux questions de droit ou d'ordre technique soumise par le gouvernement. De plus, le Conseil détermine si l'objet d'un référendum est "substantiellement semblable à celui d'un référendum tenu au cours de la même Législature".

JOURNAUX ET REVUES DÉPOUILLÉS

L'ACTUALITÉ (mensuel)

L'APPEL (hebdomadaire, Sainte-Foy)

L'ARGENTEUIL (hebdomadaire, Lachute)

L'ARTISAN (hebdomadaire, Repentigny)

AU FIL DES ÉVÈNEMENTS (Université Laval)

L'AVANT-POSTE GASPÉSIEN (hebdomadaire, Amqui)

L'AVENIR DE L'EST (hebdomadaire, Pointe-aux-Trembles)

L'AVIRON (hebdomadaire, Campbellton)

BEAUCE NOUVELLE (hebdomadaire, Saint-Georges-Est)

LE CANADA-FRANÇAIS (hebdomadaire, Saint-Jean-sur-Richelieu)

LE CARILLON (bi-hebdomadaire, Hawkesbury)

LE CARROUSEL DE THETFORD (hebdomadaire, Thetford-Mines)

CHATELAINE (mensuel)

THE CHRONICLE-HERALD (quotidien, Halifax)

THE CITIZEN (quotidien, Ottawa)

LE CITOYEN (hebdomadaire, Asbestos)

LA CONCORDE (hebdomadaire, Saint-Eustache)

LE CONFIDENT DE LA RIVE-NORD (bi-mensuel, La Malbaie)

CONTACT LAVAL (hebdomadaire, Laval)

LE COURRIER (hebdomadaire, Yarmouth, N.-E.)

LE COURRIER DE MALARTIC (hebdomadaire, Malartic)

LE COURRIER DE SAINT-HYACINTHE (hebdomadaire, Saint-Hyacinthe)

LE COURRIER DE TROIS-PISTOLES (hebdomadaire, Trois-Pistoles)

LE COURRIER DU SUD/THE SOUTH SHORE COURIER (hebdomadaire, Longueuil)

COURRIER LAURENTIDES (hebdomadaire, Laval-des-Rapides)

COURRIER LAVAL (hebdomadaire, Laval)

COURRIER MAG (hebdomadaire, Longueuil)

LE COURRIER RIVIÉRA (hebdomadaire, Sorel)

COURRIER-SUD (hebdomadaire, Nicolet)

LE DEVOIR (quotidien, Montréal)

DIMANCHE DERNIÈRE-HEURE (hebdomadaire, Montréal)

DIMANCHE-MATIN (hebdomadaire, Montréal)

LE DROIT (quotidien, Ottawa)

LE DYNAMIQUE DE LA MAURICIE (hebdomadaire, Saint-Tite)

L'ÉCHO (hebdomadaire, Dorion)

L'ÉCHO ABITIBIEN (hebdomadaire, Val-d'Or)

L'ÉCHO DE FRONTENAC (hebdomadaire, Lac-Mégantic)

L'ÉCHO DE LA LIÈVRE (hebdomadaire, Mont-Laurier)

L'ÉCHO DE LA TUQUE (hebdomadaire, La Tuque)

L'ÉCHO DE LOUISEVILLE / BERTHIER (hebdomadaire, Louiseville)
ÉCHO DU NORD (hebdomadaire, Saint-Jérôme)
L'ÉCLAIREUR-PROGRÈS (hebdomadaire, Saint-Georges)
L'ÉLAN SEPT-ÎLIEN (hebdomadaire, Sept-Îles)
L'ÉTINCELLE (hebdomadaire, Windsor)
L'ÉTOILE DE L'OUTAOUAIS SAINT-LAURENT (hebdomadaire, Dorion)
L'ÉTOILE DU LAC (hebdomadaire, Roberval)
L'ÉVANGÉLINE (quotidien, Moncton)
L'EXPRESS (hebdomadaire, Drummondville)
LA FEUILLE D'ÉRABLE (hebdomadaire, Plessisville)
FINANCE (hebdomadaire, Montréal)
THE FINANCIAL POST (hebdomadaire, Toronto)
FINANCIAL TIMES OF CANADA (hebdomadaire, Montréal)
FLAMBEAU DE L'EST (hebdomadaire, Montréal)
LE FRANCO-ALBERTAIN (hebdomadaire, Edmonton)
LA FRONTIÈRE (hebdomadaire, Rouyn)
LA GATINEAU (hebdomadaire, Maniwaki)
THE GAZETTE (quotidien, Montréal)
LA GAZETTE DE MANIWAKI (hebdomadaire, Maniwaki)
THE GLEANER (hebdomadaire, Huntingdon)
THE GLOBE AND MAIL (quotidien, Toronto)
LE GUIDE (hebdomadaire, Sainte-Marie)
LE GUIDE DE MONTRÉAL-NORD (hebdomadaire, Montréal-Nord)
LE GUIDE DU NORD (hebdomadaire, Montréal)
L'HEBDO (hebdomadaire, Cap-de-la-Madeleine)
L'HEBDO DE PORTNEUF (hebdomadaire, Neuville)
HEBDO JOURNAL DE ROSEMONT (hebdomadaire, Montréal)
L'INFORMATION (hebdomadaire, Mont-Joli)
L'INFORMATION RÉGIONALE (hebdomadaire, Châteauguay)
JOLIETTE JOURNAL (hebdomadaire, Joliette)
LE JOURNAL DE CHAMBLY (hebdomadaire, Chambly)
LE JOURNAL DE MONTRÉAL (quotidien, Montréal)
LE JOURNAL DE QUÉBEC (quotidien, Québec)
LE JOURNAL DE SAINT-BRUNO (hebdomadaire, Saint-Bruno)
JOURNAL DES CITÉS NOUVELLES (hebdomadaire, Roxboro)
LE JOURNAL DES PAYS D'EN HAUT (hebdomadaire, Sainte-Adèle)
JOURNAL LE SAINT-FRANÇOIS (hebdomadaire, Valleyfield)
LE LAC SAINT-JEAN (hebdomadaire, Alma)
LA LIBERTÉ (hebdomadaire, Winnipeg)
MACLEAN'S (mensuel)
LE MADAWASKA (hebdomadaire, Edmunston)
LE MESSAGER DE LACHINE (hebdomadaire, Lachine)

LE MESSAGER DE LASALLE / THE MESSENGER (hebdomadaire, Lasalle)
LE MESSAGER DE VERDUN / THE (hebdomadaire, Verdun)
LE MIRABEL (hebdomadaire, Saint-Jérôme)
THE MONCTON TRANSCRIPT (quotidien, Moncton)
THE MONITOR (hebdomadaire, Montréal)
THE NEWS / LES NOUVELLES (hebdomadaire, Montréal)
NEWS AND CHRONICLE (hebdomadaire, Pointe-Claire)
LE NORD-EST (hebdomadaire, Sept-Îles)
LE NORDIC (hebdomadaire, Baie-Comeau)
LE NORDIC (hebdomadaire, Sept-Îles)
LE NOUVEAU CLAIRON (hebdomadaire, Saint-Hyacinthe)
NOUVEAU JOURNAL SAINT-MICHEL (hebdomadaire, Montréal)
LA NOUVELLE DU HAUT SAINT-FRANÇOIS (hebdomadaire, East-Angus)
LA NOUVELLE REVUE (hebdomadaire, Granby)
NOUVELLES DE L'EST (hebdomadaire, Montréal)
LE NOUVELLISTE (quotidien, Trois-Rivières)
L'OEIL RÉGIONAL (hebdomadaire, Beloeil)
THE OTTAWA JOURNAL (quotidien, Ottawa)
LA PAROLE (hebdomadaire, Drummondville)
LA PETITE NATION / LE BULLETIN (hebdomadaire, Buckingham)
LE PEUPLE-COURRIER (hebdomadaire, Montmagny)
PEUPLE-TRIBUNE (hebdomadaire, Lévis)
LE PHARILLON-VOYAGEUR (hebdomadaire, Gaspé)
PLEIN JOUR SUR CHARLEVOIX (hebdomadaire, Charlevoix)
PLEIN JOUR SUR LA MANICOUAGAN (hebdomadaire, Baie-Comeau)
LE PLEIN JOUR SUR LE SAGUENAY (hebdomadaire, Forestville)
LE PONT (hebdomadaire, Grand-Mère)
LA PRESSE (quotidien, Montréal)
LE PROGRÈS DE COATICOOK (hebdomadaire, Coaticook)
LE PROGRÈS DE MAGOG (hebdomadaire, Magog)
PROGRÈS DE ROSEMONT (hebdomadaire, Montréal)
LE PROGRÈS DE THETFORD (hebdomadaire, Thetford-Mines)
LE PROGRÈS DE VILLERAY (hebdomadaire, Montréal)
PROGRÈS-DIMANCHE (hebdomadaire, Chicoutimi)
PROGRÈS-ÉCHO (hebdomadaire, Rimouski)
QUEBEC CHRONICLE-TELEGRAPH (hebdomadaire, Québec)
LE QUOTIDIEN DU SAGNENAY-LAC-SAINT-JEAN (quotidien, Chicoutimi)
THE RECORD (quotidien, Sherbrooke)
LE REFLET (hebdomadaire, Candiac)
LE RÉGIONAL DE L'OUTAOUAIS (hebdomadaire, Hull)
RELATIONS (mensuel)
LE RÉVEIL A JONQUIÈRE (hebdomadaire, Jonquière)

LA REVUE (hebdomadaire, Terrebonne)

LA REVUE DE GATINEAU (hebdomadaire, Gatineau)

LA REVUE DE PAPINEAU (hebdomadaire, Buckingham)

LE RICHELIEU AGRICOLE (hebdomadaire, Saint-Jean-sur-Richelieu)

LE RIMOUSKOIS (hebdomadaire, Rimouski)

SAINT-LAURENT ÉCHO (hebdomadaire, Rivière-du-Loup)

THE ST. LAWRENCE SUN / LE SOLEIL DU ST-LAURENT (hebdomadaire, Châteauguay)

LA SEIGNEURIE (hebdomadaire, Boucherville)

LA SEMAINE (hebdomadaire, Repentigny)

LA SENTINELLE DE CHIBOUGAMAU-CHAPAIS (hebdomadaire, Chibougamau)

LE SOLEIL (quotidien, Québec)

LE SOLEIL DE COLOMBIE (hebdomadaire, Vancouver)

LE SOLEIL DU SAINT-LAURENT (hebdomadaire, Léry)

LE SOMMET-ÉCHO DES LAURENTIDES (hebdomadaire, Sainte-Agathe-des-Monts)

THE SUBURBAN (hebdomadaire, Montréal)

LE SUDISTE (hebdomadaire, Saint-Hubert)

THE SUNDAY EXPRESS (hebdomadaire, Montréal)

SUNDAY STAR (hebdomadaire, Toronto)

LE TÉMISCAMIEN (hebdomadaire, Ville-Marie)

LA TERRE DE CHEZ NOUS (hebdomadaire, Montréal)

TORONTO STAR (quotidien, Toronto)

TOWN OF MOUNT ROYAL WEEKLY POST (hebdomadaire, Montréal)

LE TRAIT D'UNION (hebdomadaire, Mascouche)

LA TRIBUNE (quotidien, Sherbrooke)

TV-HEBDO (hebdomadaire, Montréal)

L'UNION (hebdomadaire, Arthabaska)

THE VAL-D'OR STAR (hebdomadaire, Val-d'Or)

LA VALLÉE DE LA CHAUDIÈRE (hebdomadaire, Saint-Joseph-de-Beauce)

LA VALLÉE DE LA DIABLE (hebdomadaire, Saint-Jovite)

THE VANCOUVER SUN (quotidien, Vancouver)

LA VICTOIRE (hebdomadaire, Saint-Eustache)

LA VOIX DE L'EST (quotidien, Granby)

LA VOIX DES MILLE-ÎLES (hebdomadaire, Sainte-Thérèse)

LA VOIX DU SUD (hebdomadaire, Lac-Etchemin)

LA VOIX GASPÉSIENNE (hebdomadaire, Matane)

LA VOIX MÉTROPOLITAINE (hebdomadaire, Sorel)

LA VOIX POPULAIRE (hebdomadaire, Montréal)

LE VOLTIGEUR (hebdomadaire, Drummondville)

LE VOYAGEUR (hebdomadaire, Sudbury)

THE WATCHMAN (hebdomadaire, Lachute)

THE WESTMOUNT EXAMINER (hebdomadaire, Montréal)

CHRONOLOGIE

1977

24 août — Dépôt du livre blanc sur la consultation populaire.

1978

23 juin — Adoption de la Loi sur la consultation populaire.

10 octobre — Déclaration ministérielle sur la souveraineté-association.

1979

1er novembre — Le Conseil exécutif rend public le livre blanc sur la souveraineté-association, La nouvelle entente Québec-Canada.

20 décembre — Déclaration ministérielle sur la question posée à la population lors du référendum.

1980

10 janvier — La commission constitutionnelle du Parti libéral du Québec rend public le document, Une nouvelle fédération canadienne.

3 mars — Rodrigue Biron annonce qu'il siégera comme député indépendant.

4-20 mars — Débat sur la motion privilégiée relative à la question devant faire l'objet d'une consultation populaire sur la nouvelle entente avec le Canada (débat de 35 heures).

20-27 mars — Période réservée aux membres de l'Assemblée nationale pour s'inscrire en faveur de l'une des deux options auprès du Directeur général des élections.

31 mars	- Le Directeur général des élections convoque une réunion de chaque comité afin qu'ils se nomment un président et qu'ils se votent des règlements.
7 avril	- Assemblée de 14 000 femmes au Forum (La soirée des Yvettes)
14 avril	- Ouverture de la 32e Législature de la Chambre des communes.
15 avril	- Émission des brefs.
20 avril	- Publication de deux sondages: Thompson-Lightstone/CTV et IQOP/Dimanche-matin.
21 avril	- Formation d'un sous-comité spécial (Comité permanent des cas) au Conseil de presse du Québec.
22 avril	- Les quatre (4) Premiers ministres de l'Ouest rejettent le concept de souveraineté-association à la Conférence de Lethbridge.
24 avril	- Edward Broadbent prononce un discours au congrès de fondation du Syndicat de l'énergie et de la chimie à Montréal.
25 avril	- Publication d'un sondage CROP/Radio-Canada.
26 avril	- Assemblée du Oui pour souligner le 40e anniversaire de l'obtention du droit de vote des femmes.
27 avril	- Joseph Clark participe à une assemblée du Non à Rimouski.
28 avril	- Publication d'un sondage Gallup.
28 avril - 10 mai	- Révision des listes électorales.
30 avril	- Publication d'un sondage Gallup.
1er mai	- Le Directeur général des élections dévoile le bulletin de vote référendaire et la brochure OUI-NON.

- Le Regroupement national pour le Oui dépose une plainte devant le Directeur général du financement des partis politiques concernant de présumées infractions commises par les Québécois pour le Non.

- William Davis prononce un discours devant le Montreal Board of Trade.

- Publication d'un sondage CHEF/Voix de l'Est.

2 mai
- Le Conseil du référendum repousse la requête du Positive Action Committee, concernant l'établissement de bureaux spéciaux de scrutin dans les hôpitaux pour malades chroniques.

- Pierre Elliott Trudeau prononce un discours devant la Chambre de commerce du district de Montréal.

3 mai
- Publication d'un sondage du journal Le Nouvelliste.

7 mai
- Pierre Elliott Trudeau participe à une grande assemblée du Non à Québec.

8 mai
- Publication d'un sondage CROP/Radio Canada.

9 mai
- La Chambre des communes adopte à l'unanimité une motion sur le rapatriement de la constitution.

11 mai
- Publication d'un sondage IQOP/Dimanche-matin.

12 mai
- William Bennett prononce un discours devant le Montreal Board of Trade.

- Le Directeur général du financement des partis politiques présente une requête en injonction à la Cour supérieure concernant la publicité fédérale.

13 mai
- Gerald McCarthy, Juge à la Cour supérieure rejette la requête en injonction du Directeur général du financement des partis politiques.

14 mai   - Pierre Elliott Trudeau participe à une assemblée du Non à Montréal.

16 mai   - Publication d'un sondage Hamilton-Pinard.

                 - Le Conseil du référendum rejette la requête du Directeur général du financement des partis politiques concernant la publicité fédérale.

16-17 mai   - Ouverture des bureaux spéciaux de scrutin.

18 mai   - Publication d'un sondage IQOP/Dimanche-matin.

20 mai   - Tenue du référendum.

21 mai   - Jean Chrétien a reçu le mandat de rencontrer les Premiers ministres pour une future conférence constitutionnelle.

23 mai   - Dans un discours, René Levesque met en veilleuse l'option de la souveraineté-association.

3 juin   - André Raynauld démissionne de son siège de député d'Outremont.

9 juin   - Première conférence constitutionnelle suivant le vote du 20 mai.

15 juin   - Publication des résultats officiels.

BIBLIOGRAPHIE

Cette bibliographie vise à répertorier les publications officielles se rapportant au référendum. Au chapitre des ouvrages généraux et spécialisés sur le sujet, elle réfère à quelques bibliographie sélectives et annotées sur le référendum.

GUIDES BIBLIOGRAPHIQUES

Beaudry, Lucille et al. Le souverainisme politique au Québec, le Parti québécois et les courants indépendantistes 1960-1980, recueil bibliographique. Université du Québec à Montréal, 1982. (note de recherche, no 22) 103 p.

Bibliothèque de Loretteville. Gros plan sur le Québec. Loretteville, Bibliothèque de Loretteville, 1980, 87 p.

Canada. Bibliothèque publique d'Ottawa. Service de la consultation. Référendum. /Ottawa, 1980/, 39 p.

Québec (province). Assemblée nationale. Bibliothèque de la Législature. Le référendum. Québec, Bibliothèque de la Législature, 1977. (Coll. Bibliographie et documentation, 6) 8 p.

Évidemment, pour l'étude de cet événement, les revues sont des outils privilégiés; certaines ont consacré des numéros entiers au référendum. De plus, il ne faut pas oublier de consulter les études, brochures et pamphlets des partis politiques et des organismes privés sur cette question.

PUBLICATIONS OFFICIELLES

Assemblée nationale du Québec. "Motion privilégiée relative à la question devant faire l'objet d'une consultation populaire sur une nouvelle entente avec le Canada". Journal des débats, vol. 21, nos 88 à 96, 1980.

Projet de Loi no 92 - Loi sur la consultation populaire, sanctionnée le 23 juin 1978. Éditeur officiel du Québec, 1978, 50 p.

Projet de Loi no 100 - Loi modifiant la Loi sur la consultation populaire, sanctionnée le 10 avril 1980. Éditeur officiel du Québec, 1980, 8 p.

Le Conseil exécutif. La nouvelle entente Québec-Canada. Éditeur officiel du Québec, 1979, 118 p.

Le Directeur général des élections. Brochure OUI-NON. Le Directeur général des élections, 1980, 28 p.

Le déroulement d'un référendum au Québec. Le Directeur général des élections, 1980, 23 p.

Premier rapport annuel. Le Directeur général des élections, 1980, 77 p.

Rapport des résultats officiels du scrutin - Référendum du 20 mai 1980. Le Directeur général des élections, 1980, 790 p.

Référendum - Recueil de la législation - Modifications. Le Directeur général des élections, 1980.

Le Directeur général du financement des partis politiques . Guide du financement des comités nationaux. Le Directeur général du financement des partis politiques, 1980.

Rapport annuel 1980-1981. Le Directeur général du financement des partis politiques, 1981, 142 p.

Rapport annuel 1981-1982. Le Directeur général du financement des partis politiques, 1982, 78 p.

Le rapport référendaire - Les Québecois pour le Non. 1980, 69 p.

Le rapport référendaire - Le Regroupement national pour le Oui. 1980, 110 p.

Référendum au Québec: Le financement des comités nationaux. Le Directeur général du financement des partis politiques, 1980, 25 p.

Le Directeur général du financement des partis politiques/ Le Directeur général des élections. Référendum - Recueil de la législation./ Versions spéciales de la Loi électorale et de la Loi régissant le financement des partis politiques/. 1980, 506 p.

Le ministre d'État à la Réforme électorale et parlementaire. La consultation populaire au Québec. Québec, Éditeur officiel du Québec, 1977, 24 p.

AUTRE

Barreau du Québec. La consultation populaire, Guide. Barreau du Québec, 1980, 36 p.

LES OPTIONS POLITIQUES

1 À 7491

LES QUEBECOIS POUR LE NON

ET

LE REGROUPEMENT NATIONAL POUR LE OUI

LES ASPECTS ORGANISATIONNELS

1 À 504C

L'ARGENTEUIL

16 avril

1   «Débat public dans la région de
    Sainte-Thérèse», reportage, p. 7.

7 mai

2   «Une visite chez les militants du
    Oui et du Non», reportage, pp. 4,5.
    /Interview des présidents locaux
    des comités du Oui et du Non dans
    Argenteuil/

14 mai

3   «La campagne référendaire», commen-
    taire, p. 1.
    /Déroulement de la campagne dans
    Argenteuil/

L'AVANT-POSTE GASPÉSIEN

16 avril

4   «Les belles petites voix», chroni-
    que, p. 4.

7 mai

5   «Dans la Matapédia. Le comité du
    «Oui» et du «Non» en campagne réfé-
    rendaire», B. Bergeron, reportage,
    pp. 53,76.

L'AVIRON

23 avril

6   «Chronique Oui ou Non», chronique,
    p. 20-A.

BEAUCE NOUVELLE

13 mai

7   «Ce soir. Débat référendaire à
    Beauce-Vidéo», annonce, p. 27.

LE CANADA-FRANÇAIS

23 avril

8   «U.N. - Iberville. Stricte neutra-
    lité sur le référendum. Feu vert
    aux membres», G. Bérubé, reportage,
    p. 19.

21 mai

9   «Visite des comités. Douze heures
    avant le vote», reportage, p. 6.

4 juin

10 «Journée du 20 mai», P. Jacques,
    p. D-35.
    /Photographies/

THE CHRONICLE-HERALD

28 avril

11 «Referendum contest gathers
    momentum», CP, reportage, p. 3.

30 avril

12 «Western half of Montreal Island
    holds clout», E. Stewart, CP, repor-
    tage, p. 5.

8 mai

13 «Quebec's South Shore tough area
    for forces of federalism», CP,
    reportage, p. 9.

20 mai

14 «Abitibi: Socred influence could
    determine outcome», CP, reportage,
    p. 13.

15 «Close finish likely in referendum
    vote», A. Bishop, reportage, pp. 1,2.

16 «Opposing strategy led to rising
    tone of debate», CP, reportage,
    p. 16.

THE CITIZEN

19 avril

17 «Grits angered by Ryan's low-key
    campaign», A. McCabe, reportage,
    pp. 1,55.

9 mai

18 «Foes flying flags worrying
    landlord, reportage, p. 20.

12 mai

19 «Referendum race down to wire»,
    A. McCabe, reportage, p. 1.

13 mai

20 «Quebec anglos «invisible men»,
    C. Lynch, analyse, p. 7.

20 mai

21 «Trail's end: ...», CP, UPC, repor-
    tage, p. 41.
    /Photographie avec légende/

21 mai

22 «Reflecting the verdict», CP, UPC,
    reportage, p. 46.
    /Photographies avec légendes/

LE CITOYEN

22 avril

23 «Le «Oui» est déçu de l'attitude
    du «Non», reportage, pp. 3,37.
    /Sur la tenue de débats opposant
    les deux options/

LA CONCORDE

6 mai

24 «D'une montagne à l'autre»,
    R. Binette, commentaire, p. 2.

LE COURRIER DE SAINT-HYACINTHE

23 avril

25 «   », p. A-1.
    /Photographies avec légendes/

26 «Une guerre d'images?», P. Bornais,
    éditorial, p. A-4.

30 avril

27 «Un débat qui s'envenime ...»,
    P. Bornais, éditorial, p. A-4.

28 «Une question préalable ...», D.
Pagé, lettre, p. A-5.

COURRIER LAVAL

30 avril

29 «Le Non en avance», reportage,
p. 2.

14 mai

30 «Lévesque et Ryan ferment la campagne à Laval», reportage, p. 1.

COURRIER MAG

30 avril

31 «Pour un référendum dans la sérénité. Des couleurs politiques à
oublier jusqu'au 20 mai», L. Beauregard, éditorial, p. 4.

LE COURRIER RIVIÉRA

23 avril

32 «La campagne référendaire est enga-
gée», M. Crête, reportage, p. 1.

COURRIER-SUD

20 mai

33 «Paulo dans le régional», billet,
p. 9.

LE DEVOIR

21 avril

34 «Apprendre à parler aux Québécois»,
M. Roy, éditorial, p. 8.

25 avril

35 «Québec / Une campagne discrète,
presque souterraine», reportage,
p. 9.

36 «Sud-Ouest / Le vote ethnique sera
décisif», reportage, p. 9.

28 avril

37 «Rivière-du-Loup. Les meilleurs
devins se montrent prudents»,
reportage, p. 5.

38 «Sainte-Marie. Un champ de bataille
pour les «gros canons», reportage,
p. 5.

30 avril

39 «Jeanne-Mance. Un comté où le
porte-à-porte est peu fructueux
pour les tenants du Oui», reportage,
p. 8.

40 «Rimouski. Une petite capitale
régionale qui offre au Oui une terre
plutôt fertile», reportage, p. 8.

1er mai

41 «Maisonneuve. Où le PQ se relève
après sa cuisante défaite», reportage, p. 8.

2 mai

42 «Bourget / Les 55 ans et plus déci-
deront», reportage, p. 7.

43 «Pour un Oui, pour un Non. L'auto
passe avant le référendum à Drummondville», G. Deshaies, reportage,
pp. 1,10.

3 mai

44 «Pour un Oui, pour un Non. Les
indécis qui gênent les sondages»,
G. Deshaies, reportage, pp. 1,20.

45 «Rosemont. Un autre comté où le
vote des personnes âgées sera déter-
minant», reportage, p. 5.

26 avril

28 avril

29 avril

30 avril

1er mai

2 mai

3 mai

5 mai

6 mai

7 mai

8 mai

12 mai

13 mai

16 mai

143 «Les indécis, cible des quatre derniers jours», F. Côté, PC, reportage, p. 18.

THE FINANCIAL POST

19 avril

144 «Quebec's fate concerns us all»,
commentaire, p. 9.

THE GAZETTE

15 avril

145 «Members in rush to use free mail»,
CP, reportage, p. 10.

16 avril

146 «Leaders undecided on English
debate», M.C. Auger, reportage,
p. 12.

19 avril

147 «The view from Chicoutimi, PQ's
years of work are paying dividends»,
H. Bauch, reportage, pp. 21,24.

148 «The view from the Townships.
Give Ottawa a jolt by voting a
soft Yes», A. Phillips, reportage,
pp. 21,24.

24 avril

149 «No and Yes referendum ads:
Scissors vs scales», A. Phillips,
commentaire, p. 11.

29 avril

150 «West Island voting No heavily -
but quietly», A. Laughlin, reportage, p. 8.

1er mai

151 «Rural weekly is evenly split on
campaign», CP, reportage, p. 7.

10 mai

152 «Less froth, more honest content»,
C. Young, commentaire, p. 23.

14 mai

153 «Campaign is toughest in east-end
ridings», M.C. Auger, reportage,
p. 14.

16 mai

154 «Bus driver lets his No show», T.
Blackman, reportage, p. 3.

155 «Volunteers will help patients to
the polls», reportage, p. 19.

156 «The wives show styles as different
as the leaders», CP, reportage,
p. 19.

17 mai

157 «Creditistes bolster the No campaign
in 3 Abitibi ridings», CP, reportage,
p. 102.

158 «Strikeout: Our Expos give referendum a miss», M. Farber, reportage,
p. 2.

159 «Why we say No», éditorial, p. 14.

19 mai

160 «Teeter-totter» voters will decide
who wins or loses», K. Spicer, commentaire, p. 9.

21 mai

161 «In Westmount, Kool-Aid toasts the
No win», J. Robinson, reportage,
p. 23.

162 «Just a step says Paterson as the
celebrations start», S. Whittaker,
reportage, p. 23.

163 «Leaders cast their No and Yes»,
reportage, p. 21.

164 «Soda pop for victors in Eastern
Townships», J. Quig, reportage,
p. 23.

165 «Yes timid winners in St-Jacques
but no celebrations», M. C. Auger,
reportage, p. 23.

THE GLEANER

16 avril

166 «Le référendum: le 20 mai», reportage, p. 20.

23 avril

167 «Every vote is important», éditorial, p. 4.

30 avril

168 «Politics, job don't mix», éditorial, p. 4.

THE GLOBE AND MAIL

17 avril

169 «Biggest referendum issue is what is it?», reportage, p. 8.
/Trudeau, Ryan, Lévesque défendent leur option et expliquent les conséquences d'un «Oui»/

19 avril

170 «Ryan Camp balks at proposed referendum debate on TV», M. Strauss, reportage, p. 12.

30 avril

171 Some favor switching to fighting canvasser in PQ's referendum», M. Strauss, reportage, p. 10.

7 mai

172 «James Bay cited as proof of value of federal system», reportage, p. 1.

173 «Ryan hurts own cause with intemperate talk», W. Johnson, commentaire, p. 8.

9 mai

174 «Few grace notes in a discordant campaign», V. Carrière, reportage, p. 1.

175 «No» side takes the lead», CP, reportage, pp. 1,2.

13 mai

176 «High-powered advertising drive money down drain, executive feels», CP, reportage, p. 10.

16 mai

177 «Fists will settle referendum fight», reportage, p. 1.
/Annonce d'un combat de boxe entre un partisan du Oui et du Non/

17 mai

178 «Referendum will soon be over but the melodies will linger on», V. Carrière, reportage, p. 12.

LE GUIDE

23 avril

179 «Le choix», éditorial, p. 4.

30 avril

180 «Marmelade», B. Carrier, reportage, p. 7.
/Les assemblées du Oui et du Non dans Beauce-Nord entre le 1er et le 6 mai/

L'HEBDO DE PORTNEUF

19 mai

181 «Dernier coup d'oeil sur l'avant référendum», reportage, p. B-23.
/Activités du Oui et du Non du 12 au 15 mai 1980/

L'INFORMATION

23 avril

182 «C'est parti pour le Oui...et pour
le Non!», R. Boudreau, commentaire,
p. B-12.

JOLIETTE JOURNAL

30 avril

183 «D'une semaine à l'autre sur l'état
de la campagne référendaire», J.-P.
Malo, lettre, p. A-4.

184 «Référendum dans Joliette. Les
comités sont fort polis l'un envers
l'autre», C. Hétu, reportage, p. 8.

7 mai

185 «Dans les deux camps le rythme
s'accélère», reportage, p. A-1.

186 «Qui a peur de Robert Bourassa?»,
C. Hétu, reportage, pp. A-18,A-20.

14 mai

187 «Oui: la satisfaction. Non:
l'euphorie», C. Hétu, reportage,
p. 1.

LE JOURNAL DE MONTRÉAL

16 avril

188 «Les députés et la date - Ils sont
soulagés et prêts à faire la «vraie»
campagne», D. Brosseau, reportage,
p. 12.

20 avril

189 «Le référendum est aussi à l'ordre
du jour au Pavillon-auditorium»,
reportage, p. 15.

23 avril

190 «À sept-Îles, les Yvettes retiennent
plus l'attention que le premier
ministre», N. Girard, reportage,
p. 4.

27 avril

191 «Les comités parapluies. Un prin-
cipe articulé par Robert Burns»,
M. Tremblay, reportage, p. 20.

ler mai

192 «24 Biron pour le Oui», PC, reportage, p. 6.

3 mai

193 «La bataille de deux nationalismes»,
D. Brosseau, reportage, p. 25.

194 «Les chefs du Oui et du Non ne
sont pas prudents - Jean Cournoyer»,
M. Rousseau, reportage, p. 24.

195 «Région de Québec une lutte chaude
et deux styles d'organisations»,
D. Brosseau, reportage, p. 25.

7 mai

196 «Dans la région de Québec: deux
comtés-clé: L.-Hébert et J.-Talon»,
reportage, p. 43.

8 mai

197 «Sur la rive sud on courtise les
électeurs qui ont voté pour l'UN»,
reportage, p. 23.

9 mai

198 «To be or not to be - Être ou ne
pas être», reportage, pp. 56,57.
/Photographies avec légendes/

11 mai

199 «Une campagne en douceur, mais le
suspense achève», D. Brosseau, reportage, p. 8.

200 «Combat de boxe le 18», PC, reportage, p. 22.

201 «Matapédia: De Bané dans un autre
débat», reportage, p. 8.

202 «Rimouski: à suivre jusqu'à la
fin!», reportage, p. 8.

16 mai

203 «   », reportage, pp. 65,66.
/Photographies avec légendes/

20 mai

204 «Les dernières heures d'une longue
campagne ; UPC, reportage, p. 4.

205 «Lévesque et Ryan sûrs de gagner»,
PC, reportage, p. 5.

LE JOURNAL DE QUÉBEC

16 avril

206 «Nos députés se disent soulagés et
prêts...», D. Brosseau, reportage,
p. 7.

22 avril

207 «Dans Vanier ça joue très dur»,
A. Leclair, reportage, p. 6.

28 avril

208 «2 chefs confiants», PC, reportage,
p. 5.

29 avril

209 «Un comité-Labo à Ville Vanier»,
A. Leclair, reportage, p. 6.

30 avril

210 «La multiplication des...», reportage, p. 5.
/Photographie avec légende/

1er mai

211 «À chacun son thème, musique non
fournie», A. Leclair, reportage,
p. 7.

212 «Adhésions de prestige dans les
deux camps», PC, reportage, p. 7.

213 «Et mettez-en!», reportage, p. 7.
/Photographie avec légende/

3 mai

214 «On repasse à l'attaque», A. Rufi-
ange, commentaire, p. 11.

215 «Où serez-vous, mercredi?», reportage, p. 12.

216 «Région de Québec: une lutte
chaude», reportage, p. 12.

5 mai

217 «La bagarre éclate, devant Claude
Ryan», PC, reportage, p. 5.

6 mai

219 «2 campagnes référendaires: celle
des tournées et celle dans le salon. À la manière du Oui - à la
manière du Non», N. Girard, analyse, p. 8.

219 «Frappez aux bonnes portes», repor-
tage, p. 11.
/Liste des adresses des comités du
Oui et du Non dans la région de
Québec/

220 «Jean-Talon et Louis-Hébert, les
comtés-clés de la région de Québec»,
reportage, p. 9.
/Comité du Non Louis-Hébert/

9 mai

221 «Pour le 20 mai», N. Girard, reportage, p. 8.

222 «Quand les M.L. s'en mêlent»,
A. Leclair, reportage, p. 6.

16 mai

223 «Le sprint final: c'est parti»,
PC, reportage, p. 14.

17 mai

224 «Ils se batteront pour leur option»,
reportage, p. 11.

225 «Reportage photographique», S.
Lapointe, reportage, pp.12-A, 13-A.

20 mai

226 «Calme, la dernière journée des
deux chefs», PC, reportage, p. C-3.

227 «Des milliers de bénévoles du Oui
et du Non sont toujours au boulot...»,
A. Leclair, reportage, p. 7.

228 «Le monde entier à l'écoute du
Québec», A. Leclair, reportage,
p. 2.

229 «Le Oui l'emporte aux poings»,
reportage, p. 6.

JOURNAL LE ST-FRANÇOIS

22 avril

230 «Semaine référendaire au CEGEP de
Valleyfield», J. Tremblay, communiqué, p. 43.

LE LAC ST-JEAN

16 avril

231 «Ce sera dur», V. Munger, éditorial,
p. 4.

232 «Oui ou Non, le 20 mai», reportage,
p. 3.

LA LIBERTÉ

15 mai

233 «À quelques jours du 20 mai... Un
coup d'oeil sur la campagne vue du
Québec», J. Hébert, reportage, p. 5.

LE MESSAGER DE LASALLE/THE MESSENGER

20 mai

234 «Référendum. Vote massif prévu»,
reportage, p. 1.

LE MIRABEL

22 avril

235 «Référendum», reportage.
/Organisation des comités du Oui
et du Non dans Prévost et adresse
des locaux/

13 mai

236 «À l'agenda référendaire», annonce,
p. 3.

THE MONCTON TRANSCRIPT

18 avril

237 «Polls add confusion in Québec»,
CP, reportage, p. 1.

22 avril

238 «Levesque braced by hecklers», CP,
reportage.

28 avril

239 «The signs are everywhere, on buses
and posts», CP, reportage.

2 mai

240 «Davis, Ryan, Levesque make cases»,
CP, reportage.

5 mai

241 «Fight breaks out», CP, reportage,
p. 3.

242 «It takes guts to vote No in Saguenay-
Lac-St-Jean», CP, reportage, p. 17.

6 mai

243 «Both sides charge dirty vote-
seeking», CP, reportage, p. 1.

16 mai

244 «Undecided vote holds the balance
of power», CP, reportage, p. 3.

17 mai

245 «Undecided voters being sought.
Québec forces poised for sprint»,
CP, reportage, p. 1.

20 mai

246 «Propaganda glutted Quebecois off
to referendum polls today», CP,
reportage, p. 1.

THE NEWS/LES NOUVELLES

23 avril

247 «Oui, Non, débat lundi», reportage,
p. 10.

248 «Saint-Laurent, comté de l'Acadie.
Les campagnes pour le Oui et le
Non sont lancées. Yes, No groups
launch campaigns in area», reportage, p. 1.

30 avril

249 «Nous nous sommes...», reportage,
p. 3.

7 mai

250 «Les pancartes sur le référendum
fleurissent partout. Referendum
signs blossom everywhere», reportage, p. 4.

14 mai

251 «Referendum campaigns wind-down»,
reportage, p. 4.

NEWS AND CHRONICLE

15 mai

252 «Lakeshore view - it's red & blue»,
reportage, p. 10.

LE NORDIC (BAIE-COMEAU)

23 avril

253 «Le Oui et le Non dans la campagne»,
R. Hovington, reportage, p. 1.

14 mai

254 «Sprint final», R. Hovington, reportage, p. 4.

21 mai

255 «Le Non n'était pas pris au sérieux,
reportage, p. 3.

NOUVEAU JOURNAL ST-MICHEL

23 avril

256 «Referendum», reportage, p. 2.

257 «Le référendum - Comité des québécois pour le «Non» - Regroupement
National pour le «Oui», reportage,
p. 1.

30 avril

258 «Le référendum - Comité des québécois pour le «Non» - Regroupement
National pour le «Oui», reportage,
p. 1.

LA NOUVELLE REVUE

30 avril

259 «Robert Bourassa affronterait
J.-F. Bertrand», J.-P. Jodoin,
reportage, p. 7.

NOUVELLES DE L'EST

13 mai

260 «Le référendum: jour J dans une semaine», éditorial, p. 1.

LE NOUVELLISTE

18 avril

261 «Une date importante dans l'histoire du Québec», V. Audy, commentaire, p. 4.

19 avril

262 «Dans notre région. La campagne menée à train d'enfer», J.-M. Beaudoin, reportage, p. 19.

26 avril

263 «Dans Trois-Rivières. Le Non accuse le Oui de «trucage». Le Dr. Demers refute toutes les accusations. Le Non accuse le Oui d'avoir utilisé les listes électorales pour fin de pointage», reportage, p. 40.

2 mai

264 «La partisannerie», C. Bruneau, éditorial, p. 4.

6 mai

265 «Un débat télévisé», reportage, p. 37.

8 mai

266 «Chrétien-Duhaime. Débat télévisé», reportage, p. 14.

267 «La région entreprend son plus grand week-end politique», J.-M. Beaudoin, reportage, p. 14.

12 mai

268 «Week-end historique. La Mauricie réserve un accueil délirant à Lévesque et un accueil chaleureux à Ryan», J.-M. Beaudoin, reportage, p. 1.

14 mai

269 «Le débat Chrétien-Duahime. Ni vainqueur ni vaincu», J.-M. Beaudoin, reportage, p. 22.

15 mai

270 «Le point de saturation», C. Bruneau, éditorial, p. 4.

19 mai

271 «La campagne référendaire dans la région. Le dernier week-end actif bien que moins trépidant!», J.-M. Beaudoin, reportage, p. 1.

20 mai

272 «À défaut de slogans, les bonnes blagues de la campagne référendaire. Faut-il en rire ou en pleurer», J.-M. Beaudoin, reportage, p. 13.

21 mai

273 «Images du 20 mai...», reportage, pp. 10,11.
/Photographies avec légendes/

L'OEIL RÉGIONAL

30 avril

274 «Communiqué conjoint des comités du Oui et du Non. Un appel au civisme», communiqué, p. 9.

275 «Nez-à-nez avec avantage au Oui», M. Ledoux, éditorial, p. 4.

276 «Un Non à la démocratie», dit le président du Oui. Le comité du Non décline l'invitation de l'Oeil Régional», M. Ledoux, reportage, p. 8.

14 mai

277 «On s'affiche comme on peut»,
p. 10.
/Photographies avec légendes/

21 mai

278 «Faut les enlever, maintenant!»,
p. 14.
/Photographies avec légendes/

THE OTTAWA JOURNAL

26 avril

279 «Outaouais transit now on both
sides on referendum fight», reportage.

6 mai

280 «A house divided», reportage,
p. 8.
/Photographie avec légendes/

20 mai

281 «Yes scores knockout», reportage,
p. 9.
/Photographie avec légende/

LA PAROLE

16 avril

282 «Cohabitation du Oui et du Non»,
reportage, pp. 1,3.

7 mai

283 «Référendum», P. Provencher-Lambert,
chronique, p. 21.
/Adresses des responsables des comités du Oui et du comité du Non/

LE PEUPLE-COURRIER

16 avril

284 «Croc l'oeil», chronique, p. 2.
/Série de 5 articles/

23 avril

285 «Semaine référendaire au CEGEP de
la Pocatière», L. Gagnon, reportage, p. 14.

21 mai

286 «Les couloirs silencieux», libre
opinion, p. 6.

PEUPLE-TRIBUNE

7 mai

287 «Dans le cadre de la campagne référendaire. Les étudiants du CEGEP
Lévis-Lauzon ont droit à un débat
économique», J. Bouchard, reportage,
p. 3.

14 mai

288 «St-Charles. La guerre des affiches se fait vive», L. Trudeau,
reportage, p. C-7.

LE PHARILLON-VOYAGEUR

14 mai

289 «La chasse aux indécis bat son
plein», C. Ayotte, reportage, p. 4.

PLEIN JOUR SUR LA MANICOUAGAN

15 avril

290 «Une semaine référendaire au CEGEP:
Méoui et Cenon sont à couteaux
tirés», reportage, p. 8.

13 mai

291 «Débat référendaire à CHLC», reportage, p. 3.

292 «Le référendum étudiant: Une victoire pour le Non», L. Miller, communiqué, p. 9.

LE PONT

23 avril

293 «Moi j'aime la campagne», G. Fontaine, reportage, p. 19.

294 «Pour un Oui ou pour un Non», A. Prince, éditorial, p. 4.

LA PRESSE

22 avril

295 «Pierre Nadeau débordé. Un débat entre artistes tourne à la cacophonie», L. Cousineau, reportage, p. A-1.

296 «Quand le public «se crêpe le chignon», H. Roberge, reportage, p. A-13.

25 avril

297 «L'affichage pour le Oui est plus visible», M. Gagnon, reportage, p. A-13.

298 «Vandalisme contre le Oui à Laval», J.P. Charbonneau, reportage, p. D-15.

26 avril

299 «Une polarisation qui force à afficher ses couleurs», M. Laurendeau, chronique, p. A-7.

28 avril

300 «En famille», P. Gravel, chronique, p. A-13.

301 «Le temps de penser», P. Longpré, chronique, p. A-12.

29 avril

302 «Des éclats de voix mais aussi des éclats de verre», M. Gagnon, reportage, p. A-11.

303 «Un exemple de guerre feutrée mais dure», P. Gravel, reportage, p. A-12.

30 avril

304 «Dodo a-t-elle plus de punch qu'une paire de ciseaux», L. Cousineau, reportage, p. A-10.

305 «Sous le signe de la tolérance», P. Longpré, reportage, p. A-13.

5 mai

306 «Les souverains-associés», P. Longpré, reportage, p. A-15.

6 mai

307 «Ce soir», reportage, p. B-3. /Annonce d'une réunion d'information tenue sur le mouvement «Allo-Mondial»/

308 «C'est 2 à 2», PC, reportage, p. A-12.

309 «Grosses assemblées du Oui et du Non à Québec», P. Vincent, reportage, p. A-10. /Annonce de deux assemblées similaires qui doivent se tenir dans la région de Québec/

310 «Les harengs avant le référendum», P. Gravel, chronique, p. A-12.

7 mai

311 «Du sucre, de l'eau et des petits poissons», P. Longpré, reportage, p. A-13.

8 mai

312 «L'Épiphanie, un village pourtant tranquille avant le référendum», F. Bernard, reportage, p. A-12.

9 mai

313 «Dans D'Arcy McGee - David sait que Goliath va gagner», L. Le Borgne, reportage, p. A-10.

10 mai

314 «Noir sur blanc: l'émission de demain n'aura pas lieu», reportage, p. A-9.

13 mai

315 «Outre le Rocket - Qui vaut la peine d'être sollicité», R. Tremblay, reportage, p. C-3.

14 mai

316 «Usage mucantile du débat référendaire», reportage, p. A-3.

15 mai

317 «Quand le messager vient de la base», P. Longpré, reportage, p. A-14.

16 mai

318 «Anjou, Bourget et Lafontaine - Trois forteresses péquistes fortement libérales à Ottawa», F. Bernard, reportage, p. A-11.

319 «Gouin et Mercier - Le Oui compte sur un sursaut de solidarité; campagne finie chez le Non», H. Roberge, reportage, p. A-12.

320 «Verchères et Chambly - Les électeurs impatients de «soulager leur conscience», G. Lamon, reportage, p. A-12.

17 mai

321 «L'Acadie et Saint-Laurent - Une mosaïque d'ethnies», J.P. Bonhomme, reportage, p. A-16.

322 «Laurier: Les jeux sont faits. Dorion: Une surprise», L. Le Borgne, reportage, p. A-16.

323 «Les neuf circonscriptions urbaines de Québec. Jamais une campagne politique n'aura créé autant de remous et mobilisé autant de gens», P. Vincent, reportage, p. A-15.

324 «Saint-Henri, Sainte-Anne et Verdun. Le chômage traque les ouvriers», N. Beauchamp, reportage, p. A-16.

325 «Saint-Jacques et Sainte-Marie. Une grande indécision et l'écoeurement généralisé», D. Marsolais, reportage, p. A-15.

19 mai

326 «Bourassa et Crémazie. La discrétion d'abord», J. Béliveau, reportage, p. A-15.

327 «Dans l'Île Jésus. Une campagne sérieuse et sans coup bas», J.P. Charbonneau, reportage, p. A-14.

328 «Taillon, Laporte et Laprairie. Sursauts du «Non» dans une forteresse péquiste», G. Tardif, reportage, p. A-14.

329 «Viau et Jeanne-Mance. Deux comtés péquistes non acquis au «Oui», C. Tougas, reportage, p. A-14.

LE PROGRÈS DE COATICOOK

30 avril

330 «Le Oui et le Non en débat à la télé communautaire», reportage, p. 8.

7 mai

331 «Et le débat; Oui ou Non?», reportage, p. 3.

14 mai

332 «Agriculteur; Oui ou Non?», communiqué, p. 18.

333 «Une lutte de Titan prend fin», éditorial, p. 2.

334 «Oui vs Non», communiqué, p. 1. /Débats télévisés entre tenants du Oui et du Non/

23 avril

353 «Brassard et Lamontagne sur l'arène», reportage, p. A-6.

7 mai

354 «Population divisée. Les partisans
des 2 comités «se partagent» un
immeuble», PC, reportage, p. B-11.

8 mai

355 «Rive Sud. Le Oui et le Non font
la cour aux 615,000 électeurs»,
P. April, PC, reportage, p. A-8.

10 mai

356 «Pas de débat à la télé», PC,
reportage, p. A-7.

14 mai

357 «Dernières galopades des courti-
sans du Oui et du Non», C. Fortin,
reportage, p. A-12.

358 «Le référendum n'est pas du chocolat», PC, reportage, p. A-18.

16 mai

359 «Le contraste est très grand entre
Mmes Ryan et Lévesque», J. Hamilton,
PC, reportage, p. A-12.

17 mai

360 «Diegel ne parierait pas sa chemi-
se», C. Fortin, reportage, p. A-3.

20 mai

361 «C'est maintenant à l'électeur de
faire son choix», PC, reportage,
p. A-10.

362 «Combat référendaire», PC, reportage, p. B-7.

363 «Dans les bureaux de scrutin. Nombre record de voteurs attendus»,
PC, reportage, p. B-7.

THE RECORD

16 avril

364 «Into the final phase», p. 1.
/Le Record annonce qu'il va couvrir
la région de Sherbrooke/

17 avril

365 «   », reportage, p. 1.
/Photographies avec légendes/

23 avril

366 «Two fronts open Compton campaign»,
B. Verity-Stevenson, reportage,
pp. 1,3.

367 «Yes, No strategy similar», C.
Treiser, reportage, p. 3.

24 avril

368 «Ryan stumps PQ turf. Levesque
rallies the east», CP, reportage,
pp. 1,2.
/Allées et venues de Ryan et Léves-
que/

25 avril

369 «In gear», J. Duff, libre opinion,
p. 4.

28 avril

370 «... and Richmond office buzzes»,
C. Bowers, reportage, p. 3.
/Suite de «St-Francis Nos up for
Fight»/

371 «St-Francis Nos up for fight»,
B. Verity-Stevenson, reportage,
p. 3.

29 avril

372 «Egal à Egal?», reportage, p. 3.
/Photographies avec légendes/

30 avril

373 «Dirty-tricks charges flying»,
C. Treiser, reportage, p. 1.

2 mai

374 «Referendum isn't discussed at Progrès de Coaticook plant», CP, reportage, p. 4.

375 «The Townships: CP sees close, quiet fight», R. Bull, CP, reportage, pp. 1,2.

5 mai

376 «Levesque: fights designed for federal martyrdom?», CP, reportage, p. 1.

8 mai

377 «... Laval, too», CP, reportage, p. 4.

378 «Montreal: A city sorely divided», CP, reportage, p. 4.

9 mai

379 «PQ accused of hiding under Sovass blanket», CP, reportage, p. 13.

380 «Ref campaign runners flag as home-stretch near. Audiences grow tired as race winds down», N. Wyatt, reportage.

381 «Rural Referendum: families divi-died Ref question replaces «nice weather?» salutation», C. Bowers, reportage, p. 1,3.

14 mai

382 «Button bearers and closet voters: six days to go», PC, reportage, p. 11.

15 mai

383 «Billboards: What do they really mean?», P. Beaton, commentaire, p. 9.

384 «No organizer: West-end Montreal holds balance», CP, reportage, p. 9.

21 mai

385 «A minor image», reportage, p. 5. /Photographies avec légendes/

LE RÉGIONAL DE L'OUTAOUAIS

30 avril

386 «La campagne référendaire locale. Le climat pourrit», F. Laferrière, éditorial, p. 4.

387 «Le référendum dans la région: «Une guerre de déclarations sous serment!», R. Marcotte, reportage, p. 5.

LE RÉVEIL À JONQUIÈRE

30 avril

388 «Le 5 mai. Jonquière recevra la visite de René Lévesque», M. Fortin, reportage, p. 3.

7 mai

389 «Débat référendaire à CJPM», M. Fortin, C. Girard, reportage, p. 49.

21 mai

390 «L'atmosphère était des plus saines», M. Simard, reportage, p. 2.

391 «Pour les troupes du Oui, une «défaite-victoire» prise avec calme», A. Ouellet, reportage, p. 3.

LA REVUE

16 avril

392 «Le débat référendaire attire plus de 500 personnes», reportage, p. 1.

30 avril

393 «Le débat référendaire. Appel à
la civilité et à la dignité»,
commentaire, p. 1.

7 mai

394 «Les prédictions des camps du Oui
et du Non - L'Assomption», reportage, p. 13.

LA REVUE DE GATINEAU

16 avril

395 «Dans Gatineau et Papineau: Les
comités pour le Oui et pour le
Non sont en
p. 1.

23 avril

396 «1000 personnes pour entendre des
Oui et des Non», reportage, p. 20.

7 mai

397 «Les chefs étaient dans la région:
René Lévesque, Claude Ryan», reportage, p. 1.

LA REVUE DE PAPINEAU

23 avril

398 «Nouvelles des «Oui» et des «Non»
dans Papineau», reportage, p. 7.

LE RIMOUSKOIS

23 avril

399 «Référendum. Tout est en place»,
B. Deschênes, reportage, p. A-11.

14 mai

400 «Il y aura aussi un 21 mai...»,
B. Deschênes, reportage, p. A-2.

ST-LAURENT ÉCHO

21 mai

401 «Oui»
/Photographie/

THE ST. LAWRENCE SUN/
LE SOLEIL DU ST-LAURENT

16 avril

402 «Referendum: invasion of privacy
deplored», D. Rosenburg, éditorial,
p. A-4.

LE SOLEIL

16 avril

403 «C'est la vraie bataille qui débute», G. Lesage, reportage, p. A-7.

17 avril

404 «Les deux chefs donnent le ton...»,
G. Lesage, reportage, p. A-7.

19 avril

405 «Au Saguenay Lac Saint-Jean. On
ne parle que de «ça». Chaque vote
va compter», J.J. Samson, reportage, p. B-1.

24 avril

406 «Débat Bérubé-De Bané», M. David,
reportage, p. B-2.

25 avril

407 «Ex-député créditiste président du
comité du Oui, dans Bellechasse»,
G. Pépin, reportage, p. A-4.

29 avril

408 «La campagne dans la région. Des
stratégies identiques», D. Angers,
reportage, p. A-11.

409 «Les deux thèses circulent à Ottawa», reportage, p. A-1. /Photographies avec légendes/

3 mai

410 «Poids lourd contre poids plume», reportage, p. B-2.

411 «Qui croire? Dodo ou Ryan?», G. Lesage, reportage, p. B-5.

412 «Ralliements concurrents à Québec. Trudeau pour le Non; une «surprise» pour le Oui...», D. Angers, reportage, p. B-5.

5 mai

413 «Échange de coups entre partisans», PC, reportage, p. B-3.

414 «Oui ou Non?», reportage, p. B-2.

6 mai

415 «Débat Bérubé - De Bané: la palme va à Radio-Canada», M. David, reportage, p. B-5.

7 mai

416 «Pas de débat», reportage, p. A-4.

8 mai

417 «De Trudeau à Félix...», G. Lesage, chronique, p. B-1.

418 «Entre le Oui et le Non. La guerre des foules finit en match nul», reportage, p. 1.

9 mai

419 «Morin est confiant et Ryan content», PC, reportage, p. 1.

420 «Le sprint s'engage dans la région», D. Angers, reportage, p. B-3.

10 mai

421 «... L'effet du hasard», L. Gaudreault, chronique, p. B-5.

12 mai

422 «Côte Nord: «bâtir un pays» une question fort bien comprise», J.-D. Fessou, reportage, p. A-7.

423 «L'électorat de la rive sud de Montréal est déchiré», J.J. Samson, reportage, p. A-7.

424 «Noir sur blanc» annulé», reportage, p. A-10.

13 mai

425 «De Lévis à la Beauce. Un électorat indécis mais intéressé», G. Pépin, P.-H. Drouin, reportage, p. A-7.

426 «Est de Montréal. Une campagne comme au «bon vieux temps», P. Roberge, PC, reportage, p. A-7.

14 mai

427 «Côte-du-Sud: dans la foulée des élections», R. Laberge, reportage, p. A-7.

428 «Monsieur Vallières», L. Gaudreault, reportage, p. B-3.

15 mai

429 «Bertrand et Rivest de porte en porte. Deux méthodes, un optimisme», D. Angers, reportage, p. B-2.

430 «Un chercheur joue au devin. Les cegepiens et leurs mères diraient Oui, les pères, Non», R. Lacombe, reportage, p. B-4.

431 «Est du Québec: la lutte entre deux traditions», M. David, reportage, p. A-7.

16 mai

432 «D'où vient le vent», L. Gaudreault, reportage, p. B-3.

433 «Québec, fer de lance du vote francophone», D. Angers, reportage, p. A-7.

434 «Tel un triptyque», D. Angers, reportage, p. A-7.

17 mai

435 «Le Oui et le Non à la chasse aux indécis», C. Vaillancourt, reportage, p. 1.

436 «Le référendum mobilisera mardi 160,000 Québécois», D. Angers, reportage, p. 1.

20 mai

437 «Le verdict référendaire sera connu tôt. Les électeurs ont le mot de la fin», PC, reportage, p. 1.

23 mai

438 «Bilan de la campagne à Québec. Une union vitale pour le Non. Les indécis déroutent le Oui», D. Angers, reportage, p. B-3.

439 «Et le fantôme de Duplessis sentit le doigt de Dieu...», R. Daignault, reportage, p. B-1.

9 juin

440 «Peureux pas lui», reportage, p. A-14.

LE SOLEIL DU ST-LAURENT

23 avril

441 «Réflexions référendaires», M. Martel, N. Morand, commentaire, p. 9.

442 «Vendredi soir. Gérald Godin vs Paul Gérin-Lajoie à Valleyfield», communiqué, p. 5.

LE SOMMET-ÉCHO DES LAURENTIDES

30 avril

443 «Dimanche soir, le 4 mai à 19 heures. Claude Ryan et Francis Fox seront à Saint-Adolphe», reportage, p. 6.

7 mai

444 «La visite des chefs», M. Desbiens, éditorial, p. 4.

14 mai

445 «L'heure de vérité est enfin arrivée», M. Desbiens, éditorial, p. 4.

21 mai

446 «Aux gens du Oui et du Non. Faites maintenant le grand nettoyage du printemps...!», communiqué, p. 7.

THE SUNDAY EXPRESS

27 avril

447 «Pick your «top cop of the day»», J. Vani, reportage.

SUNDAY STAR

18 mai

448 «Quebec's street battle over the referendum», reportage, p. 1. /Photographies/

LE TÉMISCAMIEN

14 mai

449 «La campagne référendaire au Témiscamingue. On n'a pas encore touché le fond du bocal», reportage, pp. 13,15.

TORONTO STAR

8 mai

450 «Heated debate», reportage. p. A-10. /Photographie avec légende/

451 «Yes and No canvassers find looks
can deceive», P. Doyle, reportage,
p. A-10.

17 mai

452 «Montreal vote may swing it - and
the No is strong», C. Goyens, reportage, p. B-6.

19 mai

453 «Won for the Yes», p. A-11.
/Photographie avec légende/

454 «Yes wins «braising» bout», C.
Goyens, reportage, p. A-11.

20 mai

455 «Referendum leaders to vote near
homes», reportage, p. A-14.

LE TRAIT D'UNION

16 avril

456 «Un excellent départ», P. Vigneault,
commentaire, p. 5.

LA TRIBUNE

15 avril

457 «Sondage au CEGEP. 74% des répon-
dants optent pour le Oui», reportage, p. C-6.

24 avril

458 «Apprendre à parler aux Québécois»,
M. Roy, commentaire, p. B-2.

25 avril

459 «Le village de Louis St-Laurent
partagé entre le Oui et le Non.
Compton reste très attaché au reste
du Canada, affirme le neveu de
l'ex-premier ministre canadien et
son épouse», Y. Rousseau, reportage,
p. B-3.

26 avril

460 «Réfléchir et non accuser», J. Vignault,
éditorial, p. B-2.

1er mai

461 «De l'indifférence au... débat passionné
Portrait de l'Estrie», PC, reportage,
p. B-4.

462 «Le pouls de la campagne référendaire», P. Tourangeau, PC, reportage,
p. B-2.

2 mai

463 «De faux sondeurs ratissent la région. Il s'agirait de militants
impliqués dans le référendum qui
profitent des informations pour
établir des listes de pointage»,
reportage, p. B-3.

6 mai

464 «Au Foyer St-Joseph on évite les
étincelles», G. Fisette, reportage,
p. B-3.

465 «Deux styles de campagne», P. Tourangeau, PC, commentaire, p. B-2.

10 mai

466 «Comté d'Orford. Les comités orien-
tent leur campagne vers les indécis»,
Y. Rousseau, reportage, p. B-4.

467 «Un village discret, mais ...»,
L. Dion, reportage, p. B-4.

12 mai

468 «Les déjeuners-débats de dame
Jacqueline. Le Oui et le Non...
face à face», C. Bellavance,
reportage, p. B-3.

20 mai

469 «Une campagne sans éclat dans
Drummond», G. Prince, analyse,
p. B-3.

470 «Un débat alimenté essentiellement
par des personnalités «nationales»,
reportage, p. B-3.

471 «Grâce à une entente entre les présidents des deux comités, les affiches du Oui et du Non disparaîtront»,
reportage, p. B-4.

472 «4.3 millions de Québécois aux
urnes. Un vote capital pour les
2 camps», PC, reportage, p. 1.

473 «St-François a amené de l'eau au
moulin de M. Lévesque», reportage,
p. B-3.

TV-HEBDO

17 mai

474 «La télévision comme outil référendaire. Impact garanti, mais à
utiliser dans les plus brefs délais».
L. Gosselin, reportage, pp. 4-6.

THE VAL-D'OR STAR

14 mai

475 «Regional round-up, only six days
to go», G. Dallaire, reportage,
p. 2.

LA VALLÉE DE LA CHAUDIÈRE

28 mai

476 «Encore le référendum», analyse,
p. A-5.

LA VALLÉE DE LA DIABLE

30 avril

477 «La campagne référendaire. Joron
à Ste-Agathe. Lalonde et Lévesque à St- Jovite. Et les deux députés de la région», reportage, p. 1.

THE VANCOUVER SUN

5 mai

478 «Quebec referendum fight...», reportage, p. 1.
/Photographies avec légendes/

479 «The struggle for votes in Rosemont»,
P. Hadekel, reportage, p. A-4.

20 mai

480 «Montreal, sombre and weary, will
never be the same», A. Fotheringham,
reportage, p. 6.

LA VOIX DE L'EST

1er mai

481 «Les frères Johnson en «duel» dans
Iberville», A. Gazaille, reportage, p. 5.

3 mai

482 «Entre les deux... Les Biron divisés, A. Gazaille, reportage, p. 21.

483 «Shefford - Cher indécis, c'est
votre tour de vous laisser...»,
A. Gazaille, reportage, p. 21.

7 mai

484 «En campagne référendaire - L'électorat est à la fois divisé et prudent dans les Cantons de l'Est»,
R. Lefebvre, PC, reportage, p. 4.

9 mai

485 «Entre les deux... Plaisanteries»,
J. de Bruycker, A. Gazaille, reportage, p. 6.

486 «Brome-Missisquoi - Un point d'intérêt: les indécis», J. de Bruycker, reportage, p. 7.

10 mai

487 «Entre les deux... Un appui du Non
au Oui», reportage, p. 24.

15 mai

488 «Entre les deux... Original», reportage, p. 5.

16 mai

489 «Entre les deux... Un petit peu de
boxe», A. Gazaille, reportage,
p. 8.

17 mai

490 «Les deux camps optimistes», A.
Gazaille, analyse, p. 29.

491 «Le Oui a manqué le bateau», J.
de Bruycker, analyse, p. 29.

20 mai

492 «Aujourd'hui jour du référendum
québécois. - Le suspense demeure»,
reportage, p. 1.

493 «Shefford - Des présidents bien
satisfaits», A. Gazaille, reportage, p. 7.

LA VOIX DES MILLE-ILES

28 avril

494 «Lévesque à Ste-Thérèse. Hardy-
Durand à Rosemère», reportage,
p. 1.

14 mai

495 «Fallu devrait surveiller ses propres amis politiques», J.-P. Ledoux,
reportage, p. 7.

21 mai

496 «Pour rire ou pleurer avec Jos
Maurice. Les vedettes et leurs
suiveux», reportage, p. 5.

LA VOIX GASPÉSIENNE

7 mai

497 «Tout le référendum dans un seul
débat?», G. Gagné, reportage,
p. A-30.
/Débat télévisé à venir entre Yves
Bérubé et Pierre De Bané/

21 mai

498 «Et si on se réveillait trop
tard?», C. Smith, lettre,
p. A-24
/Le référendum et les étudiants/

LA VOIX POPULAIRE

6 mai

499 «Quand la tension référendaire
augmente», L. Pellerin, éditorial,
p. 8.

13 mai

500 «À une semaine du choix», Y. Laprade,
éditorial, p. 8.

501 «St-Henri établit une première. Les
représentants du Oui et du Non con-
sentent à mener une campagne propre»,
L. Pellerin, reportage, p. 3.

27 mai

502 «Le votre référendaire se déroule
dans le calme», Y. Lachance, lettre
aux lecteurs, p. 3.

LE VOLTIGEUR

22 avril

503 «Inauguration des comités du Non
et du Oui», annonce, p. 1.

504 «Programme d'information référendaire», communiqué.

THE WATCHMAN

14 mai

504A «A visit to the headquarters of
the Oui and the Non», M. Labelle,
reportage, p. 12.

504B «The referendum. Live debate on
TV tonight with audience participation», reportage, p. 15.

21 mai

504C «All over but...», éditorial, p. 4.

LES THÈSES

505 À 1180

L'ACTUALITÉ

avril

505 «Le face à face des frères Johnson»,
P. Godin, reportage.
/La carrière politique de Pierre-
Marc Johnson et de Daniel Jr John-
son/

506 «On dit toujours oui à quelque chose», Y. Taschereau, éditorial, p. 8.

mai

507 «En pensant aux lendemains...»,
libre opinion, p. 1.
/Opinion de 36 personnalités sur
le référendum/

508 «Le temps du choix: entre le
péril et le risque», J. Paré, éditorial, pp. 6,7.

juin

509 «Après la guerre, le temps des
traités», Y. Taschereau, éditorial,
p. 8.

L'ARGENTEUIL

28 mai

510 «Au lendemain du 20 mai 1980», F.
Berthiaume, éditorial, p. 2.

511 «Se dirige-t-on vers des élections?
Dernières réactions des deux options
suite au référendum du 20 mai»,
reportage, p. 10.
/Commentaires sur les résultats du
20 mai par les principaux responsables du Oui et du Non dans Argen-
teuil/

L'ARTISAN

14 mai

512 «À moins d'une semaine du scrutin:
Dialogue de sourds entre Raynault
et Parizeau...», D. Caza, reportage, p. 3.

513 «Référendum 80: Pile ou face»,
D. Froment, éditorial, p. 4.

28 mai

514 «Référendum 80: Ce n'est qu'un
«Au Revoir», D. Froment, éditorial,
p. 4.

BEAUCE NOUVELLE

13 mai

515 «Il faudra voter», L.-P. Côté, éditorial, p. 2.

27 mai

516 «L'Après-référendum», L.-P. Côté, éditorial, p. 2.

LE CANADA-FRANÇAIS

21 mai

517 «À vous de jouer, M. Trudeau!», R. Lafontaine, commentaire, p. 3.

518 «Iberville. Déception chez les «Oui», victoire joyeuse au «Non», M. Phaneuf, reportage, p. 3.

LE CARILLON

21 mai

519 «Le référendum québécois: 60/40. Une grande victoire du fédéralisme-renouvelé», reportage, p. 1.

CHÂTELAINE

mai

520 «Oui ou Non», H. Pelletier-Baillargeon, G. Tremblay, reportage, pp. 45-48.

521 «Le printemps chaud des indécis», F. Montpetit, billet, p. 4.

522 «Témoignages», reportage, pp. 49-50. /Les positions politiques de 6 femmes. Thérèse Lavoie-Roux, Jacqueline Hébert, Huguette Dubois, Lise Ouimet-Payette, Danièle Desmarais, Gilberte Sirois/

THE CHRONICLE-HERALD

17 avril

523 «It takes two to bargain», reportage, p. 6.

21 avril

524 «Referendum and Constitution: the iron choices», M. Cohen, libre opinion, p. 7.

20 mai

525 «Economic arguments may have been waste of time», CP, reportage, p. 4.

526 «The «Quebec Question» has become the «Canada Question», P. S. Burdett, analyse, p. 7.

21 mai

527 «Federalist win hailed, but constitutional reform urged», CP, reportage, p. 9. /Réaction de différentes personnalités politiques face à la victoire du Non/

THE CITIZEN

15 avril

528 «West Quebec referendum debate becomes battleground», R. Hickl-Szabo, reportage, p. 15.

16 avril

529 «Quebec on May 20. A benchmark in our history», A. McCabe, reportage, p. 41.

22 avril

530 «Quebec newspapers react to referendum debate. Ryan losing ground with Quebec's press», reportage, p. 47.

29 avril

531 «Arguing about the referendum - Quebec family divided - without anger», F. Howard, reportage, p. 49.

7 mai

552 «Une question d'attitude...»,
M. Raîche-Lefebvre, commentaire,
p. A-4.

14 mai

553 «La panacée fédéraliste», A. Rodier,
commentaire, p. A-4.

21 mai

554 «L'après-référendum...», P. Bornais,
éditorial, p. A-4.

28 mai

555 «La course à obstacles», A. Rodier,
commentaire, p. A-4.

LE COURRIER DU SUD/
THE SOUTH SHORE COURIER

7 mai

556 «À 2 semaines du scrutin, un mini-
débat devant des jeunes partisans
du Oui», M.-J. Emard, reportage,
p. A-7.

557 «La question de la souveraineté-
association. «Me respecterez-vous
autant après?», L. Beauregard,
éditorial, p. A-4.

COURRIER MAG

7 mai

558 «Du respect des opinions dans un
moment historique», L. Beauregard,
éditorial, p. 4.

14 mai

559 «Pour un Québec qui doit négocier
quel est le meilleur outil de négociation: Le Oui ou le Non?»,
J.P. Auclair, éditorial, p. 1.

560 «Le référendum et les 35 jours les
plus longs», L. Beauregard, éditorial, p. 4.

LE COURRIER RIVIÉRA

14 mai

561 «La campagne référendaire: un
débat pas toujours civilisé!»,
D. Rancourt, éditorial, p. 4.

21 mai

562 «Le référendum et l'idéologie», M.
Leclerc, analyse, pp. 12-14, 49.

28 mai

563 «   », N. Girard, libre opinion, p. 1
/Face au résultat, les attentes du
milieu agricole/

564 «Une victoire du Non, certes, mais
non une défaite pour le Oui»,
D. Rancourt, éditorial, p. 4.

LE DEVOIR

18 avril

565 «Pour une réponse stratégique et
conjoncturelle», G. Bergeron, analyse, p. 11.

19 avril

566 «Le parapluie et la bannière»,
J. Godbout, libre opinion, p. 21.

23 avril

567 «Devant deux chèques en blanc»,
R. Décary, commentaire, p. 12.
/Les options ont «méprisé l'intelligence des Québécois et placé la
victoire immédiate de leur option
respective avant celle, à long terme, du Québec»/

26 avril

568 «Une double adhésion», M. Morin,
analyse, p. 13.
/Le conflit «qui oppose l'une à l'autre la passion et la raison» ressur-
git à l'occasion du référendum, mais
il s'agit bien d'un conflit permanent
dans l'histoire du Québec/

569 «Une idéologie douce», J. Dufresne,
reportage, p. 19.

30 avril

570 «Un faux changement», J.-M. Hamelin,
analyse, p. 9.
/Le changement proposé à l'occasion
du référendum ne touche pas notre
société post-industrielle, «société
de machines pour qui l'homme et la
femme ne sont que des rouages de la
grande machine»/

571 «Rien d'autre qu'un rituel», M. Ma-
gnant, analyse, p. 11.
/«Le but du référendum est la trans-
formation de la culture politique
des Québécois et non la transforma-
tion de leur situation politique
réelle»/

1er mai

572 «Matane/Qui restera sur le carreau?»,
reportage, p. 8.

2 mai

573 «Les stratégies du Oui et du Non»,
F. Carrasco, analyse, p. 6.
/La position partisane que le PLQ
a adopté devant le référendum,
advenant la victoire du Oui, serait
néfaste à la cause du fédéralisme/

574 «La substance plutôt que la stratégie», G.A. Beaudoin, analyse, p. 9.
/Opinion sur le choix référendaire
selon l'ex-membre de la Commission
sur l'unité canadienne/

3 mai

575 «Les qualificatifs référendaires»,
L. Noël, libre opinion, p. 18.

7 mai

576 «Si Oui, M. Trudeau devra négocier»,
G. Rémillard, analyse, p. 9.
/Analyse sur la portée, la légalité
et la légitimité du référendum/

9 mai

577 «Observations», A. Brie, billet,
p. 8.

10 mai

578 «Oui ou Non à la diplomatie québécoise», J. Dufresne, reportage,
p. 19.

579 «Pour un Oui, pour un Non. Des
cas uniques», G. Deshaies, reportage, pp. 1,20.

12 mai

580 «Un acte public mais secret», G.
Bergeron, analyse, p. 8.
/«Le non-alignement de l'analyste
lui est autant indispensable que
la distance respectueuse qu'il maintient avec ceux qui exercent les
pouvoirs»/

581 «Le mot du silencieux. Penser Non
et dire Oui», A. Brie, billet, p. 17.

582 «Une société en question», D. Clift,
PC, analyse, p. 6.
/Les concepts de fédéralisme et de
souveraineté-association sont «liés
à des modèles particuliers d'organisation économique»/

14 mai

583 «Deux gouvernements, deux sociétés»,
V. Lemieux, analyse, p. 12.

584 «Outaouais/Le monde à l'envers...»,
C. Turcotte, reportage, p. 6.

15 mai

585 «Après la contradiction», G. Bergeron, analyse, p. 10.
/Les implications du référendum
pour le Québec/

586 «Ces mots que je ne saurais ouïr»,
A. Brie, billet, p. 10.

19 mai

587 «L'Abitibi et ses créditistes,
toujours un peu à part», PC, reportage, p. 2.

588 «De la Mauricie à la Gaspésie. Un
électorat francophone extrêmement
divisé», J.-C. Picard, reportage,
p. 2.

589 «Deux adversaires animés d'une grande fierté», reportage, p. 1.

590 «Le double référendum du mardi», M. Roy, éditorial, p. 6.
/(Si les francophones répondent Oui majoritairement, le gouvernement fédéral et le Parti libéral devront évidemment en tirer les conséquences, même si le Non est gagnant »/

20 mai

591 «Pour un Oui, pour un Non. Le jour du choix est arrivé», R. Morissette, reportage, pp. 1,12.

21 mai

592 «Bourgault s'attend à une «nuit des longs couteaux», P. O'Neill, reportage, p. 3.

593 «C'est Non à 58,2%. Une majorité claire dans presque toutes les régions. La «majorité francophone» échappe aux tenants du Oui», L. Bissonnette, reportage, pp. 1,14.

594 «Charles Taylor», reportage, p. 4.

27 mai

595 «Le retour au silence?», P. M. Lemire, analyse, p. 17.

DIMANCHE/DERNIÈRE-HEURE

25 mai

596 «Et maintenant? Si René disait «Non»?», commentaire, p. 5.

DIMANCHE-MATIN

4 mai

597 «Pas de débat télévisé Trudeau Lévesque!», reportage, p. 5.

11 mai

598 «Les gens «tannés» d'entendre parler du référendum», commentaire, p. 28.

599 «Plus qu'une semaine pour parler «du sujet», C. Lavergne, éditorial, p. 6.

18 mai

600 «L'après-référendum...», P. Leroux, reportage, p. 3.

601 «Lévesque, Ryan, Trudeau sur les ondes aujourd'hui. Fin de campagne électrisante», P. Leroux, reportage, p. 3.

602 «Le temps d'agir», C. Lavergne, éditorial, p. 6.

25 mai

603 «De la coupe au lèvre...», C. Lavergne, éditorial, p. 6.

LE DROIT

17 avril

604 «Le 20 mai, un pas décisif», P. Tremblay, éditorial, p. 6.

19 avril

605 «De quelques voix dans le tumulte...», G. Lesage, analyse, p. 37.
/L'intervention de personnalités qui nous offrent des pistes de réflexion/

30 avril

606 «Je ne veux plus qu'on m'identifie à Camil Samson». L'ancien candidat créditiste Ouellette votera Oui le 20 mai», M. Gauthier, reportage, p. 23.

ler mai

607 «Des «Oui» et des «Non». La
famille Biron est divisée», PC,
reportage, p. 26.

2 mai

608 «Deux hommes qui l'ont bien connu
donnent des réponses différentes.
Duplessis voterait-il Oui ou Non?»,
G. Laframboise, reportage, p. 17.

7 mai

609 «Dans le Montréal métropolitain.
La guerre des affiches va bon
train», E. Stewart, PC, reportage,
p. 24.

8 mai

610 «Combien ça coûte», J. Martin Godbout,
commentaire, p. 6.
/À propos du déroulement de la cam-
pagne/

9 mai

611 «Ça négociera, mais plus tard»,
P. Tremblay, reportage, p. 6.

13 mai

612 «Avant de voter Oui ou Non, selon
le pasteur Claude de Mastral.
«La force de l'argumentation opposée
doit être ressentie», F. Côté, PC,
reportage, p. 17.

613 «Dans une auberge de North-Hatley.
Chaque dimanche, le référendum au
menu», PC, reportage, p. 18.

614 «De Bané - Bérubé. Match nul», PC,
reportage, p. 15.

14 mai

615 «Western Québec: Oui ou Non?
Témoignages de francophones pour
les oreilles d'anglophones à CBO»,
E. Demers, reportage, p. 4.

16 mai

616 «Les engagements post-référendai-
res», P. Tremblay, éditorial, p. 6.

617 «Le lendemain du référendum.
Comment les chefs politiques
retrouveront-ils la sérénité?»,
D. Clift, PC, analyse, p. 16.

618 «Une «macédoine assez compliquée»
Autant un Oui qu'un Non pourraient
mener à l'indépendance - Léon Dion»,
P. Ouimet, reportage, p. 19.

17 mai

619 «De la télévision à la politique.
Les vedettes et le référendum»,
E. Demers, commentaire, p. 20.
/Commentaire sur les prises de
positions publiques des artistes/

21 mai

620 «Chronologie référendaire», p. 7.

621 «Quelques réactions au vote», reportage, p. 25.

622 «Rejet de l'option du gouvernement
Lévesque. «C'est un vote de non-
confiance» - le maire Gilles Rocheleau», G. Goudreault, reportage,
p. 29.

623 «Soixante-neuf pour cent de Non dans
Papineau. Amèrement déçu, Alfred
fond en larmes», R. Chartrand, reportage, p. 29.

624 «Les tenants du Non parlent fort
dans Argenteuil. «Une victoire
du bon sens», E. Laughren, reportage, p. 30.

625 «La vraie lutte se fera lors d'élections générales. Claude Ryan: le
risque de la victoire», D. Clift,
PC, analyse, p. 24.

26 mai

626 «La presse canadienne et les lendemains référendaires: «Que veut le
Québec?», «Les Québécois ont choisi le Canada», «Un geste remarqua-
ble pour son pays», «Remettre de
l'ordre dans la constitution»,
«Au reste du pays à répondre», Lon-
don Free Press, PC, revue de presse,
p. 6.

6 juin

627 «Le fédéralisme vu par Lévesque et
Ryan. Des discours diamétralement
opposés», A. Bellemare, PC, reportage, p. 17.

LE DYNAMIQUE DE LA MAURICIE

28 mai

628 «Questions sur la réponse», R. Pagé,
éditorial, p. 2.

L'ÉCHO

27 mai

629 «Après le référendum», A. L. Dandu-
rant, reportage, p. 10.

630 «L'après référendum. Les réactions
des gens de la région», reportage,
p. 25.

L'ÉCHO DE LOUISEVILLE/BERTHIER

14 mai

631 «Un vote des tigres», J.-P. Plante,
éditorial, p. 4.

ÉCHO DU NORD

23 avril

632 «Débat sur le référendum à Blain-
ville. Denis Hardy l'emporte haut
la main sur Guy Mercier», C. Lamarche, reportage, pp. A-14, A-20.

30 avril

633 «Vingt jours avant», G. Boucher,
éditorial, p. 4.

14 mai

634 «Il était une fois un bon gouvernement dans un régime fédéral», G.
Boucher, éditorial, p. A-4.

635 «Jocelyne Ouellette à l'Hôtel-Dieu.
Une discussion animée avec deux
aumôniers et un chirurgien...»,
C. Lamarche, reportage, p. A-8.

636 «Morin et Forget face à face à
Vidéotron - Oui à l'égalité... Non
à l'indépendance!», C. Lamarche,
reportage, pp. A-11, A-19.

28 mai

637 «Enquête sur la rue. Au lendemain
du référendum, les gens sont surpris des résultats...», S. Chenier.
reportage, p. 16.

638 «Un exemple de souplesse démocratique», G. Boucher, éditorial, p. A-4.

L'ÉCLAIREUR-PROGRÈS

7 mai

639 «Les idées mélangées», commentaire,
p. A-7.
/Commentaire sur les Yvettes et
les sondages d'opinions/

14 mai

640 «L'achronique», M. Roy, commentaire, p. A-42.
/Le texte analyse les diverses conséquences possibles à l'issue du
référendum/

21 mai

641 «De cause à effet», P. Turcotte,
reportage, p. A-41.
/Compte rendu sur l'interview de
René Lévesque par Denise Bombardier
et sur Doris Lussier durant la
campagne référendaire Beauce-Sud/

L'ÉLAN SEPT-ÎLIEN

22 mai

642 «Une profession de foi canadienne»,
éditorial, p. 4.

L'ÉTOILE DU LAC

7 mai

643 «Pour un vote lucide», F. Coutu,
libre opinion, p. 6.

14 mai

644 «Une triste campagne référendaire»,
R. Paradis, éditorial, p. 6.

L'ÉVANGÉLINE

16 avril

645 «Une date historique, selon René
Lévesque. Le référendum aura lieu
le 20 mai au Québec», PC, reportage, p. 15.

20 mai

646 «Que ce soit «Oui» ou «Non» le nombre des voix sera fort», PC, reportage, p. 14.

LA FEUILLE D'ÉRABLE

14 mai

647 «Un scrutin historique», D. Prescott,
reportage, p. A-4.

THE FINANCIAL POST

19 avril

648 «Referendum earlybirds line up »,
A. Booth, reportage, p. 6.

26 avril

649 «Lots of subtle shades to «Yes» or
«No», A. Booth, reportage, p. 9.

17 mai

650 «Referendum is another step on
Quebec's march to a new deal.
Another step toward Quebec change»,
A. Charters, reportage, pp. 21,22.

LE FRANCO-ALBERTAIN

25 avril

651 «La souveraineté-association: réalisme économique ou utopie», annonce,
p. 12.

LA FRONTIÈRE

23 avril

652 «Bilan du fédéralisme - Gendron vole
la vedette», reportage, p. 5.

30 avril

653 «Avec le référendum... Les étudiants
se politisent!», G. Mireault, reportage, p. 7.

LA GATINEAU

14 mai

654 «Un vote important», M. Clermont,
éditorial, p. A-4.

15 avril

655 «Tempers fray, referendum debate
starts to turn nasty», G. Fraser,
analyse, p. 7.

16 avril

656 «Referendum is no longer considered
a PQ presentation», L. I. MacDonald,
analyse, p. 9.

17 avril

657 «Federal Liberals shout step softly
during the campaign», L. I. MacDonald, analyse, p. 9.

18 avril

658 «Referendum race seen as Trudeau
vs Levesque (The French Press)»,
M. Goldbloom, reportage, p. 7.

19 avril

659 «How separation would affect
energy bills», J. Saunders, analyse, pp. 1,3.

660 «Premier's logic flawed», commentaire, p. 22.

23 avril

661 «It's Confederation that helps
French survive in America», R.
Sutherland, libre opinion, p. 9.

662 «Large slice of Ottawa area may
vote Yes», J. Ruimy, reportage,
p. 6.

663 «Many Yes voters only want to give
a jolt to Canada», K. Spicer,
commentaire, p. 9.

24 avril

664 «Referendum debate brings out the
worst in rhetoric», L. I. MacDonald,
commentaire, p. 7.

26 avril

665 «Brothers at odds. Daniel Johnson's
sons are voting for different sides
in the referendum», A. Phillips,
reportage, p. 26.

666 «Confusion still reigns», éditorial,
p. 22.

667 «To associate or not to?», G. Chambers, commentaire, p. 23

29 avril

668 «Feelings of indecision are rising
as the campaign goes on», G. Fraser,
commentaire, p. 7.

30 avril

669 «Housewife, 34 still undecided»,
reportage, p. 8.

670 «Westmount student sees merit of
both Yes and No», E. McKeough,
reportage, p. 8.

2 mai

671 «French press: Editor wants to
break up grotesque marriage»,
A. Wilson-Smith, reportage, p. 7.

3 mai

672 «Question is all Canadian», G.
Chambers, commentaire, p. 23.

5 mai

673 «Yes and No supporters in brawl at
rally», CP, reportage, pp. 1,15.

6 mai

674 «Campaign leaves voters with ambi-
guous choices», G. Fraser, commentaire, p. 7.

675 «Going round in circles», commentaire, p. 6.

7 mai

676 «Renewed federalism doesn't look
so new», D. McGillivray, commentaire, p. 59.

10 mai

677 «Now much nationalism», G. Chambers,
commentaire, p. 23.

678 «Let's stop the nastiness», éditorial, p. 22.

679 «Referendum and work don't mix:
dousing sources of friction among
workers becomes sort of employer
relations», P. Leney, D. Sherman,
reportage, p. 37.

13 mai

680 «Le Devoir split on vote», reportage, p. 10.

681 «Lesage began push for constitution
reform», G, Fraser, reportage, p. 8.

682 «Quebec's position based on «two
nations» approach», reportage, p. 8.

683 «The Referendum debate has shown
Quebecers are tolerant», G. Fraser,
commentaire, p. 7.

14 mai

684 «Referendum winners should heed
words of history», K. Spicer, commentaire, p. 8.

685 «Time to start talking», éditorial,
p. 8.

15 mai

686 «Canadian patriotism in Quebec is
rising», C. Young, commentaire,
p. 9.

16 mai

687 «Editorial writers are choosing
sides in campaign». The French
Press», T. Sloan, reportage, p. 8.

688 «Independant Norway: Is it Quebec's
way?», P. Orwen, analyse, p. 6.

17 mai

689 «As goes Asbestos... 31 years after
it raised the curtain on the new
Quebec, a little company town may
help lower the curtain on Canada»,
E. Bonty, analyse, p. 10.

690 «Question clouds the issue», G.
Chambers, commentaire, p. 15.

19 mai

691 «Watching the referendum fight was
watching history made», L. I.
MacDonald, commentaire, p. 9.

20 mai

692 «Williams will turn out to vote Yes
or No. May 20,1980: It's decision
day», A. Phillips, reportage, pp. 1,
10.

693 «Mood of introspection on day of
the big vote», A. Fotheringham,
commentaire, p. 9.

694 «Referendum: There will be enormous
relief when it's over», G. Fraser,
commentaire, p. 7.

21 mai

695 «The hardest part begins», éditorial,
p. 8.

696 «Quebec city takes result so quietly»,
J. Ruimy, reportage, p. 31.

697 «They even come from California to
cast on historic vote at home»,
reportage, p. 24.

698 «This was the best and worst of
times», commentaire, p. 3.

22 mai

699 «Ryan believed a win would come from
his grass-roots campaign», L. I.
MacDonald, commentaire, p. 9.

700 «The voting may be over but there's much hard work ahead», C. Young, commentaire, p. 9.

24 mai

701 «Equality debate will go on», G. Chambers, commentaire, p. 19.

26 mai

702 «Campaign learns no hard feelings», N. Auf der Maur, commentaire, p. 3.

27 mai

703 «Referendum campaign results are being over-simplified», G. Fraser, analyse, p. 7.

30 mai

704 «Claude Ryan took a risk emulating John F. Kennedy», L. I. MacDonald, commentaire, p. 7.

LA GAZETTE DE MANIWAKI

23 avril

705 «Vers le 20 mai... », S. Payeur, éditorial, p. 4.

14 mai

706 «Qui l'emportera», S. Payeur, éditorial, p. 4.

21 mai

707 «Pour le développement économique mais pas à n'importe quel prix», S. Payeur, éditorial, p. 4.

THE GLOBE AND MAIL

23 avril

708 «He's a Yes, she's a No, and it makes for a levely household», M. Gibb-Clark, reportage, p. 9.

28 avril

709 «Saguenay area «bleuets» ripe picking for Yes side», CP, reportage, p. 10.

3 mai

710 «L'Actualité takes stand in support of sovereignty», CP, reportage, p. 11.

12 mai

711 «Only if is size of No vote along the Ottawa valley», V. Carrière, reportage, p. 14.

13 mai

712 «It's yes 3-1 at Ryan's old paper in odd campaign», M. Gibb-Clark, reportage, p. 1.

713 «Language polarization a tempting ploy», W. Johnson, chronique, p. 8.

16 mai

714 «Debate too politicized on both sides of issue, undecided complain», CP, reportage, p. 10.

715 «Just what was said», éditorial, p. 7.

716 «PM's now on constitution lost on voters», A. Penketh, reportage, p. 10.

717 «The soul-searching in Quebec», R. Decary, libre opinion, p. 7.

17 mai

718 «No easy way», commentaire, p. 6. /Bagarre de mots entre Ryan et Lévesque sur le référendum et sa teneur/

719 «Uncommitted hold key to referendum. The bets are cautious for a win by the «No», M. Gibb-Clark, reportage, p. 1.

720 «Yes and No», R. Cléroux, reportage, p. 1.
/Opinion d'un ex-imprimeur de la
reine et d'un ex-joueur de
hockey/

20 mai

721 «I got fan mail in '66, but man
rues outburst at future», R. Platiel,
reportage, p. 10.

722 «Vote Yes? Vote No? Both ways are
tempting», W. Johnson, reportage,
p. 8.

21 mai

723 «Event most PQ ridings say no.
Quebec votes for Canada: Federalists
get total of close to 60 per cent»,
R. Cléroux, reportage, p. 1.

724 «Good-natured banter in Yes-No
argument», W. Johnson, reportage,
p. 8.
/Extraits de conversations de partisans du Oui et du Non dans le train
Montréal-Québec/

725 «Vote early. Rigaud's main street
busy with parade of early balloters»,
E. Stonehouse, reportage. p. 10.

22 mai

726 «PM's plea tipped scales, panel
feels», A. Penketh, reportage,
p. 11.

727 «Prophet Ryan got their votes, if
not their love», W. Johnson, reportage, p. 8.

LE GUIDE

23 avril

728 «Les belles pages du Oui et du Non»,
D. Latouche, reportage, p. 48.

7 mai

729 «Deux «Bertrand» croisent le fer
dans Bellechasse», lettre, p. 18.

14 mai

730 «Les gros bras», B. Carrier, éditorial, p. 4.

LE GUIDE DE MONTRÉAL-NORD

7 mai

731 «Une question du Pouvoir», commentaire, p. 3.

L'HEBDO DE PORTNEUF

26 mai

732 «Au prochain rendez-vous avec l'histoire», I. Jinchereau, éditorial,
p. A-6.

733 «Victoire du Non. Opinion des tenants du Non. Quelques anonymes
du Non. Qu'en disent les Portneu-
viens? Quelques anonymes du Oui»,
reportage, p. A-4.

L'INFORMATION

23 avril

734 «Question claire pour le «Oui»;
question ambiguë pour le «Non»,
reportage, p. B-7.

JOLIETTE JOURNAL

16 avril

735 «Sur le débat référendaire. Les
enjeux du référendum», J.-P. Malo,
éditorial, p. 1.

30 avril

736 «L'agriculture et le référendum.
«Si on se sépare, faudra avoir des
vaches à 2 trayons» - Marcel Roy»,
L. Pelletier, reportage, p. 17.

14 mai

737 «Pour l'égalité des deux peuples»,
J.-P. Malo, éditorial, p. A-4.

21 mai

738 «C'était il y a quatre jours»,
reportage, p. A-10.
/Photographies/

28 mai

739 «Les lendemains de la veillée référendaire», J.-P. Malo, éditorial,
p. A-14.

LE JOURNAL DE CHAMBLY

13 mai

740 «Par delà le Oui et le Non», S.
Lavallée, éditorial, p. 4.

741 «Pour un Québec qui doit négocier.
Quel est le meilleur outil de négo-
ciation: le Oui ou le Non?»,
J.-P. Auclair, lettre, p. 1.

LE JOURNAL DE MONTRÉAL

16 avril

742 «Ryan n'est pas dans la course»,
N. Girard, reportage, p. 8.

20 avril

743 «Mme Chaput-Rolland n'est pas emballée par le comité de surveillance
de la presse préconisé par Claude
Ryan», PC, reportage, p. 20.

21 avril

744 «La campagne débute à peine - Pour
certains tous les arguments semblent
bons», PC, reportage, p. 30.

23 avril

745 «Les femmes s'en mêlent», J.-G.
Martin, reportage, p. 5.

24 avril

746 «Des Yvettes disent Oui, d'autres
Non», J.-G. Martin, reportage,
p. 5.

25 avril

747 «La condition féminine au kiosque
d'information», J.-G. Martin,
reportage, pp. 32 ,33.

748 «Des manifestants du Non en prennent
pour leur rhume face à Lévesque»,
G. Pilon, reportage, p. 5.

28 avril

749 «Les tenants du Oui répondent aux
propos excessifs du comité du Non
en pavoisant le Québec», M. Tremblay,
reportage, p. 25.

1er mai

750 «Une lutte farouche dans les Cantons
de l'Est», PC, reportage, p. 32.

5 mai

751 «Le référendum: les primaires d'un
scrutin électoral à deux tours»,
N. Girard, analyse, p. 6.

6 mai

752 «La campagne de «salon» chez le
Oui et le Non», N. Girard, reportage, p. 6.

11 mai

753 «Matane: un duel d'hommes forts»,
reportage, p. 8.

754 «Le Oui vise au moins 70 pour cent
du vote dans l'Est de Montréal»,
PC, reportage, p. 23.

12 mai

755   «Les Néo.-Québécois et le référendum», reportage, p. 8.

13 mai

756   «Les Néo-Québécois et le référendum», M. Saindon, reportage, p. 9.

14 mai

757   «Les Néo-Québécois et le référendum», M. Saindon, reportage, p. 42.

15 mai

758   «Les Néo-Québécois et le référendum», M. Saindon, reportage, pp. 58, 59.

18 mai

759   «Dans l'Outaouais québécois. Le nationalisme fédéral semble plus fort», D. Brosseau, reportage, p. 25.

760   «Gatineau: un Non très majoritaire», reportage, p. 25.

761   «Hull: le test des fonctionnaires», reportage, p. 25.

762   «Papineau: tout le monde est optimiste», reportage, p. 25.

20 mai

763   «Quelques bons discours», reportage, p. 6.

21 mai

764   «L'étapisme n'est pas le seul responsable», N. Girard, analyse, p. 6.

765   «Victoire du non», reportage, p. 3.

22 mai

766   «Pinard craint le retour du F.L.Q.», PC, reportage, p. 8.

12 juin

767   «Le résultat du référendum, premier indice du déclin du nationalisme québécois», D. Clift, PC, analyse, p. 31.

LE JOURNAL DE QUÉBEC

16 avril

768   «Maintenant, on sent que Ryan est deuxième pour le Non, derrière Trudeau», N. Girard, commentaire, p. 8.

17 avril

769   «Ryan a goûté à la varloppe Beauceronne», N. Girard, commentaire, p.8.

21 avril

770   «Les ex-journalistes devenus politiciens, ne le prennent pas, M. Ryan», PC, reportage, p. 7.

26 avril

771   «Le référendum des détenus: une réflexion plutôt qu'un débat!», D. Brosseau, reportage, p. 13.

29 avril

772   «Ça vole bas des deux côtés», N. Girard, reportage, p. 8.

5 mai

773   «Ce qui va se passer après le référendum», N. Girard, analyse, p. 8.

15 mai

774   «Avant le fil d'arrivée, on nous en fera voir de toutes les couleurs», A. Leclair, reportage, p. 6.

20 mai

775 «Les champions de l'humour référendaire», G. Pilon, reportage, p. 2.
/Extraits de déclarations humoris-
tiques durant la campagne/

21 mai

776 «Entre la population et les artistes et intellectuels: un fossé,
disent les uns, divorce disent
les autres», PC, reportage, p. 9.

777 «Un scrutin qui ne règle rien,
mais qui ouvre des portes», N.
Girard, commentaire, p. 2.

LE JOURNAL DE ST-BRUNO

7 mai

778 «Répondre «Oui» ou «Non», J.-L.
Cousineau, commentaire, p. 4.
/Portrait du contexte référendaire/

14 mai

779 «Répondre Oui! ou Non!», J.-L.
Cousineau, commentaire, p. 4.
/Aspect juridique et pratique de
la souveraineté-association/

21 mai

780 «Les conséquences du référendum»,
J.-L. Cousineau, commentaire, p. 4.
/Selon l'auteur peu importe le résultat, le changement est néces-
saire/

JOURNAL LE ST-FRANÇOIS

27 mai

781 «Référendum. Défaite amère, victoire mesquine», G. Cadieux, éditorial.

LA LIBERTÉ

1er mai

782 «Les enjeux du référendum», A. Bédard, reportage, p. 8.

22 mai

783 «René Lévesque a mis en garde les
fédéralistes», reportage, p. 4.

MACLEAN'S

5 mai

784 «A community split in two», A.
Ferrante, reportage, pp. 34, 35.

785 «A little something to hang on the
wall», D. Thomas, reportage, p. 33.

786 «Hell-bent on a journey back to
«Apocalypse Now», P. C. Newman,
éditorial, p. 3.

12 mai

787 «The fear merchants», D. Thomas,
reportage, pp. 21-24.

788 «Women who live in different worlds»,
A. Beirne, analyse, p. 4.

19 mai

789 «The five-per-cent decision», D.
Thomas, reportage, pp. 32,33.

790 «Telling it like it sort of is»,
S. Riley, reportage, pp. 36,37.

791 «Yes» and «No» on the home front»,
R. Lewis, reportage, pp. 9,10.

26 mai

792 «Tribal rites for the troubled
anglos», D. Thomas, analyse, p. 4.

LE MIRABEL

22 avril

793 «Le courage des uns... et des
autres», C. Michaud, éditorial,
p. 4.

27 mai

794 «Des gagnants et des perdants...»,
C. Michaud, éditorial, p. 1.

THE MONCTON TRANSCRIPT

17 avril

795 «Levesque running flat out», CP,
reportage.

23 avril

796 «Levesque says Canada worst-run in
Western world», CP, reportage.

797 «Rocard affair pleasing to sover-
eignists. Editorials from french
press», V. Prince, éditorial,
p. 7.
/Appel à une attitude modérée dans
la campagne/

24 avril

798 «Masters of the Kremlin? Ryan says
Levesque distorting Quebec history»,
CP, reportage, p. 3.

30 avril

799 «Ryan worried many will vote Yes
for wrong reason», CP, reportage,
p. 3.

1er mai

800 «Criticizes poll», reportage, p. 3.

801 «Ryan cites risks from wrong idea»,
CP, reportage, p. 1.

5 mai

802 «Fists, verbal jabs in referendum
week-end», CP, reportage, p. 1.

7 mai

803 «In Quebec city: Emotions running
high on Quebec referendum», CP,
reportage, p. 52.

804 «Money rises to surface», CP, reportage, p. 1.

8 mai

805 «Big guns come forth», CP, reportage, p. 1.

9 mai

806 «Hard to find the pulse. Sherbrooke
residents reluctant to discuss vote»,
R. Bull, CP, reportage, p. 40.

807 «Major points of poll outlined.
Editorial from French Press», revue
de presse, p. 13.

12 mai

808 «Le Devoir éditorialists differ on
vote», CP, reportage, p. 3.

13 mai

809 «Levesque on the attack: Federal
spending on referendum «scandalous»,
CP, reportage, p. 3.

14 mai

810 «Crosbie, Ryan jab economic soft
spots», CP, reportage, p. 1.

15 mai

811 «Premier's remarks have Quebec
Jewish community worried», CP,
reportage, p. 3.

17 mai

812 «Levesque again raps Ottawa», CP,
reportage, p. 1.

22 mai

813   «France Québec status unaltered»,
       CP, AFP, reportage, p. 3.

THE MONITOR

23 avril

814   «Quebec's borders can be diminished»,
       O'Meara, reportage, p. 8.

7 mai

815   «Westhill students speak out for
       «No»», reportage, p. 1.

NEWS AND CHRONICLE

1er mai

816   «It's an affair of the heart»,
       commentaire, p. 4.

29 mai

817   «The big «R» revisited», J. Tremblay-
       Burley, analyse, p. 4.

LE NORD-EST

16 avril

818   «Une campagne sur des options seule-
       ment», J.-G. Gougeon, éditorial, p. 4.
       /Pour une campagne honnête et ra-
       tionnelle/

NOUVEAU JOURNAL ST-MICHEL

30 avril

819   «Les fédéralistes soutiennent le
       contraire. «Un Oui permettra une
       politique de travail adaptée à
       nos besoins» - Charles Lefebvre»,
       reportage, p. 11.

LE NOUVELLISTE

16 avril

820   «Advenant un Oui. Qui négociera
       avec le Québec?», PC, reportage,
       p. 30.

821   «Le sort en est jeté», S. St-Amant,
       éditorial, p. 4.

21 avril

822   «La surveillance de la presse. Le
       principe d'un comité ne me sourit
       pas. - Mme Chaput-Rolland», D. Les-
       sard, PC, reportage, p. 5.

3 mai

823   «Débat référendaire au CEGEP de
       Shawinigan. La démocratie a dû
       céder le pas à l'intolérance», C.
       Savary, reportage, p. 6.

5 mai

824   «Accrochage entre tenants des deux
       options», A. Bellemare, PC, repor-
       tage, p. 15.

7 mai

825   «Un débat à quatre. Le Oui et le
       Non s'affrontent à la poly de Nico-
       let», R. Dolan-Caron, reportage,
       p. 20.

826   «Sur quoi juger», C. Bruneau, édi-
       torial, p. 4.

9 mai

827   «Retour au texte», C. Bruneau, édi-
       torial, p. 4.

14 mai

828   «Un premier débat pour les anglo-
       phones de la région», G. Gagnon,
       reportage, p. 26.

17 mai

829 «Advenant la défaite du Oui. Le
     PQ pourrait contester le résultat
     du référendum», PC, p. 15.

830 «Devant les élèves du séminaire.
     Le Oui et le Non se rencontrent»,
     reportage, p. 42.

831 «La terre continuera de tourner»,
     S. St-Amant, éditorial, p. 4.

19 mai

832 «Lutte à finir entre Lévesque -
     Trudeau», P. Mallet, AFP, reporta-
     ge, p. 12.

20 mai

833 «La parole est aux Québécois»,
     PC, reportage, p. 1.

21 mai

834 «Balayage complet», C. Savary,
     reportage, p. 5.

835 «Le député Fontaine. Dernière
     chance pour le fédéral», reporta-
     ge, p. 3.

836 «Le Non: triomphe de Bourassa.
     Bourgault réagit vivement», PC,
     reportage, p. 2.

837 «Victoire sans équivoque», S. St-
     Amant, reportage, p. 4.

22 mai

838 «Les locaux du Non et du Oui presque
     déserts. L'atmosphère n'était pas
     la même», M. Aubry, reportage, p. 3.

24 mai

839 «Pour la réconciliation», M. Therien,
     lettre, p. 4.

30 mai

840 «Questions sur la réponse», R. Pagé,
     commentaire, p. 4.

L'OEIL RÉGIONAL

30 avril

841 «Des questions à se poser avant de
     dire Oui ou Non», J. Hébert, libre
     opinion, p. 6.

14 mai

842 «Pour le déblocage des négociations»,
     M. Ledoux, éditorial, p. 4.

28 mai

843 «La réponse n'est que partielle»,
     M. Ledoux, éditorial, p. 4.

THE OTTAWA JOURNAL

14 avril

844 «Quebecers staring at each other
     across a chasm», P. Hadekel, repor-
     tage.

16 avril

845 «Despite «big date» fanfare the
     expos beat out the PQ - Kitchen
     debates promised», G. Lovelace,
     M. Morissette, reportage, pp. 1,8.

846 «Outaouais reaction on vote both
     hot, cool», reportage.

847 «Rene surprises Ryan with early
     referendum», P. Hadekel, reporta-
     ge, pp. 1,8.

17 avril

848 «Can't ignore a Yes, Rene answers
     PM», reportage.

849 «Levesque will take Que. away like
     a coffin after wake. This is my
     home», G. Lovelace, reportage,
     pp. 1,8.

850 «Retired customs man can't forgive,
     forget. - He is voting for equality»,
     M. Morissette, reportage, pp. 1,8.

851 «Yes-No splits win deep, and often bitter», M. Morissette, G. Lovelace, reportage.

18 avril

852 «Even campaign planes reflect division», J. Stewart, reportage, p. 8.

19 avril

853 «Two Quebec friends divided - But they can sit down and talk without coming to blows - Friends share pride in things Canadian», M. Morissette, G. Lovelace, reportage, pp. 1,8.

22 avril

854 «Battle in Saguenay polite, uncon- », M. Morissette, G. Lovelace, reportage.

855 «Student newsmen's Yes comes amid No lecture», S. Won, reportage.

23 avril

856 «Yes» voters want change , not more talk», W.A. Wilson, analyse.

24 avril

857 «A village where Yes and No split the difference... Aura of defeat over Yes camp», G. Lovelace, M. Morissette, reportage, pp. 1,8.

25 avril

858 «Women's vote could make the difference in referendum result», M. Morissette, G. Lovelace, reportage, p. 8.

26 avril

859 «Quebec trucker in quandary... wich way to go?», G. Lovelace, M. Morissette, reportage.

29 avril

860 «Elderly «scared» mayor», S. Won, reportage, p. 8.

30 avril

861 «Law partners divided on vote, but still friends», P. Hadekel, reportage, p. 10.

ler mai

862 «Door-to-door fist fight will go on until vote», P. Hadekel, reportage, p. 8.

863 «PQ MNA ask for names», S. Won, reportage, p. 8.

2 mai

864 «Ryan recovers his calm, but Rene sounds cranky», P. Hadekel, analyse, p. 8.

5 mai

865 «Crybabies take their licks - Levesque slaps federalists after Gatineau dust-up-Ryan «expected» a Gatineau brawl», reportage, pp. 1,2.

6 mai

866 «Good catch beats vote for fishermen», M. Morissette, G. Lovelace, reportage, p. 8.

867 «No-committee charges fight orchestrated by the Yes-side», S. Won, reportage, p. 8.

9 mai

868 «A Quebec army? A No and a Yes», CP, reportage, p. 8.

869 «Tirades, kisses: Debate at the bar», G. Lovelace, M. Morissette, reportage, p. 8.

10 mai

870 «Whatever the vote result Quebecers want change - Many voting Yes to pressure federal gov't», M. Morissette, G. Lovelace, analyse, pp. 1, 9.

12 mai

871 «If the No-side wins: Doomsday scenarios», P. Hadekel, reportage, p. 8.

13 mai

872 «Real Caouette speaks from the grave», M. Morissette, G. Lovelace, reportage, p. 8.

14 mai

873 «Yes forces exploiting a dream», J. Gray, analyse, p. 6.

15 mai

874 «Yes-forces turn to their strong-holds as last hope», G. Lovelace, M. Morissette, reportage, p. 8.

16 mai

875 «The anatomy of a failed friendship», W. Stewart, reportage, p. 8.

876 «Trudeau mocks Quebec: Levesque», reportage, p. 1.

17 mai

877 «Forces for No looking strong in West Quebec», S. Won, reportage, p. 8.

878 «Levesque's feat: Uniting his enemies», A. Fotheringham, reportage, p. 37.

879 «Oui or Non, Old Canada is no longer», R. Gwyn, reportage, p. 7.

880 «Quebec's fateful choice», analyse, p. 6.

881 «To be a Quebecer is to be different The real issue is emotion, pure and simple», G. Lovelace, M. Morissette, analyse, pp. 1,8.

20 mai

882 «An historic choice: Breakup of Canada on renewal of union», P. Hadekel, reportage, p. 8.

883 «Get those bodies to the polling booths», A. Fotheringham, reportage, p. 43.

884 «Now a question for jury», reportage, p. 1.

21 mai

885 «No-win in Quebec vote won't solve all problems», J. McArthur, commentaire, p. 34.

22 mai

886 «Couple's separation ended with the vote - Result not riots, talk of town», M. Morissette, reportage, pp. 1,8.

LA PAROLE

30 avril

887 «Devant la Chambre de commerce - Pierre Laurin ramène le débat référendaire à un niveau pratique», reportage, p. 6.

LE PEUPLE-COURRIER

23 avril

888 «L'échéance approche», J.-P. Lemieux, chronique, p. 6.

28 mai

889 «La contradiction référendaire», J.-P. Lemieux, commentaire, p. 4.

PEUPLE-TRIBUNE

23 avril

890 «Campagne référendaire dans Lévis:
Le ton du débat encore serein»,
S. Geoffrion, éditorial, p. A-4.
/Les options politiques de person-
nalités dans Lévis/

891 «L'échéance approche», J.-P.
Lemieux, reportage, p. A-10.
/Arguments du Parti québécois et
du Parti libéral (à l'Assemblée
nationale) sur le référendum/

14 mai

892 «Bilan de la campagne par les présidents du Oui et du Non», S.
Geoffrion, J. Bouchard, reportage,
p. 3.

893 «Plus que six jours», J. Bouchard,
éditorial, p. 4.

28 mai

894 «C'était quoi la question?», J.-P.
Lemieux, reportage, p. A-9.

LA PRESSE

15 avril

895 «Le çimetière de Lotbinière»,
L. Gagnon, reportage, p. A-9.

16 avril

896 «Le sprint final du débat référendaire», V. Prince, éditorial,
p. A-6.

897 «Le 20 mai - La campagne référendaire durera 35 jours», P. Vincent,
reportage, p. A-1.

19 avril

898 «Un réflexe démocratique trop mou»,
M. Adam, commentaire, p. A-6.

22 avril

899 «Le peuple équivoque», L. Gagnon,
reportage, p. A-14.

23 avril

900 «L'évolution des idées d'indépendance et de fédéralisme», M. Laurendeau, analyse, p. A-12.

24 avril

901 «Les antagonistes: Bourassa et
Chevènement - Duel sur l'association
des États souverains», L. Cousineau,
reportage, p. C-13.

25 avril

902 «Bédard et Lavoie-Roux font match
nul», H. Roberge, reportage,
p. A-10.

903 «Lettre au professeur Léon Dion»,
M. Thérien, lettre, p. A-9.

904 «Le ton du débat référendaire monte de façon inquiétante», V. Prince,
commentaire, p. A-6.

29 avril

905 «Le débat Forget-Landry ne suscite
que peu d'intérêt», M. Gagnon,
reportage, p. A-11.

30 avril

906 «La démocratie est-elle indissocia-
ble des institutions fédérales»,
M. Laurendeau, analyse, p. A-14.

907 «La zone grise des indécis», P.
Gravel, reportage, p. A-12.

1er mai

908 «Les deux camps sont d'accord - Les
pensions ne sont pas menacées»,
A. Dubuc, reportage, p. A-1.

2 mai

909 «Un certain vent référendaire»,
P. Longpré, reportage, p. A-12.

3 mai

910 «Deux enjeux symboliques», P. Gravel, reportage, p. A-12.

911 «Entrevue avec l'épouse de l'ex-premier ministre Bertrand - Mme Bertrand refuse de spéculer sur la position qu'aurait adoptée son mari», J. Bouchard, reportage, p. A-12.

5 mai

912 «Les Anglais de Gaspé», P. Gravel, reportage, p. A-14.

913 «Raynaud: l'aveu de Fortin un aveu d'impuissance», R. Leroux, reportage, p. A-13.

914 «Y'a rien là» selon Raynaud. La cote AA: Ca fait plaisir, dit Parizeau», A. Dubuc, reportage, p. A-12.

6 mai

915 «Le fascisme vu par Claude Ryan», L. Gagnon, reportage, p. A-13.

7 mai

916 «Les chances de renouvellement constitutionnel advenant un Non», M. Laurendeau, analyse, p. A-12.

917 «Dans la famille terrienne Marsolais. Aux fêtes c'était Oui; à Pâques, c'était Non», P. Gingras, reportage, p. A-13.

918 «Pensons à l'après-référendum», M. Adam, commentaire, p. A-6.

8 mai

919 «Les éditorialistes du Devoir se prononceront séparément», H. Laprise, reportage, p. A-15.

920 «Les perroquets du Oui et du Non», L. Gagnon, reportage, p. A-15.

9 mai

921 «Le débat devrait aller au fond des choses», M. Adam, commentaire, p. A-6.

922 «Le monde agricole pas à l'heure référendaire», P. Gingras, reportage, p. A-11.

10 mai

923 «La campagne de Ryan est finie et Lévesque rajuste son tir», Y. Leclerc, C. J. Marsolais, reportage, p. A-11.

924 «Leur avenir fait partie du débat. Les fonctionnaires fédéraux affichent leur couleur», G. Paquin, reportage, p. A-10.

925 «Le monde à l'envers», P. Longpré, reportage, p. A-12.

926 «Le «Oui» ne respire pas fort dans les champs de Saint-Chrysostome», J.-P. Bonhomme, reportage, p. A-8.

927 «Rapatrier la constitution. Trudeau est perdant et Lévesque parle d'un coup de force», reportage, p. A-1.

12 mai

928 «La ceinture et les bretelles», P. Longpré, reportage, p. A-10.

929 «Deux styles différents de référendum», V. Prince, éditorial, p. A-6.

930 «Trois Oui et un Non au Devoir», H. Laprise, reportage, p. A-9.

13 mai

931 «Montréal: beaucoup de bleu à l'est mais... », L. Gagnon, reportage, p. A-10.

932 «Seuls Garon et Masse parlent de souveraineté-association», Y. Leclerc, reportage, p. A-12.

933 «Les tannants», P. Longpré, reportage, p. A-11.

15 mai

934 «Faudrait plutôt parler du budget de l'an dix», A. Dubuc, reportage, p. A-14.

17 mai

935 «Le combat des chefs», L. Gagnon,
reportage, p. A-7.

936 «Le débat à «L'ENJEU» - Match nul
Parizeau - Raynaud», A. Dubuc,
reportage, p. A-14.

937 «Lévesque et Ryan font le point
avec la Presse. Quoi qu'il advien-
ne... Les deux chefs ont confiance
en l'avenir», reportage, p. A-1.

938 «Parlons d'affaires», P. Longpré,
reportage, p. A-12.

21 mai

939 «C'est la victoire de Bourassa dit
Bourgault», F. Osborne, reportage,
p. 9.

940 «Non, c'est la réponse de 59.5% des
Québécois dont une majorité de francophones», P. Gravel, reportage,
p. A-1.

941 «Réponse sans équivoque des Québécois», M. Adam, éditorial, p. A-6.

22 mai

942 «Ben oui... (bis)», P. Foglia,
chronique, p. A-5.

943 «Un très dur échec pour le gouvernement», M. Adam, éditorial, p. A-6.

LE PROGRÈS DE COATICOOK

30 avril

944 «Union monétaire», éditorial, p. 2.

7 mai

945 «Deux réflexions entendues deux
sons de cloche distincts», éditorial, p. 2.

LE PROGRÈS DE MAGOG

23 avril

946 «La campagne: ça y est! C'est
parti!», commentaire, p. 5.

30 avril

947 «Ca bouge dans Orford», T. Jean,
reportage, p. 4.

14 mai

948 «Duel sur les ondes... entre
«gentilshommes», reportage, p. 2.

LE PROGRÈS DE THETFORD

29 avril

949 «Enquête dans la rue - Le référendum... c'est Oui ou c'est Non?»,
reportage, p. 10.

13 mai

950 «Qui aura le mandat pour quoi?»,
D. Richard, éditorial, p. 4.

PROGRÈS-DIMANCHE

11 mai

951 «Deux économistes, deux options.
Prévost: Le débat prend des allu-
res démagogiques. Moussaly: Pas
de vote pour l'une ou l'autre des
options», J. Simard, reportage,
p. 66.

18 mai

952 «Le sprint final est enfin engagé»,
reportage, p. 11.

PROGRÈS-ÉCHO

14 mai

953 «Page de vie au soir du 20 mai»,
E. Simard, reportage, p. A-4.

LE QUOTIDIEN DU SAGUENAY-LAC ST-JEAN

16 avril

954 «Le référendum du 20 mai ne sera
qu'une étape», B. Tremblay, commentaire, p. A-4.

26 avril

955 «Le débat référendaire prend différentes tangentes», B. Tremblay,
commentaire, p. A-4.

28 avril

956 «Deux chefs: deux campagnes différentes», P. Tourangeau, PC, reportage, p. A-9.

30 avril

957 «Fernand Lizotte propose un Oui
pour appuyer Trudeau», C. Fortin,
reportage, p. A-13.

2 mai

958 «Le référendum dans la région»,
C. Fortin, reportage, p. A-5.

7 mai

959 «Ministre Parizeau accusé - Démission fracassante de Kierans»,
PC, reportage, p. B-28.

10 mai

960 «Campagnes et approches différentes», D. Clift, PC, reportage,
p. A-8.

13 mai

961 «La femme est toujours traitée en
inférieure», G. Berberi, commentaire, p. A-4.

16 mai

962 «Le sprint final - Le nombre des
indécis augmente», F. Côté, PC,
reportage, p. B-6.

17 mai

963 «C'est maintenant l'heure du choix
individuel», B. Tremblay, commentaire, p. A-4.

964 «On pourrait contester le résultat
de mardi», PC, reportage, p. A-11.

21 mai

965 «Les artistes sont déçus», PC, reportage, p. A-16.

THE RECORD

15 avril

966 «CGE Townships site closer to Ver-
mont plant», C. Treiser, reportage,
p. 3.

967 «Ref date guessing game expected
to end today», CP, reportage, p. 1.

16 avril

968 «We vote may 20», CP, reportage,
p. 1.

22 avril

969 «Harassment shows no favoritism»,
CP, reportage, p. 1.

23 avril

970 «Levesque: Canadian standards are
down. Lalonde warns of bill», CP,
reportage, pp. 1,2.

25 avril

971 «Pride is «No» vote», CP, reportage, p. 1.

972 «Star Wars Quebec style», K. Spicer, commentaire, p. 4.

28 avril

973 «Yes and No battle disturbing», K. Snow, commentaire, p. 3.

30 avril

974 «Debate touches Valcartier base», CP, reportage, p. 8.

1er mai

975 «Vote for No means change, too - Ryan», CP, reportage, p. 1.

6 mai

976 «Mud flies in ref campaign», CP, reportage, p. 1.

12 mai

977 «Second poll says No», CP, reportage, p. 1.

16 mai

978 «Noyan loyalist heritage affects refspirit», N. Wyatt, reportage, p. 3.

979 «Years of federal employment lead to Yes vote», CP, reportage, p. 6.

20 mai

980 «After 35 days, it's going to be close», reportage, p. 1.

21 mai

981 «Bourassa: Rejection (common sense)», CP, reportage, p. 5.

982 «The No: Just what was it a Yes to?», J. Duff, éditorial, p. 4.

983 «Nos jeer, Yes forces weep», C. Treiser, reportage, pp. 1,2.

984 «Shefford forces land two-to-one sweep», N. Wyatt, reportage, p. 3.

LE REFLET

14 mai

985 «Pour un Québec qui doit négocier. Quel est le meilleur outil de négociation: le Oui ou le Non?», J.-P. Auclair, communiqué, p. 1.

LE RÉGIONAL DE L'OUTAOUAIS

7 mai

986 «La politique de la haine», F. Laferrière, éditorial, p. 4.

14 mai

987 «Le choix de mardi - Pour l'avenir du pays», F. Laferrière, éditorial, p. 4.

LE RÉVEIL À JONQUIÈRE

23 avril

988 «Le silence est d'or», M. Tapp Desbiens, reportage, p. 4.

14 mai

989 «À bien y penser. Les jeux sont loin d'être faits», M. Tapp Desbiens, commentaire, p. 4.

21 mai

990 «À bien y penser. Le vrai travail ne fait que commencer», M. Tapp Desbiens, commentaire, p. 6.

LA REVUE

28 mai

991 «Interprétation des résultats dans L'Assomption», reportage, p. 11.

LE RIMOUSKOIS

28 mai

992 «Au lendemain du référendum. Des Rimouskois(es) se prononcent», reportage, p. A-9.

ST-LAURENT ÉCHO

14 mai

993 «Le Québec à l'heure du choix», B. Bérubé, M. Robitaille-Tremblay, éditorial, p. A-4.

994 «Le transcontinental et le référendum», L. Bossé, reportage, p. A-8.

THE ST. LAUWRENCE SUN/
LE SOLEIL DU ST-LAURENT

14 mai

995 «Les Québécois se séparent entre eux... et c'est dommage!», D. Boucher, éditorial, p. 4.

LA SEIGNEURIE

21 mai

996 «Fin de la campagne référendaire», N. Jany, reportage, p. 27.

LA SENTINELLE DE CHIBOUGAMAU-CHAPAIS

28 mai

997 «Les Québécois ont dit Oui au Non», J. McNichols, reportage, p. 28.

LE SOLEIL

17 avril

998 «Chantier Davie, sujet utilisé dans la campagne référendaire», G. Pépin, reportage, p. A-4.

19 avril

999 «Des voix forcent des remises en question», G. Lesage, reportage, p. B-4.

21 avril

1000 «Néo-Québécois absents à leur débat», D. Angers, reportage, p. A-11.

23 avril

1001 «Crée-t-on un ghetto pour anglophones?», G. Lesage, reportage, p. B-1.

24 avril

1002 «Les injonctions invalidant des lois irritent Lévesque», M. David, reportage, p. B-3.

1003 «Quand un Non serait un Oui», G. Lesage, reportage, p. B-1.

1004 «Le tour de la question / Ceux qui «savent» votent Oui», L. Gaudreault, reportage, p. B-3.

28 avril

1005 «Un Oui jeune, un Non vieux», G. Lesage, reportage, p. B-1.

29 avril

1006 «Le tour de la question//Cartes
sur table», L. Gaudreault, reportage, p. A-13.

1er mai

1007 «Parlez de nous à vos amis», L.
Gaudreault, reportage, p. B-3.

2 mai

1008 «Advenant un Oui, Trudeau devra négocier», G. Rémillard, analyse,
p. A-7.

3 mai

1009 «Le Soleil et le référendum», C.
Beauchamp, éditorial, p. A-6.

1010 «Une teinte électorale indélébile»,
L. Gaudreault, reportage, p. B-5.

1011 «Le 3e âge entre la fierté et la
sécurité», R. Lacombe, reportage,
p. B-3.

5 mai

1012 «Après, ce sera l'été», L. Gaudreault, reportage, p. B-3.

1013 «Du père Gédéon au p. Lévesque»,
G. Lesage, reportage, p. B-1.

6 mai

1014 «Montréal n'est pas gagnée au Oui»,
R. Giroux, reportage, p. 1.

1015 «Prévenir la violence», J. Dumais,
commentaire, p. A-6.

1016 «Une tournure inquiétante», G.
Lesage, reportage, p. 1.

7 mai

1017 «De violon et de gigue», L. Gaudreault, reportage, p. B-3.

8 mai

1018 «Au sujet du référendum», J. D.
Fessou, reportage, p. A-5.
/Les Septîliens entendent deux
sons de cloche la même journée/

1019 «Poussière d'amiante», L. Gaudreault,
reportage, p. B-3.

9 mai

1020 «Chez lui Duplessis est mort», L.
Gaudreault, reportage, p. B-3.

1021 «Le combat des députés-ministres»,
M. David, reportage, p. A-7.

1022 «Un grand soulagement comme après
un film très intense», Y. Bernier,
reportage, p. B-6.

10 mai

1023 «À soir, on fait peur au monde»,
P. Boulet, analyse, p. B-2.

1024 «C'est comme ça que ça se passe
dans Lotbinière», C. Vaillancourt,
reportage, p. B-3.

1025 «Le consensus en question», G.
Lesage, reportage, p. B-5.

12 mai

1026 «Énergie et référendum», J.-P.
Gagné, reportage, p. A-6.

1027 «Tout est paisible», L. Gaudreault,
reportage, p. B-3.

13 mai

1028 «Bérubé et De Bané parlent chiffres»,
M. David, reportage, p. B-3.

1029 «Le brunch des Oui», L. Gaudreault,
reportage, p. B-3.

1030 «Constitution à rapatrier», G.
Lesage, reportage, p. B-1.

14 mai

1031 «Deux artistes pour un p.d.g....»,
G. Lesage, reportage, p. B-1.

15 mai

1032 «Les électeurs de Saint-Jean ont l'art de voter du bon bord», L. Lachance, reportage, p. A-7.

1033 «Traits de ville», L. Gaudreault, reportage, p. B-3.

17 mai

1034 «À quelques pas du fil d'arrivée», C. Beauchamp, éditorial, p. A-6.

1035 «Le double Québécois», L. Gaudreault, reportage, p. B-7.

1036 «Si le Québec votait un soir de fête!», G. Lesage, analyse, p. B-1.

.20 mai

1037 «Ce sera ni le début... ni la fin du monde», G. Lesage, reportage, p.. A-7.

21 mai

1038 «Ce qu'ils en pensent / Le monde des arts», reportage, p. A-14.

1039 «Ce qu'ils en pensent. Les sportifs», reportage, p. A-12.

1040 «Ce qu'ils en pensent / Les universitaires», reportage, p. A-12.

1041 «Majorité silencieuse», L. Gaudreault, reportage, p. A-5.

1042 «Michaud et Pelletier ont des réactions différentes», PC, AFP, reportage, p. A-11.

1043 «Les milieux politiques», reportage, p. A-15.

1044 «Une page a été tournée», M. Pépin, éditorial, p. A-6.

22 mai

1045 «Ce qu'ils en pensent», reportage, p. B-5.

LE SOLEIL DE COLOMBIE

23 mai

1046 «Après le Non à la souveraineté-association. C'est l'heure du changement constitutionnel», reportage, p. 2.

LE SOLEIL DU ST-LAURENT

30 avril

1047 «Débat référendaire. Les partisans du Oui ont peur des anglais - Paul Gérin Lajoie», M. Martel, reportage, p. A-12.

LE SOMMET-ÉCHO DES LAURENTIDES

30 avril

1048 «À 20 jours du choix: Il faut savoir... pourquoi!», M. Desbiens, éditorial, p. 4.

THE SUBURBAN

21 mai

1049 «Levine, Goldstein square off in Dollard», C. Languedoc, reportage, p. A-10.

28 mai

1050 «The french press en anglais», F. Belfer, revue de presse, p. A-30.

SUNDAY STAR

27 avril

1051 «Levesque, Ryan wives share stage», CP, reportage, p. A-6.

4 mai

1052 «Ryan accuses PQ as fists fly at
rally - PQ militants started No
rally fight - Ryan», C. Goyens,
reportage, pp. 1,2.

11 mai

1053 «Quebec referendum campaign becomes
gut-level reality», reportage,
p. B-6.

1054 «Should Quebec get a divorce? -
Oui: We're in love but must leave
for self respect - Non: Demolish walls
instead of building them», G. Godin,
S. Chaput-Rolland, libre opinion,
p. B-5.

18 mai

1055 «Ryan win won't solve all problems,
poll finds - Ryan win no cure-all,
poll shows», P. Regenstreif, reportage, pp. 1,A-8.

1056 «There's nothing simple about Yes
or No vote», J. Sutton, analyse,
p. D-5.

1057 «Winning not enough, No team fears»,
reportage, p. B-7.

LE TÉMISCAMIEN

28 mai

1058 «Ces lendemains du référendum»,
M. Barrette, éditorial, p. 3.

LA TERRE DE CHEZ NOUS

17 avril

1059 «Le débat référendaire», M. Lestage,
reportage, p. 18.

24 avril

1060 «Le débat référendaire», M. Lestage,
reportage, p. 8.

1er mai

1061 «Le débat référendaire», M. Lestage,
reportage, p. 10.

8 mai

1062 «Le débat référendaire», M. Lestage,
reportage, p. 19.

15 mai

1063 «Le débat référendaire», M. Lestage,
reportage, p. 16.

TORONTO STAR

16 avril

1064 «Federalists searching for magic
formula», B. McKenzie, analyse,
p. A-25.

1065 «Levesque says he'll get 55% -
World's watching us - Levesque»,
P. Doyle, reportage, pp. 1,A-27.

1066 «Unbowed Payette comes out fighting»,
C. Goyens, reportage, p. A-25.

19 avril

1067 «War of words may haunt politicians
after referendum», R. McKenzie,
reportage, p. A-14.

1068 «Where PQ, federalism collide head-
on», C. Goyens, reportage, p. B-6.

23 avril

1069 «Top marks for Yes «diploma», R.
McKenzie, reportage, p. A-6.

26 avril

1070 «A lesson of sorts in restraint»,
B. Spears, analyse, p. B-2.

5 mai

1071 «Figures only tell us half the
voting story», R. McKenzie, reportage, p. A-6.

10 mai

1072 «Constitution move «dangerous» - Levesque», P. Doyle, C. Goyens, reportage, pp. A-1, A-6.

1073 « Gaffes dog campaigners», C. Goyens, reportage, p. A-6.

1074 «Strategy pleases everybody», C. Arpin, reportage, p. B-5.

13 mai

1075 «Le Devoir backs Yes by 3 to 1», UPC, reportage, p. A-14.

17 mai

1076 «The label Quebecois becomes badge of pride», R. McKenzie, analyse, p. B-1.

1077 «Tuesday's Quebec referendum - Canada's decisive moment», éditorial, p. B-2.

19 mai

1078 «Interpretation of Quebec vote complicated by ambiguities», M. Lipton, analyse, p. A-7.

1079 «Yes rally seethes with raw emotion», J. Sutton, reportage, p. A-4.

20 mai

1080 «Quebec puts its destiny to the vote - Quebecers go to polls to decide their destiny», P. Doyle, reportage, pp. A-1, A-14.

1081 «Rural vote true test of PQ popularity», R. McKenzie, reportage, p. A-14.

21 mai

1082 «Feuding families try to heal rift», G. Cosgrove, reportage, p. A-24.

1083 «The joy of victory, the misery of defeat», L. Heller, reportage, p. A-23.

1084 «Levesque asked too much of Quebecers», P. Rengenstreif, analyse, p. A-10.

1085 «Quebec's No will work no miracles», J. McArthur, analyse, p. D-13.

1086 «Yes side shrugs off its grief and sings», P. Hluchy, reportage, p. A-24.

22 mai

1087 «We're glad it's all over declare Montrealers», P. Hluchy, reportage, p. A-17.

23 mai

1088 «Struggle not over Montrealers say», L. Heller, reportage, p. A-10.

2 juin

1089 «Let's re-channel separatists passion», J. Sutton, analyse, p. A-4.

TOWN OF MOUNT ROYAL WEEKLY POST

17 avril

1090 «More optimistic about No vote», reportage, p. 1.

8 mai

1091 «Feedback from townites on the referendum», S. Contenta, reportage, p. 1.

LE TRAIT D'UNION

16 avril

1092 «Débat référendaire de la Chambre de commerce de Terrebonne. Intéressant, vivant, mais n'ajoute rien de nouveau!», reportage, p. 1.

LA TRIBUNE

16 avril

1093 «Le Canada sera tenu de négocier»,
PC, reportage, p. B-1.

19 avril

1094 «Dialoguons sans haine», J. Vigneault, éditorial, p. B-2.

28 avril

1095 «Des réponses contradictoires»,
J. Vigneault, éditorial, p. B-2.

30 avril

1096 «Grégoire aux étudiants: la question commande un Oui», reportage,
p. B-3.

3 mai

1097 «Les politiciens piétinent et le
débat référendaire aussi», J.
Vigneault, éditorial, p. B-2.

8 mai

1098 «Débat radiophonique Langlois et
Théroux croisent le fer», Y. Rousseau, reportage, p. B-3.

10 mai

1099 «La passion ou la raison», J. Vigneault, éditorial, p. B-2.

13 mai

1100 «La campagne référendaire: des
approches différentes», D. Clift,
analyse, p. B-2.
/Les intérêts qui sont derrière les
deux options/

17 mai

1101 «Dans la région de Lac-Mégantic.
Le climat économique demeure le
principal souci de la population»,
reportage, p. B-5.

1102 «Le monde agricole du comté d'Arthabaska. Oui à la négociation, à
l'égalité et à l'avancement - Lionel
Laroche. Non à cause du pétrole,
des grains et des subsides - Roch
Allard», reportage, p. B-6.

21 mai

1103 «Appel à tous les Québécois pour
améliorer le régime (Mme Monique
Gagnon-Tremblay)», reportage,
p. A-3.

1104 «J'aurais aimé une marge plus importante - M. François Bourgeois»,
reportage, p. A-10.

1105 «Je ne suis pas découragé - Marengo», reportage, p. A-3.

1106 «Martin heureux des résultats»,
reportage, p. A-9.

1107 «Les Québécois ont compris qu'ils
ont tout à gagner au Canada.
(Georges Vaillancourt)», reportage,
p. A-6.

1108 «Un terme à la démarche péquiste -
André Beaumier. Le président du
Comité du Oui peu volubile. Brochu impossible à rejoindre», reportage, p. A-8.

1109 «Victoire au-delà de mes espéran-
ces! - M. Roger Labrecque», reportage, p. A-6.

22 mai

1110 «Négociez et vite», J. Vigneault,
éditorial, p. B-2.

24 mai

1111 «Des gagnants et des perdants», J.
Vigneault, éditorial, p. B-2.

L'UNION

13 mai

1112 «Le 20 mai: jour historique...»,
M. Duchesneau, éditorial, p. A-4.

27 mai

1113 «Le résultat du référendum: un grand pas en avant...», M. Duchesneau, éditorial, p. A-4.

THE VAL-D'OR STAR

16 avril

1114 «The Star asked opinions on the separation of Quebec», reportage, p. 7.
/Opinion de diverses personnes/

LA VALLÉE DE LA CHAUDIÈRE

23 avril

1115 «Le combat des chefs», I. Lamontagne, analyse, p. A-5.

7 mai

1116 «Le débat référendaire piétine», I. Lamontagne, analyse, p. A-5.

14 mai

1117 «À vous de décider», A. Poulin, éditorial, p. A-3.

1118 «Mot à mot - Un bilan décevant», I. Lamontagne, analyse, p. A-5.

21 mai

1119 «Les conséquences d'un Non», A. Poulin, éditorial, p. A-3.

THE VANCOUVER SUN

17 avril

1120 «Yes» and «No» leaders trade opening shots in referendum», CP, reportage, p. A-15.

18 avril

1121 «Dramatic action by 10 men could foil separatists», K. Spicer, commentaire, p. A-6.

22 avril

1122 «Ryan alleges harassment», PC, reportage, p. D-8.

24 avril

1123 «Ryan compares Levesque to «Master of the Kremlin», CP, reportage, p. A-10.

25 avril

1124 «The fishing poll offers equivocal bait: René Lévesque hopes Quebecers will swallow hook, line, and sinker», K. Spicer, analyse, p. A-5.

1125 «Levesque laughs off Trudeau plan to talk», reportage, p. A-13.

29 avril

1126 «Straight out of Machiavelli», M. Nichols, commentaire, p. 4.

5 mai

1127 «Blood drawn in clash by referendum forces», PC, reportage, p. A-7.

6 mai

1128 «Dirty trick charges still flying», CP, reportage, p. A-10.

7 mai

1129 «Kierans resignation politically motivated», CP, reportage, p. A-7.

8 mai

1130 «Passionate PM packs'em in for the No team - Trudeau has crowd shouting No», E. Austin, reportage, pp. A-1, A-2.

9 mai

1131　«Placid Rimouski hides Yes-No split»,
E. Austin, reportage, p. 1.

1132　«Ryan warns against complacency»,
UPC, reportage, p. A-13.

10 mai

1133　«Something is awry in this referendum. Before two unknowns the population grows skeptical. Neither side deserve to win», R. Decary, commentaire, p. 5.

1134　«Yes or No won't matter: Referendum can't end tension plaguing Quebec», D. Clift, PC, reportage, p. A-8.

13 mai

1135　«Le Devoir éditorialists reject Ryan's cause», UPC, reportage, p. A-10.

16 mai

1136　«Contrast in leader's style a portrait of the Quebec campaign», M. Janigan, P. Hadekel, reportage, p. A-2.

1137　«The referendum: a question of bargainning power. Oui or Non, a deadly stalemate», J. Condit, analyse, p. 5.

17 mai

1138　«A date with destiny», commentaire, p. A-4.

1139　«First the vote, then violence? Referendum seen start of a long hot summer in Quebec», E. Austin, reportage, p. A-12.

1140　«Levesque galvanizes his foes», A. Fotheringham, commentaire, p. 6.

1141　«Levesque raps Ottawa over ad issue», PC, reportage, p. A-14.

1142　«Referendum just first hurdle on long course», B. Hutchinson, analyse, p. 1.

LA VICTOIRE

22 mai

1143　«Un mandat clair pour le fédéralisme renouvelé», R. Binette, éditorial, p. 4.

LA VOIX DE L'EST

16 avril

1144　«Entre les deux... Les réactions au discours du trône», A. Gazaille, reportage, p. 6.

1145　«Référendum: le 20 mai», PC, reportage, p. 1.

18 avril

1146　«Il faut du cran pour dire Non au pays de Maria Chapdelaine», A. Bellemare, PC, reportage, p. 4.

30 avril

1147　«Une division qui annonce de douleureux lendemains», V. Audy, éditorial, p. 4.

1148　«Ryan choisit ses auditoires-Lévesque mise sur les media», P. Tourangeau, PC, reportage, p. 4.

1er mai

1149　«Débat référendaire dans l'Estrie - Ici de la prudence, là de l'emportement», R. Lefebvre, PC, reportage, p. A-9.

2 mai

1150　«Shefford - Les comités refusent de se laisser impressionner», A. Gazaille, reportage, p. 5.

5 mai

1151　«Le «Budget de l'An I de l'indépendance», V. Audy, éditorial, p. 4.

7 mai

1152 «Shefford - Au CEGEP hier - Le
débat a eu lieu mais n'a pas provo-
qué d'étincelles», A. Gazaille, reportage, p. 8.

13 mai

1153 «Approfondir l'écart afin que la
réponse soit claire», V. Audy,
éditorial, p. 4.

16 mai

1154 «À bas la honte et la peur», V.
Audy, éditorial, p. 4.

17 mai

1155 «Johnson. Les indécis feront la
différence», F. Bélanger, analyse,
p. 27.

21 mai

1156 «Les Québécois ne peuvent se payer
le luxe de maintenir leur division»,
V. Audy, éditorial, p. 4.

1157 «Table ronde de CHEF - Des observa-
teurs sans commentaires», reportage, p. 2.

22 mai

1158 «Une idée ne meurt pas du jour au
lendemain», PC, reportage, p. 4.

1159 «Des sportifs plutôt déçus», PC,
reportage, p. 18.

1160 «La Voix de l'Est interroge des
passants rue Principale - Heureux
ou déçus, tous espèrent des changements», A. Gazaille, reportage,
p. 5.

23 mai

1161 «De sérieux défis pour les trois
chefs», V. Audy, éditorial, p. 3.

27 mai

1162 «Une réponse qui soulève un tas
d'interrogations», V. Audy, éditorial, p. 4.

LA VOIX DES MILLE-ÎLES

23 avril

1163 «Débat Hardy-Mercier aussi animé
sur la scène que dans la salle»,
H. Alexandre, reportage, p. 7.

14 mai

1164 «Pour rire ou pleurer avec Jos
Maurice. Le baromètre tourne au
beige», chronique, p. 5.

28 mai

1165 «Les Québécois, des Canadiens à
part entière», H. Alexandre, commentaire, p. 4.

LA VOIX GASPÉSIENNE

16 avril

1166 «Pourquoi pas Nord-Américain», G.
Gagné, éditorial, p. A-4.
/Danger du sectarisme référendaire/

14 mai

1167 «Après le feu du débat. Sur le
débat télévisé entre Yves Bérubé
et Pierre De Bané», R. Pelletier,
reportage, p. A-5.

1168 «Il y a plus que ces 2 hommes en
cause le 20 mai», G. Gagné, reportage, p. C-1.
/Synthèse de la campagne menée dans
l'Est du Québec par Yves Bérubé et
Pierre De Bané/

21 mai

1169 «Bilan plutôt négatif de la campagne du référendum», R. Pelletier,
reportage, p. A-24.

LA VOIX MÉTROPOLITAINE

6 mai

1170 «Peut-on et doit-on?», A. Hains, éditorial, p. B-4.

13 mai

1171 «La négociation obligatoire», A. Hains, éditorial, p. 4.

20 mai

1172 «La continuité historique», A. Hains, commentaire, p. 4.

LA VOIX POPULAIRE

22 avril

1173 «La parole appartient aux... Québécois», Y. Laprade, éditorial, p. 8.

13 mai

1174 «Laprade entre deux colonnes», Y. Laprade, commentaire, p. 3.

LE VOYAGEUR

30 avril

1175 «Une déclaration ambiguë! «Les Québécois doivent avoir toute la place qui leur revient», H. L. Bertrand, commentaire, p. 4.

28 mai

1176 «L'autopsie du référendum», H. L. Bertrand, éditorial, p. 4.

THE WATCHMAN

16 avril

1177 «May 20 - Referendum day will it go down in history?», reportage, p. 3.

14 mai

1178 «A turning point in our history», éditorial, p. 4.

28 mai

1179 «The aftermath... How the captains regard the outcome», reportage, p. 11.

THE WESTMOUNT EXAMINER

24 avril

1180 «Yes», «No» leaders agree: every vote counts equally», A. Dodge, reportage, p. 1.

LES QUÉBECOIS POUR LE NON

LES ASPECTS ORGANISATIONNELS

1181 À 2084

L'APPEL

30 avril

1181 «Au lancement des Non», reportage,
p. 1.
/Photographies avec légendes/

L'ARGENTEUIL

7 mai

1182 «M. Camil Samson se dit convaincu
de la victoire du Non dans Argenteuil», reportage, p. 3.

14 mai

1183 «Si le Québec se séparait, le rôle
de Mirabel serait beaucoup moindre» -
Claude Ryan», reportage, p. 4.
/Assemblée du Non à Saint-Philippe-
d'Argenteuil/

L'ARTISAN

16 avril

1184 «Agent officiel du comité du Non:
Jacques Dupuis: un rôle moins discret que prévu», D. Caza, reportage,
p. 16.

1185 «La machine du Non à pleine vapeur...»,
Comité d'information, reportage, p. 24.

23 avril

1186 «Enfin, le vrai départ» - André
Ouellette», Comité des Québécois
pour le Non Assomption, reportage, p. 8.

14 mai

1187 «Une centaine de citoyens ne pourraient voter», Le comité pour le
Non L'Assomption, communiqué,
p. 7.

L'AVANT-POSTE GASPÉSIEN

14 mai

1188 «Visite de Mme Solange Chaput Rolland à Sayabec», reportage, p. 13.
/Photographie avec légende/

L'AVENIR DE L'EST

15 avril

1189 «Élargissant les cadres de son
parti, Jacques Dupuis au comité du
«Non», reportage, p. 11.

22 avril

1190 «Le 26 avril. Ryan à Repentigny»,
Comité des Québécois pour le Non,
communiqué, p. 8.

29 avril

1191 «Robert Bourassa à Repentigny»,
communiqué, p. 4.

13 mai

1192 «Québécois, à vous la parole»,
Comité d'information du comité
du Non Lafontaine, communiqué,
p. 24.

27 mai

1193 «André Ouellette très satisfait.
Le Non a presque renversé la vapeur», C. Gariépy, reportage, p. 2.

1194 «On croyait Lafontaine imperméable.
Le «Non» crée toute une surprise»,
C. Gariépy, reportage, p. 3.

3 juin

1195 «Comité de Lafontaine. Le comité
du Non remercie...», Comité d'information du Non Lafontaine, communiqué, p. 9.

10 juin

1196 «L'Association libérale de Lafontaine remercie», Comité d'information
Association libérale de Lafontaine,
communiqué, p. 4.

L'AVIRON

30 avril

1197 «Jeunes Québécois pour le Non»,
Comité des Jeunes Québécois pour
le «Non» du Comté de Bonaventure,
p. 21-A.
/Annonce de 3 assemblées du Non
dans Bonaventure/

LE CANADA-FRANÇAIS

16 avril

1198 «Iberville et Saint-Jean. Bergeron
et Desmarais élus présidents du Non
Comité dévoilé cette semaine», L.
Bédard, reportage, p. 8.

23 avril

1199 «Comité de 21 personnes. Lalanne,
Bergeron, Gamache...», L. Bédard,
reportage, p. 19.

1200 «Comité du Non à Saint-Jean.
Jacques Veilleux nommé directeur
général. Libéraux et unionistes.
Pas de grande surprise», L. Bédard,
reportage, p. 16.

1201 «Rejet de l'offre péquiste. Pas
de débat contradictoire. Campagne
«Low profile», L. Bédard, reportage,
p. 17.

30 avril

1202 «Camille Samson samedi», reportage
p. 11.
/Annonce d'une assemblée du Non à
Iberville/

1203 «Comité du Non. Visite de Johnson
à Saint-Alexandre. Mardi», reportage, p. 11.

1204 «Gérard D. Lévesque», communiqué,
p. 11.
/Annonce d'une assemblée du Non à
Saint-Jean/

7 mai

1205 «Saint-Jean. Porte à porte du Non
dans 14,408 familles», reportage,
p. 17.

14 mai

1206 «Bourassa à Iberville», reportage,
p. 2.
/Photographie avec légende. Annonce
d'une assemblée du Non à Iberville
le 16 mai 1980/

21 mai

1207 «Local du Non. Journalistes cons-
puées...», reportage, p. 3.

LE CARILLON

3 mai

1208 «Argenteuil. Formation d'un comité d'Yvettes», reportage, p. 6.

LE CARROUSEL DE THETFORD

15 avril

1209 «Le comité pour le «Non» à la séparation est prêt», reportage, p. 3.

29 avril

1210 «Participation sans précédent», reportage, p. 17.
/Photographies avec légendes/

1211 «Plusieurs femmes pour le «Non», reportage, p. 1.
/Photographie avec légende/

6 mai

1212 «Appel aux bénévoles», reportage, p. 17.

1213 «Le comité des Québécois pour le «Non» bien en place», reportage, p. 22.

13 mai

1214 «Le général Allard vous invite», reportage, p. 3.

20 mai

1215 «Quand les esprits s'échauffent», reportage, p. 8.
/Photographies avec légendes/

27 mai

1216 «La démocratie en marche», reportage, p. 5.

THE CHRONICLE-HERALD

17 mai

1217 «Kids involved but can't vote», CP, reportage, p. 8.

21 mai

1218 «Crowd built slowly, but spirits were high», CP, reportage, p. 9.

THE CITIZEN

15 avril

1219 «   », CP, p. 14.
/Photographie avec légende/

16 avril

1220 «Conflict hurts federal push at university», CP, reportage, p. 41.

23 avril

1221 «Yvette» backfire feared», A. McCabe, reportage, p. 49.

8 mai

1222 «Rally crowd», CP, reportage, p. 49.
/Photographie avec légende/

13 mai

1223 «Good results. «No» camp smiling over percentages», F. Howard, reportage, p. 35.

17 mai

1224 «Non» camp certain of win; they're ready to lay odds», CP, reportage, p. 73.

21 mai

1225 «Professor over here has...», C. Gordon, reportage, p. 2.

1226 «Quebec Liberal...», CP, reportage,
      p. 49.
      /Photographie avec légende/

      22 mai

1227 «Davis effect small - Ryan», repor-
      tage, p. 71.

      26 mai

1228 «No» votes rejected in Hull, Ryan
      may seek recount», G. York, repor-
      tage, p. 8.

LE CITOYEN

      15 avril

1229 «Comité du «Non» dans Richmond.
      Environ 700 participants au lance-
      ment», J.P. Lacasse, reportage,
      p. 3.

1230 «Information pour le «Non», repor-
      tage, p. 46.

1231 «Pour un «Non» catégorique», repor-
      tage, p. 2.
      /Photographies avec légendes/

      22 avril

1232 «André Beaumier est le président du
      «Non», p. 1.
      /Corrections/

1233 «André Beaumier s'explique», repor-
      tage, p. 3.

      29 avril

1234 «Le quartier général du Non dans
      Johnson», reportage, p. 35.

1235 «Visite de Solange Chaput-Roland.
      Les Québécois pour le Non dans
      Richmond en action», reportage,
      p. 3.
      /Annonce d'une assemblée d'informa-
      tion du Non, 29 avril à Ham-Nord/

      20 mai

1236 «À la Chambre de commerce», reporta-
      ge, p. 30.
      /Photographies avec légendes/

1237 «Pour le «Non» dans Richmond»,
      reportage, p. 24.
      /Photographie avec légende/

      27 mai

1238 «On célèbre la victoire du «Non»
      dans Richmond», reportage, p. 3.
      /Photographie avec légende/

LA CONCORDE

      22 avril

1239 «Samedi prochain. Claude Ryan
      dans la région», reportage, p. 5.
      /Itinéraire de Claude Ryan dans la
      région de Saint-Eustache/

CONTACT LAVAL

      16 avril

1240 «Comité du «Non». La région a ses
      quatre présidents», F. Genest, re-
      portage.

      30 avril

1241 «Robert Bourassa dans un débat au
      collège Bois de Boulogne», F. Genest,
      reportage.

      7 mai

1242 «L'Acadie et Crémazie. Robert Bou-
      rassa rencontrera les tenants du
      «Non», F. Genest, reportage, p. 2.

1243 «Les Québécois pour le Non de Cré-
      mazie répondent aux fédéraux», re-
      portage, p. 2.

      14 mai

1244 «Marche Non dans le comté Saint-
      Laurent», F. Genest, reportage,
      p. 3.

1245 «Pétition du Non à Notre-Dame de
      la Merci», F. Genest, reportage, p. 3.

1246 «Thérèse Lavoie-Roux en tournée dans
      l'Acadie», F. Genest, reportage,
      p. 2.

1247 «Trois présidents du Non prévoient
leur victoire», F. Genest, reportage, p. 3.

21 mai

1248 «Atmosphère de fête», reportage,
p. 3.
/Comité du Non de Crémazie/

LE COURRIER DE MALARTIC

7 mai

1249 «Avec Claude Ryan. Les troupes
du «Non» au sommet de la campagne», communiqué, p. 5.

14 mai

1250 «Les tenants du Non à Malartic»,
reportage, p. 12.

LE COURRIER DE SAINT-HYACINTHE

16 avril

1251 «Président du comité du Non. Léo
Bibeau n'utilisera pas les peurs
«épouvantails», M. Raîche-Lefebvre,
reportage, p. A-7.

23 avril

1252 «   », p. B-5.
/Photographies avec légendes/

1253 «À l'ouverture officielle», reportage, p. B-4.
/Photographies avec légendes. Comité du Non Johnson/

1254 «Saint-Hyacinthe. Les femmes pour
le «Non», reportage, p. B-3.
/Annonce de la tenue d'une assem-
blée/

1255 «Vice-présidente du comité du Non.
Pour Mme Rodrigue «c'est l'heure
de la dernière chance», M. Raîche-
Lefebvre, reportage, p. B-3.

30 avril

1256 «   », p. A-10.
/Photographies avec légendes. Nomination du Dr Fernand Bergeron
comme président du comité du Non
d'Iberville/

1257 «Au comité du Non. Présentation
d'un diaporama», reportage, p. A-6.

1258 «Des adhésions importantes pour le
camp du Non», M. Raîche-Lefebvre,
reportage, p. A-6.

1259 «Soirée des Québécoises pour le
Non. Mme Chaput-Rolland, conférencière invitée», reportage, p. A-6.

7 mai

1260 «Au 1044, rue Lemay. Comité pour
le Non du comté de Johnson», reportage, p. A-8.

1261 «Les bâtisseurs. Une journée à
l'intention des jeunes et moins
jeunes», reportage, p. A-8.

1262 «Daniel Johnson à Saint-Césaire»,
reportage, p. A-8.

1263 «M. Michel Le Moignan à Saint-Hyacinthe», reportage, p. A-8.

14 mai

1264 «Dans la région de Saint-Hyacinthe.
Plus de 40 médecins adhèrent au
Non», reportage, p. B-6.

1265 «Le 18 mai, à Saint-Hyacinthe. R.
Bourassa participe à une rencontre
pour le Non», reportage, p. B-6.

1266 «Ils diront «Non», reportage,
p. B-1.
/Divers tenants du Non justifient
leur position /

1267 «Robert Bourassa à Iberville», reportage, p. B-6.

21 mai

1268 «Dans Verchères. Malgré la vic-
      toire, peu d'enthousiasme au
      Non», L. Lamothe, reportage,
      p. B-2.

1269 «Robert Bourassa à la Chambre
      de commerce», reportage, p. 3.

11 juin

1270 «Lettre aux bénévoles du «Non»,
      L. Bibeau, lettre, p. A-5.

LE COURRIER DU SUD/THE SOUTH SHORE COURIER

30 avril

1271 «Le Non dans Laporte: De raison-
      sable à raisonnable...», A. Gruda,
      p. A-4.

1272 «Pour le comité de Laprairie.
      Le maire André Bourbeau en tête
      de liste des adhérents du Non»,
      reportage, p. A-5.

COURRIER LAVAL

16 avril

1273 «Brunch», reportage.

1274 «La jeunesse Lavalloise pour le
      Non», reportage.

1275 «Le «Non» dans Mille-Îles», re-
      portage.

23 avril

1276 «Bourassa à Laval», communiqué,
      p. 2.
      /Conférencier à l'Association
      des hommes d'affaires de Laval/

1277 «Les brunchs du Non», reportage,
      p. 2.

1278 «Springate à Laval», reportage,
      p. 2.

30 avril

1279 «Les brunchs du Non», reportage,
      p. 2.

1280 «Rencontre du «Non» rue Hennessy»,
      reportage, p. 2.

7 mai

1281 «Daniel Johnson Jr», reportage,
      p. 2.

14 mai

1282 «Brunch du «Non», reportage,
      p. A-2.

1283 «Marathon du Non», reportage,
      p. A-2.

1284 «Soirée du Non à l'école Leblanc»,
      reportage, p. A-2.

COURRIER MAG

16 avril

1285 «300 Québécoises pour le Non de
      Chambly au Forum de Montréal»,
      reportage, p. 9.

23 avril

1286 «La campagne du Non - Les hauts
      et les bas de la «course aux per-
      sonnalités», A. Gruda, reportage,
      p. 12.

1287 «Dans Chambly - Le comité Les Qué-
      bécois pour le Non en action»,
      reportage, p. 12.

1288 «Nommé président du comité du Non
      dans Taillon», reportage, p. 12.
      /Photographie avec légende/

7 mai

1289 «   », reportage, p. 11.
      /Photographies avec légendes/

1290 «Convocation du Comité du Non»,
      Les gens du comté de Laporte pour
      le Non, communiqué, p. 10.

1291 «Visite de Claude Ryan au Métro
      Longueuil», reportage, p. 11.
      /Photographies avec légendes/

LE COURRIER RIVIÉRA

23 avril

1292 «Dans Nicolet-Yamaska, 64 person-
      nes pour le «Non», reportage, p. 2.

14 mai

1293 «Bourassa intervient dans le débat
      référendaire», reportage, p. 1.
      /Photographie avec légende/

1294 «Canada. D'une génération à
      l'autre», p. 1.
      /Photographie avec légende/

COURRIER-SUD

15 avril

1295 «Lancement du comité pour le Non
      dans notre région», reportage.

22 avril

1296 «Maurice Lavallée lance la campagne
      du «Non», J. Desfossés, reportage.

LE DEVOIR

18 avril

1297 «Une machine grinçante», L. Bisson-
      nette, éditorial, p. 10.
      /La campagne référendaire du comité
      du Non/

19 avril

1298 «Dénonçant les médias. Ryan pro-
      pose la création d'un comité de
      surveillance», reportage, p. 1.

25 avril

1299 «Quand le cirque vient en ville»,
      R. Décary, commentaire, pp. 14,16.
      /Compte rendu humoristique d'une
      assemblée du Non à Hull/

26 avril

1300 «Claude Ryan. Après quelques ra-
      tés, la machine roule mieux», re-
      portage, p. 11.

1301 «Trudeau participera à deux assem-
      blées importantes du Non», repor-
      tage, p. 1.

3 mai

1302 «Non. La stratégie de la tortue
      commence à porter fruit», repor-
      tage, p. 1.

10 mai

1303 «Non. Où l'on se garde d'une atti-
      tude trop triomphante», M. Laurier,
      reportage, p. 6.

17 mai

1304 «Non. Un symbole du mouvement per-
      pétuel», M. Laurier, reportage,
      pp. 1, 20.

21 mai

1305 «Pour les partisans du Non réunis
      à Verdun. Un triomphe tranquille»,
      G. Deshaies, reportage, p. 3.

LE DROIT

17 avril

1306 «... mais Ryan ne fera pas appel à
      personne de l'extérieur», PC, repor-
      tage, p. 20.

1307 «On doit cesser de critiquer Ryan» -
Gratton», PC, reportage, p. 20.

19 avril

1308 «Plusieurs premiers ministres au
Québec?», C. Duhaime, reportage, pp. 1, 36.

23 avril

1309 «Selon le coordonnateur du comité
de stratégie du caucus libéral québécois, Ryan devrait «tendre une
perche» à Bellemare», M. Gratton,
reportage, p. 3.

25 avril

1310 «Pendant la campagne référendaire.
Giasson forcé de se recycler», G.
Laframboise, reportage, p. 17.

1311 «Pierre Bibeau, tel un joueur d'é-
chec, il mène les bénévoles du
Non», C. Duhaime, reportage, p. 17.

26 avril

1312 «Un débat télévisé? Un défi de
Castonguay à Morin», B. Racine,
PC, reportage, p. 36.

1313 «Sept-Îles: Yvette et boule de
neige», R. Lajoie, reportage,
p. 37.

28 avril

1314 «Une affaire de pouvoir», P.
Tremblay, commentaire, p. 6.

30 avril

1315 «Lessard avait quitté mais...»,
G. Laframboise, reportage, p. 23.

2 mai

1316 «Une lettre remplie de «choses far-
felues» - Rocheleau», reportage,
p. 13.

1317 «Saint-Léonard: les tenants du
Non s'affichent ouvertement», C.
Duhaime, reportage, p. 41.

5 mai

1318 «Message de Ryan aux tenants du
Non. «Ne tombez pas dans l'excès
de confiance», A. Bellemare, PC,
reportage, p. 16.

1319 «Mme Ryan mène toute une campagne.
Yvette 1ère se rend en Beauce», PC,
reportage, p. 15.

6 mai

1320 «Les tenants du Non vont travailler
comme des «damnés» jusqu'au 20 mai.
«ON VA GAGNER FORT», scande Séguin»,
reportage, p. 22.

12 mai

1321 «Ryan à Maniwaki vendredi», M. Gauthier, reportage, p. 16.

16 mai

1322 «Comté de Hull. Des leaders d'étudiants pour le Non», reportage,
p. 14.

20 mai

1323 «Robert Bourassa le remplace à deux
occasions. Une grippe pertube l'horaire de Ryan», PC, reportage, p. 20.

21 mai

1324 «3,000 tenants du Non rassemblés à
Verdun. L'arrivée de Ryan sème
l'hystérie», R. Lajoie, reportage,
p. 23.

LE DYNAMIQUE DE LA MAURICIE

30 avril

1325 «   », reportage, p. 8.
/Photographie avec légende/

L'ÉCHO

22 avril

1326 «MM. Alex K. Paterson et Louis G. Grenier se partageront la présidence du comité du Non de Pointe-Claire», reportage, p. 32.

29 avril

1327 «Lorne Brown se joint au Comité du Non», reportage, p. 20.

1328 «Au niveau national. Michel Derenne à la présidence du comité de coordination des Québécois pour le Non», reportage, p. 20.

6 mai

1329 «Prochaine élection: Paul Phaneuf sera candidat», D. Leduc, reportage, p. 5.

1330 «Venez rencontrer M. André Raynaud...», annonce, p. 10.

13 mai

1331 «Comté de Pointe-Claire - 90% des électeurs sont pour le Non», reportage, p. 36.

1332 «Les Québécois pour le Non Vaudreuil-Soulanges», reportage, p. 4.

20 mai

1333 «Une campagne référendaire axée sur l'information», M. Tremblay, Comité du Non, reportage, p. 4.

L'ÉCHO ABITIBIEN

16 avril

1334 «Créditiste avec le Non», reportage, p. 21.

23 avril

1335 «Le comité du Non d'Abitibi-Ouest met l'accent sur les assemblées de cuisine», Y. Audet, reportage, p. 24.

1336 «Le dimanche 27 avril. Ralliement des Yvette», communiqué, p. 24.

1337 «Les Non s'organisent», communiqué, p. 24.

30 avril

1338 «Le comité du Non en Abitibi-Ouest», Y. Audet, reportage, p. 4.

1339 «   », communiqué, p. 1. /Annonce la visite de Claude Ryan/

7 mai

1340 «Le docteur Letendre fait le tour du comté», reportage, p. 11.

1341 «La grande offensive du comité du Non», reportage, p. 13.

1342 «Plusieurs assemblées de cuisine du comité des Québécois pour le Non», communiqué, p. 14.

14 mai

1343 «Le Comité du Non à Lebel-sur-Quevillon», reportage, p. 13. /Photographie avec légende/

1344 «Contact par petits groupes pour le comité du Non», Y. Audet, commentaire, p. 5.

1345 «Des personnes du secteur La Sarre ont adhéré au comité du Non», Y. Audet, reportage, p. 13.

1346 «Plus que 6 jours: une campagne référendaire trop longue», J. Gagnon, reportage, p. 5.

21 mai

1347 «Dans le camp du Non: c'était le triomphe!», p. 6. /Photographie/

L'ÉCHO DE FRONTENAC

29 avril

1348   «Le comité du «Non» dans Mégantic-Compton», reportage, p. A-18.

L'ÉCHO DE LA LIÈVRE

23 avril

1349   «Un sommet de la campagne du «Non» dans le comté: la venue de Claude Ryan», reportage, p. 3.

30 avril

1350   «Les bureaux du Comité du Non», reportage, p. 7.

1351   «Madeleine Ryan, l'invitée du comité du «Non» de Laurentides-Labelle», reportage, p. 35.

7 mai

1352   «Campagne du Non: Camil Samson dans le comté», reportage, p. 3.

14 mai

1353   «À la polyvalente: Les étudiants pour le «Non» boycottent», reportage, p. 4.

1354   «Claude Ryan de passage vendredi», reportage, p. 3.

21 mai

1355   «Le chef Claude Ryan arrêta à Mt-Laurier», reportage, p. 3.

L'ÉCHO DE LOUISEVILLE/BERTHIER

16 avril

1356   «Ryan dans nos murs», reportage, p. 1.

1357   «Les Yvette», reportage, p. 20
/Photographie avec légende/

7 mai

1358   «Dans le camp du «Non», vers le référendum», A. Belhumeur, pp. 1, 35.

14 mai

1359   «À moins d'une semaine du référendum, Guilbault prédit que 71% des gens diront «Non», J.-P. Plante, reportage, pp. 2, 9.

1360   «C'était leur fête samedi dernier, les «bâtisseurs» étaient présents», P. Bellemare, reportage, p. 6.

1361   «Dernière tentative des tenants du «Non», Bourassa à Berthier», A. Belhumeur, reportage, p. 34.

28 mai

1362   «La joie du triomphe», reportage, p. 7.
/Photographie avec légende/

L'ÉCHO DU NORD

30 avril

1363   «La campagne du Non connaît des débuts discrets dans Prévost», C. Lamarche, reportage, p. A-16.

1364   «Jean-Luc Pépin dans la région vendredi. Assemblées à Ste-M. du Lac Masson, Piedmont et St-Jérôme», reportage, p. 18.

28 mai

1365   «Malgré une victoire éclatante. Festivités discrètes au comité du Non», C. Lamarche, reportage, p. A-14.

L'ÉCLAIREUR-PROGRÈS

16 avril

1366 «Au séminaire, des étudiants s'impliquent dans l'option du Non», L. Légaré, reportage, p. B-2.

23 avril

1367 «Comité du Non, Robert Dutil est président», P.-A. Parent, reportage, p. A-6.

7 mai

1368 «   », reportage, p. A-33. /Fait état d'une assemblée du Non/

1369 «Beauceville. La Beauce unie dévoile son macaron-Non», reportage, p. A-37.

1370 «Non», lettre, p. B-2.

14 mai

1371 «   », reportage, p. B-2. /Photographie avec légende/

1372 «Gérard D. Lévesque visitera les Beaucerons», reportage, p. A-36.

1373 Nil

L'ÉLAN SEPT-ÎLIEN

1er mai

1374 «Les «Yvette» obtiennent un grand succès à Sept-Îles», reportage, p. 3.

L'ÉTINCELLE

16 avril

1375 «Le comité du Non en voie de formation», reportage, p. 15.

23 avril

1376 «André Lupien se prononce pour le Non», reportage, p. 19.

1377 «Le Non se lance en campagne», p. 1. /Photographie et légende/

1378 «Roger Labrecque nommé président des Québécois pour le Non dans Johnson», reportage, p. 4.

30 avril

1379 «Solange Chaput Rolland pour le Non», reportage, p. 21.

7 mai

1380 «Mme Solange Chaput Rolland dans le comté de Richmond», reportage, p. 24.

L'ÉTOILE DE L'OUTAOUAIS ST-LAURENT

17 avril

1381 «Quatre veillées référendaires avec Paul Gérin-Lajoie», reportage, p. 10.

1382 «Les tenants du Non au travail», reportage, p. 17.

24 avril

1383 «Le lundi 12 mai. Au tour d'André Raynauld du PLQ de parler référendum devant la Chambre de commerce de Vaudreuil», reportage, p. 22.

1384 «Paul Gérin-Lajoie commence ses cours de droit constitutionnel», M. Auclair, reportage, p. 27.

15 mai

1385 «Dernière assemblée du Non. Au tour de Loyola Schmidt de s'adresser aux gens du comté», D. Leduc, reportage, p. 4.

1386 «Lettre», M. Tremblay, p. 22.

1387 «600 personnes à l'écoute des Bourassa, Kiérans et Bégin», reportage, p. 30.
/Photographies avec légendes/

22 mai

1388 «Vaudreuil-Soulanges dit Non à
64%», reportage, p. 1.

1389 «La victoire du Non, un geste courageux - Paul Gérin-Lajoie», reportage, p. 5.

L'ÉTOILE DU LAC

23 avril

1390 «Dans le comté de Roberval. La
campagne du comité du Non est lancée», F. Coutu, reportage, p. 8.
/Liste des participants à la conférence de presse qui a présidé au
lancement de la campagne. Résumé
du discours du Dr Gervais, prés.
du comité. Annonce d'un «brunch»
référendaire/

1391 Nil

30 avril

1392 «Le maire Tremblay sur la tribune»,
J.-P. Larouche, reportage, p. 30.

21 mai

1393 «Le cas référendaire. C'est réglé.
Robert Lamontagne», F. Coutu et R.
Paradis, reportage, p. 3.

1394 «Pour Marcel Lessard. Le Québec
veut demeurer dans le Canada mais,
réclame des changements», C. Garon,
reportage, p. 3.

L'ÉVANGÉLINE

2 mai

1395 «Ryan chahuté à Lévis», PC, reportage, p. 17.

6 mai

1396 «Référendum: droit de vote aux
malades», PC, reportage, p. 23.

L'EXPRESS

15 avril

1397 «Comité des Québécoises pour le
Non», reportage, p. 8.

1398 «Les jeunes invités à participer
à la campagne référendaire», reportage, p. 16.

29 avril

1399 «Conférenciers du comité du «Non»,
reportage, p. 22.

1400 «Conférencier invité», reportage,
p. 23.

1401 «Le président du comité du «Non»
n'est pas satisfait», reportage,
p. 22.

1402 Springate ne croit pas au Oui», reportage, p. 22.

13 mai

1403 «Clôture de la campagne référendaire du comité les Québécois pour le
Non», reportage, p. 14.

1404 «Ils diront «Non», reportage, p. 18.

27 mai

1405 «Ils sont heureux, ils ont gagné...»,
reportage, p. 1.
/Photographie avec légende/

LA FEUILLE D'ÉRABLE

16 avril

1406 «Président du comité du Non dans Ar-
thabaska. François Bourgeois -
«C'est un Non en lettres majuscules»,
C. Forand, reportage, p. 16.

23 avril

1407 «À Victoriaville, lancement de la
campagne du «Non», M. Sarra-Bournet, reportage, p. 9.

1408 «Le maire Dubois y adhère. Le comité des Québécois pour le «Non»
de Plessisville est prêt», reportage, p. A-9.

FLAMBEAU DE L'EST

22 avril

1409 «L'Indépendance, une action trop
radicale pour réaliser nos objectifs - Pauline Morin», reportage,
p. 13.

1410 «Souper-spaghetti. Succès reten-
tissant pour les libéraux d'Anjou», J.F. Doyon, Comité d'information Jeunesse PLQ Anjou, communiqué, p. 12.

29 avril

1411 «Dans Bourget: Des gens bien de
chez nous dans le comité du Non»,
P. Morin, Les Québécois pour le
Non Bourget, reportage, p. 8.

6 mai

1412 «Claude Ryan a visité Bourget»,
A. Gratton, communiqué, p. 10.

1413 «Dans Bourget - André Gratton à
la présidence du Comité des Québécois pour le Non», reportage, p. 14.

27 mai

1414 «19 537 fois merci, gens d'Anjou» -
Michel Corbeil», M. Corbeil, communiqué, p. 13.

3 juin

1415 «Au terme d'une campagne référendaire hautement civilisée - Michel Morin»,
communiqué, p. 8.

1416 «Les remerciements du Comité du Non
de Lafontaine», communiqué, p. 7.

10 juin

1417 «Le Non de Lafontaine remercie les
18 146 voteurs» communiqué, p. 5.

LA FRONTIÈRE

16 avril

1418 «La structure du Non prend place
à Rouyn-Noranda», reportage, p. 4.

23 avril

1419 «À Val-d'Or, dimanche - Regroupement des Yvettes», reportage, p. 5.

1420 «La guerre des affiches est ouverte», C. Parent, reportage, p. 2.

30 avril

1421 «Le Non tiendra un grand rassemblement le 11 mai», reportage, p. 7.

1422 «Les tenants du Non sont actifs au
Témiscamingue», C. Parent, reportage, p. 7.

7 mai

1423 «Avec Claude Ryan en tête - La bat-
terie du Non à Rouyn, dimanche»,
reportage, p. 5.

14 mai

1424 «Grande assemblée du Non à Ville-
Marie», G. Loiselle, reportage,
p. 7.

LA GATINEAU

23 avril

1425 «Des citoyens disent Non», reportage, p. A-8.

1426 «Ryan en Haute-Gatineau le 15 mai», reportage, p. A-8.

7 mai

1427 «Dans la Haute-Gatineau. Gratton fera deux visites», reportage, p. A-8.

14 mai

1428 «À Ste-Famille demain. Le député Gratton», reportage, p. A-11.

1429 «Vendredi soir à la polyvalente. Claude Ryan à Maniwaki», reportage, p. A-7.

28 mai

1430 «Suite à la défaite du Oui. «Des élections à l'automne» - Selon Gratton», reportage, p. A-9.

THE GAZETTE

16 avril

1431 «Ryan gives bodyguard», reportage, p. 12.

21 avril

1432 «Latest poll results should raise spirits of No forces», L. I. MacDonald, reportage, p. 9.

24 avril

1433 «Ryan persuades Tory leader to join campaign in Rimouski», M. C. Auger, reportage, p. 10.

25 avril

1434 «Ryan visits South Shore on handshake campaign», M. C. Auger, reportage, p. 10.

1435 «Something may be happening for Ryan at the grassroots», L. I. MacDonald, commentaire, p. 7.

26 avril

1436 «A little boogie helps Ryan end his week», D. Sherman, reportage, p. 4.

1437 «Unity message takes to the air», reportage, p. 6.

6 mai

1438 «Swizzle sticks», reportage, p. 3.

7 mai

1439 «Premier's brother says No», reportage, p. 14.

17 mai

1440 «Confident federalist sees No vote of 63%», reportage, p. 103.

21 mai

1441 «How the Liberals went to the people», H. Bauch, analyse, p. 28.

1442 «Side greets success with muted happiness», A. Phillips, reportage, pp. 1, 11.

THE GLEANER

16 avril

1443 «Comité du Non», reportage, p. 20.

1444 «No» names saturday», reportage, p. 1.

1445 «Vive Yvette», commentaire, p. 4.

23 avril

1446 «Aubrey-Riverfield W.I. discusses «No» committee», reportage, p. 8.

1447 «Huntingdon Riding - 50 people named to No Committee», reportage, pp. 1, 2.

1448 «Local No groups off and running», reportage, pp. 1, 3.

30 avril

1449 «Howick No group plans big rally», reportage, pp. 1, 7.

7 mai

1450 «Rallye des «Yvettes» lundi soir: 600 personnes à Hemmingford», reportage, p. 15.

1451 «Series of No meetings set for Valley this week», reportage, p. 1.

1452 «600 strong - Valley Yvettes flock to Hemmingford rally», A. L'Esperance, reportage, pp. 1, 7.

THE GLOBE AND MAIL

17 avril

1453 «Belief, not words, is problem», reportage, p. 7.

18 avril

1454 «Lesage and Bourassa join Ryan's federalist forces», V. Carriere, reportage, p. 10.

21 avril

1455 «As «tortoise» Ryan cools mood with logic», R. Cléroux, V. Carriere, reportage, p. 9.

1456 «Ryan draws 5 000 No voters to buoyant rally in Hull», V. Carriere, reportage, p. 11.

22 avril

1457 «Referendum debate is turning ugly: Ryan», V. Carriere, reportage, p. 9.

23 avril

1458 «Biron's family split», CP, reportage.

26 avril

1459 «Trudeau to attend rallies in Quebec, Ryan says», V. Carriere, reportage, p. 2.

28 avril

1460 «Courtesy extends even to ties», PC, reportage, p. 10.

1461 «PQ's Canada no longer exists: Clark joins federalist campaign in Rimouski», M. Gibb-Clark, reportage, p. 10.

29 avril

1462 «Students ask Ryan to explain No side's immoderate remarks», M. Gibb-Clark, reportage, p. 10.

30 avril

1463 «Ryan kisses reporter but it's all a mistake», M. Strauss, reportage, p. 10.

2 mai

1464 «PQ rowdies disrupt meetings, Ryan says», M. Strauss, reportage, p. 9.

9 mai

1465 «Who's the leader of the No forces?», A. Penketh, reportage, p. 9. /Implication des fédéralistes dans la campagne référendaire/

13 mai

1466 «Rehabilitated Bourassa knocks 'em dead on campus», R. Cléroux, reportage, p. 10.

16 mai

1467 «The No side aims for a francophone majority», W. Johnson, reportage, p. 7.

17 mai

1468 «Unity second passion for radio heart-throb», reportage, p. 14.

LE GUIDE

23 avril

1469 «Le comité du Non de Beauce-Nord a pignon sur rue», Comité du Non de Beauce-Nord, communiqué, p. 30.

1470 «Dans Bellechasse. M. Lucien Boivin présidera le comité du «Non», L. Garneau, reportage, p. 10.

30 avril

1471 «Claude Ryan à St-Isidore», reportage, p. 3.

1472 «Le comité du «Non» à St-Patrice. Un Oui, ne peut conduire qu'à l'imbroglio constitutionnel (Raymond Mailloux)», L. Garneau, reportage, p. 15.

1473 «Le comité du «Non» se met en marche», B. Carrier, reportage, p. 2.

1474 «Dans Beauce-Sud. Les Québécois pour le Non», reportage, p. 37.

1475 «Déjeuner Beauce - Non féminin pluriel», Les Québécois pour le Non Beauce-Nord, reportage, p. 59.

7 mai

1476 «À St-Bernard. Mon Non est Québécois», reportage, p. 32.

1477 «Dans Beauce-Nord. La liste des «Non» s'agrandit», reportage, p. 37.

1478 «Réunion des tenants du Non à St-Étienne», Les Québécois pour le Non Beauce-Nord, reportage, p. 64.

14 mai

1479 «Gérard D. Lévesque à Beauceville», Les Québécois pour le Non Beauce-Nord, reportage, p. 11.

1480 «Merci à tous», Comité des Québécois pour le Non Beauce-Nord, communiqué, p. 11.

1481 «Les Québécois pour le Non à St-Bernard», reportage, p. 52.

LE GUIDE DE MONTRÉAL-NORD

7 mai

1482 «Le chef du Non en visite éclair à Montréal-Nord», reportage, p. 21. /Photographie/

1483 «Les Employés municipaux pour le Non», reportage, p. 52.

14 mai

1484 «Les pèlerins de l'Âge d'or», reportage, p. 63.

1485 «Québécois pour le Non du comté de Bourassa», R. Garofalo, reportage, p. 58.

LE GUIDE DU NORD

6 mai

1486 «Dans Dorion, la campagne des Québécois pour le Non est maintenant inaugurée», reportage, p. 14.

1487 «Inauguration du comité du Non dans Laurier», reportage, p. 14.

1488 «Voici les membres...», reportage, p. 14.

L'HEBDO DE PORTNEUF

21 avril

1489 «Les Québécois pour le Non du comté de Portneuf», reportage, p. 37.

5 mai

1490 «Le regroupement des Québécois
pour le Non dans Portneuf», reportage, p. A-16.
/Liste exhaustive d'adhérents
au Non/

12 mai

1491 «Adhésion de M. Denis Côté pour le
Non», reportage, p. 2.

1492 «Le Non courtise les jeunes», 1.
Jinchereau, reportage, p. B-23.

26 mai

1493 «St-Basile. Célébration vigoureu-
se de la victoire du Non. L.M.
Gaudreault anticipait la victoire»,
J.-Y. Roy, reportage, p. A-3.

HEBDO JOURNAL DE ROSEMONT

16 avril

1494 «Lors d'une conférence de presse
au comité central. Présentation
des présidents du Non des comités
de Rosemont», reportage, p. 12.

1495 «Président du club optimiste Rosemont. Robert Maher démissionne
pour accepter la présidence du co-
comité du Non de Rosemont», reportage, p. 5.

30 avril

1496 «À la conférence de presse du Non
au restaurant Habib. Des noms
prestigieux appuient le «Non» à Rosemont», communiqué, p. 21.

1497 «Thérèse Casgrain et Michèle Tisseyre étaient dans Gouin», communiqué, p. 21.

L'INFORMATION

16 avril

1498 «M. Louis Arsenault dirigera le Comité du Non dans le comté de Rimouski», A. Gauthier, reportage,
p. B-27.

23 avril

1499 «Dans Matapédia. Les Québécois
pour le Non sont en marche», reportage, p. B-12.

1500 «Pour un Non à la brisure du pays...
(Gérard-D. Lévesque)», A. Gauthier,
reportage, p. B-7.

30 avril

1501 «D'autres Québécois pour le «Non»
dans Matapédia», reportage, p. B-16.

L'INFORMATION RÉGIONALE

16 avril

1502 «Le comité pour le Non part en action», J. Godin, reportage, p. 17.

23 avril

1503 «Ryan featured in Longueuil Non
rally», reportage, p. 17.

14 mai

1504 «Assemblée publique à Mercier,
le jeudi 15 mai», reportage,
p. 29.

JOLIETTE JOURNAL

16 avril

1505 «Comité du Non et Robert de Cotret»,
C. Rondeau, reportage, p. 1.

1506 «Le comité du Non logera à l'ancien bureau de poste», C. Rondeau, reportage, p. 7.

1507 «Un brunch des Yvette dimanche»,
communiqué, p. A-12.

23 avril

1508 «Ces femmes qui disent Non», L.
Pelletier, reportage, p. A-16.

1509 «Comité du Non-Berthier. Morissette craint qu'un Québec indépendant ne devienne un État-Banane»,
G. Loyer, reportage, p. 4.

1510 «Comité du Non-Joliette-Montcalm.
Deux défis: vendre le Non et tra-
vailler avec Rouges et Bleus»,
C. Hétu, reportage, p. 3.

1511 «Joliette-Montcalm. Voici les généraux du Non», L. Pelletier, reportage, p. A-14.

1512 «Non, Non et Non», reportage,
p. 7.

30 avril

1513 «   », reportage, p. 1.
/Photographie avec légende/

1514 «Campagne du Non. Un cri d'alar-
me unifie Bleus et Rouges dans
la course», C. Hétu, reportage,
p. A-8.

1515 «Dans le comté de Berthier. Le
comité du Non et son exécutif»,
C. Rondeau, reportage, p. C-2.

14 mai

1516 «Jean Chrétien et Rodrigue Tremblay à Joliette samedi», C. Hétu,
reportage, p. A-14.

21 mai

1517 «À qui appartient cette poitrine?»,
reportage, p. A-11.
/Publicité sexiste/

LE JOURNAL DE CHAMBLY

22 avril

1518 «Georgette Daoust prend la tête
des «Non» de Chambly», S. Lavallée, reportage, p. 14.

1519 «Honneur blessé et politicaille-
rie», S. Lavallée, éditorial, p. 4.

1520 «Locaux du «Non» dans Chambly»,
annonce, p. 15.

29 avril

1521 «Dans Chambly. Le Non en action»,
communiqué, p. 1.

1522 «Iberville. Un lancement de campagne nerveux», D. Le Brasseur,
reportage, p. 14.

LE JOURNAL DE MONTRÉAL

15 avril

1523 «Pour la sécurité de leur chef, les
organisateurs de M. Ryan se fient à
la GRC - C'est pour ça qu'ils ont
planifié un ministre fédéral pour
les assemblées importantes de M. Ryan»,
M. Tremblay, reportage, p. 22.

16 avril

1524 «Il se lancera bientôt dans l'arène
politique - Rodrigue Lemoyne
fait campagne pour le Non», M. Lachapelle, reportage, p. 26.

22 avril

1525 «Autour de Ryan, une équipe res-
treinte, mais très efficace», M.
Tremblay, reportage, p. 28.

23 avril

1526 «On dénonce le Non», reportage,
p. 31.

1527 «Le premier ministre...», UPC, reportage, p. 31.
/Photographie avec légende/

2 mai

1528 «Les militants des deux camps en viennent même aux coups», reportage, p. 4.

1529 «Ryan se défend au 10», reportage, p. 47.

4 mai

1530 «Sur le passage de Claude Ryan, la violence éclate!», G. Pilon, reportage, p. 5.

6 mai

1531 «Horaire de Claude Ryan», reportage, p. 34.

1532 «Ryan a encore des problèmes», Y. Laprade, reportage, p. 4.

7 mai

1533 «Des milliers de travailleurs ne pourront voter le 20 mai», reportage, p. 4.

8 mai

1534 «Une cinquantaine de personnalités», N. Girard, reportage, p. 4.

9 mai

1535 «Des militants du Non vantent les poignées de main de leur chef», G. Pilon, reportage, p. 4.

1536 «Monique Bégin prise pour Ginette Reno», reportage, p. 30.
/Photographie avec légende/

1537 Nil

12 mai

1538 «Elle voulait poser une question: on l'expulse en employant la force», PC, reportage, p. 25.

13 mai

1539 «Ils disent Non...», reportage, p. 4.
/Photographie avec légende/

1540 «600 médecins pour le Non», M. Tremblay, reportage, p. 4.

18 mai

1541 «Ryan termine sa campagne en douceur», M. Tremblay, reportage, p. 3.

21 mai

1542 «À Verdun, les tenants du Non ont célébré dans l'allégresse», reportage, p. 5.

1543 «Les anglophones du West Island ont bien ri...», reportage, p. 10.

LE JOURNAL DE QUÉBEC

19 avril

1544 «Ryan: des appuis», reportage, p. 6.

23 avril

1545 «Le phénomène Yvette prend de l'ampleur partout en province», N. Girard, reportage, p. 8.

26 avril

1546 «Défi de Castonguay», PC, reportage, p. 10.

30 avril

1547 «Garneau, absent», N. Girard, reportage, p. 8.

2 mai

1548 «Il ne manquait plus que ça», G. Pilon, reportage, p. 7.

3 mai

1549 «Une journée moins mouvementée pour Claude Ryan», PC, reportage, p. 9.

5 mai

1550 «Ryan met en garde les tenants du fédéralisme», PC, reportage, p. 7.

7 mai

1551 «Ryan à la Baie de James», PC, reportage, p. 6.

8 mai

1552 «Le délire du «Non», Trudeau en tête», reportage, p. 2.
/Photographies avec légendes/

9 mai

1553 «Oui ou Non, qui sait?», reportage, p. 10.
/Photographie/

17 mai

1554 «600 universitaires se joignent au Non», PC, reportage, p. 5.

20 mai

1555 «Les Québécois pour le Non prêts à faire face à certains pépins», A. Leclair, reportage, p. 5.

21 mai

1556 «Trouble dans West Island», reportage, p. 12.

22 mai

1557 «La victoire du Non: 2,000 Montréalais descendent dans la rue et la violence éclate», reportage, p. 5.

7 mai

1558 «Dans le cadre de la campagne référendaire. Gérard-D. Lévesque conférencier à la Chambre de commerce de la Rive-Sud», reportage, p. 7.

14 mai

1559 «Les Québécois pour le «Non» fêtent leurs bâtisseurs», reportage, p. 4.

28 mai

1560 «Continue climate of dialogue and mutual respect» says Madame Georgette Daoust», Comité du Non Chambly, reportage, p. 10.

JOURNAL DES CITÉS NOUVELLES

17 avril

1561 «Assemblée à l'Île Bizard», reportage, p. 14.

1562 «Le comité du Non se met en branle», reportage, p. 14.

24 avril

1563 «Succès extraordinaire du rassemblement du Non», reportage, p. 7.
/Voir erratum, Journal des cités nouvelles, 1er mai 1980, p. 8./

1564 Nil

8 mai

1565 «Rassemblement géant des Québécois pour le Non, Robert-Baldwin, Pointe-Claire, Jacques-Cartier», reportage, p. 10.

LE JOURNAL DES PAYS D'EN HAUT

16 avril

1566 «Me André Forget préside le comité du Non dans Prévost», reportage, p. 3.

30 avril

1567 «Des rendez-vous des Québécois pour le «Non» à ne pas manquer», reportage, p. 13.

JOURNAL LE ST-FRANCOIS

15 avril

1568 «Comité du Non. Les porte-parole des 11 municipalités du comté», R. Lamothe, Comité du Non Beauharnois, communiqué.

1569 «Dans Vaudreuil-Soulanges. Paul-Gérin Lajoie embarque pour le «Non», reportage.

1570 «Grand ralliement des partisans du comité du Non», R. Lamothe, comité du Non Beauharnois, communiqué.

22 avril

1571 «Les 100 premiers porte-parole du «Non», reportage, p. 10. /Photographies avec légendes/

1572 «Le 29 avril. Madeleine Ryan au Club Nautique», C. Julien, Comité du Non, communiqué, p. 3.

6 mai

1573 «Claude Ryan à Valleyfield le 12 mai», reportage, p. 4.

1574 «Les porte-parole du «Non» de la région de Beauharnois», reportage, p. 32. /Photographies avec légendes/

13 mai

1575 «Hier à Valleyfield. Ryan faisait campagne», reportage, p. 15.

LE LAC ST-JEAN

16 avril

1576 «Le Non entre en campagne...», C. Garon, reportage, p. 14.

23 avril

1577 «Comté de Lac-St-Jean. Des personnalités adhèrent au «Non», C. Garon, reportage, p. 8.

14 mai

1578 «Blitz du Non et visite de Claude Ryan», C. Garon, reportage, p. 9.

1579 «Nez à nez avec le Oui? Le clan du Non dit avoir atteint son objectif», C. Garon, reportage, p. 8.

MACLEAN'S

21 avril

1580 «The blossoming of the Yvettes», A. Beirne, reportage, p. 26.

LE MESSAGER DE LACHINE

16 avril

1581 «New direction board for local liberals», reportage, p. A-1.

23 avril

1582 «In Jacques-Cartier riding, Blaikie, Goyette to lead «No» effort», reportage, p. 1.

1583 «No committee appoints Blaikie & Goyette», communiqué, p. A-3.

LE MESSAGER DE LASALLE/THE MESSENGER

15 avril

1584 «Comté N.D.G. Coup de départ pour le «Non», reportage, p. A-3.

1585 «Les Québécois pour le Non. Raymond et Lafrance présideront le comité de Marguerite-Bourgeoys/Raymond, Lafrance to preside the No committee», reportage, p. A-1.

6 mai

1586 «Ça bouge au comité du Non», Comité du Non, communiqué, p. C-4.

1587 «Les membres du conseil...», reportage, p. A-1.

1588 «Ryan accueilli chaleureusement par le conseil municipal», reportage, p. A-1.

13 mai

1589 «Gardons notre ville propre», reportage, p. C-2.

LE/THE MESSAGER DE VERDUN

16 avril

1590 «À Ste-Anne... Auf der Maur présidera le comité du «Non», reportage, p. A-10.

1591 «Auf der Maur named Chairman of Ste-Anne No Committee», reportage, p. A-10.

1592 «Big names expected at Verdun No rally», reportage, p. B-3.

30 avril

1593 «Le comité du Non ouvre à Ste-Anne», reportage, p. A-2.

1594 «Ste-Anne «No» committee opens», reportage, p. A-2.

14 mai

1595 «L'Auditorium accueillera les Non mardi», reportage, p. 1.

1596 «No» headquarters at Verdun Auditorium on Referendum night», reportage, p. A-7.

LE MIRABEL

15 avril

1597 «Le Non», reportage.

1598 «Assemblées du Non», communiqué, p. 6.

6 mai

1599 «Assemblées du Non», annonce, p. 13.

1600 «Principaux porte-parole du Non», communiqué, p. 13.

13 mai

1601 «900 Québécois pour le Non. Assemblées vendredi», reportage.

THE MONCTON TRANSCRIPT

18 avril

1602 «Ryan gets support», CP, reportage.

25 avril

1603 «Poll shows tight race», CP, reportage.

15 mai

1604 «Ryan has «No frills» approach to politics», CP, reportage, p. 3. /Portrait de Ryan/

THE MONITOR

16 avril

1605 «D'Arcy McGee riding. «No» Committee in «high gear», reportage, p. 8.

1606 «N.D.G. «No» committee kicks-off campaign in area this Sunday», reportage, p. 6.

23 avril

1607 «No» Committee states - Only registered electors can vote in referendum», reportage, pp. 1, 30.

1608   «There is an old expression...»,
        reportage, p. 26.

        30 avril

1609   «Mayor...», reportage, p. 8.

1610   «No» Committee draws volun-
        teers», reportage, p. 16.

1611   «No» speaker to talk to seniors»,
        reportage, p. 10.

        7 mai

1612   «No» rally tonight in Montreal
        West», reportage, p. 1.

        THE NEWS/LES NOUVELLES

        16 avril

1613   «Inauguration des locaux pour le
        Non à Saint-Laurent», reportage,
        p. 9.

1614   «No» headquarters launched/Lan-
        cement de la campagne du «Non»,
        reportage, p. 9.

        23 avril

1615   «Lancement du comité pour le Non
        dans L'Acadie», reportage, p. 19.

1616   «Les porte-parole du Non visitent
        le comté/ In Saint-Laurent riding
        No group informing local resi-
        dents», reportage, pp. 15, 19.

        30 avril

1617   «   », reportage, p. 7.
        /Soirée du Non/

1618   «Forget speaks on May 11», repor-
        tage, p. 16.

1619   «No» group verify electoral lists»,
        reportage, p. 13.

1620   «No» meeting», reportage, p. 14.

        7 mai

1621   «Dialogue sur le référendum/Bou-
        rassa here Sunday. In referendum
        dialogue/Bourassa sera ici diman-
        che», reportage, p. 8.

1622   «Thérèse Lavoie-Roux et Marcel
        Prud'homme rencontrent des ci-
        toyens», reportage, p. 5.

        14 mai

1623   «No group to hold «Marche-Non» Sun-
        day/Marche-Non de milliers de per-
        sonnes dans St-Laurent», reportage,
        p. 16.

1624   «Plus de 450 citoyens de L'Acadie
        montrent leur appui au Non au Réfé-
        rendum», reportage, p. 1.

        NEWS AND CHRONICLE

        17 avril

1625   «No workers cross party lines»,
        P. Lyons, reportage, p. 6.

        1er mai

1626   «Hudson No Committee discusses elec-
        torate lists», reportage, p. 1.

        8 mai

1627   «Ciaccia claims 25,000 vote lost»,
        reportage, p. 12.

1628   «Families for the No rally», re-
        portage, p. 6.

1629   «Liberal leader...», reportage,
        p. 5.
        /Photographie avec légende/

1630   «No to patient polls», reportage,
        p. 1.

        15 mai

1631   «No committee holds meet», repor-
        tage, p. 2.

22 mai

1632 «Take a bow!», A. K. Paterson et
L. Grenier, lettre, p. 4.

LE NORD-EST

16 avril

1633 «Louise Dionne, président du Non
dans Duplessis», J.-G. Gougeon,
reportage, p. 2.

23 avril

1634 «Brunch des Yvettes. Madeleine
Ryan et Michelle Tisseyre seront
à Sept-Îles», reportage, p. 2.

30 avril

1635 «Ryan invité par le Cénon», J.-G.
Gougeon, reportage, p. 7.

1636 «Solange Chaput-Roland à Sept-
Îles le 7», reportage, p. 4.

LE NORDIC (BAIE-COMEAU)

30 avril

1637 «Cénon conteste», R. Hovington,
reportage, p. 6.

1638 «Les personnalités du Non», reportage, p. 6.

1639 «Thèmes régionaux», reportage, p. 6.

14 mai

1640 «Ils sont pour le Non», reportage, p. 4.

LE NORDIC (SEPT-ÎLES)

23 avril

1641 «Ryan et Tisseyre en ville dimanche», annonce, p. 14.

LE NOUVEAU CLAIRON

23 avril

1642 «Rencontre des «Québécoises pour
le Non», reportage, p. 17.

30 avril

1643 «Mme Solange Chaput-Rolland à Saint-
Hyacinthe le 30 avril 1980», reportage, p. 12.

7 mai

1644 «Les bâtisseurs», reportage, p. 2.

1645 «Guy Saint-Pierre visitera le comté d'Iberville le 11 mai 1980»,
reportage, p. 28.

1646 «Michel Gratton et Michel Le Moignan visiteront le comté d'Iberville le 9 mai», reportage, p. 39.

1647 «M. Michel Le Moignan», reportage,
p. 15.

NOUVEAU JOURNAL ST-MICHEL

30 avril

1648 «Chef du Comité des Québécois pour
le Non - Claude Ryan rencontre les
michelois», reportage, p. 1.

1649 «Lancement de la campagne des Québécois pour le Non dans Viau», J.-Y.
Renaud, reportage, p. 7.

1650 «Nel corso dell'apertura...», reportage, p. 10.

LA NOUVELLE REVUE

28 avril

1651 «Retour en politique active pour
Robert Bourassa???», J. P. Jodoin
reportage, p. 11.

30 avril

1652 «Des vedettes du Non», J.P. Jodoin, reportage, p. 3.

1653 «Punch «Yvettes» à Granby», communiqué, p. 3.

7 mai

1654 «Au Comité du Non - Punch Yvette et opération «Les Bâtisseurs», J.-P. Jodoin, reportage, p. 3.

1655 «Même sans consultation de ses membres - Québec-Canada donne son appui inconditionnel au Comité du Non», J.-P. Jodoin, reportage, p. 2.

1656 «Le Non auprès des jeunes de moins de 25 ans», reportage, p. 4.

NOUVELLES DE L'EST

15 avril

1657 «Le «Non» a son local dans Maisonneuve», reportage, p. 18.

22 avril

1658 «Assemblée publique dimanche pour le Non de Maisonneuve», reportage, p. 18.

1659 «Lancement de la campagne du Non dans Ste-Marie», reportage, p. 18.

29 avril

1660 «Déjeuner-causerie pour le Non de Maisonneuve», reportage, p. 15.

6 mai

1661 «M. Jean-Claude...», reportage, p. 13.
/Photographie avec légende/

1662 «Pour Georges Lalande - Un accueil chaleureux chez les groupes du 3e âge», reportage, p. 12.

LE NOUVELLISTE

16 avril

1663 «93 personnalités de la région adhèrent au Non», C. Savary, reportage, p. 28.

17 avril

1664 «... Ryan refuse», PC, reportage, p. 19.

19 avril

1665 «Un coup de main qui ennuie Ryan», PC, reportage, p. 19.

1666 «Le maire Jean-Marie Lafontaine. Membre du comité du Non», reportage, p. 7.

21 avril

1667 «Bellemare dira ce qu'il pense de Biron», PC, reportage, p. 1.

25 avril

1668 «Dans l' st du Québec, selon le taux de participation. Le Non croit obtenir de 58 à 71% du vote», D. Lessard, PC, reportage, p. 16.

26 avril

1669 «Le Non dans St-Maurice. Les prochains jours remplis d'activités», reportage, p. 40.

28 avril

1670 «Dirigeants du Non», reportage, p. 24.

1671 «Ryan prédit que le Non l'emportera», B. Racine, PC, reportage, p. 1.

30 avril

1672 «Claude Ryan prend un bain de foule», A. Bellemare, PC, reportage, p. 17.

1673 «L'opération «Adhésion au Non».
Près de 2,000 personnes ont signé», reportage, p. 16.

5 mai

1674 «Ne tombez pas dans un excès de
confiance», PC, reportage, p. 1.

6 mai

1675 «Brunch», reportage, p. 37.

1676 «Les gens se renseignent», reportage, p. 37.

1677 «Vote des malades», PC, reportage,
p. 38.

10 mai

1678 «Le comité du Non a fait le sien» -
Bourgeois. Aux électeurs à faire
leur boulot», reportage, p. 42.

14 mai

1679 «Le Non chez les sportifs. 435
nouvelles adhésions», reportage,
p. 22.

15 mai

1680 «Ryan à ses partisans. Continuez
à respecter l'opinion des autres»,
B. Racine, PC, reportage, p. 33.

17 mai

1681 «Victoire majoritaire du Non - Marc
Germain», C. Savary, reportage,
p. 42.

19 mai

1682 «Madeleine Ryan. Autoroute de Joliette», M. Aubry, reportage, p. 14.

1683 «Ryan est grippé», PC, reportage,
p. 1.

1684 «Une assemblée à la mesure de la campagne», J.-M. Beaudoin, reportage,
p. 3.

1685 «Voyez à nous donner une victoire
forte - Ryan», PC, reportage, p. 5.

20 mai

1686 «Après un début chancelant. La campagne du Non dans la région a marqué des points», C. Savary, reportage, p. 12.

21 mai

1687 «La bataille n'est certes pas ter-
minée», reportage, p. 7.

1688 «Germain loue l'organisation», reportage, p. 3.

1689 «Président du comité du Non. Ri-
vard fatigué mais heureux», reportage, p. 7.

L'OEIL RÉGIONAL

23 avril

1690 «Les derniers détails de la stratégie du Non», reportage, p. 9.

1691 «Des adhésions au Non publiées sans
autorisation dans Chambly», M. Ledoux, reportage, p. 9.

1692 «Le Non lance sa campagne aujour-
d'hui», reportage, p. 9.

30 avril

1693 «Le Non vaincra grâce à son travail au ras du sol», M. Ledoux,
reportage, p. 9.

1694 «Les prochains rendez-vous du Non»,
reportage, p. 9.

1695 «La vraie pensée de Claude Ryan»,
S. Lavallée, billet, p. 7.

14 mai

1696 «Les derniers rendez-vous du Non»,
reportage, p. 9.

THE OTTAWA JOURNAL

17 avril

1697   «Security for Ryan to be tighte-
        ned», UPC, reportage.

21 avril

1698   «Accentuating the negative», re-
        portage.
        /Photographie avec légende/

25 avril

1699   «Details expected today on PM's
        campaign role», CP, reportage.

26 avril

1700   «PM may join No campaign in the
        Big O», reportage.

29 avril

1701   «The Oui's have it on walls near
        Hill», reportage, p. 8.

3 mai

1702   «Flag hoisting raises a furore.
        We had suddenly become big, bad
        English», M. Morissette and G.
        Lovelace, reportage, pp. 1, 9.

10 mai

1703   «Main-eventers pleased to say
        «Non», reportage, p. 7.
        /Photographie avec légende/

1704   «Touched up», reportage.
        /Photographie avec légende/

12 mai

1705   «No harm in laughing», reportage,
        p. 8.
        /Photographie avec légende/

16 mai

1706   «On the No-Trail», reportage, p. 8.
        /Photographie avec légende/

20 mai

1707   «Singing No in the rain», reportage,
        p. 8.
        /Photographie avec légende/

21 mai

1708   «Meet for lunch», reportage, p. 21.
        /Photographie avec légende/

5 juin

1709   «Happy No supporters -», reportage,
        p. 7.
        /Photographie avec légende/

LA PAROLE

16 avril

1710   «Le comité des jeunes pour le Non
        entend être très actif», reporta-
        ge, p. 4.

1711   «Dans Drummond - Les Yvettes orga-
        nisent une manifestation de soli-
        darité», reportage, p. 10.

23 avril

1712   «Tout en souhaitant un changement
        constitutionnel - Une soixantaine
        de professionnels se prononcent
        pour le Non», reportage, p. 3.

30 avril

1713   «Au sujet des dépenses permises -
        Le Comité du Non dit Oui...», re-
        portage, p. 3.

1714   «Michel Lemoignan sur l'issue du
        référendum - «Quel que soit le ré-
        sultat, le fédéral devra s'ouvrir
        les yeux», reportage, p. 3.

7 mai

1715   «Samedi après-midi - Gérard D.
        Lévesque à la Légion Canadienne»,
        reportage, p. 2.

14 mai

1716 «À moins d'une semaine du référendum, les choix définitifs sont déjà faits - Paul Biron», reportage,
p. 3.

1717 «Dimanche soir - Dernière assemblée publique des tenants du Non»,
reportage, p. 2.

1718 «Il rend hommage aux aînés - Gérard D. Lévesque convaincu de
trouver un gros Non au côté d'un
petit Oui», reportage, p. 7.

21 mai

1719 «J'ai toujours cru à un balayage -
Me Paul Biron», reportage, p. 1.

LA PETITE NATION/LE BULLETIN

29 avril

1720 «Le Non dans Papineau - Carol Davis, président», reportage, p. 18.

13 mai

1721 «Assemblées à venir», annonce,
p. 2.

LE PEUPLE-COURRIER

16 avril

1722 «Campagne du Non dans Kamouraska-
Témiscouata», reportage, p. B-1.
/Photographie et légende/

1723 «Le Comité du Non déjà à l'oeuvre
dans Bellechasse», reportage, p. 3.
/Photographie/

30 avril

1724 «Quelques 400 tenants du Non réu-
nis à Montmagny, dimanche», Les
Québécois pour le Non Montmagny-
L'Islet, reportage, p. 18.

PEUPLE-TRIBUNE

16 avril

1725 «À la Chambre de ommerce de Saint-
Anselme. Une voie qui mène nulle
part...», L. Carrier, reportage,
p. C-6.

1726 «Les «Yvette» de Beauce-Nord à
Québec», reportage, p. C-20.

7 mai

1727 «Beauce-Nord. Des noms pour le
«Non», reportage, p. C-2.

1728 «Claude Ryan à Lévis. Une visite
mouvementée», J. Bouchard, reportage, p. A-7.

14 mai

1729 «Gérard-D. Lévesque à Beauceville»,
Le Comité des Québécois pour le Non
Beauce-Nord, reportage, p. C-5.

1730 «Lac Etchemin. Les tenants du «Non»
ont tenu une «Journée des bâtisseurs»,
M. Goulet, reportage, p. C-6.

LE PHARILLON-VOYAGEUR

23 avril

1731 «Ses membres ont été présentés lundi dernier. Le Comité pour le Non
est formé», G. Marcotte, reportage,
p. 4.

30 avril

1732 «Les femmes pour le Non se regroupent», reportage, p. 2.

PLEIN JOUR SUR CHARLEVOIX

16 avril

1733 «Le comité de Non se lance officiellement dans la lutte», reportage, p. 3.

PLEIN JOUR SUR LA MANICOUAGAN

22 avril

1734 «Amusez-vous sans nous!», L. Miller, lettre, p. 6.

1735 «Le Cenon boycotte la semaine référendaire», reportage, p. 3.

1736 «Le comité des Québécois pour le Non. Lancement de la campagne référendaire», reportage, p. 4.

29 avril

1737 «Claude Valade dit Non», reportage, p. 21.

1738 «Lise Thibeault devant un auditoire déjà convaincu», reportage, p. 8.

1739 «Les Non qualifient les Oui d'irresponsables», reportage, p. 8.

6 mai

1740 «Le comité du Non reste vigilent», reportage, p. 4.

13 mai

1741 «Dix autres adhésions au Non», reportage, p. 4.

1742 «Trois grands Non au rendez-vous de «Yvettes», reportage, p. 4.

20 mai

1743 «Opération bâtisseur. On souligne le long travail de nos aïeux», reportage, p. 3.

27 mai

1744 «L'euphorie gagne le coeur des tenants du Non», reportage, p. 8.

LE PLEIN JOUR SUR LE SAGUENAY

30 avril

1745 «Le comité du Non dénonce et annonce», reportage, p. 4.

14 mai

1746 «Les Non ne sont pas très contents», reportage, p. 3.

LA PRESSE

16 avril

1747 «Lesage et Bourassa feront part de leurs intentions demain», reportage, p. C-6.

17 avril

1748 «Les anglophones de Québec se serrent les coudes», P. Vincent, reportage, p. A-15.

1749 «Ryan refuse tout débat télévisé», H. Laprise, reportage, p. A-12.

1750 «La stratégie du camp du Non - Une répétition des partielles», P.-P. Gagné, reportage, p. A-11.

18 avril

1751 «Arrivée hâtive de Trudeau dans la campagne - Claude Ryan décide aujourd'hui», P.-P. Gagné, p. A-11.

1752 «Madame X et la Légion canadienne dans la campagne du Non à Verdun», reportage, p. A-12.

1753 «Rectificatif», L. Gagnon, note, p. A-8.
/Rectificatif de Lysiane Gagnon concernant un reportage sur le mouvement des Yvettes. La Presse, 10 avril 1980/

19 avril

1754 «Première campagne d'envergure pour Ryan - Discussions et champagne à bord du DC - Non», C-V. Marsolais, reportage, p. A-11.

1755 «Ryan: Un comité pour surveiller les média», C.-V. Marsolais, reportage, p. A-9.

1756 «Venue hâtive de Trudeau - Décision au début de la semaine», P.-P. Gagné, reportage, p. A-9.

21 avril

1757 «Joliette: l'élection fédérale a laissé des plaies vives», P. Gravel, reportage, p. A-12.

1758 «La permanence du Non à l'image de Ryan», P.-P. Gagné, reportage, p. A-12.

1759 «Soeur Madeleine-du-Non», P. Long-pré, reportage, p. A-12.

1760 «Trop aride, Kierans rate sa rentrée», M. Gagnon, reportage, p. A-10.

22 avril

1761 «Grégoire Biron dit Non», P. Vincent, reportage, p. A-12.

1762 «Le Oui encore associé au racisme», L. Le Borgne, reportage, p. A-11.

23 avril

1763 «À Laval, Michel Fréchette se défend d'être l'écho du maire Lucien Paiement», J.-P. Charbonneau, reportage, p. A-12.

1764 «Le fils de Laporte dit Non», G. Tardif, reportage, p. A-13.

24 avril

1765 «Les Juifs de D'Arcy-McGee pour le Non mais sans propos racistes», L. Le Borgne, reportage, p. A-10.

25 avril

1766 «Inquiétude chez les Soeurs de la Providence», M. Gagnon, reportage, p. D-15.

1767 «Ryan croit que Trudeau a été mal informé», C.-V. Marsolais, reportage, p. A-11.

26 avril

1768 «La campagne référendaire, une répétition des prochaines élections pour Claude Ryan», C.-V. Marsolais, reportage, p. A-10.

28 avril

1769 «Brunchs» du Non à Laval», J.-P. Charbonneau, reportage, p. A-13.

1770 «L'engagement de Jean Halley pour le Non au Saguenay - L'effet obtenu est contraire à celui qui aurait été souhaité», D. Marsolais, reportage, p. A-13.

1771 «Une fête pour Thérèse Casgrain», reportage, p. A-10.

1772 «Le Non du Curé Riopel - Pour contrecarrer le chanoine Grand'Maison et le Père Ambroise», J. Béliveau, reportage, p. A-12.

5 mai

1773 «Les «Brunchs» dominicaux sont courus à Laval», G. Lamon, reportage, p. A-15.

6 mai

1774 «Le Non réunit les jeunes et les personnes âgées», P.-P. Gagné, reportage, p. A-10.

1775 «Trop risquée, l'idée d'un budget de l'an 1 tombe à l'eau», P.-P. Gagné, reportage, p. A-12.

8 mai

1776 «Il suffirait de presque rien...», P. Gravel, reportage, p. A-14.

12 mai

1777 «Les Bâtisseurs - Le ralliement n'a pas fait salles combles», N. Beauchamp, reportage, p. A-10.

13 mai

1778 «Des cas limites», reportage, p. A-9.

1779 «Nouveau slogan du Non - «Réglons ça tout de suite», P.-P. Gagné, reportage, p. A-9.

1780 «Tout un plat avec 900 poches de patates», N. Beauchamp, reportage, p. A-10.

14 mai

1781 «800 personnes pour le retour de Raymond Garneau», P. Vincent, reportage, p. A-11.

17 mai

1782 «Ryan croit possible de recueillir une majorité de voix francophones», C.-V. Marsolais, reportage, p. A-11.

LE PROGRÈS DE COATICOOK

16 avril

1783 «Claude Ryan donne le coup d'envoi à la campagne en Estrie», reportage, p. 2.

1784 «En vue du référendum. Au dévoilement des noms des présidents de comtés, des Québécois pour le Non à Sherbrooke, vendredi», reportage, p. 2.

23 avril

1785 «   », reportage, p. 7. /Photographie avec légende/

1786 «   », reportage, p. 8. /Photo-reportage sur partisans du Non - Comté d'Orford/

30 avril

1787 «Claude Tessier rencontre le comité du Non», reportage, p. 2.

14 mai

1788 «Ces personnes diront Non», reportage, p. 5.

1789 «Ces personnes diront Non», communiqué, p. 18.

1790 «Opération «Les Bâtisseurs», reportage, p. 11.

LE PROGRÈS DE MAGOG

14 mai

1791 «Aide bénévole à M. Théroux», J.-N. Degré, lettre, p. 10.

1792 «Les Bâtisseurs», reportage, p. 32.

PROGRÈS DE ROSEMONT

16 avril

1793 «Dans le camp du Non de Jeanne-Mance», G. L. Laporte, Les Québécois pour le Non, lettre, p. 16.

1794 «Yvon Desroches accepte la présidence du «Non» de Jeanne-Mance», J. de Laplante, reportage, p. 10.

23 avril

1795 «Lancement officiel de la campagne pour le Non dans le comté de Viau», A. Audet, reportage, p. 26.

30 avril

1796 «Ils diront «Non», reportage, p. 13.

14 mai

1797 «540 «Yvette» au Brunch de Jeanne-
Mance», G. L. Laporte, Les Québécois pour le Non Jeanne-Mance,
communiqué, p. 26.

LE PROGRÈS DE THETFORD

15 avril

1798 «Les Québécoises pour le Non vous
invitent», reportage, p. 16.

13 mai

1799 «   », reportage, p. 8.
/Assemblée des Québécois pour le
Non. Photographie/

27 mai

1800 «Le carnet du flâneur», reportage,
p. 4.

LE PROGRÈS DE VILLERAY

6 mai

1801 «Dans Dorion plus de 2 000 personnes se sont réunis pour le Non»,
reportage, p. 2.

13 mai

1802 «Dans Dorion, la campagne bat son
plein», reportage, p. 18.

PROGRÈS-DIMANCHE

20 avril

1803 «Commerces et bureaux gouvernemen-
taux sévèrement endommagés. Le
quartier général du Non détruit»,
M. Tremblay, reportage, p. 4.

LE PROGRÈS-ÉCHO

16 avril

1804 «Les Québécois pour le Non du comté de Rimouski. Louis Arsenault
président», R. Alary, reportage,
p. A-4.

7 mai

1805 «Arsenault, Côté... et le ministre
Ouellet», annonce, p. A-5.
/Information sur les activités du co-
mité du Non dans Rimouski/

1806 «Le 10 mai. Les Québécois pour le
Non», reportage, p. A-4.

QUÉBEC CHRONICLE-TELEGRAPH

16 avril

1807 «Pro-federalist forces named», reportage, p. 4.

1808 «Referendum to be held may 20. Massive No rally at Chateau Frontenac»,
reportage, p. 1.

LE QUOTIDIEN DU SAGUENAY-LAC ST-JEAN

22 avril

1809 «Un exécutif du Non», reportage,
p. A-3.

1810 «Le Non dans Dubuc», reportage, p. A-3.

23 avril

1811 «Incendie de la rue Racine. L'enquête du commissaire s'instruira lundi»,
reportage, p. A-2.

24 avril

1812 «Brunch dans Dubuc», B. Munger, reportage, p. A-3.

1813 «Brunch des Yvette», B. Munger, reportage, p. A-3.

1814 «Rencontres inattendues du Ryan»,
PC, reportage, p. A-8.

28 avril

1815 «Sur l'air de «Marie ton gars»,
les Yvette se font la voix», J.
Girard, reportage, p. A-3.

30 avril

1816 «Drapeau et pétition», reportage,
p. A-14.
/Photographie avec légende/

1er mai

1817 «Réforme constitutionnelle»,
p. A-11.
/Photographie avec légende/

1818 «Les Yvettes - Une stratégie qui
s'oublie», C. Fortin, reportage,
p. A-3.

9 mai

1819 «Journée des bâtisseurs», C. Fortin, reportage, p. A-2.

13 mai

1820 «Les Saguenéens en faveur du Oui?»,
reportage, p. A-6.

17 mai

1821 «Les tenants tannants», reportage.

20 mai

1822 «Comité du Non. 175 journalistes
sont attendus», PC, reportage,
p. A-10.

1823 «Migraine», PC, reportage, p. A-10.
/Photographie avec légende/

1824 «Ryan malade», PC, reportage, p. B-7.

21 mai

1825 «Déjeûner en tête à tête». PC, reportage, p. A-20.
/Photographie avec légende/·

1826 «Partisans heureux», reportage,
p. A-14.
/Photographie avec légende/

1827 «Un laisser-passer», PC, reportage,
p. A-20.

1828 «Un véritable bain de foule pour
Ryan», PC, reportage, p. A-20.

THE RECORD

18 avril

1829 «Start working», CP, reportage, p. 5.

21 avril

1830 «Magog No commitee meets», reportage, p. 3.

1831 «Megantic-Compton Nos meet», reportage, p. 3.

24 avril

1832 «St-Francis No's gird for rally»,
N. Wyatt, reportage, p. 1.

25 avril

1833 «Fed all-stars pack Shefford rally.
740 turn out for Ryan», N. Wyatt,
reportage, p. 1.

30 avril

1834 «No meeting planned for Sutton»,
reportage, p. 3.

1835 «Potton Nos cram local meeting»,
reportage, p. 3.

1836 «Yes for federalism «disgusting» -
Ryan», CP, reportage, p. 1.

ler mai

1837　«... mock budget in the works», CP, reportage, p. 1.

5 mai

1838　«Paterson: Use ambulances to transport voters», N. Wyatt, reportage, p. 3.

6 mai

1839　«Letters: -Referendum to affect all», A. K. Paterson, lettre, p. 4. /Alex K. Paterson incite les gens à voter/

13 mai

1840　«Yvettes hold one last No hurrah», N. Wyatt, reportage, p. 3.

1841　Nil

21 mai

1842　«Orford: Siesta spirit follows the rush», reportage, p. 3.

LE REFLET

30 avril

1843　«D'autres personnalités politiques du comté de Châteauguay se joignent aux Québécois pour le Non», communiqué, p. 8.

1844　«M. Joseph Dulude, Président du comité du Non pour le comté de Châteauguay», Comité du Non Châteauguay, communiqué, p. 8.

1845　«Présidente du comité du Non», communiqué, p. 8.

7 mai

1846　«Grande Assemblée publique à St-Rémi», Comité des Québécois pour le Non Huntingdon, communiqué, p. 33.

1847　«La journée des bâtisseurs organisée par le comité des Québécois pour le «Non», reportage, p. 2.

1848　«Programmes d'activités pour le «Non», communiqué, p. 33.

1849　«Regroupement «Non» à St-Constant», T. Boulé, Le comité du Non section St-Constant, communiqué, p. 13.

14 mai

1850　«Assemblée publique à Mercier le jeudi 15 mai», Le Comité des Québécois pour le «Non», communiqué, p. 26.

28 mai

1851　«Remerciement du Non», M. Sherry, comité des Québécois pour le Non, communiqué, p. 18.

LE RÉGIONAL DE L'OUTAOUAIS

16 avril

1852　«Il refuse d'accorder un droit de grève avant les négociations: Rocheleau présidera les forces du Non», reportage.

7 mai

1853　«Passage de Claude Ryan: une tournée mouvementée», reportage, p. 3.

14 mai

1854　«Opération «Les Bâtisseurs» - 250 participants», reportage, p. 15.

LE RÉVEIL À JONQUIÈRE

16 avril

1855　«Le local du «Non» est ouvert», reportage, p. 2.

7 mai

1856　«Pour le «Non», M. Fortin, C. Girard, reportage, p. 49.

14 mai

1857 «Bourassa et Ryan chez-nous», M.
Fortin, reportage, p. 2.

21 mai

1858 «Comté Dubuc. Pour Rina Banville.
La victoire du bon sens», M. Simard, reportage, p. 2.

LA REVUE

16 avril

1859 «Le comité du «Non» s'adjoint l'ex-
candidat conservateur», reportage,
p. 13.

1860 «La machine du «Non», reportage,
p. 13.

30 avril

1861 «Assemblée à Mascouche», reportage,
p. 11.

1862 «Des élus de Mascouche pour le «Non»,
reportage, p. 10.

1863 «Jean-Marc Fontaine porte-parole
du «Non», reportage, p. 11.

7 mai

1864 «Comité d'organisation pour le
«Non», reportage, p. 12.

1865 «Comité du «Non» de Terrebonne»,
reportage, p. 12.

1866 «Le «Non» au club de golf de Mascouche», reportage, p. 14.

14 mai

1867 «Ex-maire de Saint-Louis pour le «Non»,
reportage, p. 12.

1868 «Le Sénateur Casgrain à Terrebonne»,
reportage, p. 12.

28 mai

1869 «Le comité du «Non» dit «merci»,
N. Lavigne, lettre, p. 11.

1870 «Message du président du Non l'Assomption», lettre, p. 14.

LA REVUE DE GATINEAU

23 avril

1871 «5000 personnes à l'assemblée régionale du comité des Québécois pour
le «Non», reportage, p. 1.

7 mai

1872 «Suite à une bousculade aux Prome-
nades de l'Outaouais samedi dernier:
Le comité pour le Non envoie un télégramme à Ryan», reportage, p. 22.

14 mai

1873 «Les activités du comité du Non»,
reportage, p. 10.

LA REVUE DE PAPINEAU

30 avril

1874 «Le 19 mai Claude Ryan sera à Thurso», reportage, p. 1.

1875 «Samedi: Claude Ryan à Buckingham», reportage, p. 3.

7 mai

1876 «Un appel est lancé à toutes les
Yvettes de Papineau», reportage,
p. 8.

1877 «C'est pourquoi Papineau votera
Non», reportage, p. 12.

1878 «Les «chefs» étaient dans la région Claude Ryan», reportage, p. 1.

1879 «Suite à une bousculade aux Promena-
des de l'Outaouais samedi dernier:
Le comité des québécois pour le Non
de Papineau envoie un télégramme à
Ryan», reportage, p. 8.

14 mai

1880 «Madeleine Ryan au comité du Non»,
reportage, p. 1.

ST-LAURENT ÉCHO

16 avril

1881 «Le comité du Non dans Kamouraska-
Témiscouata, prône un Non positif»,
M. Robitaille, reportage, p. 5-A.

1882 «La crédibilité de Gilbert Pelletier mise en doute», L. Chassé, reportage, p. 3-A.

23 avril

1883 «Conférencière invitée. Mme Ryan»,
communiqué, p. 27-A.

30 avril

1884 «1,000 Yvette au brunch», «Je voterai Non pour conserver mon emploi - Marjolaine Proulx», reportage, p. 3.

1885 «Région Riv.-du-Loup, 825 Yvettes
sortent de leurs chaudrons», M.
Robitaille-Tremblay, reportage,
p. 3-A.

7 mai

1886 «Dans Kamouraska-Témiscouata: 12
maires disent «Non», L. Chassé,
reportage, p. 14-A.

1887 «Transcontinental. La campagne du
Non est mise en branle», L. Bossé,
reportage, p. 10-A.

28 mai

1888 «À St-Pascal, la victoire du Non
fêtée discrètement», reportage.

1889 «Des réactions au Non», M. Robitaille-Tremblay, reportage, p. 9-A.

THE ST. LAWRENCE SUN/LE SOLEIL DU ST-LAURENT

16 avril

1890 «No committee opens headquarters»,
D. Rosenburg, reportage.

30 avril

1891 «Dans le comté de Châteauguay. Activités prévues par les Québécois
pour le Non», Comité du Non Châteauguay, communiqué, p. A-10.

7 mai

1892 «Assemblées publiques des Québécois
pour le Non», communiqué, p. A-4.

14 mai

1893 «Jeudi le 15 mai Assemblée à Mercier
pour le Non», Comité du Non Châteauguay, communiqué, p. C-1.

LA SEIGNEURIE

23 avril

1894 «Les Québécois pour le Non», reportage, p. 46.

7 mai

1895 «Avis aux citoyens de Boucherville»,
reportage, p. 24.

28 mai

1896 «Fiers d'être Québécois, fiers
d'être Canadiens», reportage, p. 24.

LA SEMAINE

15 avril

1897 «Ouellette mélange les couleurs au
comité du Non: Après Melançon:
Dupuis et Duval...», O. Michel, reportage, p. 5.

1898 «Prosper Boulanger président du Comité du Non dans Lafontaine», reportage, p. 7.

22 avril

1899 «Enfin, le vrai départ! - Ouellette», reportage, p. 3.

1900 «Ryan à Repentigny», reportage,
p. 9.

29 avril

1901 «Ryan: Le référendum nous offre
une chance formidable! Samedi à
Repentigny: Claude Ryan démolit
les théories des «petits experts
en séparatisme», O. Michel, reportage, pp. 1, 6.

6 mai

1902 «Un brillant exemple dans Lafontaine. L'union fait la force»,
reportage, p. 4.

13 mai

1903 «Dernière assemblée du Non. Ouellette recommande l'oubli de l'injure...», reportage, p. 14.

27 mai

1904 «André Ouellette au lendemain du
référendum: Nous avons presque
réussi à renverser la vapeur», A.
Ouellette, commentaire, p. 3.

LA SENTINELLE DE CHIBOUGAMAU-CHA-PAIS

28 mai

1905 «L'équipe du Non en fête», reportage, p. 28.

LE SOLEIL

17 avril

1906 «Kamouraska-Témiscouata: la campagne du Non est ouverte», R. Laberge, reportage, p. A-5.

19 avril

1907 «Ryan ouvre la porte aux autres
premiers ministres», PC, reportage,
p. B-4.

25 avril

1908 «Est du Québec: les stratèges du
Non visent 600,000 votes», D. Angers, reportage, p. B-2.

26 avril

1909 «Claude Castonguay défie Claude
Morin à débattre», PC, reportage,
p. B-5.

1910 «La loi du porte à porte pour le
clan du Non», R. Giroux, reportage,
p. B-4.

29 avril

1911 «Temps creux pour Ryan dans l'Est»,
R. Giroux, reportage, p. A-13.

2 mai

1912 «Castonguay débat avec Claude Morin... par les journaux», R. Lacombe, reportage, p. B-2.

1913 «Le Non: une énorme machine»,
R. Giroux, reportage, p. B-1.

1914 «Les sornettes d'une campagne», J.
Dumais, éditorial, p. A-6.

6 mai

1915 «Nouveaux incidents à Montréal»,
J.-J. Samson, reportage, p. B-2.

7 mai

1916 «Ryan passe dans un château fort du Oui: la Baie James», R. Giroux, reportage, p. B-1.

9 mai

1917 «Glissement vers le Non», G. Lesage, reportage, p. B-1.

12 mai

1918 «Bâtisseurs: des échecs à Québec et Montréal», J.-J. Samson, reportage, p. B-3.

21 mai

1919 «Au Centre des congrès de Québec. Les tenants du Non manifestent peu», G. Ouellet, reportage, p. A-5.

1920 «Les québécois pour le Non fêtent modestement», J.-J. Samson, p. A-4.

LE SOLEIL DE COLOMBIE

18 avril

1921 «La journée du 7 avril - Le phénomène «Yvette», reportage, p. 5.

LE SOLEIL DU ST-LAURENT

15 avril

1922 «   », reportage, p. 38. /Comité du Non, Beauharnois, photographie/

1923 «Comité du Non. Porte-parole dans les 11 municipalités», communiqué, p. A-6.

1924 «Grand ralliement des partisans du comité du Non samedi», communiqué, p. A-3.

1925 «Samedi soir. Fernand Lalonde et Émile Genest à Valleyfield», N. Morand, reportage, p. A-3.

1926 «Vaudreuil-Soulanges - Paul-Gérin Lajoie à la tête du Non», N. Morand, reportage, p. A-3.

23 avril

1927 «Co-président du Non. Le Dr Pierre Doucet veut se débarrasser du cancer péquiste», N. Morand, reportage, p. 17.

1928 «100 porte-parole du Non. Des maires aux hommes d'affaires, en passant par les agriculteurs», N. Morand, reportage, p. 6.

1929 «Maire de St-Jean-Chrysostome. Rodrigue Vincent préside le comité du Non dans Huntingdon», M. Martel, reportage, p. A-3.

1930 «Mardi prochain. Madeleine Ryan à Valleyfield», C. Julien, communiqué, p. D-1.

30 avril

1931 «Aujourd'hui: soirée des partisans du Non», Comité du Non, communiqué, p. C-1.

1932 «Co-président du Non. Pierre Doucet accorde une entrevue à la TV torontoise», N. Morand, reportage, p. 1.

1933 «Pourquoi je dirai Non. Jocelyne Leduc...», communiqué, p. A-9.

7 mai

1934 «   », reportage, p. A-3. /Photographies avec légendes/

1935 «Les indécis s'orienteront vers le Non», N. Morand, reportage, p. A-3.

1936 «Maire et conseillers de Ville de Léry. 200 adhérents de la région de Beauharnois se présentent pour le Non», M. Martel, reportage, p. C-1.

14 mai

1937 «Rectification. Adhérent au Non de Beauharnois», M. Martel, reportage, p. C-2.

21 mai

1938   «Grâce au travail de bénévoles.
        ... Rodrigue Lamothe», M. Joli-
        coeur, reportage, p. A-6.

1939   «Mise au point du docteur Pierre
        Doucet», P. Doucet, lettre, p. A-6.

LE SOMMET-ÉCHO DES LAURENTIDES

23 avril

1940   «Marc Lalonde sera à Ste-Agathe di-
        manche matin - Le Non amorce sa
        campagne référendaire...», reporta-
        ge, p. 6.

7 mai

1941   «Entre le 6 et 15 mai prochain,
        Camil Samson, M. & Mme Claude
        Ryan visiteront les quatre coins du
        comté...», M. Desbiens, reportage,
        p. 11.

14 mai

1942   «Selon le président du Non, M. Gé-
        linas. C'est la satisfaction du
        devoir accompli», reportage, p. 15.

21 mai

1943   «Malgré que l'organisation ait eu
        des manques au nord du comté. Le
        comité du Non satisfait de cette
        presqu'égalité», reportage, p. 2.

THE SUBURBAN

16 avril

1944   «Marketing the No», B. Beland, re-
        portage, p. 12.

23 avril

1945   «Who can vote in the referendum»,
        reportage, p. 1.

30 avril

1946   «Committee for the No aims for cor-
        rect registration», reportage, p. A-3.

14 mai

1947   «Snowdon Y's widow to widow group»,
        reportage, p. 32.

LE SUDISTE

23 avril

1948   «Avec Ryan et Ouellet, rallye des
        forces pour le Non à l'école J.
        Rousseau ce soir», reportage, p. 2.

7 mai

1949   «Dans Laprairie, l'équipe du Non
        mise sur une équipe agressive», re-
        portage, p. 17.

1950   «Gérard D. Lévesque conférencier
        à la Chambre de commerce», repor-
        tage, p. 17.

THE SUNDAY EXPRESS

4 mai

1951   «Keep those cards and letters co-
        ming», J. Vani, reportage.

11 mai

1952   «Roger Doucet...», reportage, p. 1.
        /Photographie avec légende/

SUNDAY STAR

20 avril

1953   «Ryan's refreshment», reportage.
        /Photographie avec légende/

11 mai

1954 «Ryan «theme» rally politics fall
flat», C. Goyens, reportage,
p. A-8.

LE TÉMISCAMIEN

30 avril

1955 «Les députés libéraux militent activement pour le Non», reportage,
p. 9.

7 mai

1956 «Avec Claude Ryan, les troupes du
Non au sommet de leur campagne»,
reportage, p. 4.

14 mai

1957 «Grande assemblée du Non», reportage, p. 21.

TORONTO STAR

18 avril

1958 «Ryan's heavyweights», UPC, reportage, p. A-6.
/Photographie avec légende/

21 avril

1959 «Pulling No punches», reportage,
p. A-9.

23 avril

1960 «Quebec campaign gets nasty»,
C. Goyens, reportage, p. A-6.

26 avril

1961 «Ryan ponders mass rally», C. Arpin, reportage, p. A-10.

5 mai

1962 «I've got a secret», UPC, reportage, p. A-6.
/Photographie avec légende/

6 mai

1963 «Foiled attack on chauffeur start-
les Ryan», C. Goyens, reportage,
p. A-6.

7 mai

1964 «Levesque wants to debate PM», PC,
reportage, p. 1.

1965 «Non» runner», UPC, reportage, p. A-6.
/Photographie avec légende/

13 mai

1966 «Faces of Ryan», CP, reportage, p. A-14
/Photographie avec légende/

14 mai

1967 «Forum rally was a No-No», A. Szende,
reportage, p. A-6.

1968 «Worker overconfidence not cutting
support -- Ryan», C. Arpin, reportage, p. A-6.

15 mai

1969 «Cheeky», reportage, p. A-6.
/Photographie avec légende/

21 mai

1970 «Thanks for No», p. 22.
/Photographie avec légende/

TOWN OF MOUNT ROYAL WEEKLY POST

22 mai

1971 «85% vote «No» in Mount Royal»,
J. Hazel, reportage, p. 1.

LE TRAIT D'UNION

16 avril

1972 «Dans le camp du Non de l'Assomption. La machine du Non à pleine vapeur», Comité d'information, communiqué, p. 21.

1973 «Une soirée d'information du Comité du Non», reportage, p. 22.

30 avril

1974 «À St-Louis-de-Terrebonne de fausses rumeurs concernant l'Âge d'or», reportage, p. 8.

7 mai

1975 «Le Comité d'organisation pour le «Non» à Terrebonne», reportage, p. 45.
/Photographie avec légende/

1976 «Le comité du «Non» de Terrebonne», reportage, p. 12.
/Photographie avec légende/

1977 «Soirée d'information référendaire à La Plaine», reportage, p. 25.

14 mai

1978 «À la soirée des jeunes pour le «Non», p. 13.
/Photographie avec légende/

1979 «Le sénateur Casgrain à Terrebonne». «Visite du sénateur Casgrain à Terrebonne», reportage, pp. 1, 15.

LA TRIBUNE

15 avril

1980 «Une campagne propre, digne, sans intimidation, dans laquelle la religion n'interviendra pas - Claude Ryan», PC, reportage, p. C-6.

1981 «Finis les beaux discours», reportage, p. C-6.

1982 «Richmond: André Beaumier dirigera les forces du Non», reportage, p. C-6.

17 avril

1983 «Davis offre ses services», PC, reportage, p. B-1.

1984 «Les enseignants ne sont pas tous des séparatistes», PC, reportage, p. B-1.

1985 «Ryan refuse», PC, reportage, p. B-1.
/Les services de M. W. Davis durant la campagne/

19 avril

1986 «Thérèse Casgrain à Sherbrooke pour le Non», communiqué, p. B-8.

21 avril

1987 «Enthousiasme dans le camp du Non», PC, reportage, p. B-1.

22 avril

1988 «5000 femmes réunies à Sherbrooke pour le non», G. Fisette, reportage, p. B-3.

24 avril

1989 «Pas certain que Duplessis et Sauvé voteraient Oui - Michel Le Moignan», PC, reportage, p. B-3.

1990 «600 femmes pour le Non à Thetford Mines», reportage, p. B-3.

26 avril

1991 «Castonguay lance un défi», PC, reportage, p. B-4.

28 avril

1992 «Un attachement aux valeurs - Ryan», PC, reportage, p. B-1.

29 avril

1993 «Compton Station. Plusieurs «Non»
oubliés sur la liste électorale»,
reportage, p. B-2.

30 avril

1994 «Ryan refait le plein dans l'ouest
de Montréal. Ryan admet que ses
conseillers lui ont demandé de
«baisser le ton», PC, reportage,
p. B-1.

1er mai

1995 «Intolérance, égocentrisme, cynis-
me, malhonnêteté. Il n'y a plus
de place pour le racisme - Reed
Scowen», reportage, p. B-4.

2 mai

1996 «Ryan violemment pris à partie par
des employés du Mouvement Desjardins», PC, reportage, p. B-1.

7 mai

1997 «Le Québec, un second Cuba. Le
comité pour le Non du comté de
Saint-François rejette la pater-
nité de la lettre», F. Gougeon,
reportage, p. B-3.

1998 «Ryan en visite à LG-3», PC, reportage, p. B-1.

24 mai

1999 «Prendre la victoire en «Ryan»,
G. Blanchard, commentaire, p. B-3.

L'UNION

22 avril

2000 «Le comité du «Non», reportage,
p. A-14.
/Liste des membres du comité du Non
Lotbinière/

2001 «Dans le comté de Richmond. André Beaumier, président du comité pour le «Non», reportage, p. A-33.

2202 «Les «Yvette» d'Arthabaska», reportage, p. A-8.
/Annonce de la tenue d'une réunion
du comité du Non/

6 mai

2003 «À la C. de C. de Plessisville.
Au tour du «Non», reportage,
p. C-5.

2004 «Dimanche le 11 mai. Mme Ryan en
ville», reportage, p. D-19.

13 mai

2005 «Soirée des tenants du «Non». Daniel Johnson Jr et Charles Lapointe au ciné Laurier», reportage,
p. A-19.

THE VAL-D'OR STAR

23 avril

2006 «Yvette Rally», reportage, p. 15.

LA VALLÉE DE LA CHAUDIÈRE

23 avril

2007 «C'est lundi, le 4 avril...», reportage, p. A-11.

2008 «Robert Dutil, président des Québécois pour le «Non» dans Beauce-
Sud», I. Lamontagne, reportage, p. A-7.

7 mai

2009 «Des Québécois pour le Non», reportage, p. A-15.

LA VALLÉE DE LA DIABLE

14 mai

2010 «Sprint final de la campagne du
Non», reportage, p. 8.

THE VANCOUVER SUN

5 mai

2011 «Quebec Liberals. Budget project
denied», PC, reportage, p. A-7.

LA VICTOIRE

24 avril

2012 «Samedi prochain. Le chef du comité des Québécois pour le Non
dans la région», R. Binette, reportage, p. 2.

8 mai

2013 «Jean-Noël Lavoie à Saint-Joseph-
du-Lac», reportage, p. 18.
/Photographies avec légendes/

22 mai

2014 «C'est le plus beau jour de ma vie
dans la confédération», R. Binette,
reportage, p. 3.

LA VOIX DE L'EST

15 avril

2015 «Shefford - Référendum au Cegep»,
A. Gazaille, reportage, p. 5.

21 avril

2016 «Entre les deux... le Non à 375-
5372», A. Gazaille, reportage, p. 11.

2017 «On a semé le doute... - Robert Benoît», J. de Bruycker, reportage, p. 5.

23 avril

2018 «Claude Ryan à Granby demain»,
A. Gazaille, reportage, p. 1.

2019 «Entre les deux. Émile Genest
avec Lapierre», J. de Bruycker,
A. Gazaille, reportage, p. 14.

2020 «Entre les deux... Un Non brûle»,
reportage, p. 13.

26 avril

2021 «Une entrée triomphale», reportage,
p. 1.
/Photographie avec légende/

29 avril

2022 «Entre les deux... Personnalités»,
J. de Bruycker, reportage, p. 5.

30 avril

2023 «Entre les deux... Une idée de
Shefford», A. Gazaille, reportage,
p. 7.

2 mai

2024 «Comité du Non d'Iberville - Une
blague digne de notre folklore
électoral», G. Tavernier, reportage, p. 1.

2025 «Entre les deux... Cinq maires»,
J. de Bruycker, A. Gazaille, reportage, p. 5.

2026 «Entre les deux... Et à Sutton»,
J. de Bruycker, A. Gazaille, reportage, p. 5.

2027 «Entre les deux... Lapierre dans
Johnson», J. de Bruycker, A. Gazaille,
reportage, p. 5.

3 mai

2028 «Entre les deux... Activités du Non -
Shefford», A. Gazaille, reportage,
p. 21.

2029 «Entre les deux... Thérèse Lavoie-Roux à Roxton Falls», A.
Gazaille, reportage, p. 21.

2030 «Iberville - Le Non donne un coup
de collier», G. Tavernier, reportage, p. 21.

5 mai

2031 «Entre les deux... Le Non à East-
man», reportage, p. 6.

6 mai

2032 «Entre les deux... Le Non à St-
Valérien», F. Bélanger, A. Gazaille, reportage, p. 5.

7 mai

2033 «Entre les deux... Gautrin à St-
Luc», J. de Bruycker, A. Gazaille,
reportage, p. 9.

2034 «Entre les deux... Le Non en visite», J. de Bruycker, A. Gazaille,
reportage, p. 9.

2035 «Entre les deux... Les Bâtisseurs
arrivent», A. Dionne, A. Gazaille,
reportage, p. 8.

2036 «Entre les deux... Les Yvettes
à Granby», A. Dionne, A. Gazaille,
reportage, p. 8.

2037 «Entre les deux... Lucien et non
Denis Richard», A. Dionne, A. Gazaille, reportage, p. 8.

8 mai

2038 «Entre les deux... Lavoie chez
les Bâtisseurs», A. Gazaille, reportage, p. 10.

9 mai

2039 «Entre les deux... Assemblées
dans B-M», J. de Bruycker, A. Gazaille, reportage, p. 6.

10 mai

2040 «Entre les deux... Les Yvettes
au Palace», reportage, p. 24.

2041 «Entre les deux... Non-Johnson en
action», reportage, p. 24.

2042 «Pas de retour en politique pour
Robert Bourassa», J. Bertrand, reportage, p. 3.

15 mai

2043 «Entre les deux... Clôture», reportage, p. 5.

2044 Nil

LA VOIX DES MILLE-ÎLES

16 avril

2045 «La campagne se gagnera Non par
Non», reportage, p. 5.

2046 Nil

2047 «Jean-Pierre Ledoux présidera le
«Non», reportage, p. 4.

23 avril

2048 Le comité du Non part en grande»,
reportage, p. 6.

7 mai

2049 «Denis Hardy réitère sa proposition d'une rencontre publique avec
Elie Fallu», D. Hardy, lettre, p. 1.

2050 «Fox et De Bellefeuille à Rosemère»,
reportage, p. 5.

2051 «Opération «Les Bâtisseurs», communiqué, p. 9.

2052 «Ryan à Mirabel», reportage, p. 9.

14 mai

2053 «À Boisbriand. Trois échevins
pour le Non», reportage, p. 7.

2054 «Fallu dit «Non», reportage, p. 7.

2055 «Je suis fier d'être Canadien et
Québécois», reportage, p. 7.

2056 «Non merci passez à la scie», reportage, p. 8.

2057 «Opération des Bâtisseurs», reportage, p. 7.

LA VOIX DU SUD

13 mai

2058 «Assemblée de clôture du comité du
Non dans Bellechasse», reportage,
p. 24.

2059 «Au foyer du Lac-Etchemin? On
souligne la journée des «Bâtisseurs», reportage, p. 24.

2060 «   », L. Boivin, lettre, p. 2.
/Lettre dénonçant les adhésions au
Oui/

LA VOIX GASPÉSIENNE

23 avril

2061 «Le comité du «Non» a entrepris son
travail», reportage, p. A-19.

LA VOIX MÉTROPOLITAINE

15 avril

2062 «Les «Yvettes» étaient au rendez-
vous», D. Dumas, reportage, p. 14.

22 avril

2063 «M. Maurice Lavallée préside le comité du Non à Pierreville», reportage, p. 7.

6 mai

2064 «À une réunion du Non. André St-
Michel est heureux de voir qu'on se
renseigne avant de se décider», reportage, p. 11.

13 mai

2065 «Jean-Louis Leduc veut 70% de Non»,
reportage, p. 3.

LA VOIX POPULAIRE

13 mai

2066 «On dira Non avec fierté», J. G.
Legault, p. 12.

LE VOLTIGEUR

15 avril

2067 «Les jeunes du comté de Drummond ne
sont pas mis à l'écart dans la présente campagne référendaire», communiqué, p. 11.

29 avril

2068 «Agissements malhonnêtes de la part
de certains membres du comité du
Oui (Paul Biron)», reportage, p. 27.

2069 «Les Québécois pour le Non», communiqué, pp. 13, 14.

2070 «Les Québécois pour le Non», communiqué, p. 14.

2071 «Une soixantaine de professionnels
disent Non», communiqué, p. 14.

13 mai

2072 «Clôture de la campagne référendaire du comité des Québécois pour
le Non», annonce, p. 11.

27 mai

2073 «La victoire du Non», reportage,
p. 1.
/Photographies avec légendes/

LE VOYAGEUR

16 avril

2074 «Des milliers d'Yvettes disent Non», reportage.

THE WATCHMAN

7 mai

2075 «Yvettes... it's catching on», reportage, p. 1.

THE WESTMOUNT EXAMINER

17 avril

2076 «Volunteers required», G. Springate, chronique, p. 6.

24 avril

2077 «Fight for our lives», G. Springate, chronique, p. 6.

2078 «Johnston hosts brunch for «No» organizers», reportage, p. 62.

2079 «Westmounters among those on «No» voters list», reportage, p. 32.

8 mai

2080 «Showing some emotion», G. Springate, chronique, p. 6.

15 mai

2081 «Get out and vote», G. Springate, chronique, p. 4.

2082 «Meeting the leader», reportage, p. 10.
/Photographie avec légende/

2083 «90% vote turnout sought by «No» head», reportage, p. 10.

22 mai

2084 «Exhausted relief mood at «No» office», reportage, p. 16.

LES THÈSES
2085 À 3976

L'ARGENTEUIL

14 mai

2085 «Ce sera Non», F. Berthiaume, éditorial, p. 2.

L'ARTISAN

23 avril

2086 «L'enjeu du référendum», communiqué, p. 39.

30 avril

2087 «Devant une salle comble: Ouellette et Ryan dénoncent le message faussé des péquistes», D. Caza, reportage, p. 5.
/Assemblée du Non à la polyvalente Jean-Baptiste Meilleur/

7 mai

2088 «Marcel Masse flagelle le P.Q.», D. Caza, reportage, p. 5.
/Compte rendu d'une assemblée du Non à St-Roch de l'Achigan/

14 mai

2089 «Dans le camp du Non: les der-
niers boulets des fédéralistes»,
D. Caza, reportage, p. 7.
/Assemblée du comité du Non le
11 mai à l'école polyvalente
Paul Arseneau/

28 mai

2090 «Des résultats plus que satisfai-
sants», A. Ouellet président du
comité du Non, communiqué, p. 14.
/Circonscription de l'Assomption/

L'AVANT-POSTE GASPÉSIEN

14 mai

2091 «Le comité du Non. Mme Chaput-
Rolland à Amqui», reportage, p. 7.

2092 «Tournée pour le Non. Mme Solange Chaput-Roland à Causapscal», J. M. Potvin, reportage,
p. 19.

L'AVENIR DE L'EST

15 avril

2093 «Une retraite de courte durée.
Prosper Boulanger président du
Non dans Lafontaine», reporta-
ge, p. 3.

22 avril

2094 «Enfin, le vrai départ! - Ouellette», Comité des Québécois pour
le Non Assomption, reportage, p. 2.

2095 «Merci Yvette», Comité d'information - Association Libérale de
Lafontaine, communiqué, p. 5.

29 avril

2096 «Une démonstration de l'étapisme
raffiné du P.Q.», Comité d'information du comité du Non L'Assomption, communiqué, p. 2.

2097 «Pour Claude Ryan à Repentigny. Le
référendum, une prise de conscience de nos racines canadiennes», L.
Babin, reportage, p. 3.
/Compte rendu de l'assemblée du 26
avril/

13 mai

2098 «À l'intérieur du régime fédéral.
Le Québec s'est très bien développé - André Raynault», C. Gariépy,
reportage, p. 5.

2099 «Comité du «Non» de Lafontaine.
Les personnalités du comté se font
connaître», communiqué, p. 2.

2100 «Jean-Claude Rivest à L'Assomption -
Le Canada ça nous appartient», C.
Gariépy, reportage, p. 3.
/Compte rendu de l'Assemblée du
Non à L'Assomption/

L'AVIRON

7 mai

2101 «Secteur Matapédia. Imposante assemblée pour le Non», reportage,
p. 2-B.

BEAUCE NOUVELLE

22 avril

2102 «Le comité du Non lance sa campagne», P. Turcotte, reportage, p. 3.

29 avril

2103 «Le PQ ne trouve aucun preneur pour
son association (Ryan)», reportage,
p. 32.
/Compte rendu de l'Assemblée du comité du Non du 21 avril à St-Georges/

6 mai

2104 «Ste-Marie. Le déjeuner Beauce-
Non-féminin-pluriel connaît un bon
succès», M. Roy, reportage, p. 40.

LE CANADA-FRANÇAIS

23 avril

2105 «La question. La population en a soupé de toute cette duperie - Jacques Desmarais», reportage, p. 17.

2106 «Toujours nationaliste. Bergeron président du Non par civisme», reportage, p. 18.

30 avril

2107 «À titre personnel. Olivier se joint au Non», L. Bédard, reportage, p. 12.

2108 Nil

2109 «Votons Non au référendum», J. Desmarais, libre opinion, p. 12.

7 mai

2110 «Advenant l'indépendance. Toutes les lois adoptées n'auraient plus de valeur», reportage, p. 18.

2111 «Ceux qui voteront Non», R. Lafontaine, éditorial, p. 6. /Portraits des partisans du Non/

2112 «En chauffant le nationalisme à blanc», A.-M. Rhéaume, libre opinion, p. 16.

2113 «Pour des changements dans l'ordre. J'aime mieux vivre dans un Canada d'avenir que de mourir de mauvais souvenirs - Camille Samson», L. Bédard, reportage, p. 16.

2114 «Pour le Non de Saint-Jean. Fini l'affichage sur les poteaux», L. Bédard, reportage, p. 16.

2115 «Selon le Dr Fernand Bergeron. Avec le P.Q.: suicides, dépressions et misères! Un Québec indépendant sera attaqué», L. Bédard, reportage, p. 18.

14 mai

2116 «À Saint-Alexandre le 6 mai. Johnson minimise les avantages de la souveraineté-association. Le P.Q. un obstacle à la réforme», L. Bédard, reportage, p. 15.

2117 «De passage à Marieville. Un Oui au référendum, c'est comme descendre des escaliers en manquant la première marche - Guy St-Pierre», G. Lévesque, reportage, p. 12.

2118 «Gérard D. Lévesque aux fédéralistes - «Voter Oui, c'est faire le jeu du P.Q.» 600 personnes assistent à l'assemblée du Non», L. Bédard, reportage, p. 14.

2119 «Rivest: Fini le P.Q. C'est la séparation que cherche le P.Q. - Desmarais», L. Bédard, M.-O. Trépanier, reportage, p. 14.

2120 «Selon Thérèse Lavoie-Roux. Le référendum a révélé l'attachement au Canada», L. Bédard, reportage, p. 13.

21 mai

2121 «Iberville vendredi soir. Les comités du Non terminent leur campagne par une assemblée de plus de 600 personnes. Robert Bourassa présent», L. Bédard, reportage, p. 6.

2122 «Pour Jacques Desmarais. C'est un rejet massif de l'option péquiste», L. Bédard, reportage, p. 2.

2123 «Vers un nouveau fédéralisme. La partie ne fait que commencer - Le Dr Fernand Bergeron», G. Bérubé, reportage, p. 2.

LE CARROUSEL DE THETFORD

29 avril

2124 «Record de participation», reportage, p. 15.

6 mai

2125 «La valeur d'un pays se reconnaît comment d'après vous? - Robert Bourassa», reportage, p. 16.

13 mai

2126 «J'ai deux amours», H. Mathieu,
libre opinion, p. 8.

THE CHRONICLE-HERALD

15 avril

2127 «PQ could win its referendum. Remains optimistic Canada will stick
together», E. Stewart, CP, reportage, p. 7.

2128 «PQ newspaper flop part of Ryan
message», CP, reportage, p. 4.

22 avril

2129 «Ryan claims «No» campaigners
being victimized by vandals»,
CP, reportage, p. 4.

25 avril

2130 «Ryan says Trudeau role to be
announced», CP, reportage, p. 4.

1er mai

2131 «Quebec Tory says time to take
stand», CP, reportage, p. 43.

2132 «Ryan sometimes «lets heart
speak», CP, reportage, p. 43.

5 mai

2133 «Ryan says PQ «distorts» history
to suit own ends», CP, reportage,
p. 3.

6 mai

2134 «Ryan tries philosophical tack in
most recent speech», CP, reportage, p. 5.

8 mai

2135 «Impact of Yvette on referendum
intangible», CP, reportage, p. 41.

12 mai

2136 «Broad-based support wanted -
Ryan», A. Bishop, reportage, p. 1.

13 mai

2137 «Referendum drive breeds discontent», CP, reportage, pp. 1, 2.

14 mai

2138 «Committee wants issue settled
now», CP, reportage, p. 12.

2139 «Ryan finds no fault with ads out-
lining government service», A.
Bishop, reportage, pp. 1, 2.

15 mai

2140 «Renewed federalism: it doesn't
look so new», D. Mc Gillivray,
reportage, p. 7.
/Extrait de Montreal Gazette/

16 mai

2141 «Ryan seeks study of labour acts»,
CP, reportage, pp. 1, 2.

17 mai

2142 «Poll shows good lead for Ryan»,
CP, reportage, pp. 1, 2.

20 mai

2143 «Ryan operates effectively on «no-
frills» principle», CP, reportage,
p. 8.
/Biographie de C. Ryan/

21 mai

2144 «Great victory - Ryan», CP, reportage, p. 1.

2145 «Ryan told hand-shaking not legal»,
CP, reportage, p. 8.

THE CITIZEN

15 avril

2146 «Davis, Lougheed head Ryan's held-Quebec list», A. Mc Cabe, reportage, p. 14.

17 avril

2147 «Quebec city rally. English Quebec shows its spirit», L. Seale, reportage, p. 41.

2148 «Tearful Berton: Rest of Canada «cares very much»», CP, reportage, p. 47.

18 avril

2149 «Lesage backs No camp. «Quebec's my home, Canada my country», L. Seale, reportage, pp. 1, 39.

2150 «PM rules out 11th-hour federalism», J. Robb, reportage, p. 1.

2151 «Quebec ex-premiers set record straight», L. Seale, reportage, p. 39.

21 avril

2152 «If Zimbabwe can solve its problems, so can Canada», C. Young, commentaire, p. 6.

2153 «Ryan slams «fraudulent» PQ policies», R. Hickl-Szabo, reportage, p. 47.

22 avril

2154 «Certificates issued to Yes backers. PQ «intimidation» charged by Ryan», L. Seale, reportage, p. 1.

23 avril

2155 «Non meets Oui. Ryan meets friendly opposition in paper mill campaign», L. Seale, reportage, p. 49.

24 avril

2156 «Kierans: Canadian - or not?», F. Howard, reportage, p. 55.

2157 «PQ compared to Kremlin. Ryan pleads for Quebec «sanity»», CP, reportage, p. 55.

26 avril

2158 «Pointe-Fortune: A tale of two towns», P. Maser, reportage, p. 73.

28 avril

2159 «Immense territories belong to Canada. Quebec facing loss of lands», W.-F. Shaw, libre opinion, p. 7.

2160 «O Canada» come back in Quebec?», CP, reportage, p. 47.

29 avril

2161 «No threat on voting - hospital», R. Hickl-Szabo, reportage, p. 49.

2162 «Ryan unscathed in first confrontation with students», F. Howard, reportage, p. 49.

30 avril

2163 «Loaded question». Ryan: Voting Yes means separatism, not renewed federalism», CP, reportage, p. 65.

2164 «Ryan backpedals on tax plan», CP, reportage, p. 65.

1er mai

2165 «No» vote backs change - Ryan», CP, reportage, p. 67.

2166 «PQ roots in Liberal wars. Kierans: Levesque had to go», F. Howard, reportage, p. 67.

2 mai

2167 «Ryan claims «Yes» fear tactic»,
CP, reportage, p. 43.

3 mai

2168 «Firm promises needed», CP, reportage, p. 49.

2169 «Ryan hurls intimidation charges
against «Yes» faction», CP, reportage, p. 49.

5 mai

2170 «Budget plan denied», CP, reportage, p. 39.

2171 «Intimidation tactic. No backers
claim PQ disrupted rally», CP, reportage, p. 39.

2172 «Ryan: Canadian patriotism «in
style», CP, reportage, p. 39.

6 mai

2173 «Freedom... Philosophical Ryan
puts «individuals first», CP,
reportage, p. 55.

7 mai

2174 «Bourassa aiding Ryan», CP, reportage, p. 69.

8 mai

2175 «Kierans denies policy approval»,
CP, reportage, p. 49.

2176 «Ryan: PQ near end», CP, reportage, p. 49.

9 mai

2177 «Vote won't cure ills: Ryan», F.
Howard, reportage, p. 20.

13 mai

2178 «Approach of referendum - Quebecers wary in expressing their
views», F. Howard, reportage, p. 7.

2179 «Ryan seems to be winning with economic arguments», L. Shifrin, analyse, p. 6.

14 mai

2180 «Kierans burns», reportage, p. 6.

2181 «Ryan says ad «in bad taste», CP,
reportage, p. 47.

2182 «Ryan theme: «Yes» means breakup
of Canada», F. Howard, reportage,
p. 47.

15 mai

2183 «Quebecers feelings for Canada find
open expression», F. Howard, analyse, p. 7.

16 mai

2184 «The general» Ryan masterminds
«old-fashioned» campaign to top of
polls», D. Farquharson, reportage, p. 39.

2185 «Icing on cake», CP, reportage,
p. 39.

2186 «Paper backs No», CP, reportage,
p. 39.

17 mai

2187 «Ryan hammers message that «Yes»
first step to separation», F.
Howard, reportage, p. 73.

20 mai

2188 «Co-exist» only way - Ryan», F.
Howard, reportage, p. 41.

21 mai

2189 «From folk hero to political leader», F. Howard, reportage, p. 49.

2190 «Ryan needs role in talks», D.
Clift, analyse, p. 49.

2191 «Ryan urges Canada to respond to
victory with «understanding», F.
Howard, reportage, p. 49.

LE CITOYEN

15 avril

2192 «Bien engagé. Le «Non» dans Richmond», reportage, p. 46.

2193 «Non» dans Richmond. André Beaumier à la présidence», reportage, p. 46.

6 mai

2194 «Mme Chaput-Rolland à Ste-Clothilde de Horton», reportage, p. 2.

13 mai

2195 «Le Québec ne peut se séparer du Canada», J. Pressé, libre opinion, p. 4.

2196 «Selon le président du Non, les gens se rattacheront à leur pays», J. Roy, reportage, p. 2.

2197 «Tardif et Vallières défendent le fédéralisme. Offensive du «Non» à Wotton», reportage, p. 19.

2198 «Yvon Vallières a dit son mot», J. Roy, reportage, p.

27 mai

2199 «André Beaumier: «C'est la victoire du bon sens», J. Roy, reportage, p. 2.

LA CONCORDE

22 avril

2200 «Un référendum ou un ultimatum?», J. Bertrand, éditorial, pp. 2, 5.

29 avril

2201 «La région de Montréal a toujours joué un rôle de pivot dans le domaine économique - Claude Ryan», R. Binette, reportage, pp. 9, 18.

20 mai

2202 «L'avenir du Québec entre les mains des femmes», J. Poirier, reportage, p. 5.

LE CONFIDENT DE LA RIVE-NORD

16 avril

2203 «Devant une brochette de dix-sept maires. Paul-Émile Tremblay inaugure la campagne du «Non», R. Tremblay, reportage, p. 3.

7 mai

2204 «Où loge l'intolérance?», P.-É. Tremblay, lettre, p. 6.

2205 «Les ruraux ne peuvent se payer le luxe de la moindre aventure économique - Paul-Émile Tremblay», reportage, p. 5.

2206 «Le véritable enjeu du référendum: l'indépendance», Les Québécois pour le Non Charlevoix, communiqué, p. 4.

21 mai

2207 «Pour Paul-Émile Tremblay. Le prochain pas... rayer les péquistes de la carte», reportage, p. 2.

CONTACT LAVAL

30 avril

2208 «Robert Bourassa dans un débat au Collège Bois de Boulogne», F. Genest, reportage, p. 3.

7 mai

2209 «Le «Non» dans Crémazie», communiqué, p. 8.

14 mai

2210 «Robert Bourassa dans L'Acadie»,
F. Genest, reportage, p. 2.

2211 «Robert Bourassa dans L'Acadie et
... dans Crémazie», F. Genest, reportage, p. 2.

21 mai

2212 «L'Acadie. Succès complet et tôt
pour le Non», reportage, p. 3.

2213 «Bourassa. Le résultat m'a donné
raison - M. Éthier», reportage,
p. 3.

2214 «Non - St-Laurent. Objectifs at-
teints», reportage, p. 3.

LE COURRIER DE MALARTIC

30 avril

2215 «Lorraine Hamel s'adresse aux Yvettes», communiqué, p. 7.

7 mai

2216 «1,200 «Yvette» disent Non», G. B.
Coulombe, communiqué, p. 7.

14 mai

2217 «Dernière semaine de la campagne
référendaire. Les gros ca-Nons
attirent 1,000 personnes à Rouyn»,
M. St-Denis, reportage, p. 3.

LE COURRIER DE SAINT-HYACINTHE

30 avril

2218 «Le référendum: un choix de pays
- Michel Pagé», A. Rodier, reportage, p. A-7.

7 mai

2219 «Des actions inacceptables...», C.
Petit, lettre, p. A-11.

2220 «1,200 femmes du comté disent «Non
merci!», M. Raîche-Lefebvre, reportage, p. A-8.

2221 «Les recettes contradictoires du
PQ (M. Le Moignan)», N. Huberdeau,
reportage, p. A-9.

14 mai

2222 «Rencontre pour le Non au Cegep.
Un débat aussi énergique qu'aux
premières heures...», M. Raîche-
Lefebvre, reportage, p. B-7.

2223 «Un témoignage de gratitude à l'endroit des «bâtisseurs», M. Raîche-
Lefebvre, reportage, p. B-7.

21 mai

2224 «Une très grande victoire! (Claude
Ryan)», P. Bornais, reportage, p. B-1.

2225 «Une victoire saluée par le 0 Canada», A. Rodier, reportage, p. B-1.

4 juin

2226 «Les Québécois ont calculé leurs
risques», A. Rodier, reportage,
p. A-3.

LE COURRIER DU SUD/THE SOUTH SHORE
COURIER

30 avril

2227 «Le Non à Jacques Rousseau. Gagner
le référendum d'abord, puis mettre
le PQ dehors - H.-F. Gautrin», M.-J.
Émard, reportage, p. A-7.

7 mai

2228 «Campagne de peur? Oui ou Non»,
Les Québécois pour le Non Chambly,
communiqué, p. D-5.

COURRIER LAVAL

23 avril

2229 «Forget et Lavoie au maximum», reportage, p. 2.

30 avril

2230 «Gratton n'aime pas la question péquiste», reportage, p. 2.

7 mai

2231 «Lavoie dénonce le P.Q.», reportage, p. 2.

2232 «Le Québec est ma patrie. Le Canada est mon pays», T. Clermont, libre opinion, p. 2.

2233 «300 personnes écoutent M. Jean Pagé», reportage, p. 2.

COURRIER MAG

16 avril

2234 «Le Non dans Chambly: Une bataille difficile», A. Gruda, reportage, p. 20.

23 avril

2235 «Du député de Verchères - Les Yvette et le référendum», J.-P. Charbonneau, libre opinion, p. 9.

30 avril

2236 «Le Non à Jacques Rousseau. Gagner le référendum d'abord, puis mettre le P.Q. dehors - H.F. Gautrin», M.-J. Emard, reportage, p. 10.

2237 «Le Non dans Verchères: Le choix entre être canadien ou séparatiste...», A. Gruda, reportage, p. 18.

2238 «Le piège de voter Oui pour donner un mandat de déblocage (bargaining power)», reportage, p. 10.

7 mai

2239 «L'appât de l'association économique», Les Québécois pour le Non Chambly, communiqué, p. 11.

2240 «Si j'étais indépendantiste, je dirais aussi Non... - Fernand Lalonde», A. Gruda, reportage, p. 10.

14 mai

2241 «Gérard D. Lévesque critique la campagne du Oui», A. Cappiello, reportage, p. 11.

2242 «Les jeunes Québécois pour le Non - Mise au défi du député Gilles Michaud de prouver ses accusations sur la «perte des pensions», reportage, p. 11.

2243 «Les Québécois pour le Non Chambly», reportage, p. 11.

28 mai

2244 «Fiers d'être québécois, fiers d'être canadiens», reportage, p. 8.

LE COURRIER RIVIÉRA

16 avril

2245 «Les Yvette étaient au rendez-vous», D. Dumas, reportage, p. 9.

23 avril

2246 «Le comité du Non dans Richelieu. La question est ambiguë!», M. Crête, reportage, p. 6.

30 avril

2247 «Attention aux promesses irréalistes des péquistes - Serge Fontaine», reportage, p. 45.

2248 «Les fédéralistes sont convaincus que la souveraineté-association camoufle l'idée d'indépendance», M. Crête, reportage, p. 2.

2249 «La victoire du Non signifiera la reprise des négociations constitutionnelles», Commission politique, Parti Libéral du Québec, communiqué, p. 14.

7 mai

2250 «Mme Thérèse Casgrain invite les femmes à refuser la souveraineté-association», M. Crête, reportage, pp. 8, 67.

2251 «Selon M. Paul Zakaib. La souveraineté-association affaiblirait le Québec», reportage, pp. 9, 12.

14 mai

2252 «Le libéral Michel Pagé prévoit une victoire du Non», M. Crête, reportage, p. 22.

2253 «Monsieur Lévesque et ses ministres l'ont dit», communiqué, p. 6. /Déclaration sur l'interprétation de la souveraineté-association/

2254 «Selon Robert Bourassa. L'État fédéral n'est pas un carcan», M. Crête, reportage, p. 3.

28 mai

2255 «La victoire du Non. Des données objectives plutôt qu'émotives - Raymond Proulx», M. Crête, reportage, p. 5.

COURRIER-SUD

22 avril

2256 «Les conséquences d'un Oui au référendum», M. Lavallée, communiqué, p. 3.

29 avril

2257 «C'est une écoeuranterie - Serge Fontaine», J. Desfossés, reportage, p. 3.

2258 «Non», M. Lavallée, communiqué, p. 3.

6 mai

2259 «Non», M. Lavallée, libre opinion, p. 3.

13 mai

2260 «Les conséquences d'un Non au référendum», M. Lavallée, libre opinion, p. 3.

2261 «Producteurs de la région disons Non à l'aventure du Parti-Québécois», F. Côté, libre opinion, pp. 63, 64.

2262 «L'U.N. se serre les coudes», J. Desfossés, reportage, p. 59.

27 mai

2263 «Remerciements», reportage, p. 3.

LE DEVOIR

18 avril

2264 «Bourassa et Lesage adhèrent au Non», reportage, p. 1.

2265 «Celles qui disent Non», L.-G. Robic, lettre, p. 10.

2266 «Le Québec a besoin du Canada; le Canada, du Québec», J. Lesage, libre opinion, p. 9.

21 avril

2267 «Ryan: l'enjeu est aussi de dire Non au gouvernement», reportage, p. 1.

23 avril

2268 «Ryan dénonce le «Ose dire Oui», reportage, p. 1.

25 avril

2269 «Les faux ogres», L. Bissonnette, commentaire, p. 14. /Commentaires sur les accusations de racisme portées par le Dr André Fortas à l'endroit du groupe du Oui/

2270 «Le Oui et le Non nez à nez?
Crop-Radio-Canada confirmerait
le récent sondage de l'IQOP»,
reportage, p. 1.
/Compte rendu des activités du
chef du Non/

2271 «Le Québec qu'on nous promet»,
A. Fortas, libre opinion, p. 12.
/Depuis 1976, les droits et les
libertés de la personne sont en
régression/

26 avril

2272 «Les libertés menacées», J.-P.
de Lagrave, commentaire, p. 13.
/Le cadre confédératif a permis au
Québec de vivre dans un régime démocratique et de jouir des libertés individuelles. Le P.Q. est un
parti réactionnaire.
Voir la réplique Le Devoir du 5
mai '80 par Laurier Renaud «L'Histoire menacée»/

28 avril

2273 «Et Mirabel?», CP, reportage, p. 4.

29 avril

2274 «Ryan condamne le nationalisme du
P.Q.», reportage, p. 1.

30 avril

2275 «Pour éviter le chevauchement. Un
seul organisme pourrait recouvrer
les impôts (Ryan)», reportage, p. 1.

1er mai

2276 «Ryan: le Canada anglais ne doit
pas se méprendre», reportage, p. 1.

2 mai

2277 «Lettre du P. Lévesque à Doris
Lussier», G.-H. Lévesque, libre
opinion, p. 8.

2278 «Des partisans du Oui forcent Ryan
à défendre les positions de son
parti», reportage, pp. 1, 10.

3 mai

2279 «Notre vraie force», G. D. Lévesque, analyse, p. 6.
/Un Non obligerait le PQ à servir
nos desseins autonomistes plutôt
qu'à utiliser notre sentiment nationaliste à ses fins souverainis-
tes/

2280 «Rodrigue Tremblay. Un résultat
trop serré perpétuera l'instabilité», D. Charette, p. 8.

2281 «Ryan reproche aux tenants du Oui
leurs tactiques de type «fasci-
sant», reportage, p. 8.

5 mai

2282 «Charlevoix. La dernière bataille
de Mailloux», reportage, p. 7.

2283 «Ryan prévient ses partisans contre un excès de confiance», PC,
reportage, pp. 1, 18.

6 mai

2284 «Le fédéralisme, solution supérieure», P. Garigue, analyse, p. 7.
/«Seul le fédéralisme permet de
reconnaître l'identité spécifi-
que à chaque communauté linguistique, culturelle ou ethnique, com-
posant le Québec, et le développement de modes d'interdépendance capables de rencontrer les besoins de
tous»/

2285 «L'Histoire menacée», R. Laurier,
libre opinion, p. 9.
/Réponse à J.P. de Lagrave suite à
l'article paru dans Le Devoir du
26 avril/

2286 «Ryan, philosophe sur les différen-
ces», reportage, pp. 1, 10.

7 mai

2287 «À la Baie-James. Pas de foule
pour Ryan et Bourassa», PC, reportage, pp. 1, 12.

8 mai

2288 «Une rupture avec l'histoire»,
J.-M. Deschênes, libre opinion,
p. 9.

9 mai

2289 «Ryan souhaite un véritable consensus après le 20 mai», M. Laurier, reportage, pp. 1, 10.

10 mai

2290 «Ryan se refuse à «catégoriser»
le vote du 20 mai», M. Laurier,
reportage, pp. 1, 20.

12 mai

2291 «Non. Que la marge soit encore
plus forte...», M. Laurier, reportage, pp. 1, 18.

2292 «Une question de fond», M. Roy,
éditorial, p. 16.
/«Le but avoué du gouvernement
n'étant pas l'indépendance pure
et simple, pourquoi ne pas tenter
de pousser plus loin l'expérience
de la fédération, cette fois en
la modifiant sensiblement pour
l'adapter aux besoins des partenaires»/

13 mai

2293 «Le Canada n'est qu'au tout début
de son évolution (Ryan)», M. Laurier, reportage, pp. 1, 12.

2294 «De ces Oui «stratégiques», E. Dan-
denault, libre opinion, p. 8.

14 mai

2295 «Le Oui, un suspense qui divise»,
G. Dion, libre opinion, p. 9.
/Non à la souveraineté-association
et à la stratégie du Parti Québécois. C'est à l'intérieur d'un fédéralisme rénové «que notre groupe
ethnique avec sa culture sera en
mesure... de conserver son identité,
de se maintenir, de se développer et
de s'épanouir»/

2296 «Un refus d'ouverture», S. Desrochers, libre opinion, p. 8.
/Le fédéralisme «représente une
forme d'organisation politique et
sociale, flexible, souple, ouverte aux changements où il est possible de se réaliser pleinement»/

2297 «Ryan met en garde contre la rhé-
torique sonore des soi-disant
transformateurs de la société»,
M. Laurier, reportage, pp. 1, 12.

15 mai

2298 «Ryan: le contexte socio-économi-
que force à l'alliance», M. Laurier,
reportage, pp. 1, 12.

16 mai

2299 «Ryan tente de séduire les indécis
et de convaincre les francophones»,
M. Laurier, reportage, pp. 1, 14.

19 mai

2300 «Lesage: un Oui nous plongerait
dans l'abîme», PC, reportage, p. 8.

2301 «Qualifiant d'incroyable les résultats du sondage IQOP. Grippé,
Claude Ryan se fait remplacer à
une assemblée», M. Laurier, reportage, p. 2.

2302 «Le Québec a besoin du Canada; le
Canada, du Québec», J. Lesage, libre opinion, p. 9.

2303 «Un Québec épanoui au Canada», R.
Choquette, libre opinion, p. 6.

2304 «Ryan. Je veux contribuer à susciter un consensus», M. Laurier,
reportage, pp. 1, 18.
/Interview de C. Ryan/

20 mai

2305 «Ryan parmi les siens», M. Laurier,
reportage, pp. 1, 12.

21 mai

2306 «Michel Le Moignan», PC, reportage,
p. 4.

2307 «Nous n'avions pas besoin de ce référendum (Castonguay)», PC, reportage, p. 14.

2308 «Le poids du Non», M. Roy, reportage, p. 4.

2309 «Le Québec a choisi le renouveau (Ryan)», M. Laurier, reportage, pp. 1,14.

22 mai

8310 «Ryan réclame des élections à l'automne», reportage, pp. 1,12.

DIMANCHE DERNIÈRE-HEURE

18 mai

2311 «La Presse opte pour le «Non», reportage, p. 2.

DIMANCHE-MATIN

20 avril

2312 «Une égalité qui encourage les tenants du Non» - Michel Pagé, député de Portneuf», reportage, p. 9.

2313 «L'enjeu du référendum: le choix d'un pays!» - Claude Ryan», P. Leroux, reportage, p. 11.

27 avril

2314 «Le Québec n'aura pas plus de ressources fiscales qu'il en a» J. Teasdale, reportage, p. 12.

2315 «Ryan se lance dans une allégorie sur le soleil», G. Saint-Jean, reportage, p. 5.

11 mai

2316 «Assemblée monstre au centre Paul-Sauvé. Ryan invite les «bâtisseurs» à préserver l'intégrité du pays», P. Leroux, reportage, p. 3.

2317 «Ryan, confiant, s'adresse aux «bâtisseurs» à Québec. Le temps est au beau fixe sous le parapluie du Non», P. Leroux, reportage, p. 9.

LE DROIT

15 avril

2318 «Ryan lance des fleurs à Trudeau», PC, reportage, p. 2.

2319 «Ryan promet des arguments sérieux et positifs. Une campagne sans intimidation», PC, reportage, p. 16.

2320 «Un télégramme inventé de toutes pièces», R. Lajoie, reportage, p. 16.

16 avril

2321 «Selon le chef du Comité pour le Non. Choisir le 20 mai est «une anomalie», PC, reportage, p. 22.

18 avril

2322 «Une voie pavée de démagogie et de tactiques, selon Ryan. Le «Oui», une rue à sens unique», PC, reportage, p. 18.

19 avril

2323 «Un comité de vigilance y verrait. Ryan veut sa part de nouvelles favorables», C. Duhaime, reportage, p. 36.

21 avril

2324 «Dans l'Outaouais, selon le chef du Comité pour le «Non». On a l'expérience de la «cohabitation harmonieuse», N. Fortin, reportage, p. 16.

2325 «D'ici le référendum. Les «Oui» vont continuer de diminuer - Ryan», PC, reportage, p. 16.

2326 «L'équipe du Non de passage à
Hull. 6,000 partisans accueil-
lent chaleureusement leur chef»,
N. Fortin, reportage, p. 16.

2327 «Mme Ryan en donne une défini-
tion. Qui sont les «Yvettes?»,
N. Fortin, reportage, p. 12.

2328 «Ramenant l'affaire du télégramme
sur le tapis. Gratton accuse le
député Ouellette de «se cacher»,
N. Fortin, reportage, p. 15.

2329 «6,000 partisans du Non à l'aréna
Guertin. Ryan: un triomphe digne de Lafleur», N. Fortin, reportage, p. 1.

22 avril

2330 «Lancement de la campagne du Non
dans la Haute-Gatineau. Le pré-
fet Tremblay fait appel à l'émotion des gens», F. Simard, reportage, p. 18.

2331 «Mordecai Richler ne veut pas être
enfermé dans un «ghetto». Je ne
veux pas ce genre de vie», I.
Warren, PC, reportage, p. 7.

2332 «Un Oui nuira aux chances du PLQ-
Ryan», D. Charest, PC, reportage,
p. 18.

2333 «Selon un haut fonctionnaire au
gouvernement fédéral. Vouloir
être souverain «n'est pas normal»,
P. Ouimet, reportage, p. 19.

23 avril

2334 «L'enjeu majeur du référendum -
Ryan. «Quelle sorte de liberté
les Québécois veulent-ils?» D.
Charette, PC, reportage, p. 23.

24 avril

2335 «Lévesque accusé d'agir en «maître du Kremlin», B. Racine, PC,
reportage, p. 25.

25 avril

2336 «Beaucoup plus que le Québec, selon Ryan. L'Ouest a des raisons
de récriminer», PC, reportage, p. 16.

2337 «Seulement 60 personnes au lancement de la campagne du Non dans
Papineau. Quand c'est la soirée
du hockey...», M. Ouimet, reportage, p. 17.

28 avril

2338 «Des frontières soulèveraient des
problèmes dans la région. La campagne du Non lancée dans le Pon-
tiac», N. Fortin, reportage, p. 15.

29 avril

2339 «C'est faux» - Charette», reportage, p. 15.

2340 «Gilles Rocheleau n'aime pas la
campagne du Oui. Intimidation à
La Pieta?», reportage, p. 15.

2341 «Le PQ accusé de manipuler l'opinion publique», PC, reportage, p. 16.

2342 «Visite éclair aux Îles-de-la-Madeleine. Ryan croise le fer avec
un détracteur», PC, reportage, p. 16.

30 avril

2343 «Reprise de la politique de Trudeau.
Québec devrait promouvoir le multi-
culturalisme - Ryan», PC, reportage, p. 4

2344 «Selon l'ex-ministre Marcel Lessard.
Ottawa-Québec: relations trop «politiques» pour... transiger», G. Laframboise, reportage, p. 47.

1er mai

2345 «Concédant le Lac St-Jean au camp
du Oui. Gratton voit un contre-
poids dans la région», J. Lefebvre,
reportage, p. 24.

2346 «Ryan ralentit quelque peu ses activités», A. Bellemare, PC, reportage, p. 27.

2347 «Si on démontre que certaines propositions ne sont pas acceptables
par la majorité, Ryan acceptera
de modifier le Livre beige», PC,
reportage, p. 27.

2 mai

2348 «Les moments les plus pénibles de
sa campagne. Le chef du Non violemment pris à partie», A. Bellemare, PC, reportage, p. 17.

2349 «Le PQ accusé de mal interpréter
l'histoire», F. Simard, reportage,
p. 17.

2350 «Père de «Menaud, maître-draveur»
Mgr Savard demeurera coi au cours
de la campagne», G. Laframboise,
reportage, p. 16.

3 mai

2351 «Ryan passera dans l'Outaouais.
Une fin de semaine chargée», A.
Bellemare, PC, reportage, p. 36.

2352 «Trudeau demeurant flou, le Oui
peut être tentant - Le Moignan»,
PC, reportage, p. 36.

5 mai

2353 «Le chef du Non ne s'intéresse pas
aux «batailles de coqs». Pas de
débat télévisé Lévesque - Ryan»,
reportage, p. 14.

2354 «Une double victoire prédite par
Gratton», reportage, p. 14.

2355 «On joue sur les équivoques - Lesage», PC, reportage, p. 12.

2356 «Passage mouvementé dans l'Outaouais... Ryan: à nouveau des
étincelles», reportage, pp. 1, 16.

2357 «Un vote serré fera prolonger
l'instabilité politique - Tremblay», PC, reportage, p. 15.

6 mai

2358 «Le Comité pour le Non de Papineau
déplore les actes de violence.
Lévesque prié de contenir ses troupes», reportage, p. 22.

2359 «Non à un «grand Cuba sans soleil»,
P. Roberge, PC, reportage, p. 7.
/D'après Augustin Roy/

2360 «Le résultat du vote «à un pour
cent près». Rocheleau révélera
ses prédictions bientôt», reportage, p. 22.

2361 «Selon le chef du Comité pour le
Non. Un «appui massif» à une ou
l'autre option est nécessaire»,
PC, reportage, p. 23.

7 mai

2362 «Le départ d'Éric Kierans», M. Godbout, commentaire, p. 6.

2363 «Visite des chantiers LG-2 et LG-3.
Ryan reçoit un accueil réservé», D.
Drolet, PC, reportage, p. 25.

8 mai

2364 «Le chef du Non lance un «appel
fraternel». Que Lévesque prépare
ses troupes à la défaite - Ryan»,
D. Charette, PC, reportage, p. 25.

2365 «Le contenu du Non», P. Tremblay,
éditorial, p. 6.
/Il n'y a pas de solution mitoyen-
ne pour le vote du 20 mai, le choix
se limite entre la souveraineté-association et le fédéralisme/

2366 «Le frère de René dit Non», P. Roberge
PC, reportage, p. 48.

2367 «Si le Oui l'emporte, le 20 mai.
Michel Gratton démissionnerait»,
reportage, p. 1.

2368 «Le voyage éclair se solde par un
échec. Ryan mitraillé de questions
par les tenants du Oui à LG-3», A.
Bellemare, PC, reportage, p. 25.

9 mai

2369 «Au lendemain du référendum, selon Ryan. Le conflit persistera même avec un Non», PC, reportage, p. 17.

2370 «J'aime mon pays, je suis Canadienne» - Mme Casgrain», F. Côté, PC, reportage, p. 18.

2371 «Jean-Claude Branchaud, porte parole du Non en Haute-Gatineau. «Je dis Non à la destruction d'un pays d'envie mondiale», reportage, p. 16.

2372 «Réunion à Saint-Philippe d'Argenteuil. Attendu depuis deux heures, Ryan est chaleureusement applaudi», reportage, p. 17.

10 mai

2373 «Un confrère d'armes tourné en ridicule. Appui d'anciens combattants», D. Charette, PC, reportage, p. 36.

2374 «Oui» francophone, «Non» anglophone. Ryan refuse de croire les sondages», D. Charette, PC, reportage, p. 36.

2375 «Rapatriement de la constitution. Ryan dit s'opposer à un geste unilatéral», PC, reportage, p. 8.

2376 «Le référendum: une option pour le fédéralisme», P. Tremblay, éditorial, p. 6.

2377 «Souveraineté et représentation internationale. Un mutisme que Bourassa trouve inquiétant», PC, reportage, p. 36.

12 mai

2378 «Afin d'arrêter l'idée de la séparation» - Gratton. Un Non massif est la seule solution», M. Gauthier, reportage, p. 14.

2379 «Déjeûner-causerie du Comité pour le Non de Papineau. Fête des mères imprégnée de politique référendaire», J. Lefebvre, reportage, p. 16.

2380 «Le Non ne peut se satisfaire d'un 52 pour cent. Ryan veut plus qu'un appui «fragile», D. Charette, PC, reportage, p. 17.

2381 «Opération «Les bâtisseurs», des forces pour le Non. À Aylmer, un long défilé bilingue», J. Lefebvre, reportage, p. 15.

2382 «Sans le fédéral, Hull ne serait qu'un hameau - Isabelle», J. Lefebvre, reportage, p. 15.

13 mai

2383 «Changements constitutionnels. Ryan n'ira ni trop vite ni trop lentement», PC, reportage, p. 39.

2384 «Couverture mesquine», PC, reportage, p. 39.

2385 «Garneau sort de l'anonymat et dit Non», A. Bellemare, PC, reportage, p. 48.

2386 «Germes de violence», PC, reportage, p. 39.

2387 «Intégration: le doute subsiste. Des fonctionnaires expliquent leur Non», reportage, p. 15.

2388 «Rassemblement de 500 femmes. Le mouvement des Yvette se propage jusqu'à Buckingham», R. Chartrand, reportage, p. 16.

14 mai

2389 «En tournée dans la circonscription d'Argenteuil. 600 femmes accueillent «Yvette 1ère», R. Chartrand, reportage, p. 17.

2390 «Le nouveau dépliant du PQ qui demande un mandat de négocier. Une imposture qu'il faut dénoncer - Ryan», PC, reportage, p. 23.

2391 «Projets «bloqués» et «retardés» Rocheleau continue de blâmer le P.Q. et le député Ouellette», P. Ouimet, reportage, p. 17.

15 mai

2392 «Message de Ryan au Saguenay. Il
faut penser «Québécois avec le Canada», B. Racine, PC, reportage,
p. 15.

16 mai

2393 «Le chef du Non attaque le président de la FTQ. Laberge, «j'ai-
merais l'avoir comme adversaire»,
dit Ryan», PC, reportage, p. 16.

2394 «Réflexions d'un citoyen», E. Dan-
denault, libre opinion, p. 7.

17 mai

2395 «L'éditorialiste de La Presse se
prononce pour le Non», PC, reportage, p. 37.

2396 «Gratton fustige Le Droit et
CBOFT», reportage, p. 37.

2397 «Mme Ryan à Buckingham. Le Canada seul candidat en lice», R.
Chartrand, reportage, p. 37.

2398 «Ryan à Maniwaki. Une invitation
à «fermer le dossier», M. Gauthier,
reportage, p. 31.

2399 «Si le Non l'emporte...», P. Tremblay, éditorial, p. 6.
/Le Québec francophone ne doit pas
se diviser si le Non l'emporte/

20 mai

2400 «Un dernier message aux Québécois.
Avec un Oui, «l'abîme vous attend» - Lesage», PC, reportage,
p. 20.

2401 «Il y travaillera si le Non l'emporte. Ryan veut que les Québécois soient heureux», PC, reportage, p. 21.

21 mai

2402 «Les forces du Non de l'Ouest
du Québec se réjouissent. «Les
gens ont compris» - Gratton»,
reportage, p. 34.

2403 «... qui n'étonne ni Larivière ni
Lefebvre», J. Lefebvre, reportage,
p. 31.

2404 «Le refus des Québécois», P. Tremblay, éditorial, p. 6.
/Sur la nécessité d'entreprendre
les démarches pour «modifier en
profondeur» le régime fédéral/

2405 «Selon l'organisateur en chef de
la campagne du Non. Le travail ne
fait que commencer», R. Lajoie, reportage, p. 23.

2406 «Victoire du Non dans la circonscription de Gatineau. Des résultats semblables à ceux de 76»,
M. Gauthier, reportage, p. 29.

22 mai

2407 «Pierre Tremblay et les lendemains
du référendum. La seule solution,
c'est un remaniement en profondeur», P. Ouimet, reportage, p. 3.

2408 «Selon Claude Ryan. «La balle» est
chez Lévesque et le PQ», B. Racine,
PC, reportage, p. 37.

24 mai

2409 «Le Parti libéral rédigera un dossier noir des méthodes du PQ», B.
Racine, PC, reportage, p. 21.

LE DYNAMIQUE DE LA MAURICIE

16 avril

2410 «Chapeau bas!», R. Pagé, éditorial.
/Favorise la réaction des Yvettes
à l'appui du Non/

L'ÉCHO

15 avril

2411 «Nous aurons à choisir entre le fédéralisme et la souveraineté», reportage, p. 20.

22 avril

2412 «Le projet de société libérale et
fédéraliste est avantageux pour
les québécois: parce que...»,
PLQ Vaudreuil, communiqué, p. 30.

2413 «Yves Beaucage rencontre Paul
Gérin-Lajoie: Une conversation
avec le juriste constitutionnel»,
Y. Beaucage, reportage, pp. 5,18,
22.

29 avril

2414 «Lancement de la campagne du Non
dans V.S.: des retrouvailles pour
Paul Gérin-Lajoie», Y. Beaucage,
reportage, p. 3.

2415 «La portée du référendum», PLQ
Vaudreuil-Soulanges, libre opinion,
p. 34.

6 mai

2416 «Électricité et essence: politique fédérale plus avantageuse»,
PLQ Vaudreuil-Soulanges, libre opinion, p. 24.

2417 «Je suis prêt à relever le défi
canadien: Jacques Séguin», Y.
Beaucage, reportage, p. 28.

2418 «Plus de 1000 personnes acclament
Claude Ryan à Ste-Anne-de-Bellevue», M. Auclair, reportage, pp. 5,
6.

2419 «Le Québec s'appauvrirait en rapa-
triant ses impôts», Comité du Non
Vaudreuil-Soulanges, libre opinion,
p. 22.

13 mai

2420 «Advenant la souveraineté, le Québec perdra de sa vitalité économique», B.E. Tremblay, lettre, p. 36.

2421 «Le Oui ne donne aucun «bargaining
power au Québec», PLQ Vaudreuil-
Soulanges, libre opinion, p. 36.

2422 «Réactions à notre sondage - Les
tenants du Non satisfaits des résultats», Y. Beaucage, reportage,
p. 46.

27 mai

2423 «Une éclatante victoire pour les
tenants du fédéralisme renouvelé
de Vaudreuil-Soulanges et du Québec», P.-P. Proulx, communiqué,
p. 4.

L'ÉCHO ABITIBIEN

16 avril

2424 «Christian Bordeleau, président:
Le Comité pour le Non a fini de
branler», reportage, p. 8-D.

2425 «Un Oui au référendum pourrait retarder la venue du moulin à papier
à Amos - Claude Ryan», G. Lyrette,
reportage, p. 12.

2426 «Le référendum mène à l'impasse -
Claude Ryan», G. Dallaire, reportage, p. 5.

2427 «Son chef dit Oui: Roger Bureau
dit Non», reportage, p. 21.

30 avril

2428 «Avec Solange Chaput-Rolland:
1,100 Yvette se réunissent à Val-
d'Or», G. Dallaire, reportage,
p. 24-A.

2429 «190 Yvette de La Sarre se sont
rendues à Val-d'Or», reportage,
p. 4.

2430 «Trudeau ne pourra négocier avec
le Québec - Jos Letendre», G.
Lyrette, reportage, p. 24-A.

7 mai

2431 «Jos Letendre: les tenants du
Non ne font pas de tordage de
bras», reportage, p. 13.

14 mai

2432 «Environ 500 personnes à l'assemblée du Non», Y. Audet, reportage,
p. 24-B.

2433 «Humilions le gouvernement, ça sera notre fierté» - Claude Ryan», C. Arcand, reportage, p. 12.

2434 «1,200 «Yvette» disent Non», G. Coulombe, lettre, p. 22.

2435 «Salle comble pour le Non: Indépendance égale liberté menacée», reportage, p. 14.

21 mai

2436 «Camil Samson réclame la démission du P.Q. et des élections générales au Québec», reportage, p. 4.

2437 «Ryan: Il faut des élections générales», reportage, p. 5.

L'ÉCHO DE FRONTENAC

6 mai

2438 «Me Daniel Johnson dénonce le «Piège» de la question référendaire», reportage, p. A-3.

L'ÉCHO DE LA LIÈVRE

30 avril

2439 «À l'occasion du référendum», reportage, p. 3.

14 mai

2440 «La campagne du P.Q.: ça l'air d'un testament», L. Phaneuf, reportage, p. 7.

L'ÉCHO DE LA TUQUE

30 avril

2441 «De concert avec l'inauguration du local. On lance officiellement la campagne du Non à La Tuque», A. Mercier, reportage, p. 3.

28 mai

2442 «Les partisans de l'option fédéraliste se réjouissaient d'avance», A. Dupuis, reportage, p. 11.

L'ÉCHO DE LOUISEVILLE/BERTHIER

23 avril

2443 «Brunch pour le Non à Saint-Gabriel, y'avait du monde», M. Lemire, reportage, p. 6.

2444 «De l'action dans le comité du Non de Berthier. Mmes Ryan et Lavoie-Roux parlent du «Non», M. Lemire, reportage, p. 3.

2445 «Devant plus de 900 personnes. Le Québec est actuellement à la croisée des chemins», P. Bellemare, reportage, p. 1.

2446 «Non», S. Gagnon, libre opinion, p. 4.
/Incite les gens à voter Non en prenant l'exemple d'un individu qui refuse une prise de sang pour ne pas s'incriminer/

30 avril

2447 «Non», S. Gagnon, libre opinion, p. 9.

7 mai

2448 «Réponse à un Québécois frustré», Y. Picotte, lettre, p. 6.

14 mai

2449 «La vraie réponse», S. Gagnon, libre opinion, p. 10.

2450 «Voter Oui pour donner au Québec un plus grand pouvoir de marchandage», G. Deschênes, Comité du Non Maskinongé, lettre, p. 18.

L'ÉCHO DU NORD

23 avril

2451 «Je choisis un pays incertain»,
S. Chaput-Rolland, libre opinion,
p. B-18.

30 avril

2452 «Le référendum... une opération
douloureuse», M. Jacques, libre
opinion, p. 17.

7 mai

2453 «Pourquoi je dis Non», S. Chaput-
Rolland, libre opinion, p. B-16.

2454 «La souveraineté-association: une
étape vers l'indépendance - Jean-
Luc Pépin», Y. Brasset, reportage,
p. A-15.

14 mai

2455 «CSN et FTQ dénoncés par le Parti
communiste pour leur «appui à la
bourgeoisie», reportage, p. A-14.

2456 «Haïti est séparé de la France et
les gens crèvent de faim... - Hubert Murray», S. Chénier, reportage, p. A-12.

2457 «Mon Non est québécois - Dix bonnes raisons de dire Non», S. Chaput Rolland, libre opinion, p. B-14.

2458 «Près de 1,000 femmes au Mont-Avila vendredi - Madeleine Ryan devient Yvette 1ère», C. Lamarche,
reportage, p. A-9.

2459 «Les Québécois plus attachés au
Canada qu'au fédéralisme - Solange
C.-Rolland», reportage, pp. A-9,
A-28.

L'ÉCLAIREUR-PROGRÈS

23 avril

2460 «Un Non au référendum ne signifie
pas le statu quo - Ryan», L.-P.
Côté, reportage, p. A-25.

7 mai

2461 «Beauce-nord, le comité du Non
entre dans l'arène», M. Roy,
reportage, p. A-10.

2462 «Ste-Marie, 7 oratrices disent
Non par conviction lors d'un déjeûner», M. Roy, reportage,
p. A-44.

14 mai

2463 «Plus je pense $$ pétrole $$,
plus c'est Non», H. Mathieu,
lettre, p. B-4.

L'ÉLAN SEPT-ÎLIEN

8 mai

2464 «L'objectif du Parti Québécois,
c'est l'indépendance - Louise
Dionne», reportage, p. 3.

2465 «Yvette signifie une prise de
conscience», reportage, p. 3.

15 mai

2466 «Claude Ryan demande aux autoch-
tones de voter», reportage,
p. 3.

L'ÉTINCELLE

7 mai

2467 «Vivre libre dans un beau pays»,
J. Côté-Mackenzie, communiqué,
p. 4.

14 mai

2468 «Assemblée de motivation des
tenants du Non», reportage,
p. 11.

2469 «Pourquoi la désunion (Léonel
Beaudoin)», reportage, p. 12.

L'ÉTOILE DE L'OUTAOUAIS ST-LAURENT

24 avril

2470 «Le maire Graham et l'ex-député Schmidt voteront Non», M. Auclair, reportage, p. 5.

2471 «Paul Gérin-Lajoie rencontre les élus du comté», B. Tremblay, communiqué, p. 4.

1er mai

2472 «Avec Pierre-Paul Proulx. Claude Blanchard dit Oui... au Canada», M. Auclair, reportage, p. 4.

8 mai

2473 «À Saint-Zotique. Quelque 200 personnes viennent rencontrer Normand Toupin», reportage, p. 22.

15 mai

2474 «Si le Québec avait récupéré tous ses impôts en 1978, il aurait perdu $3,6 milliards», M. Auclair, reportage, pp. 3, 24.

L'ÉTOILE DU LAC

23 avril

2475 «Pour Marcel Lessard. En votant Oui, nous serions moins souverains», reportage, p. 9.

7 mai

2476 «M. Louis Lavoie de Roberval: Je veux mourir en Canada», J.-P. Larouche, reportage, p. 24.

14 mai

2477 «Confidences du président du comité du Non», S. Gervais, lettre, p. 48.

2478 «Devant 500 partisans du Non. Un Camil Samson en pleine forme à Normandin», F. Coutu, reportage, p. 11.

2479 «Il n'y a pas d'avenir à se rapetisser - Pierre Simard», F. Coutu, reportage, p. 19.

2480 «Pendant plus d'une heure à St-Félicien. Les députés Lamontagne & Rivest «sur la sellette» au Collège», F. Coutu, reportage, p. 15.

L'ÉVANGÉLINE

9 mai

2481 «Ryan: la réconciliation du 21 mai», PC, reportage, p. 19.

12 mai

2482 «Ryan ne se contenterait pas d'une victoire de justesse», PC, reportage, p. 20.

13 mai

2483 «Mme Solange Chaput-Rolland boycotte le Journal de Montréal», PC, reportage, p. 14.

15 mai

2484 «Ryan haussera le ton mais restera courtois», PC, reportage, p. 22.

16 mai

2485 «Deux journaux se prononcent», PC, reportage, p. 18.

2486 «Ryan en fief péquiste au Saguenay-Lac-St-Jean», PC, reportage, p. 18.

20 mai

2487 «Ryan a tenté de déculpabiliser les tenants du «Non», PC, reportage, p. 14.

21 mai

2488 «Ryan demande des élections», PC, reportage, p. 2.

22 mai

2489 «Ryan réclame des élections», PC, reportage, p. 15.

LA FEUILLE D'ÉRABLE

16 avril

2490 «Le bon sens du Non», L. Dubois, lettre, p. 8.

30 avril

2491 «Devant 800 Yvettes à Victoriaville. Solange Chaput-Roland déplore l'intolérance des tenants du «Oui»», C. Forand, reportage, p. 7.

7 mai

2492 «Les dernières cartes seront en faveur du Non», L. Dubois, lettre, p. A-11.

2493 «Dubois pour le Non. La supercherie de la question», C. Forand, reportage, p. A-6.

14 mai

2494 «La Souveraineté-Association c'est quoi au juste», J.-G. Demers, Comité pour le Non Plessisville, lettre, p. A-11.

28 mai

2495 «Compte tenu de la question référendaire. Lévesque ne pouvait avoir de meilleure réponse - François Bourgeois», reportage, p. A-6.

FINANCE

21 avril

2496 «L'économie québécoise face au référendum. Fédéralisme renouvelé et souveraineté-association, aspects importants du débat économique. 1) 38% des revenus du Québec proviennent d'Ottawa», P.-P. Proulx, analyse, p. 13.

28 avril

2497 «L'économie québécoise face au référendum. Fédéralisme renouvelé et souveraineté-association, aspects importants du débat économique. 2) La souveraineté aurait un impact négatif sur l'emploi et les revenus», P.-P. Proulx, analyse, p. 13.

THE FINANCIAL POST

17 mai

2498 «Caisse charges may hurt the PQ», A. Booth, reportage, p. 6.

FLAMBEAU DE L'EST

15 avril

2499 «Dans Bourget. Les tenants du Non passent à l'action», Les Québécois pour le Non Bourget, communiqué, p. 11.

2500 «Pour les libéraux d'Anjou. Parizeau a signé le budget de la faillite péquiste», J.-F. Doyon, Comité d'information-jeunesse PLQ Anjou, communiqué, p. 13.

2501 «Selon l'Association libérale de Lafontaine. 80% de la population rejette l'option de la séparation», Association libérale de Lafontaine, communiqué, p. 11.

2502 «Témoignage d'une jeune libérale de Lafontaine», Comité du Non Lafontaine, communiqué, p. 12.

22 avril

2503 «Michel Morin à la présidence des Québécois d'Anjou pour le Non», M. Corbeil, Québécois pour le Non d'Anjou, reportage, p. 11.

2504 «Nous aurons à choisir entre un
      tu l'as et un peut-être bien»,
      Comité du Non Lafontaine, commu-
      niqué, p. 11.

29 avril

2505 «Non à l'impossible projet pé-
      quiste», M. Corbeil, Québécois
      d'Anjou pour le Non, communi-
      qué, p. 11.

2506 «Non au petit pays péquiste.
      Oui au grand pays canadien»,
      M. Corbeil, Les Québécois d'An-
      jou pour le Non, communiqué,
      p. 12.

2507 «Question référendaire. Démons-
      tration de l'étapisme raffiné du
      PQ - Comité du Non de Lafontaine»,
      Comité du Non de Lafontaine, com-
      muniqué, p. 8.

2508 «La violence autour du débat ré-
      férendaire», R. Massé, Les Qué-
      bécois de Bourget pour le Non,
      communiqué, p. 8.

6 mai

2509 «Un Oui au référendum: C'est si-
      gner un chèque en blanc au gou-
      vernement du Québec», C. Ber-
      trand, communiqué, p. 9.

2510 «Le Oui ne donne aucun «bargai-
      ning power» au Québec», P. Morin,
      communiqué, p. 14.

2511 «Pour le Non... - L'union fait la
      force dans Lafontaine», A. Mer-
      rette, communiqué, p. 13.

2512 «Prosper Boulanger dénonce les
      10 commandements péquistes»,
      A. Merrette, communiqué, p. 13.

2513 «Le Québec ma patrie, le Canada
      mon pays», M. Corbeil, Les Qué-
      bécois pour le Non d'Anjou, com-
      muniqué, p. 10.

13 mai

2514 «Non à la confusion péquiste. Les
      Q.A.N.», M. Corbeil, Les Québécois
      pour le Non d'Anjou, communiqué,
      p. 17.

2515 «Parce que nous sommes d'un grand
      pays libre...», M. Corbeil, Les Qué-
      bécois d'Anjou pour le Non, communi-
      qué, p. 17.

2516 «Plus j'y pense... plus c'est Non»,
      communiqué, p. 10.

2517 «Plutôt vivre dans un Canada d'a-
      venir que mourir dans un Québec de
      souvenirs - Les jeunes libéraux
      d'Anjou», J.F. Doyon - Comité in-
      formation jeunesse PLQ d'Anjou,
      analyse, p. 13.

2518 «Le référendum est autre chose
      qu'un concours de popularité», Les
      Québécois de Lafontaine pour le
      Non, communiqué, p. 14.

2519 «Référendum: la décision la plus
      grave de l'histoire québécoise -
      Les C.N.L.», Comité du Non Lafon-
      taine, communiqué, p. 17.

2520 «Réflexions sur la question», P.
      Morin, Les Québécois pour le Non
      de Bourget, communiqué, p. 10.

27 mai

2521 «Le peuple est fier d'être québé-
      cois et canadien - André Gratton»,
      communiqué, p. 10.

3 juin

2522 «Prosper Boulanger est satisfait
      des «nonistes» de Lafontaine», P.
      Boulanger, reportage, p. 7.

LA FRONTIÈRE

16 avril

2523 «Christian Bordeleau: à la pré-
      sidence du Non», reportage, p. 3.

2524 «Les maires invités à joindre le Non», reportage, p. 36.

2525 «Le Non témiscamien se fait entendre», reportage, p. 3.

23 avril

2526 «Un mandat pour négocier», P. Fleury, chronique, p. 54.

30 avril

2527 «Nationalisme Vertical vs nationalisme horizontal», P. Fleury, chronique, p. 56.

7 mai

2528 «Le mythe des «deux nations», P. Fleury, chronique, p. 54.

14 mai

2529 «Un choix de pays», M. Lachance et R. Bélanger, lettre, p. 60.

2530 «Le comité du Non dénonce Radio-Nord», J. Lavoie, Comité du Non de Rouyn-Noranda, lettre, p. 10.

2531 «Le PQ a failli lamentablement», G. Loiselle, reportage, p. 7.

2532 «Pour le Québec et le Canada, il faut dire Non», P. Fleury, chronique, p. 60.

LA GATINEAU

14 mai

2533 «Un fédéralisme en pleine évolution». «Et si les québécois disent Non?» «Et si les partenaires disent Non?» «La fierté de chez-nous». «Référendum '80», libre opinion, p. A-9.
/5 articles/

2534 «Pour le député Gratton. Le référendum est plus important qu'une élection», reportage, p. A-7.

2535 «Si le Oui l'emporte dans son comté. Gratton démissionnera», reportage, p. A-2.

28 mai

2536 «Les résultats du référendum. «Formidable» - J.-C. Branchaud», reportage, p. A-9.

THE GAZETTE

13 avril

2537 «Why I'll say No», reportage, p. 10.

15 avril

2538 «Ryan puts in 17-hour days in hot pursuit of No votes», L. Harris, reportage, p. 10.

16 avril

2539 «No means Yes to better deal for Quebecers, Ryan insists - No means Yes to better deal, Ryan says», L. Harris, reportage, pp. 1, 2.

17 avril

2540 «Levesque will interpret a Yes vote as mandate to separate, PAC told», F. Wilson, reportage, p. 6.

2541 «Pierre Berton speaks for No and he gets his point across», G. Fraser, reportage, p. 2.

2542 «PM is «likely» to campaign beside Ryan», L. Harris, reportage, p. 6.

18 avril

2543 «Lesage, Bourassa plead for No», H. Sheppard, reportage, pp. 1, 2.

19 avril

2544 «The first week of the official referendum campaign is over and it's clear from the start the two leaders follow different strategy: Playing to the people», L. Harris, reportage, p. 25.

2545 «Ryan favors referendum press probe: Some reporting has been unfair», H. Sheppard, reportage, p. 2.

21 avril

2546 «Ethnic voters rally to Canada», F. Wilson, reportage, p. 10.

2547 «Ryan drive catches fire at Hull rally», H. Sheppard, reportage, p. 10.

22 avril

2548 «Economists scaff at PQ energy, monetary proposals», A. Phillips, reportage, p. 10.

2549 «Ryan should keep his cool on media monitor suggestion», G. Fraser, commentaire, p. 9.

2550 «Ryan tells of threats», CP, reportage, p. 10.

2551 «Ryan would put beige paper to the Assembly for approval», M. C. Auger, reportage, p. 10.

23 avril

2552 «Oil assistance $8 billion. Ryan stresses federal aid», M. C. Auger, reportage, p. 4.

2553 «Ryan bumps into «enemy» at look fair», CP, reportage, p. 6.

2554 «Why I'm voting No», L. Rochette, reportage, p. 6.

24 avril

2555 «Springate accuses PQ of dividing Quebecers», D. Lisak, reportage, p. 10.

2556 «Why I'll vote No», H. Johannsen, reportage, p. 10.

25 avril

2557 «Springate warns of PQ «hood wink», reportage, p. 8.

2558 «Why I'll vote No», D. Juster, reportage, p. 10.

26 avril

2559 «Now Ryan's Mr. Polite», M. C. Auger, reportage, p. 26.

2560 «Why I'll vote No», reportage, p. 8.

2561 Nil

28 avril

2562 «Vote isn't a cure-all-MNA», reportage, p. 9.

2563 «Why I'll vote No», reportage, p. 4.

29 avril

2564 «Why I'll vote No», reportage, p. 8.

30 avril

2565 «Just who is lying?», commentaire, p. 6.

2566 «Ryan suggests joint tax-collecting body», G. Fraser, reportage, p. 10.

2567 «Why I'll vote No», reportage, p. 10.

1er mai

2568 «Blaikie feels reference to Nazis misinterpreted», reportage, p. 10.

2569 «Why I'll vote No», reportage, p. 6.

2 mai

2570 «Ryan caught between rival factions», G. Fraser, reportage, p. 8.

3 mai

2571 «Cities vandalism to No sign: Yes forces use fascist-like tactics: Ryan», G. Fraser, reportage, p. 4.

2572 «Ryan, getting his campaign into election shape», G. Fraser, reportage, p. 26.

5 mai

2573 «Lesage denies separatist bent», CP, reportage, p. 14.

2574 «PQ distorting history Ryan tells rural rally», CP, reportage, p. 14.

2575 «Why I'll vote No», reportage, p. 15.

6 mai

2576 «Ryan in buoyant mood lashes PQ on civil liberties», H. Bauch, reportage, p. 11.

2577 «Why I'll vote No», reportage, p. 9.

2578 «Yvette meeting draws 600 to Hemmingford», reportage, p. 9.

7 mai

2579 «Bourassa glows as «father» of James Bay», H. Bauch, reportage, p. 15.

2580 «Why I'll vote No», reportage, p. 14.

8 mai

2581 «Exuberant Quebec rally gives Ryan major boast», H. Bauch, reportage, pp. 1, 2.

2582 «Fernand Levesque makes it official: He's voting No», A. Phillips, reportage, p. 11.

2583 «Group asks for volunteers to help patients out to vote», reportage, p. 11.

2584 «Roy resisted appeal to support Yes vote», CP, reportage, p. 10.

2585 «Scowen labels PQ dishonest, cynical», reportage, p. 11.

2586 «Why I'll say No», reportage, p. 10.

9 mai

2587 «Don't blame us if No wins: PAC», reportage, p. 9.

2588 «Don't get complacent, Ryan warns No troops after new poll», A. Phillips, reportage, pp. 1, 2.

2589 «Federalists help fund nationalist theater», M. Peterson, libre opinion, p. 55.

2590 «Much work remains», éditorial, p. 6. /Prise de position du journal en faveur du Non/

2591 «Ryan confident his team has pulled ahead», H. Bauch, reportage, p. 9.

2592 «Trudeau and Lesage a tough act to follow», L. I. Mac Donald, reportage, p. 7.

2593 «Why I'll vote No», reportage, p. 8.

10 mai

2594 «Battle over taxes: could a sovereign Quebec survive?», J. Stewart, reportage, pp. 1, 4.

2595 «900,000 name petition finds a home with Ryan», A. Wilson-Smith, reportage, p. 3.

2596 «Ryan's gamble. If his playing to the people rather than the cameras pays off, cynism will be the loser», H. Bauch, commentaire, pp. 21, 26.

2597 «Why I'll vote No», reportage, p. 4.

12 mai

2598 «Canada has changed, Clark tells No Rally», A. Wilson-Smith, reportage, p. 11.

2599 «Why I'll vote No», reportage, p. 10.

13 mai

2600 «Ryan warns of dollar dilemma in sovereign Quebec», J. A. Stewart, reportage, pp. 1, 2.

14 mai

2601 «Rediscovery of Canada a revelation says Ryan», J. A. Stewart, reportage, pp. 1, 2.

2602 «Taylor calls PQ proposal a bad deal», reportage, p. 15.

2603 «Why I'll vote No», reportage, p. 14.

15 mai

2604 «Ryan: Personal popularity No concern. If polls show No side in the lead», J. A. Stewart, reportage, pp. 1, 2.

16 mai

2605 «Paper calls for No Vote», CP, reportage, p. 18.

2606 «Ryan turnout sparse and hockey is blamed», J. A. Stewart, reportage, pp. 1, 2.

2607 «Why I'll vote No», reportage, p. 6.

17 mai

2608 «Editorialist at La Presse backs No vote», CP, reportage, p. 102.

2609 «Relentless Ryan hunts francophone majority», J. A. Stewart, analyse, pp. 13, 19.

2610 «Ryan will demand election if it's No: PQ, «repudiated» if the Yes loses», A. Phillips, reportage, pp. 1, 2.

2611 «Undecideds become decided», E. McKeough, reportage, p. 102.

19 mai

2612 «Students hand out 100,000 No pamphlets», F. Wilson, reportage, p. 11.

2613 «Weary Ryan calls for No to settle uncertainty», A. Phillips, reportage, pp. 1, 4.

20 mai

2614 «Main reason for staying in Canada is freedom: Sauvé», CP, reportage, p. 11.

2615 «The referendum debate is over. Editorials nearly unanimous in support of a No vote», UPC, reportage, p. 10.

2616 «Ryan makes final call: A No majority everywhere», M. C. Auger, reportage, pp. 1, 10.

21 mai

2617 «History was being made: Jukebox was switched off», M. Focher, reportage, p. 31.

2618 «Now let Quebecers finish the job: Ryan», H. Bauch, reportage, pp. 1, 2.

2619 «Ryan passes the leadership test: he kept his nerve», L. I. Mac Donald, commentaire, p. 21.

2620 «Seniors made it... even in wheelchairs», reportage, p. 24.

22 mai

2621 «Reporters favored Yes: Maurice Sauvé», CP, reportage, p. 16.

30 mai

2622 «Ryan's post-referendum performance criticized (The French Press)», M. Goldbloom, reportage, p. 7.

LA GAZETTE DE MANIWAKI

23 avril

2623 «Demeurer Québécois et Canadien», S. Payeur, reportage, pp. 2, 3.

2624 «Gratton: 20% pour le Oui le 20 mai», S. Payeur, reportage, p. 6.

30 avril

2625 «Stratégie du Non. La question est truquée, le mandat, c'est la séparation», S. Payeur, reportage, p. 6.

7 mai

2626 «Les élections de Bouchette en exemple: Un avant-goût du référendum - Michel Gratton», S. Payeur, reportage, pp. 5, 8.

14 mai

2627 «Un «Oui» entraînera ma démission - Gratton», S. Payeur, reportage, p. 2.

21 mai

2628 «Claude Ryan à Maniwaki. Le véritable défi est le renouvellement de la fédération canadienne», S. Payeur, reportage, p. 5.

THE GLEANER

16 avril

2629 «Former M.N.A. speaks out on referendum issue», K. Fraser, commentaire, p. 7.

23 avril

2630 «Only one criterion», éditorial, p. 4.

2631 «Rodrigue Vincent de St-Chrysostôme, président: L'organisation du Non rodée», reportage, p. 13.

30 avril

2632 «Yes vote expensive», éditorial, p. 4.

7 mai

2633 «Meaning still clear», éditorial, p. 4.

14 mai

2634 «Gleaner editorial - Future at stake», éditorial, p. 1.

2635 «L'heure du choix sur l'avenir du Québec!», éditorial, p. 15.

2636 «Throughout Valley - «No» groups launch series of rallies», reportage, pp. 1, 3, 6. /Photographies avec légendes/

22 mai

2637 «End of the beginning», éditorial, p. 4.

THE GLOBE AND MAIL

16 avril

2637A «PQ rushing vote because of fear of losing: Ryan», R. Cléroux, reportage, p. 9.

19 avril

2638 «Media coverage not fair, Watchdog needed: Ryan», V. Carriere, reportage, p. 12.

2639 «Trudeau referendum role is still under discussion», V. Carriere, reportage.

23 avril

2640 «Ryan considers own referendums if he wins», V. Carriere, reportage, p. 9.

29 avril

2641 «Racism charges ignore reality», W. Johnson, reportage, p. 8.

1er mai

2642 «Federalism helps, editorialist says», PC, reportage, p. 12.

3 mai

2643   «Yes campaign tactics fascistic, Ryan says», M. Strauss, reportage, p. 11.

5 mai

2644   «Fistfight mar rally Ryan points finger at PQ «commandos», M. Strauss, reportage, p. 10.

6 mai

2645   «Ryan adapts more agressive stance as disruptions mount», M. Strauss, reportage, p. 10.

2646   «Voters switching to No, Ryan says», M. Gibb-Clark, reportage, p. 10.

9 mai

2647   «Tired but serene, Ryan smells victory», W. Johnson, reportage, p. 8.

12 mai

2648   «Rivals spend $4.2 million, but bill could reach $25 million, Ryan says», M. Strauss, reportage, p. 12.

13 mai

2649   «Can't rule out some violence after No vote, Ryan suggests», M. Strauss, reportage, p. 10.

14 mai

2650   «Humor spun by Samson at turnouts», M. Gibb-Clark, reportage, p. 9.

2651   «Ryan turns blind eye to «insults» by PQ, calls all votes equal», reportage, p. 9.

15 mai

2652   «Ryan may seek resignation of PQ if No wins majority», M. Strauss, reportage, p. 1.

17 mai

2653   «Richler's satiric eye looks beyond St-Urbain», A. Freedman, reportage, p. 1-E.

2654   «The way to independance: never speak of separation», R. Sutherland, libre opinion, p. 8.

19 mai

2655   «Provincial election essential, Ryan says», V. Carriere, reportage, pp. 1, 2.

20 mai

2656   «The final day: Ryan: «We are at crossroad», V. Carriere, reportage, p. 10.

2657   «Officials on No side fear a loss of votes over Ottawa's ads», M. Strauss, reportage, p. 10.

21 mai

2658   «Larry the restaurant philosopher blames anglos, but still vote No», R. Cléroux, reportage, p. 12. /Opinion d'un restaurateur juif de Montréal/

2659   «Ryan casts vote in home riding of Outremont», V. Carriere, reportage, p. 10.

24 mai

2660   «Ryan compiling a «black book» of alleged voting irregularities», CP, reportage, p. 4.

4 juin

2661   «Quebecker outlines adjustments that are sought», A. K. Paterson, lettre, p. 7.

LE GUIDE

16 avril

2662 «Le député Jean-Claude Rivest à St-Anselme. On n'a pas besoin de se séparer pour consacrer l'existence du Québec», L. Garneau, reportage, p. 32.

23 avril

2663 «Claude Ryan visite les Beaucerons du sud», B. Carrier, reportage, p. 2.

2664 «Comité du «Non» de Lotbinière. Seuls les fédéralistes «naïfs» voteront Oui - Gérard-D. Lévesque», L. Garneau, reportage, p. 28.

7 mai

2665 «450 Beaucerons accueillent Claude Ryan à St-Isidore», B. Carrier, reportage, p. 61.

2666 «450 Yvette au déjeûner Beauce-Non féminin pluriel», B. Carrier, reportage, p. 3.

14 mai

2667 «Les adhérents du Oui dans Bellechasse», L. Boivin, Président du Non dans Bellechasse, commentaire, p. 8.

2668 «Les avantages du Canada et du fédéralisme canadien», Québécois pour le Non de Beauce-Nord, communiqué, p. 14.

2669 «Les «Non» en réunion à St-Anselme», B. Carrier, reportage, p. 15.

LE GUIDE DE MONTRÉAL-NORD

23 avril

2670 «Débat référendaire. «Non tout de suite» (Yves Ryan)», reportage, pp. 1, 57.

7 mai

2671 «Parti libéral du Québec (comté de Bourassa). Réponses à l'argumentation souverainiste», PLQ Bourassa, analyse, p. 14.

14 mai

2672 «530 Yvettes reçoivent... Quand un pays est en crise, les femmes se lèvent - T. Casgrain», Janine B. reportage, pp. 1, 12, 13, 14, 78.

2673 «Un conte de fée», R. Garofolo, libre opinion, p. 8.
/Sous forme d'un conte, l'auteur incite les lecteurs à voter Non/

2674 «Un message du Président du Comité du «Non» - «Non au cercle d'or trompeur», A. Briand, libre opinion, pp. 29, 55.

LE GUIDE DU NORD

15 avril

2675 «L'indépendance pour éviter la catastrophe», reportage, p. 2.

6 mai

2676 «La volonté de changement», communiqué, p. 16.

L'HEBDO DE PORTNEUF

5 mai

2677 «André Raynaud à St-Ubalde. Un Québec souverain devra faire des coupures», J.-Y. Roy, reportage, p. A-8.

2678 «Le Non s'affirme dans Portneuf», I. Jinchereau, reportage, p. B-24.

12 mai

2679 «En réponse à «lettre au lecteur» dans L'Hebdo de Portneuf 21/04/80. On n'est jamais mieux servi que par soi-même», L.-M. Gaudreault, lettre, p. A-6.

2680 «Le Non des Portneuviennes», I. Jinchereau, reportage, p. A-19.

2681 «Témoignages», reportage, p. A-2.

26 mai

2682 «Passons à autre chose - Jean Guilbault», J.-Y. Roy, reportage, p. A-3.

HEBDO JOURNAL DE ROSEMONT

7 mai

2683 «Signification d'un vote «Non» au référendum», communiqué, p. 16.

14 mai

2684 «Le «Oui» ne donne aucun «bargaining power»», communiqué, p. 35.

2685 «Le référendum offre un choix impossible et équivaut à une politique du pire», communiqué, p. 30.

2686 «La stratégie du Oui nous convainc de voter Non», communiqué, p. 4.

2687 «Le véritable enjeu du référendum: l'indépendance», communiqué, p. 35.

L'INFORMATION

23 avril

2688 «Pas de mandat pour la séparation (Me Guy D'Anjou)», reportage, p. B-15.

7 mai

2689 «Visite-éclair de Claude Ryan à Mont-Joli», reportage, p. B-12.

14 mai

2690 «Mme Solange Chaput-Roland en tournée référendaire dans Matapédia», reportage, p. B-10.

28 mai

2691 «Les québécois veulent demeurer dans le Canada (Me Guy D'Anjou)», reportage, p. A-3.

L'INFORMATION RÉGIONALE

23 avril

2692 «An Independant Quebec (Levesque)», B. Roper, commentaire, p. 17.

2693 «Reed Scowen adresses Châteauguay's anglophone community», K.Bowmer, reportage, pp. 8, 9.

2694 «Valleyfield, l'ex-candidat de l'U.N., Jacques Cardinal adhère au camp du Non», D. Cyr, reportage, p. 16.

7 mai

2695 «Châteauguay, Solange Chaput-Roland au comité du Non», J. Godin, reportage, p. 22.

14 mai

2696 «Allocution du président du comité du Non le 2 avril 1980 à Châteauguay», J. Dulude, communiqué, p. 25.

2697 «George Forest de la cour Suprême de passage», reportage, p. 29.

2698 «Message du président du comité des Québécois pour le Non à ses concitoyens du comté de Châteauguay», J. Dulude, lettre, p. 29.

2699 «Référendum: la bonne et la mauvaise question», R. Lamothe, PLQ Beauharnois, lettre, p. 25.

2700 «Solange Chaput-Roland meets the press», K. Bowmer, reportage, p. 22.

21 mai

2701 «The majority has ruled. Québec will opt for renewed federalism», K. Bowmer, commentaire, p. 12.

28 mai

2702 «La population de Châteauguay dit Non au référendum», J. Godin, reportage, p. 16.

JOLIETTE JOURNAL

16 avril

2703 «Selon un cultivateur. Mon Non est également québécois», C. Rondeau, reportage, p. 1.

23 avril

2704 «À Berthierville. Masse et Pagé au déjeuner du Non», C. Rondeau, reportage, p. A-15.

2705 «Chers concitoyens, chères concitoyennes», C. Ryan, lettre, p. A-5.

2706 «Je suis une vraie Québécoise et une profonde Canadienne - Thérèse Lavoie-Roux», L. Pelletier, reportage, p. A-16.

2707 «Le Moignan prévoit la victoire du Non et une U.N. plus forte», L. Pelletier, reportage, p. A-14.

2708 «Méfiez-vous et informez-vous - Madeleine Ryan», L. Pelletier, reportage, p. A-16.

2709 «L'orientation des retrouvailles de la SNQ. Marcel Masse choqué», C. Hétu, reportage, p. A-17.

2710 «Pour le Non dans Berthier. Le véritable regroupement est du côté du Non», C. Rondeau, reportage, p. A-15.

2711 «Président du parti Libéral du Québec. Au club des Lions, M. Wilson dit pourquoi c'est Non», C. Rondeau, reportage, p. 1.

30 avril

2712 «L'infrastructure d'un pays», Comité d'information du regroupement des Québécois pour le Non, lettre, p. A-5.

2713 «Nous devons tout faire pour mettre fin à l'équivoque qui freine notre progrès - Claude Ryan», G. Loyer, reportage, p. A-16.

2714 «Zéférino Abrantes dit le pourquoi de son Non», C. Rondeau, reportage, p. C-4.

7 mai

2715 «Dans le clan du Non, formidable bond en avant», C. Hétu, reportage, pp. A-12, A-20.

2716 «Je suis Québécoise et Canadienne», C. Rondeau, reportage, p. C-5.

2717 «Le maire de Lavaltrie s'affiche pour le Non», C. Rondeau, reportage, p. B-5.

2718 «Les Québécois sont capables de faire l'indépendance mais n'en ont pas besoin - Marcel Masse», C. Hétu, reportage, p. A-17.

2719 «Souveraineté-association = indépendance», Comité d'information pour le Non, lettre, p. A-5.

14 mai

2720 «Une assemblée du Non à St-Jean-de-Matha. Je veux plus que le 1/10 de mon pays», C. Rondeau, reportage, p. 9.

2721 «Bourassa estime qu'il faut battre le premier référendum pour éviter le deuxième», G. Loyer, reportage, p. A-10.

2722 «Je ne suis pas d'accord avec le livre beige; je le suis encore moins avec le livre blanc - Roch Malo», G. Loyer, reportage, p. A-8.

2723 «Sous le parapluie du Non. La journée des bâtisseurs à Berthierville...», C. Rondeau, reportage, p. C-2.

2724 «Merci M. Lévesque», Comité d'information pour le Non, lettre, p. A-5.

2725 «Qu'espère-t-on d'une séparation, demandent-ils à Ville St-Gabriel», C. Rondeau, reportage, p. A-16.

2726 «Ratelle, Masse et Johnson à ceux qui voteront Oui pour un déblocage, va-t-on négocier ce qu'on ne veut pas acheter?», C. Hétu, reportage, p. A-13.

2727 «Selon le président du comité du Non. Le maire Guèvremont a outrepassé ses droits», C. Rondeau, reportage, pp. C-1, C-8.

28 mai

2728 «Aujourd'hui au Québec et dans la région une oeuvre à entreprendre», lettre, p. A-4.

2729 «Le Non savoure la victoire en entonnant «O Canada», L. Pelletier, reportage, p. A-17.

LE JOURNAL DE CHAMBLY

22 avril

2730 «Les Bérets blancs disent «Non», commentaire, p. 10.

6 mai

2731 «Campagne de peur?, Les Québécois pour le Non Chambly, lettre, p. 15.

2732 «Plus j'y pense... plus c'est Non», Les Québécois pour le Non Chambly, lettre, p. 16.

13 mai

2733 «À Chambly. Je ne veux pas de victoire à la PYRRHUS! - Robert Bourassa», S. Lavallée, reportage, p. 11.

2734 «Message de Georgette Daoust», Mme Georgette Daoust, Présidente les Québécois pour le Non de Chambly, lettre, p. 12.

2735 «Le pétrole sujet brûlant», Les Québécois pour le Non Chambly, lettre, p. 18.

2736 «We believe in a United Canada», Quebecers for the No Chambly, lettre, p. 12.

27 mai

2737 «Dans Chambly. Le Non célèbre sa victoire», Les Québécois pour le Non Chambly, communiqué, p. 10.

LE JOURNAL DE MONTRÉAL

15 avril

2738 «Y faut-tu qu'ils soient innocents ces péquistes! - Camille Samson», M. Tremblay, reportage, p. 22.

16 avril

2739 «Je dirai Non parce que mon Non est légion», S. Chaput-Rolland, libre opinion, p. 26.

17 avril

2740 «Claude Ryan: pas besoin de l'aide extérieure», PC, reportage, p. 28.

2741 «Il contredit Ouellet», PC, reportage, p. 28.

18 avril

2742 «Malgré son désaccord avec certains énoncés du Livre beige des libéraux. Lesage se battra pour faire triompher le Non», N. Girard, reportage, p. 2.

2743 «3,500 personnes au lancement du Non dans la région de Montréal», reportage, p. 6.

19 avril

2744 «Ryan a l'oeil sur les journalistes», M. Tremblay, reportage, p. 20.

21 avril

2745 «Riche et fort et puissant, ce Québec colonisé», S. Chaput-Rolland, libre opinion, p. 30.

2746 «Une semaine après Chicoutimi. Le Non prend sa revanche à Hull», M. Tremblay, reportage, p. 4.

22 avril

2747 «Ryan aimerait voir son livre beige adopté par l'assemblée nationale», PC, reportage, p. 28.

2748 «Ryan se sent intimidé et... il «pleurniche», N. Girard, reportage, p. 8.

23 avril

2749 «Le fameux bargaining power du Oui», S. Chaput-Rolland, libre opinion, p. 30.

24 avril

2750 «Ryan d'accord avec les propos excessifs du Dr André Fortas», M. Tremblay, reportage, p. 32.

2751 «Succès de salle pour les troupes fédéralistes à Longueuil», M. Tremblay, reportage, p. 32.

25 avril

2752 «Les espoirs du Non: entre 58% et 71% des suffrages», PC, reportage, p. 32.

27 avril

2753 «Ex-député de l'Union nationale et candidat conservateur. Le nationaliste Marcel Masse s'est allié au camp du Non!», M. Tremblay, reportage, p. 20.

28 avril

2754 «Clark et Chrétien tous unis derrière le Non!», N. Girard, reportage, p. 6.

2755 «Où est la vérité?», S. Chaput-Rolland, libre opinion, p. 24.

2756 «Ryan fait l'apprentissage de la popularité», M. Tremblay, commentaire, p. 24.

29 avril

2757 «Un débat orageux attendait le chef du Non à Matane», PC, reportage, p. 4.

2758 «Pour Samson, il faut voter Non tout de suite, la semaine prochaine, le 20 mai, toujours», G. Pilon, reportage, p. 28.

30 avril

2759 «Après un séjour sans grand succès à Matane et aux îles, Ryan se retrouve en famille», PC, reportage, p. 4.

2760 «Les conseillers de Ryan lui ont dit de baisser le ton», PC, reportage, p. 30.

2761 «Un ex-candidat PC fait un parallèle avec le nazisme», PC, reportage, p. 4.

2762 «Pourquoi je dirai Non», S. Chaput-Rolland, libre opinion, p. 30.

2763 «Ryan reprend à son compte une politique de Trudeau», PC, reportage, p. 4.

2764 «Selon un proche du premier ministre, Radio-Canada favorise les tenants du Non par trois contre un», PC, reportage, p. 3.

1er mai

2765 «Augustin Roy: La peur que le Québec devienne Cuba sans soleil», reportage, p. 40.

2766 «Dans Dorion le comité du Non se défend de terroriser le 3e Âge», G. Pilon, reportage, p. 4.

2767 «La femme à battre dans Dorion: Lise Payette», G. Pilon, reportage, p. 4.

2768 «Ryan: il m'arrive de laisser parler aussi mon coeur», PC, reportage, p. 40.

2 mai

2769 «Le comité du Non dénonce l'attitude de certains réviseurs», Y. Laprade, reportage, p. 32.

2770 «Le débat que l'ancien ministre des...», N. Girard, reportage, p. 6.

2771 «Une mauvaise journée pour Claude Ryan. Le chef des troupes du Non harcelé de questions embêtantes», G. Pilon, reportage, p. 4.

2772 «Yolande Dulude: Québécoise d'un océan à l'autre», M. Saindon, reportage, p. 32.

4 mai

2773 «Selon Rodrigue Tremblay. Une victoire de l'un ou l'autre camp ne fera que prolonger l'instabilité politique», reportage, p. 23.

5 mai

2774 «À 81 ans, elle ne croit plus au père Noël», G. Pilon, reportage, p. 24.

2775 «Diane Juster ne veut pas de frontière», M. Saindon, reportage, p. 24.

2776 «Pourquoi je dirai Non, un livre blanc qui n'est pas blanc, un livre beige qui n'est pas beige», S. Chaput-Rolland, libre opinion, p. 24.

2777 «Ryan attaque encore les médias et les journalistes», G. Pilon, reportage, p. 4.

6 mai

2778 «Le chef du Non se contentera de répéter le même message d'ici la fin de la campagne», G. Pilon, reportage, p. 4.

2779 «Raynauld et Ciaccia: le Québec dépend des autres pour l'énergie», reportage, p. 34.

2780 «Ryan reproche au PQ de trop agir pour le bien collectif», G. Pilon, reportage, p. 4.

7 mai

2781 «Bourassa dénonce la récupération du projet de la Baie James par le PQ», reportage, p. 4.

2782 «Ryan rend hommage à Robert Bourassa le «Père de la Baie James», G. Pilon, reportage, p. 4.

2783 «Ryan: un Oui morcellerait le Canada en petits pays», M. Saindon, reportage, p. 22.

8 mai

2784 «Claude Blanchard reproche au PQ d'avoir politisé les artistes», M. Saindon, reportage, p. 40.

2785 «Discussions «viriles» entre Ryan et des pro Oui», PC, reportage, p. 40.

2786 «Des québécois pour le Non accusent Lévesque de tuer la famille», PC, reportage, p. 40.

9 mai

2787 «Un président de PME: J'ai voté Non avant de savoir la question», M. Saindon, reportage, p. 30.

2788 «Selon Claude Ryan - Même avec une victoire du Non, le Québec demeurera divisé», PC, reportage, p. 4.

10 mai

2789 «Claude Ryan est toujours opposé», PC, reportage, p. 5.
/À propos d'un rapatriement de la constitution/

2790 «Les généraux entrent dans la bataille... référendaire», G. Pilon, reportage, p. 4.

2791 «Le tam-tam humain», S. Chaput-Rolland, libre opinion, p. 4.

11 mai

2792 «À la journée des «bâtisseurs» - Westmount est venu prendre un brin d'air dans l'est», Y. Rochon, reportage, p. 5.

2793 «Jeanne Sauvé croit que le poids politique du Québec est plus grand que son poids numérique au Canada», G. Pilon, reportage, p. 4.

2794 «Ryan savoure déjà sa victoire!», G. Pilon, analyse, p. 4.

12 mai

2795 «L'avenir politique de Ryan s'annonce sombre», N. Girard, analyse, p. 6.

2796 «52% pour le «Non» - Ryan n'est pas satisfait d'un tel résultat», PC, reportage, p. 25.

2797 «Faut-il s'aimer pour vivre ensemble?», S. Chaput-Rolland, libre opinion, p. 8.

13 mai

2798 «André Raynauld: en 1978 un Québec souverain aurait perdu $3,6 milliards», M. Saindon, reportage, p. 4.

2799 «Avec un Oui, le Québec serait démuni après le 20 mai selon R. Garneau», N. Girard, reportage, p. 6.

2800 «C. Ryan critique Le Journal», reportage, p. 4.

2801 «Les germes de la violence présents selon C. Ryan», PC, reportage, p. 4.

14 mai

2802 «Pour Ryan - La presse n'est pas une «vache sacrée» qu'il est interdit de critiquer», M. Tremblay, reportage, p. 4.

2803 «Ryan: Dion est un séparatiste», PC, reportage, p. 4.

15 mai

2804 «Saguenay-Lac-Saint-Jean - Ryan revient sur la pointe des pieds», M. Tremblay, reportage, p. 4.

16 mai

2805 «Le hockey a eu raison de l'équipe du Non et de son chef», M. Tremblay, reportage, p. 4.

2806 «Madeleine Ryan: «Quand on me pique je me défends», M. Saindon, reportage, p. 30.

2807 «Ryan veut affronter Laberge dans l'arène politique», PC, reportage, p. 30.

17 mai

2808 «Claude Ryan à CKVL. «Non, trois fois Non!», reportage, p. 4.

2809 «600 universitaires en faveur du Non», PC, reportage, p. 18.

2810 «Solange Chaput-Rolland en désaccord avec son chef», reportage, p. 18.

18 mai

2811 «Encore le spectre... d'Adolf Hitler!», PC, reportage, p. 25.

2812 «Pas de changement pour le changement», reportage, p. 3.

2813 «Que des éloges pour Trudeau», PC, reportage, p. 24.

19 mai

2814 «Jean-Noël Lavoie défend le Traité de Paris de 1763», M. Tremblay, reportage, p. 24.

2815 «Les Québécois plongeront vers l'abîme», PC, reportage, p. 24.

2816 «Ryan doute du sondage qui donne une mince avance au Oui», M. Tremblay, reportage, p. 4.

20 mai

2817 «Dernière journée de Ryan», PC, reportage, p. 4.

21 mai

2818 «Claude Ryan déjà en campagne électorale», reportage, p. 3.

2819 «Mulroney a insulté Laberge», reportage, p. 10.

2820 «Ryan est le politicien le plus sale... - Bourgault», reportage, p. 4.

LE JOURNAL DE QUÉBEC

15 avril

2821 «La main de dieu écarte la religion du débat référendaire», PC, reportage, p. 7.

2822 «Mme Ryan aimera les votants du «Oui»», PC, reportage, p. 7.

16 avril

2823 «Pourquoi je dirai Non: Parce que mon Non est légion», S. Chaput-Rolland, libre opinion, p. 6.

2824 «Ryan trouve que c'est trop d'énergies dépensées!», PC, reportage, p. 7.

17 avril

2825 «Question imposée par la force, dit Thibodeau dans Lévis», A. Leclair, reportage, p. 6.

18 avril

2826 «Bourassa, l'homme disponible», reportage, p. 9.

2827 «Ce n'est plus de la fierté, c'est de la présomption», reportage, p. 8.

2828 «Jean Lesage vole la vedette», N. Girard, commentaire, p. 8.

2829 «Une voie qui n'a pas d'autres issues qu'une crise: Ryan», CP, reportage, p. 7.

19 avril

2830 «Ce dur pays qui est le mien», S. Chaput-Rolland, libre opinion, p. 7.

2831 «M. Ryan aurait-il lui-même accepté le droit de regard sur la presse qu'il exige?», reportage, p. 9.

21 avril

2832 «Assemblée du «Non» délirante dans Vanier», A. Leclair, reportage, p. 7.

2833 «Les forces du «Non» se comparent aux Glorieux Canadiens», M. Tremblay, reportage, p. 9.

2834 «Riche, fort et puissant, ce Québec colonisé», S. Chaput-Rolland, libre opinion, p. 6.

22 avril

2835 «Ryan annonce aux Beaucerons, un autre référendum s'il devient premier ministre», N. Girard, reportage, p. 8.

23 avril

2836 «Le fameux bargaining power du Oui», S. Chaput-Rolland, libre opinion, p. 6.

2837 «Ryan n'aime pas ceux qui osent», PC, reportage, p. 7.

24 avril

2838 «Ce sont des frustrés - Castonguay», A. Leclair, reportage, p. 6.

2839 «Ryan compare les méthodes du PQ
à celles du Kremlin», PC, reportage, p. 6.

25 avril

2840 «Ryan invite ses partisans à la
plus grande dignité», PC, reportage, p. 6.

26 avril

2841 «La France et nous», S. Chaput-
Rolland, libre opinion, p. 7.

28 avril

2842 «   », reportage, p. 8.
/Entrefilets concernant une assemblée du Non/

2843 «O Canada!», reportage, p. 9.

2844 «Où est la vérité», S. Chaput-
Rolland, libre opinion, p. 6.

29 avril

2845 «Sur le continent, c'est autre
chose», PC, reportage, p. 6.

30 avril

2846 «Climat serein, prétend Ryan, qui
décrie l'intolérance», PC, reportage, p. 5.

2847 «Quelques définitions en marge
du grand débat», S. Chaput-Rolland, libre opinion, p. 6.

1er mai

2848 «Ryan veut des preuves que ses
propositions ne sont pas accep-
tées», PC, reportage, p. 6.

2 mai

2849 «Un duel écrit», N. Girard, reportage, p. 8.

2850 «Ryan a eu une rude journée,
(c'est le moins qu'on puisse dire)», A. Leclair, reportage, p. 7.

3 mai

2851 «Un acte de foi dans la continuité
canadienne», S. Chaput-Rolland, libre opinion, p. 7.

2852 «Le Moignan: Trudeau doit agir vite ou des fédéralistes... pourraient dire Oui», PC, reportage,
p. 6.

5 mai

2853 «Le budget de l'an I: pas encore
prêt et Ryan s'en lave déjà les
mains», N. Girard, reportage, p. 8

2854 «Un livre beige qui n'est pas beige», S. Chaput-Rolland, libre opinion, p. 6.

6 mai

2855 «Pour une consultation sensée, il
faut un appui massif - Ryan», PC,
reportage, p. 6.

7 mai

2856 «Qui parle pour le Canada?», S.
Chaput-Rolland, libre opinion,
p. 7.

8 mai

2857 «Lévesque tue la famille», PC, reportage, p. 11.

2858 «Trudeau n'est pas éternel... répond Ryan pour rassurer un gars
de la Baie-James, partisan du
Oui», PC, reportage, p. 7.

9 mai

2859 «Bourassa: l'économie mondiale
se chauffe d'un autre bois que
celui des péquistes», A. Leclerc,
reportage, p. 6.

2860 «Le conflit qui nous divise per-
sisterait, malgré une victoire
du Non, selon Ryan», PC, reportage, p. 7.

10 mai

2861 «Ryan réagit prudemment», PC, reportage, p. 5.

2862 «Le Tam-Tam humain», S. Chaput-Rolland, libre opinion, p. 7.

12 mai

2863 «L'après-référendum; Ryan va avoir des surprises», N. Girard, commentaire, p. 8.

2864 «Faut-il s'aimer pour vivre ensemble?», S. Chaput-Rolland, libre opinion, p. 7.

13 mai

2865 «Raymond Garneau «ressuscite»... congrès spécial d'orientation, advenant la défaite du Oui», N. Girard, commentaire, p. 8.

2866 «Ryan voit des germes de violence contenue», PC, reportage, p. 6.

14 mai

2867 «Castonguay lance un défi», reportage, p. 6.

2868 «Le nouveau dépliant du PQ est une imposture», PC, reportage, p. 6.

2869 «Quelle attaque!», reportage, p. 6.

15 mai

2870 «Chicoutimi: Ryan a bon espoir que le Non soit majoritaire», M. Fortier, reportage, p. 7.

2871 «Le PQ ne recule devant rien», reportage, p. 7.

16 mai

2872 «Jean Cournoyer: le vote aurait dû se prendre dès le lendemain du débat à l'assemblée nationale», A. Leclair, reportage, p. 7.

2873 «Ryan ne veut pas de comtés-forteresses», PC, reportage, p. 5.

20 mai

2874 «Ryan donne, en dix points, ses impressions de la campagne référendaire», PC, reportage, p. 5.

21 mai

2875 «Fort de sa victoire, Ryan réclame des élections», reportage, p. 3.

2876 «Les Québécois donneront toujours la même réponse», reportage, p. 6.

22 mai

2877 «Lessard accuse les députés péquistes», PC, reportage, p. 9.

LE JOURNAL DE ST-BRUNO

30 avril

2878 «Campagne de peur: Oui ou Non», Comité du Non Chambly, libre opinion, p. 13.

7 mai

2879 «L'appât de l'association économique», Comité du Non Chambly, libre opinion, p. 30.

2880 «Séparer le Québec du Canada. Plus j'y pense... plus c'est Non!», Comité du Non Chambly, communiqué, p. 27.

14 mai

2881 «Le Canada, pays de richesses, de liberté et de sécurité - Madame Georgette Daoust», G. Daoust, libre opinion, p. 9.

2882 «Non: égalité sûre et solide», Comité du Non Chambly, communiqué, p. 32.

2883 «Nous avons un pays à défendre et un Non à faire entendre. Les Québécois pour le «Non» Chambly», Comité du Non Chambly, communiqué, p. 14.

2884 «Le référendum du 20 mai. Votez comme vous voulez... mais votez», E. St-Pierre, libre opinion, p. 2.

2885 «We believe in a united Canada. (Les Québécois pour le Non)», Comité du Non Chambly, libre opinion, p. 22.

28 mai

2886 «Fiers d'être Québécois, fiers d'être Canadiens», Comité du Non Chambly, communiqué, p. 4.

JOURNAL DES CITÉS NOUVELLES

1er mai

2887 «Fédéralisme canadien et transport, un Québec perdant?», Comité du Non, lettre, p. 8.

LE JOURNAL DES PAYS D'EN HAUT

7 mai

2888 «Dans un Québec indépendant. Mirabel deviendrait un aéroport régional (C. Ryan)», reportage, p. 29.

2889 «Nous devons écrire notre «Non» ou notre «Oui» avec respect (S. C.-Rolland)», reportage, p. 2.

2890 «Réponse à Rita Maurice. Le «Non» a ses droits», Louise Guérin, Les Québécois pour le Non, commentaire, p. 17.

2891 «Selon l'ex-ministre St-Pierre. Une victoire du «Non» précipiterait des élections au Québec. 2 scénarios possibles après le référendum», reportage, p. 17.

14 mai

2892 «Il est temps qu'on reprenne le fleur de lys. S. Chaput-Rolland au Mont-Avila», F. Prévost, reportage, p. 2.

JOURNAL LE ST-FRANÇOIS

22 avril

2893 «Comment la question du référendum a été piégée», R. Lamothe, Comité du Non Beauharnois, communiqué, p. 8.

2894 «Le gouvernement propose la séparation du Québec et la perte de la citoyenneté canadienne - Pierre Doucet», P. Doucet, communiqué, pp. 22, 71.

2895 «Des militants unionistes se rallient au «Non», reportage, p. 3.

2896 «Non à une question-bidon», Comité du Non Beauharnois, communiqué, p. 71.

2897 «Un «Non» des pilotes du circuit des régates», reportage, p. 10.

2898 «Le référendum promis par Claude Ryan», R. Lamothe, Comité du Non Beauharnois, communiqué, p. 4.

29 avril

2899 «Le 2ième référendum. Un mirage dans le désert!», Comité du Non Beauharnois, communiqué, p. 29.

2900 «L'intolérance du P.Q.», G. Beauchamp, libre opinion, p. 8.

2901 «Plus de 1,000 personnes pour le «Non» dans Vaudreuil. Paul-Gérin Lajoie parle d'un Québec «entouré d'une muraille de Chine», reportage, p. 8.

2902 «René Lévesque se prend pour Elizabeth Taylor - Paul-Gérin Lajoie», A. Choquette, reportage, p. 32.

6 mai

2903 «En compagnie de Thérèse Lavoie-Roux. Madeleine Ryan attire 800 «Yvettes» à Jésus-Marie», reportage, p. 2.

13 mai

2904 «Le Ministre Garon nous induit en erreur. Les agriculteurs parmi les plus intéressés au maintien du fédéralisme», R. Lamothe, Québécois pour le Non Beauharnois, communiqué, p. 12.

2905 «Normand Toupin affirme. La souveraineté-association est une menace pour l'économie agricole», R. Lamothe, Comité du Non, communiqué, p. 19.

2906 «Selon Normand Toupin. Les tenants du «Oui» n'offrent pas d'arguments valables», reportage, p. 17.

27 mai

2907 «Dans la constitution canadienne. Le Dr Doucet prévoit des changements importants», reportage, p. 2.

2908 «La victoire du «Non» dans Vaudreuil-Soulanges. Elle réitère une fidélité profonde à nos propres traditions - Paul Gérin Lajoie», reportage.

LE LAC ST-JEAN

16 avril

2909 «Devant 3,000 partisans. Lancement de la campagne du Non», C. Garon, reportage, p. 15.

2910 «Les journalistes et le référendum», C. Garon, commentaire, p. 14.

2911 «Une semaine plus tôt que prévu. La machine du «Non» s'est mise en branle», reportage, p. 15.

23 avril

2912 «Le PQ sait que son projet mène à une impasse - M. André Raynaud», C. Garon, reportage, p. 8.

2913 «Vandalisme sur les affiches», p. 8.
/Photographie avec légende/

30 avril

2914 «Des canards sans queue ni tête sans aile ni patte», R. Girard, chronique, p. 15.

7 mai

2915 «Il faut que quelqu'un triche, quelque part...», W. Tremblay, lettre, p. 12.

14 mai

2916 «Mandat de négocier... les deux peuples fondateurs... d'égal à égal... et après?», J.-J. Marier, chronique, p. 10.

21 mai

2917 «Pour Marcel Lessard. Le Québec veut demeurer dans le Canada mais, réclame des changements», C. Garon, reportage, p. 3.

LA LIBERTÉ

15 mai

2918 «La thèse du Non: un fédéralisme renouvelé», A. Bédard, analyse, pp. 8, 9.

21 mai

2919 «Quebec, going down the referendum road», D. Thomas, reportage, pp. 24, 26, 27.

MACLEAN'S

12 mai

2920 «The impossible dream that could end in a nightmare», P. C. Newman, éditorial, p. 3.

2921 «Too much «Oui» helps the «Non», I. Anderson, reportage, p. 23.

19 mai

2922 «Whether it be «Yes» or «No»,
Canada will have to change», P. C.
Newman, éditorial, p. 3.

26 mai

2923 «Serenity with a touch of anger»,
S. Riley, reportage, p. 19.

2924 «A silent majority wanes its
banner», I. Anderson, reportage,
p. 18.

LE MADAWASKA

16 avril

2925 «M. Claude Ryan s'énerve», reportage, p. 2.

23 avril

2926 «M. Ryan en arrache», reportage,
p. 4.

14 mai

2927 «Des milliers d'Yvettes disent
Non», reportage, p. 4.

22 mai

2928 «Message clair à M. Lévesque et
aux anglophones», J. L. Pedneault,
commentaire, p. 4.

LE MESSAGER DE LACHINE

23 avril

2929 «Le «Non» en marche», E. Lehoux,
reportage, p. C-1.

30 avril

2930 «Ce n'est pas la volonté...», A.
Oana, lettre, p. A-4.

LE MESSAGER DE LASALLE/THE MESSENGER

15 avril

2931 «Un instant... avec Fernand Lalonde.
Le prix de l'indépendance/
Fernand Lalonde comments. The price
of independance», F. Lalonde, Libre
opinion, pp. A-4, A-8.

22 avril

2932 «Un instant... avec Fernand Lalonde.
Il faut s'engager/
Fernand Lalonde comments. We have
to get involved», F. Lalonde, libre
opinion, pp. A-4, B-9.

2933 «Les jeunes répondent: Non, c'est
clair!/Young people say: No,
is that clear», Comité du Non,
libre opinion, p. B-9.

29 avril

2934 «Un instant avec Fernand Lalonde»,
F. Lalonde, libre opinion, p. A-4.

6 mai

2935 «Un instant... avec Fernand Lalonde.
La réponse de René Lévesque à Pierre
Elliot Trudeau», F. Lalonde, libre
opinion, p. A-4.

2936 «Le Non chez la communauté italienne», Comité du Non, communiqué,
p. C-5.

2937 «The operation «the builders» is
on», communiqué, p. C-3.

2938 «Qu'on en finisse une fois pour
toutes», libre opinion, p. C-4.

13 mai

2939 «L'enjeu réel du référendum»,
communiqué, p. C-8.

2940 «Fernand Lalonde comments», F.
Lalonde, libre opinion, p. C-2.

2941 «Un instant... avec Fernand Lalonde.
Le rendez-vous manqué», F. Lalonde,
libre opinion, p. A-4.

2942 «Plus j'y pense... plus c'est
Non!», reportage, p. C-8.

2943 Nil

2944 «What's at stake at referendum»,
communiqué, p. D-7.

20 mai

2945 «Les chevaliers de Colomb ont
reçu Fernand Lalonde», reportage, p. A-6.

LE/THE MESSAGER DE VERDUN

23 avril

2946 «Les canadiens sont là au Verdun
Catholic High», reportage, p. 1.

30 avril

2947 «Comité du Non Verdun - L'enjeu
réel du référendum», communiqué,
p. A-2.

2948 «Verdun for the «No» - What's at
stake in the referendum», communiqué, p. B-3.

7 mai

2949 «Comité des Québécois pour le Non»
«Un référendum sans queue ni tête»,
J. G. Legault, Comité du Non Ste-
Anne, communiqué, p. 2.

2950 «Message du comité des Québécois
pour le Non: plus j'y pense...
plus c'est Non», Comité du Non,
communiqué, p. B-5.

2951 «Ryan tells Ste-Anne rally Yes
campaign full of lies», reportage, p. B-3.

2952 «Ryan warmly received in Verdun»,
reportage, p. A-2.

14 mai

2953 «Le Comité Québécois pour le Non -
Notre choix: le Québec et le
Canada», communiqué, p. A-7.

2954 «On sait ce qu'on a», communiqué,
p. A-7.

2955 «Our choice: Quebec and Canada -
The advantages of Canadian Federalism», communiqué, p. A-7.

2956 «Pensez-y bien... - La souveraineté association: un marché de dupes
pour les québécois», communiqué,
p. A-7.

2957 «La souveraineté-association une
étape vers l'indépendance», J. G.
Legault, communiqué, p. A-7.

21 mai

2958 «Les québécois disent Non à la
Souveraineté-Association», reportage, p. 1.

LE MIRABEL

22 avril

2959 «Roger Cabana explique son Non»,
reportage, pp. 9, 10.

29 avril

2960 «Le passé, le présent, l'avenir»,
A. Rochon, Les Québécois pour le
Non, lettre, p. 6.

6 mai

2961 «Pourquoi je dis Non à la Souveraineté-Association et Oui au Canada»,
Y. Robert, lettre, p. 6.

13 mai

2962 «À quelques jours du référendum»,
B. Cliche, lettre, p. 6.

2963 «Un bien décevant rendez-vous
historique», C. Michaud, éditorial,
p. 4.

27 mai

2964 «L'après référendum», A. Forget,
président des Québécois pour le
Non Prévost, communiqué, p. 10.

2965 «Le rapport Pépin-Robarts sera
utile», commentaire, p. 9.

2966 «Une victoire sereine», A. Rochon,
lettre, p. 10.

THE MONCTON TRANSCRIPT

15 avril

2967 «Singing led Doucet to decide on
referendum», R. Bull, CP, reportage.

19 avril

2968 «Mordecai Richler: writer doesn't
want Que. to become ghetto», CP,
reportage, p. 12.

1er mai

2969 «No group preparing budget», CP,
reportage, p. 3.

2 mai

2970 «Avoid watchdog», reportage,
p. 4.

3 mai

2971 «Firm promise needed... Moignan»,
CP, reportage, p. 32.

6 mai

2972 «Ryan unmoved by media», CP, reportage.

9 mai

2973 «Casgrain sees Yes vote as a dead-
end road», CP, reportage, p. 3.

10 mai

2974 «Referendum views», CP, reportage,
p. 31.

14 mai

2975 «Pamphlet calls for settlement»,
CP, reportage, p. 3.

15 mai

2976 «Crowds cheer Ryan on», CP, reportage, p. 3.

17 mai

2977 «Ryan down to bare essentials»,
CP, reportage, p. 1.

21 mai

2978 «Ryan throws out challenge to
Levesque», CP, reportage, p. 1.

THE MONITOR

23 avril

2979 «N.D.G. riding - Standing room,
only as «No» committee kicks-off
campaigns», reportage, p. 3.

30 avril

2980 «Black historian, author - Leo
Bertley opts for «No» side in
referendum», reportage, p. 12.

7 mai

2981 «Our vote has always been «No»,
O'Meara, analyse, p. 8.

14 mai

2982 «Notes on next Tuesday's referendum», R. Scowen, libre opinion,
p. 18.

2983 «Scowen, Blaikie address Montreal
West - «Quiet optimism» for «No»
vote delivered at local rally»,
reportage, pp. 1, 6.

2984 «Vote «No», éditorial, pp. 4, 22.

THE NEWS/LES NOUVELLES

23 avril

2985 «   », chronique, p. 20.
/Questions aux tenants de l'option
du Oui/

7 mai

2986 «Au sujet de M. Gérard Lépine.
Rectification des associations libé-
rales des comtés de l'Acadie et de
Saint-Laurent», reportage, p. 5.

2987 «C'est Non pour le Non», reportage, p. 3.
/Interdit contre l'affichage/

2988 «Our vote has always been No»,
O'Meara, libre opinion, p. 26.
/Sur la politique linguistique
du Québec/

14 mai

2989 «Forget challenges P.Q. on finance
figure», reportage, p. 8.

2990 «Votez Non» «Vote No», éditorial,
p. 4.

NEWS AND CHRONICLE

17 avril

2991 «Yvette Rally organiser speaks out.
«We will stand up and be heard»,
reportage, p. 7.

24 avril

2992 «Hudson: «No is beautiful» - Joint
rally planned», reportage, p. 12.

2993 «Westerners speak out - Transition
to Quebec in turbulent times», P.
Lyons, reportage, pp. 15, 16.

1er mai

2994 «Former Premier Robert Bourassa -
No country as gifted, Abbott
students told», B. Hayes, reportage, p. 1.

2995 «Ryan to local rally: - Mutual
respect cornerstone of Quebec
future», reportage, pp. 1, 6.

8 mai

2996 «A different statement», P. Lyons,
reportage, p. 5.

2997 «Tremblay speaks out on P.Q.
strategy», J. Tremblay-Burley,
reportage, p. 5.

2998 «What will they gain?», éditorial,
p. 4.

2999 «Yes vote will lead to political
impass speakers tell No rally»,
J. Turner, reportage, p. 1.

15 mai

3000 «Canada is No. 1 - Bourassa tells
rally», reportage, pp. 1, 2.

3001 «Examining the P.Q.», Y. Kelebay,
W. Brooks, analyse, p. 13.

3002 «Levesque divides Quebec - Not only
Canada», J. B. Witchell, libre
opinion, p. 5.

3003 «No Committee organizers voice
their optimism», J. Turner, reportage, p. 17.

3004 «The Question», éditorial, p. 4.

3005 «Raynauld in Vaudreuil - Sovereignty-
association economic contradiction»,
J. Turner, reportage, p. 1.

22 mai

3006 «No surprise - Pte Claire says
«No», J. Turner, reportage, p. 1.

3007 «Robert Baldwin's O'Gallagher:
«PQ will not disappear», B. Hayes,
reportage, pp. 1, 2.

3008 «The two paths», J. Tremblay-Burley,
éditorial, p. 4.

3009 «Vaudreuil-Soulanges. Better times
for Quebec», M. J. Pringle, reportage, pp. 1, 13.

LE NORD-EST

16 avril

3010 «Les «Yvettes» se réunissent à Sept-Îles», reportage, p. 2.

23 avril

3011 «Six maires adhèrent au Non: Louise Dionne: «Il faut convaincre les indécis que la question est piégée», J.-G. Gougeon, reportage, p. 2.

30 avril

3012 «Un millier de femmes au brunch des Yvettes», J.-G. Gougeon, reportage, p. 2.

14 mai

3013 «Dr Augustin Roy à Sept-Îles. «La question une vaste fumisterie», J.-G. Gougeon, reportage, p. 2.

3014 «Solange Chaput-Rolland: le Québec ne peut se permettre de perdre la péréquation», J.-G. Gougeon, reportage, p. 2.

LE NORDIC (BAIE-COMEAU)

23 avril

3015 «Campagne référendaire. Ils disent Non», R. Hovington, reportage, p. 3.

30 avril

3016 «La peur ou le bons sens», Y. Lemée, président du Non, communiqué, p. 4.

7 mai

3017 «La guerre des pancartes entre le Oui et le Non», reportage, p. 3.

3018 «La Loi, c'est la Loi», R. Hovington, reportage, p. 4.

3019 «Yves Lemée s'interroge. Le second référendum un piège?», Y. Lemée, libre opinion, p. 16.

3020 «Les Yvettes», R. Hovington, reportage, p. 4.

14 mai

3021 «800 Yvettes à Hauterive», reportage, p. 4.

LE NORDIC (SEPT-ÎLES)

23 avril

3022 «Le véritable enjeu du référendum n'est pas un mandat de négociations» - John Ciaccia», P. Thibeault, reportage, p. 28.

30 avril

3023 «Les autres Canadiennes nous supplient de ne pas nous séparer» - Michèle Tisseyre», reportage, p. 5.

14 mai

3024 «S'adressant aux Yvette. Les femmes n'auront guère de difficulté à faire mieux que...» - Solange Chaput-Rolland», reportage, p. 10.

21 mai

3025 «Bilan des deux chefs locaux. «L'implication des femmes, le fait marquant de la période référendaire - Mme Louise Dionne», reportage, p. 4.

LE NOUVEAU CLAIRON

30 avril

3026 «Le P.Q. a plus de considération pour les détenus que pour les malades», lettre, p. 22.

7 mai

3027 «M. Ostiguy au comité du Non. -
«Un Non, pour nous sortir de
l'ambiguité», reportage, p. 39.

NOUVEAU JOURNAL ST-MICHEL

16 avril

3028 «Le Québec reçoit plus du fédéral
qu'il ne lui verse en impôts»,
communiqué, p. 11.

23 avril

3029 «Réponse à l'argumentation souverainiste - L'indépendance puisque
c'est l'évolution normale», libre
opinion, p. 9.

30 avril

3030 «Claude Ryan à St-Michel», reportage, p. 10.

3031 «Un Oui au référendum signifiera
la brisure du Canada - Solange
Chaput-Rolland», libre opinion,
p. 10.

3032 Nil.

7 mai

3033 «Le référendum - Réponses à l'argumentation souverainiste - La souveraineté-association seule option
possible», communiqué, p. 11.

14 mai

3034 «Une réponse à la lettre-circulaire
adressée aux Québécois d'origine
italienne», communiqué, pp. 4, 7.

LA NOUVELLE DU HAUT ST-FRANÇOIS

22 avril

3035 «Un carrefour où nous avons le
choix entre l'indépendance ou le
fédéralisme», reportage.

3036 «Le peuple québécois a toujours su
rejeter l'excessif» - Me Pierre C.
Fournier», reportage.

6 mai

3037 «Entretien avec Mme Monique Gagnon-
Tremblay», reportage, p. 24.

3038 «M. Cécil Dougherty joint les québécois pour le Non», reportage, p. 12.

LA NOUVELLE REVUE

23 avril

3039 «Quelques commentaires sur la
question», libre opinion, p. 49.

3040 «La ville doit suspendre toutes
les subventions qu'elle accorde à
la Société d'histoire et à la
maison Vittie» - Bernard Léveillé»,
J.-P. Jodoin, reportage, pp. 3, 27.

30 avril

3041 «Bernard Léveillé propose à Claude
Ryan la formation d'un comité con-
sultatif post-référendaire», J.-P.
Jodoin, reportage, p. 4.

3042 «L'enjeu du référendum: la séparation politique du Québec», lettre,
p. 28.

3043 «Ryan se soumettrait à un Oui
majoritaire», J.-P. Jodoin, reportage, p. 7.

7 mai

3044 «Aux dires de Robert Bourassa -
Jean-François Bertrand n'est pas
de taille à l'affronter», J.-P.
Jodoin, reportage, p. 3.

3045 «Les avantages du fédéralisme
canadien», communiqué, p. 19.

3046 «Voter Oui ... pour un plus grand
pouvoir de négociation», J.-P.
Jodoin, reportage, p. 4.

14 mai

3047 «Les Bâtisseurs»... seuls au
Palace», J.-P. Jodoin, reportage,
p. 5.

3048 «La dimension économique du référendum», communiqué, pp. 40, 44.

3049 «De nombreuses Yvette font entendre leur Non haut et fort», J.-P.
Jodoin, reportage, p. 3.

28 mai

3050 «Des changements... progressivement
mais sûrement», reportage, p. 3.

NOUVELLES DE L'EST

15 avril

3051 «Le C.I.C.D. et le référendum»,
reportage, p. 18.

22 avril

3052 «L'option séparatiste, projet humiliant pour les Québécois», reportage, p. 20.

3053 «La stratégie péquiste», Cenon,
lettre, p. 20.

29 avril

3054 «Eclatant succès du lancement du
Non dans Ste-Marie», reportage,
p. 14.

6 mai

3055 «Le Non lance la sienne», reportage, p. 14.

3056 «Selon le député Malépart - Le projet du P.Q. est humiliant pour les
francophones», reportage, p. 13.

13 mai

3057 «Le «Non» de Luc Larivée», L.
Larivée, lettre, p. 11.

3058 «Non-Maisonneuve», reportage,
p. 10.

3059 «Non-Ste-Marie», reportage, p. 10.

LE NOUVELLISTE

16 avril

3060 «Le Oui selon l'Opposition. Un
processus qui mènera à l'indépendance», A. Bellemare, PC, reportage, p. 1.

3061 «Le référendum à quelques mois des
élections générales. Les représentants du peuple courent après
l'essoufflement», B. Racine, PC,
reportage, p. 28.

18 avril

3062 «Dans Nicolet-Yamaska. 10,000 travailleurs pour le Non», R. Dolan-
Caron, reportage, p. 10.

3063 «Le Oui mènera à une crise politique majeure au Canada», C. Savary,
reportage, p. 10.

3064 «Si vous dénigrez votre futur partenaire. Comment s'associer?»,
J.-M. Beaudoin, reportage, p. 10.

19 avril

3065 «Ryan prône un comité de surveillance de la presse. Le Non voudrait obtenir justice», B. Racine,
PC, reportage, p. 1.

21 avril

3066 «Enfin l'émotion», commentaire,
p. 4.

3067 «Ryan se dit très encouragé»,
B. Racine, PC, reportage, p. 1.

3068 «S'ils sont fédéralistes. Seuls
les naïfs voteront Oui (Gérard-D.
Lévesque)», R. Levasseur, reportage, p. 10.

22 avril

3069 «Avec la souveraineté-association.
Le Québec démuni devant l'Ouest»,
PC, reportage, p. 33.

3070 «La constitution est synonyme de
liberté», D. Charest, PC, reportage,
p. 33.

3071 «Lévesque fomente la violence -
Y. Picotte», C. Savary, reportage,
p. 3.

3072 «Le Non dans Richelieu. De la
réflexion», reportage, p. 14.

23 avril

3073 «OSE blesse Ryan», PC, reportage,
p. 20.

3074 «Le PQ laisse entrevoir de la
liberté à rabais» - Claude Ryan»,
D. Charette, PC, reportage, p. 20.

24 avril

3075 «Picotte explique son Non. «Lévesque veut nous embarquer», J.-A.
Dionne, reportage, p. 24.

25 avril

3076 «Les tenants du Oui se doivent
d'être courtois» - Ryan», PC,
reportage, p. 18.

26 avril

3077 «Le référendum, selon Serge Fontaine. Moment historique parce
qu'il réunit tous les fédéralistes»,
J.-M. Beaudoin, reportage, p. 40.

28 avril

3078 «Le maire Goulet, de Saint-Tite.
«Disons Non à la séparation»,
M. Cloutier, reportage, p. 24.

29 avril

3079 «Le PQ démontre de l'intolérance -
Claude Ryan», B. Racine, PC, reportage, p. 12.

3080 «Selon trois députés militant pour
le Non. «Les deniers publics servent à manipuler l'opinion publique», PC, reportage, p. 12.

3081 «La souveraineté-association. «Une
option socialiste contre l'entreprise privée» - Me Lemoyne», reportage, p. 22.

1er mai

3082 «Disons Non par amour» - Michèle
Tisseyre», reportage, p. 41.

2 mai

3083 «Claude Ryan en arrache», A. Bellemare, PC, reportage, p. 22.

3084 «Rassemblement des Yvettes à
Shawinigan. D'abord et avant tout
une manifestation de solidarité»,
C. Savary, reportage, p. 22.

3085 «Le référendum est encore plus important que l'élection générale -
Michel Pagé», reportage, p. 22.

3086 «La souveraineté-association; projet
impraticable - Raynauld», M. Lamarre,
reportage, p. 22.

3 mai

3087 «Des fédéralistes diront Oui pour
que ça bouge...», PC, reportage,
p. 1.

3088 «Minorisation des Québécois. Pas
aussi grave qu'on le dit» - Claude
Ryan», PC, reportage, p. 7.

3089 «La première assemblée du Non se
déroule en famille», J.-M. Beaudoin,
reportage, p. 6.

3090 «Si le résultat est serré. L'instabilité sera prolongée», D. Charette, PC, reportage, p. 7.
/Déclaration de Rodrigue Tremblay/

5 mai

3091 «Pour ne pas avoir développé le dossier du gazoduc. Le gouvernement Lévesque a manqué de leadership -
Bourassa», R. Levasseur, reportage,
p. 3.

3092 «Selon l'ex-premier ministre Lesage. Les tenants du «Oui» jouent sur les équivoques», A. Bellemare, PC, reportage, p. 5.

3093 «Selon Robert Bourassa. Voter Oui, c'est prendre le risque de voter Non au second référendum», R. Levasseur, reportage, p. 15.

6 mai

3094 «Avec la loi 101. Le législateur québécois est allé trop loin - Ryan», P. Roberge, PC, reportage, p. 39.

3095 «Les Bois-Francs. Région choyée», reportage, p. 37.

3096 «Majorité du Non - Mme Casgrain», reportage, p. 37.

3097 «La réponse doit favoriser largement une option - Ryan», A. Bellemare, PC, reportage, p. 39.

8 mai

3098 «Daniel Johnson Jr dit pourquoi il préfère voter Non», reportage, p. 15.

3099 «Frère du premier ministre. Fernand Lévesque appuiera le Non», P. Tourangeau, PC, reportage, p. 1.

3100 «Porte ouverte au patronage», PC, reportage, p. 15.

3101 «Selon les Québécois pour le Non «René Lévesque tue la famille», PC, reportage, p. 15.

3102 «La souveraineté-association est une pure utopie - Hardy», M. Aubry, reportage, p. 14.

3103 «Les Yvettes: l'expression de la majorité silencieuse» - Thérèse Lavoie-Roux», reportage, p. 14.

9 mai

3104 «Bertrand choisit un Non positif», PC, reportage, p. 15.

3105 «En votant Oui «Ils se trompent», reportage, p. 14.

3106 «Euphorie dans le camp du Non», reportage, p. 15.

3107 «Même avec une victoire du Non. Toutes les divisions ne seront pas effacées», D. Charette, PC, reportage, p. 15.

10 mai

3108 «Anciens combattants pour le Non», D. Charette, PC, reportage, p. 43.

3109 «Mon option va ravir les francophones», D. Charette, PC, reportage, p. 43.

3110 «Un Oui signifie l'indépendance - Mme Lavoie-Roux», C. Savary, reportage, p. 44.

3111 «Raynauld vante les progrès enregistrés au Québec. Le fédéralisme nous a bien servis, il faut le conserver», M. Aubry, reportage, p. 44.

3112 «Si ses commettants votent Oui. Gratton prêt à démissionner», PC, reportage, p. 44.

3113 «La souveraineté-association: risque qui n'est pas nécessaire», C. Savary, reportage, p. 42.

3114 «Sur les questions internationales. Le mutisme des dirigeants du PQ inquiète Robert Bourassa», C. Savary, reportage, p. 42.

12 mai

3115 «À Trois-Rivières. Ryan réclame un Non nettement majoritaire», J.-M. Beaudoin, reportage, p. 10.

3116 «Devant 1,200 personnes à Shawinigan. Ryan dénonce le concept d'égalité à rabais du P.Q.», M. Aubry, reportage, p. 10.

3117 «Un incident perturbe l'assemblée de Ryan», reportage, p. 10.

3118 «Le maire Fleury annonce son adhésion à l'équipe du Non», G. Pépin, reportage, p. 9.

3119 «Madeleine Ryan en a surpris plus d'un», reportage, p. 20.

3120 «Première importante assemblée du Non à La Tuque. Ryan et Chrétien décrient à l'avance une publication de leurs adversaires», B. Quenneville, reportage, p. 9.

13 mai

3121 «Au journal de Montréal. «Couverture mesquine et unilatérale», P. Roberge, PC, reportage, p. 13.

3122 «Claude Ryan. Hommage aux Québécois», B. Racine, PC, reportage, p. 12.

3123 «Leduc espère 70% de Non», reportage, p. 12.

3124 «Méfiez-vous de la propagande péquiste» - Robert Bourassa», reportage, p. 12.

3125 «Le milieu sportif de Saint-Maurice et Laviolette. Massivement Non», reportage, p. 12.

3126 «Ryan réaliste», PC, reportage, p. 13.

3127 «Selon Johnson. Le PQ: l'obstacle au changement», M. Aubry, reportage, p. 12.

14 mai

3128 «Fou, peut-être, mais pas écarté», J.-M. Beaudoin, reportage, p. 22.

3129 «Le nouveau dépliant du PQ: une imposture - Claude Ryan», PC, reportage, p. 26.

15 mai

3130 «La publicité subliminale du Oui dénoncée», C. Savary, reportage, p. 33.

3131 «Selon la pensée de Ryan. Le Québec avec et dans le Canada», B. Racine, PC, reportage, p. 33.

16 mai

3132 «Le PQ a toujours refusé de négocier - Daniel Johnson», reportage, p. 14.

3133 «Ryan dénonce le vide intellectuel du PQ», M. Aubry, reportage, p. 15.

3134 «Ryan poivre Louis Laberge», PC, reportage, p. 15.

3135 «Samson tordant», R. Levasseur, reportage, p. 14.

17 mai

3136 «La Presse favorise le Non», PC, reportage, p. 42.

3137 «La souveraineté: une aventure - Claude Simard», reportage, p. 42.

19 mai

3138 «Advenant un Oui. Un plongeon vers l'abîme - Lesage», PC, reportage, p. 12.

3139 «Dernier coup de canon du Non», R. Dolan-Caron, reportage, p. 14.

3140 «Pagé rassure les partisans du Non», M. Aubry, reportage, p. 14.

3141 «Pourquoi tout détruire et vouloir ensuite s'associer - Daniel Johnson Jr», C. Savary, reportage, p. 12.

20 mai

3142 «Les impressions de Ryan en 10 points», PC, reportage, p. 5.

21 mai

3143 «Dans Arthabaska, c'est francophone», reportage, p. 8.

3144 «Dans Maskinongé: victoire d'équipe», B. Lévesque, reportage, p. 7.

3145 «Dans Richelieu. La majorité inférieure à mille voix», L. Brouillard, reportage, p. 8.

3146 «Des élections doivent être tenues à l'automne - Ryan», PC, reportage, p. 5.

3147 «Picotte peu surpris», reportage, p. 6.

22 mai

3148   «Lessard attaque l'attitude du PQ»,
        PC, reportage, p. 17.

27 mai

3149   «Un Ryan sans pitié», V. Audy,
        commentaire, p. 4.
        /Le discours de Claude Ryan le soir
        du 20 mai/

L'OEIL RÉGIONAL

30 avril

3150   «Le «Bloc des jeunes pour le Non»,
        reportage. p. 9.

3151   «Non, Non, cent fois Non!»,
        M. Jarraud, Comité du Non, communi-
        qué, p. 18.

3152   «Raynault dénonce la faiblesse des
        arguments économiques du PQ», repor-
        tage, p. 14.

3153   «Springate à Otterburn: Dites Non
        à la séparation du Québec», M.
        Ledoux, reportage, p. 9.

7 mai

3154   «Le député Michel Gratton à Otter-
        burn Park. «Ne vous laissez pas
        prendre au piège, l'option du PQ
        reste l'indépendance», M. Ledoux,
        reportage, pp. 11, 21.

3155   «L'écrivain Richard Bastien devant
        des jeunes pour le Non. Le PQ
        déforme systématiquement l'histoire
        du Québec», M. Ledoux, reportage,
        pp. 11, 37.

3156   «Le suis Québécoise pure-laine»,
        M. Jarraud, Comité du Non, commu-
        niqué, p. 21.

14 mai

3157   «Bourassa à Chambly: je ne veux
        pas d'une victoire à la Pyrrhus»,
        S. Lavallée, reportage, p. 59.

3158   «Le Canada, pays de richesse, de
        liberté, de sécurité», G. Daoust,
        Comité du Non, reportage, p. 9.

3159   «Le mot de la fin», M. Jarraud,
        Comité du Non, communiqué, p. 17.

3160   «Le Non rend hommage aux bâtisseurs
        du Canada», M. Ledoux, reportage,
        pp. 9, 56.

28 mai

3161   «Le coordonnateur des troupes du
        Non dans le comté. «Les Québécois
        sont plus fiers d'être Canadiens
        que le P.Q. ne le croyait», M.
        Ledoux, reportage, p. 11.

3162   «La présidente du Non est inquiète»,
        reportage, p. 11.

3163   «Le résultat n'étonne pas la prési-
        dente du Non dans Chambly», commu-
        niqué, p. 11.

THE OTTAWA JOURNAL

19 avril

3164   «Separate Quebec «a ghetto». Author
        Richler wants no part of sovereingty-
        association», I. Warren, CP, repor-
        tage.

21 avril

3165   «Anglophones afraid to come out of
        the closet», G. Lovelace, M. Moris-
        sette, reportage.

3166   «PQ popularity on skids, says
        jubilant Ryan», S. Won, reportage.

22 avril

3167   «Referendum no apocalypse», D. Camp,
        analyse.

23 avril

3168   «PQ «will pay» warns Ryan», UPC,
        reportage, p. 10.

24 avril

3169   «Ryan takes swipes at vote opponents»,
        CP, reportage.

28 avril

3170 «No-forces playing «dangerous game»,
CP, reportage.

29 avril

3171 «Ryan's campaign marches to new
beat - The strains of O Canada take
over from pop tunes at latest federalist rallies», CP, reportage,
p. 8.

30 avril

3172 «All signs point to «big victory»
Ryan trumpets», UPC, reportage,
p. 10.

1er mai

3173 «Ryan willing to redraft his proposals», CP, reportage, p. 8.

2 mai

3174 «Dangerous accusations», commentaire, p. 6.

3175 «Heckler says Ryan blueprint like
Durham's», CP, reportage, p. 8.

3 mai

3176 «Ryan hopes PM's speech «last nails»
in PQ's coffin», CP, reportage,
p. 9.

5 mai

3177 «Canadian patriotism is back in
style: Ryan», CP, reportage,
p. 8.

3178 «NATO eyes referendum with trepida-
tion: Sauve», G. A. Nanji, reportage, p. 8.

6 mai

3179 «Philosophy of freedom separates
camps» - Ryan», CP, reportage,
p. 8.

7 mai

3180 «Kierans denies quitting «timed»,
CP, reportage, p. 8.

3181 «Minister's Yes-talk drives
sawmill employees out», CP, reportage, p. 8.

3182 «No sauce on the spaghetti for
low-key Ryan», CP, reportage,
p. 8.

9 mai

3183 «Ryan sees «tensions» no matter
who wins», CP, reportage, p. 8.

10 mai

3184 «No point tinkering with constitution», R. Gwyn, analyse, p. 7.

3185 «Some «better deal» ideas for
after the referendum», M. Cohen,
analyse, p. 7.

13 mai

3186 «Ryan raps «real rag», CP, reportage, p. 8.

14 mai

3187 «Ryan runs defiantly eccentric
campaign», M. Janigan, reportage,
p. 8.

15 mai

3188 «Rene rubles», CP, reportage,
p. 8.

16 mai

3189 «Quebec currency wouldn't float:
critic», CP, reportage, p. 8.

17 mai

3190 «Avoiding razzle, dazzle and
frazzle, Ryan preaches certainty
of victory», M. Janigan, reportage, p. 8.

3191 «No, merci» ads stay - Trudeau gets last word», reportage, pp. 1, 2.

20 mai

3192 «Ryan battered by poll and flu - Pleads for support to end agony of divisive debate», M. Janigan, reportage, p. 8.

21 mai

3193 «Quebec's act of faith», commentaire, p. 6.

LA PAROLE

16 avril

3194 «La campagne sera surtout centrée sur l'information - Un raz-de-marée pour le Non est en branle dans Drummond (De l'avis du président Me Paul Biron)», reportage, p. 3.

3195 «Daniel Johnson Jr s'adresse aux membres de la Chambre de Commerce», Mme Provencher-Rhéault, chronique, p. 15.

3196 «La Souveraineté-Association: un rêve construit par la bureaucratie et pour la bureaucratie (Me André Tremblay)», reportage, p. 10.

30 avril

3197 «Springate craint un peu l'allure prise par le débat référendaire», reportage, p. 10.

7 mai

3198 «L'indépendance... non merci», Comité du Non Drummond, lettre, p. 4.

3199 «Mon Non est ouvert à une immensité de femmes (Mme Chaput-Rolland)», reportage, p. 3.

14 mai

3200 «D'égal à égal: de la foutaise (Florian Côté)», reportage, p. 8.

3201 «Lévesque veut la destruction du Québec (Serge Fontaine)», Mme R. A. Provencher-Rhéault, chronique, p. 16.

3202 «Réponse à l'argumentation souverainiste», Comité du Non, lettre, p. 4.

3203 «Serge Fontaine qualifie la question de «sapin», reportage, p. 5.

28 mai

3204 «Dans Drummond, on s'attendait à obtenir plus de 60% du vote (Lucien Couture)», reportage, p. 3.

3205 «Une duperie pourrait coûter très cher» (Me Denis Gariépy)», reportage, p. 3.

3206 «Une élection dans quelques mois répondrait à l'attente des gens (Michel Thibodeau)», reportage, p. 2.

3207 «Il n'y a pas de raison pour que le P.Q. disparaisse (Hélène Langelier)», reportage, p. 3.

3208 «Me Guy Lahaie pas surpris du résultat», reportage, p. 2.

3209 «La population s'est renseignée plus que lors d'une élection normale» (Me Marie Nichols)», reportage, p. 2.

3210 «Je trouve que tout le monde est gagnant» (André Camiran)», reportage, p. 3.

LA PETITE NATION/LE BULLETIN

15 avril

3211 «Oui ou Non», communiqué, p. 5.

29 avril

3212 «Le Mardi 20 mai. Oui ou Non», C. Ryan, communiqué, p. 5.

6 mai

3213 «Si je voulais me débarrasser de ma
belle-mère, je voterais PQ», -
Camille Samson», reportage, p. 3.

13 mai

3214 «   », M. Assad, lettre, p. 5.

3215 «Le Mardi 20 mai. Oui ou Non»,
C. Ryan, communiqué, p. 5.

LE PEUPLE-COURRIER

16 avril

3216 «À St-Raphaël. Claude Poulin fait
ressortir les avantages du fédéralisme», reportage, p. 20.

3217 «Le comité du Non était à St-Paul,
vendredi», reportage, p. 5.

3218 «Jugez vous-mêmes», Les Québécois
pour le Non de Montmagny-L'Islet,
lettre, p. 4.

3219 «Les Québécois pour le Non accueillent Ryan, Goulet et Giasson à
St-Pascal», reportage, p. 4.

3220 «Sous une question maquillée, le
P.Q. recherche carrément la séparation du Québec... Ryan», reportage,
p. 3.

23 avril

3221 «La campagne du Non lancée dimanche, dans Bellechasse», reportage,
p. 3.

3222 «Le piège péquiste», Les Québécois
pour le Non Montmagny-L'Islet,
lettre, p. 19.

3223 «Pourquoi Non?», Les Québécois
pour le Non Montmagny-L'Islet,
lettre, p. 22.

7 mai

3224 «Le gros bon sens», Les Québécois
pour le Non Montmagny-L'Islet,
lettre, p. 24.

14 mai

3225 «L'enjeu du référendum», Les Québécois pour le Non Montmagny-L'Islet,
lettre, p. 4.

28 mai

3226 «Un tiens vaut mieux que deux tu
l'auras» - Lucien Boivin», reportage, p. 5.

3227 «Des véritables négociations constitutionnelles devront s'engager
bientôt» - Dr. Grandmaison», reportage, p. 3.

3228 «La victoire du Non est une gifle
au P.Q.», B. Goulet, reportage,
p. 12.

3229 «Une victoire due à l'unité politique jaillie de la volonté de
maintenir le lien fédéral», reportage, p. 3.

PEUPLE-TRIBUNE

23 avril

3230 «Armagh. Grand ralliement des
forces «fédéralistes» pour le coup
d'envoi de la campagne du Non»,
L. Trudeau, reportage, p. C-2.

3231 «D'où viens-tu «Yvette?», Comité
d'information Beauce-Nord, lettre,
p. A-6.

30 avril

3232 «Opinion du lecteur», M. Goulet,
Québécois pour le Non Bellechasse -
Dorchester, lettre, p. C-2.

7 mai

3233 «Claude Ryan à Lévis. Une journée
qui débute plutôt mal», J. Bouchard,
reportage, p. 4.

3234 «Concernant l'aide fédérale pour la
construction navale chez Davie. «Le
Parti québécois ne présente jamais
un portrait honnête de l'ensemble
des données (Claude Ryan)», J. Bouchard, reportage, p. A-7.

3235 «Négocier, mais négocier quoi!»,
Québécois pour le Non Beauce-Nord,
lettre, p. A-10.

3236 «Réponse de Bertrand Goulet à une
opinion du lecteur», B. Goulet,
lettre, p. C-16.

3237 «St-Isidore 500 tenants du Non
rencontrent leur chef», L. Trudeau,
reportage, p. C-3.

14 mai

3238 «Adhésion au Non!», L. Boivin,
président du comité des Québécois
pour le Non Bellechasse, lettre,
p. C-18.

3239 «Les avantages du Canada et du
fédéralisme Canadien», Les Québécois pour le Non Beauce-Nord,
analyse, p. C-18.

3240 «Beaumont. La famille Chagnon,
divisée elle aussi par le référendum», L. Trudeau, reportage,
p. C-8.

3241 «M'as-tu vu?», J. Barnais, Comité
du Non Lévis, lettre, p. A-11.
/Commentaire sur certaines paroles
de M. Lévesque/

3242 «Des nouveaux «Oui»...?», L. Boivin,
président Regroupement du Oui,
commentaire, p. C-16.

3243 «La souveraineté-association un
marché de dupes pour les québécois», Les Québécois pour le Non
Beauce-Nord, lettre, p. C-11.

28 mai

3244 «Les électeurs de la ville de Lévis
nous ont accordé un vote extraordinaire (Me Roger Thibodeau)»,
J. Bouchard, reportage, p. A-7.

3245 «La preuve est faite» - M. Paul-E.
Deschênes», L. Carrier, reportage,
p. C-8.

3246 «St-Lazare. Le camp du Non accueille la victoire dans l'allégresse»,
L. Trudeau, reportage, p. C-6.

LE PHARILLON-VOYAGEUR

7 mai

3247 «600 partisans du Non à Gaspé»,
C. Ayotte, reportage, p. 5.

14 mai

3248 «Grande-Rivière. La foi canadienne,
au féminin», C. Rhéaume, reportage,
p. 4.

PLEIN JOUR SUR CHARLEVOIX

16 avril

3249 «   », P.E. Tremblay, libre opinion, p. 45.
/Allocution de Paul Émile Tremblay
président du comité du Non de Charlevoi

3250 «Une question fourbe» - Mailloux»,
reportage, p. 3.

7 mai

3251 «Le «Oui» ne donne aucun «bargaining
power» au Québec», Comité du Non,
commentaire, p. 36.

3252 «Pour le président du Non. Un
vote fort favorisera son équipe»,
reportage, p. 8.

14 mai

3253 «Comité du Non - La fierté d'être
québécois et canadien», A. Thivierge,
libre opinion, p. 13.

3254 «L'enjeu du référendum: la séparation du Québec», commentaire, p. 23.

3255 «Pour le notaire Tremblay - Le Non
animera un renouveau constitutionnel», reportage, p. 5.

PLEIN JOUR SUR LA MANICOUAGAN

22 avril

3256 «Le piège du second référendum»,
Y. Lemée, commentaire, p. 10.

3257 «Les «Yvettes» se réunissent à Sept-Îles», reportage, p. 16.

29 avril

3258 «La peur ou le bon sens», Y. Lemée, lettre, p. 11.

6 mai

3259 «L'association économique». «Comité des Québécois pour le «Non», Y. M. Lemée, commentaire, p. 9.

13 mai

3260 «Tout est possible dans une fédération comme la nôtre», Y. M. Lemée, communiqué, p. 9.

20 mai

3261 «Doris Lussier a bien été compris» - Yves Lemée», reportage, p. 8.

3262 «Référendum. Les québécois jouent leur avenir - Michel Le Moignan», reportage, p. 4.

27 mai

3263 «Comme effet positif. Le référendum a politisé les citoyens», reportage, p. 8.

LE PLEIN JOUR SUR LE SAGUENAY

23 avril

3264 «Les Tenants du Non engagent la campagne de pied ferme», P. Fortier, reportage, p. 2.

7 mai

3265 «À Portneuf. Le Non apporte peu de nouveaux éléments», reportage, p. 3.

3266 «Le bulletin paroissial fait couler beaucoup d'encre», reportage, p. 2.

14 mai

3267 «Trois grands Non au rendez-vous des Yvette», reportage, p. 2.

28 mai

3268 «Comme effet positif - Le référendum a politisé les citoyens», reportage, p. 8.

3269 «L'euphorie gagne le coeurs des tenants du Non», reportage, p. 8.

LE PONT

23 avril

3270 «Le Non: Lancement de la campagne dans Laviolette», C. Rompré, reportage, p. 6.

14 mai

3271 «Les grandes vedettes du Non à Shawinigan: grand enthousiasme chez les libéraux de St-Maurice», G. Langlois, reportage, p. 6.

LA PRESSE

15 avril

3272 «Ryan dénonce le Père Ambroise et son comité chrétien», C. V. Marsolais, reportage, p. A-9.

16 avril

3273 «Claude Ryan - «La place du Québec dans la fédération canadienne est celle d'un partenaire majeur, et non pas d'une minorité permanente», C. Ryan, reportage, p. A-13.

3274 «Le lundi 26 mai aurait été plus pratique, selon Ryan», C. V. Marsolais, reportage, p. C-6.

17 avril

3275 «Lesage et Bourassa: un rôle parallèle», P.-P. Gagné, reportage, p. A-11.

3276 «Madeleine Ryan chez les personnes
âgées - Comme de la belle visite
qui passe trop vite», N. Beauchamp,
reportage, p. A-12.

3277 «Premier succès de foule pour le
camp du Non», C. V. Marsolais,
reportage, p. A-13.

18 avril

3278 «Ryan en présentant Lesage et
Bourassa: «C'est ça de la continuité historique», P. Vincent,
reportage, p. A-13.

3279 «Ryan: Un Oui et ce pourrait être
la dislocation du Canada», C. V.
Marsolais, reportage, p. A-11.

21 avril

3280 «À quoi servent les experts?»,
M. Jannard, reportage, p. C-1.

3281 «Après un Oui, selon Bourassa -
L'Ontario devra choisir entre les
emplois du Québec et le pétrole
de l'Ouest», P. Bellemare, reportage, p. A-11.

3282 «Bourassa publie une brochure atta-
quant l'union monétaire», P.-P.
Gagné, reportage, p. A-10.

3283 «Rallye des communautés ethniques
organisé par le Non - Le Oui
associé au racisme, au communisme», L. Le Borgne, reportage,
p. A-10.

3284 «Le sondage de l'IQOP ressemble
à ceux des partielles, dit Ryan»,
C. V. Marsolais, reportage,
p. A-10.

22 avril

3285 «Au pays de l'amiante, Ryan s'en
prend à Laberge», C. V. Marsolais,
reportage, p. A-13.

3286 «Document des québécois pour le
Non - Les Québécois auraient le
plus à perdre en matière d'énergie», R. Leroux, reportage,
p. A-14.

3287 «Johnson a su trouver le ton juste»,
C. Tougas, reportage, p. A-13.

3288 «Seul le fédéralisme peut enrayer
le déplacement vers l'Ouest»,
A. Dubuc, reportage, p. A-14.

23 avril

3289 «Barrer la route au communisme»,
P. Gravel, chronique, p. A-15.

3290 «Ryan n'a pas l'intention de se
mettre à genoux devant les médias»,
C. V. Marsolais, reportage, p. A-13.

24 avril

3291 «Accusation de racisme contre le
PQ - Ryan minimise la portée des
propos de Fortas», L. Le Borgne,
reportage, p. A-13.

3292 «Claude Castonguay: Il ne reste
plus de motifs valables pour croire
à l'indépendance», reportage,
p. A-10.

3293 «Le Dr Fortas et le racisme»,
L. Gagnon, chronique, p. A-13.

3294 «Paul Gérin-Lajoie - «Ce n'est pas
un jeu de monopoly», G. Lamon,
reportage, p. A-11.

3295 «Ryan: le PQ s'approprie les sym-
boles pour imposer ses idées»,
C. V. Marsolais, reportage, p. A-11.

25 avril

3296 «Fox et Marx désavouent Fortas»,
L. Le Borgne, reportage, p. A-11.

3297 «Gaspard Massue - Un routier des
affaires sociales à la retraite
active!», N. Beauchamp, reportage,
p. A-12.

3298 «Le nationalisme ne conduit pas
nécessairement à l'État-nation»,
M. Masse, commentaire, p. A-6.

3299 «Le président de Petrofina -
L'enjeu réel c'est la renonciation
à la citoyenneté canadienne»,
R. Leroux, reportage, p. A-13.

28 avril

3300 «Clark se joint à Ryan - Les péquistes invitent les Québécois à rejeter
un Canada qui n'existe plus», C. V.
Marsolais, reportage, p. A-11.

3301 «Guy St-Pierre au conseil pour
l'unité canadienne: Une victoire
du «Oui» conduirait à l'indépendance en moins de cinq ans», P.
Vincent, reportage, p. A-2.

3302 «L'Ouragan Yvette atteint Sept-
Îles», H. Roberge, reportage,
p. A-11.

30 avril

3303 «Ryan dans le West Island - Le Noui
n'existe pas en politique», C. V.
Marsolais, reportage, p. A-11.

1er mai

3304 «Henri-François Gautrin - L'indépendance est possible mais elle
n'est pas avantageuse», G. Tardif,
reportage, p. A-11.

3305 «Nouvelle stratégie du camp du
Non - Un budget de l'An I sur
l'indépendance», P.-P. Gagné,
reportage, p. A-1.

3306 «Des réserves sur le livre Beige -
Les conservateurs: un non positif»,
P.-P. Gagné, reportage, p. A-12.

3307 «Ryan s'en prend à Laberge et
Payette», C. V. Marsolais, reportage, p. A-11.

3308 «Si c'est Oui selon Raynaud - Le
Canada négociera mais le Québec
sera désavantagé», G. Gauthier,
reportage, p. A-10.

2 mai

3309 «Le camp du Non vise quatre objectifs», J. Bouchard, P.-P. Gagné,
reportage, p. A-13.

3310 «Il prend ses distances face à
Ryan - Le Moignan veut des garan-
ties de Trudeau», P. Vincent,
reportage, p. A-10.

3311 «L'indépendance représente un
«paquet d'incertitudes», selon
Roland Pigeon», P. Gingras, reportage, p. A-12.

3312 «Ryan se fait chahuter à Lévis»,
C. V. Marsolais, reportage, p. A-11.

3 mai

3313 «Le camp du Oui utilise des méthodes fascistes (Ryan)», C.-V. Marsolais, reportage, p. A-9.

3314 «Les derniers clous dans le cer-
cueil du P.Q.», C.-V. Marsolais,
reportage, p. A-9.

3315 «Pas facile la campagne du «Oui»
dans une école anglaise», L. Le
Borgne, reportage, p. A-13.

3316 «Le Père Lévesque écrit à Doris
Lussier», G.-H. Lévesque, lettre,
p. F-3.

3317 «Une semaine plutôt fade pour le
chef du Non», C.-V. Marsolais,
reportage, p. A-10.

5 mai

3318 «Pas de budget de l'An I pour
Raynaud», A. Dubuc, reportage,
p. A-1.

3319 «Ryan met ses troupes en garde
contre un excès de confiance»,
C.-V. Marsolais, reportage,
p. A-13.

3320 «Samson joue le rôle de «décompres-
seur», P. Vincent, reportage,
p. A-15.

6 mai

3321 «Du grabuge au passage de Ryan à
Saint-Henri», Y. Leclerc, reportage, p. A-10.

3322 «Mgr. Félix Antoine Savard s'engage publiquement: Menaud explique
pourquoi il dit Non», C. Gravel,
reportage, p. A-13.

3323 «Ryan: Laberge «paie des dettes»
au PQ», reportage, p. A-10.

7 mai

3324 «Le Non demande à ses troupes
d'éviter la violence», M. Gagnon,
reportage, p. A-11.

3325 «Ryan s'efface derrière Bourassa
à la Baie James», Y. Leclerc, reportage, p. A-11.

8 mai

3326 «Déchiré, Lemelin n'en défendra
pas moins l'option fédéraliste»,
H. Laprise, reportage, p. A-15.

3327 «Mon «Non» à la question référendaire», P. Garigue, commentaire,
p. A-16.

3328 «Ryan invite Lévesque à accepter
la défaite», Y. Leclerc, reportage,
p. A-1.

3329 «Une soirée sur le «petit cathé-
chisme du référendum», L. Le Borgne,
reportage, p. A-12.

9 mai

3330 «Ryan parle déjà de l'après-20 Mai»,
Y. Leclerc, reportage, p. A-11.

3331 «La Souveraineté association - Un
confédéralisme à la recherche d'un
gouvernement fédéral ou une mysti-
fication précédant la sécession»,
J. Choquette, commentaire, p. A-14.

10 mai

3332 «Opposé à la loi des mesures de
guerre - Ryan était favorable à la
venue de l'armée en 70», P.-P.
Gagné, reportage, p. A-10.

3333 «Ryan ne veut pas d'un rapatriement
unilatéral», G. Gauthier, reportage,
p. F-1.

12 mai

3334 «Le référendum et la question
nationale», J. Choquette, lettre,
p. A-12.

3335 «Ryan: 52 p.c. ne suffit pas»,
D. Charette, reportage, p. A-8.

13 mai

3336 «Claude Castonguay écrit à Claude
Morin», C. Castonguay, lettre,
p. A-13.

3337 «Communistes pour le Non à Lévesque,
Ryan et Trudeau», P. Vennat, reportage, p. A-11.

3338 «Il dénonce le journal de Montréal.
Ryan: on peut contenir les germes
de violence», PC, reportage, p. A-9.

3339 «Raynaud accuse Parizeau de se
cacher», A. Dubuc, reportage,
p. A-8.

14 mai

3340 «Raymond Garneau et le référendum»,
R. Garneau, commentaire, p. B-2.

3341 «Ryan: le fédéral a le droit
d'informer les citoyens», C.-V.
Marsolais, reportage, p. A-9.

15 mai

3342 «Bourassa: pas d'union monétaire
sans union politique», reportage,
p. A-15.

3343 «Un Québécois qui dit Non», M. Côté,
commentaire, p. A-8.

3344 «Le référendum n'appartient pas
aux experts», Y. Guay, éditorial,
p. A-6.

3345 «Ryan est prudent à son retour au
Saguenay», C.-V. Marsolais, reportage, p. A-13.

16 mai

3346 «Caouette aurait voté Non», reportage, p. A-8.

3347 «Je dirai Non au projet et au pro-
cédé», M. Adam, éditorial, p. A-6.

3348 «Madeleine Ryan: notre candidat,
c'est le Canada», J.-P. Charbonneau,
reportage, p. A-9.

3349 «Monnaie: Raynauld dénonce le
mutisme du Oui», R. Leroux, reportage, p. A-9.

3350 «Un producteur laitier anglophone:
«Le gouvernement est bon mais son
option l'est moins», P. Gingras,
reportage, p. A-12.

3351 «Ryan demande à Boucher d'enquêter
auprès des centrales syndicales»,
C.-V. Marsolais, reportage,
p. A-9.

17 mai

3352 «Le cas paradoxal d'un écrivain
pour le Non», C. Gravel, reportage,
p. A-14.

3353 «Claude Ryan - Le débat constitutionnel est loin d'être terminé»,
Y. Leclerc, P. Gravel, reportage,
p. A-8.

3354 «La Presse et le référendum: c'est
Non», R. Lemelin, éditorial, p. A-6.

3355 «Le Québec en a pour longtemps à
profiter du Canada», reportage,
p. A-8.

3356 «Rien à craindre de l'après référendum», reportage, p. A-8.

3357 «Ryan affirme avoir gardé le
leadership», reportage, p. A-8.

19 mai

3358 «Advenant une victoire du Non -
Ryan: On devra tenir compte de
l'idéologie du PQ», C.-V. Marsolais,
reportage, p. A-9.

3359 «Le facteur Samson», P. Longpré,
chronique, p. A-15.

3360 «Forget fête déjà la victoire»,
P. Gingras, reportage, p. A-9.

3361 «Précisions de Victor Goldbloom»,
V. Goldbloom, L. Le Borgne, lettre,
p. A-8.

3362 «Ryan: une campagne au ras le sol
appuyée par une armée de fédéralistes», C.-V. Marsolais, reportage, p. A-12.

20 mai

3363 «Ryan: réglons le problème tout
de suite en disant Non», C.-V.
Marsolais, reportage, p. A-9.

21 mai

3364 «Le Moignan - Une part du crédit
de l'UN», PC, reportage, p. 8.

3365 «Ryan a rempli la première partie
du double mandat qui lui a été
confié», P. Gravel, reportage,
p. 5.

3366 «Ryan réclame des élections à
l'automne», C.-V. Marsolais, reportage, p. 3.

22 mai

3367 «Il y en a qui ont la victoire mesquine», L. Gagnon, chronique,
p. A-11.

LE PROGRÈS DE COATICOOK

30 avril

3368 «Me Daniel Johnson dénonce «le piège»
de la question référendaire», reportage, p. 9.

3369 «M. Yvon Picotte, M.A.N. défend
l'option du Non», reportage, p. 8.

7 mai

3370 «L'Équipe du Non à Sherbrooke
dimanche», reportage, p. 2.

LE PROGRÈS DE MAGOG

16 avril

3371 «Coup d'envoi dans Magog-Orford:
le comité du Non», T. Jean, reportage, p. 5.

23 avril

3372 «Souper de la chambre de commerce:
«Au nom du Non!» (Michel Gratton)»,
reportage, p. 7.

28 mai

3373 «Une victoire qui devra se préciser.
Le Comité du Non», reportage, p. 3.

PROGRÈS DE ROSEMONT

23 avril

3374 «Plus de 1,000 personnes au lancement du comité du «Non» pour
le comté de J.-Mance», Les Québécois pour le Non comté de Jeanne-Mance, communiqué, p. 25.

30 avril

3375 «Que veut donc le Parti Québécois?»,
Regroupement du Non, communiqué,
p. 24.

7 mai

3376 «Le piège de voter «Oui» pour
donner un mandat de déblocage
(Bargaining Power)», commentaire, p. 14.

14 mai

3377 «Message du président du Non de
Jeanne-Mance. «Pourquoi Non...»,
Y. Desrochers, président du Comité
du Non de Jeanne-Mance, communiqué,
p. 28.

LE PROGRÈS DE THETFORD

22 avril

3378 «M. Claude Ryan: «Je sympathise
avec les travailleurs en grève»,
reportage, p. 5.

3379 «Claude Ryan in Thetford», reportage, p. 23.

29 avril

3380 «Pas de tirage, pas de lunch», reportage, p. 13.
/Soirée des Québécoises pour le Non/

3381 «Thetford «Highlights» B. Nicol,
commentaire, p. 16.
/Soirée des Québécoises pour le Non/

13 mai

3382 «Capacité d'adaptation», libre
opinion, p. 3.

3383 «La fausse assurance d'un second
référendum», libre opinion, p. 8.

LE PROGRÈS DE VILLERAY

22 avril

3384 «Non merci à l'indépendance du
Québec», communiqué, p. 11.

29 avril

3385 «Le jeu du séparadum», Comité du
Non Laurier, libre opinion, p. 9.

PROGRÈS-DIMANCHE

20 avril

3386 «Entrave à la liberté», reportage,
p. 8.

3387 «Le fédéralisme, c'est le gouvernement idéal», M. Lessard, chronique, p. 10.

11 mai

3388 «Adieu! Veau, vache, cochon, couvée!»,
M. Lessard, chronique, p. 70.

18 mai

3389 «Dernier appel au sens de la responsabilité», M. Lessard, chronique,
p. 40.

PROGRÈS-ÉCHO

16 avril

3390 «La question. Personne ne peut se
la rappeler intégralement» - Gérard
D. Lévesque», R. Alary, reportage,
p. A-4.

30 avril

3391 «Conserver un pays», Comité des
Québécois pour le Non, comté de
Rimouski, lettre, p. A-4.

3392 «Devant la division créée par le PQ, se lèvent les forces de l'unification» - Gérard D. Lévesque», R. Alary, reportage, p. A-5.

3393 «Devant 1,500 personnes dimanche. «Pas de partenaires, pas de propositions» - Claude Ryan», R. Alary, reportage, p. A-2.

3394 «On veut nous entraîner dans un piège à ours» - Camil Samson», R. Alary, reportage, p. A-4.

7 mai

3395 Le développement régional dans l'Est», C. Dugas, communiqué, p. A-4.

14 mai

3396 «Madeleine Ryan. Le Québec s'appartient déjà», reportage, p. A-22.

3397 «Une question douteuse», L. Arsenault, président des Québécois pour le Non, lettre, p. A-4.

21 mai

3398 «Nous savions que ce serait serré » - Louis Arsenault», R. Alary, reportage, p. A-27.

QUÉBEC CHRONICLE-TELEGRAPH

23 avril

3399 «An evening of solidarity and determination», D. Johnson, reportage, p. 3.

30 avril

3400 «Editorial», D. Cannon, p. 4.

14 mai

3401 «Guest editorial. Reflections in view of the referendum», P.-A. Côté, éditorial, p. 4.

3402 «Letter sent to Premier Levesque», S. McCall, A. K. Paterson, lettre, p. 4.

21 mai

3403 «Editorial», D. L. Cannon, p. 4.

LE QUOTIDIEN DU SAGUENAY-LAC-ST-JEAN

15 avril

3404 «Ferme intention de Ryan - Mener une campagne propre, digne», PC, reportage, p. A-7.

3405 «Le référendum - C'est l'affaire de tous - Mme Ryan», PC, reportage, p. A-7.

16 avril

3406 «Camil Samson indigné», PC, reportage, p. A-14.

3407 «Pour l'opposition - C'est le début du processus vers l'indépendance du Québec», PC, reportage, p. A-1.
/Photographie avec légende/

17 avril

3408 «Les enseignants du Québec ne sont pas tous des séparatistes - Ryan», B. Racine, PC, reportage, p. A-8.

18 avril

3409 «Aux troupes «nonistes» - Un appui spécial de Bourassa et Lesage», PC, reportage, p. A-9.

3410 «Vote pour le «Oui» . Issue pour une crise politique», PC, reportage, p. B-4.

19 avril

3411 «Ryan suggère un comité de surveillance de la presse», B. Racine, PC, reportage, p. A-1.

21 avril

3412 «Brunch des Yvette - Des invités brandissent le spectre de la dictature», M. Roy, reportage, p. A-3.

3413 «Ryan satisfait du sondage», PC, reportage, p. A-11.

22 avril

3414 «Le changement améliorera-t-il la situation au Québec? - André Raynauld», B. Munger, reportage, p. A-3.

3415 «Selon Claude Ryan - Les libéraux québécois ne peuvent pas servir deux maîtres à la fois», PC, reportage, p. A-11.

23 avril

3416 «Le chef du Non parle des conséquences du Oui», PC, reportage, p. A-14.

3417 «L'enjeu est de savoir de quelle sorte de liberté nous voulons», D. Charette, PC, reportage, p. A-14.

24 avril

3418 «Chaput-Rolland fatiguée des injures», PC, reportage, p. A-8.

3419 «Il y a 40 ans - Les Québécoises votaient pour la première fois», PC, reportage, p. A-9.

3420 «Lalancette blâme Bédard», B. Munger, reportage, p. A-3.

3421 «M. Halley est victime de discrimination», A. Desbiens-Girard, G. Gauthier, lettre, p. A-4.

3422 «Le Oui - Synonyme d'asservissement et de démission», PC, reportage, p. A-9.

25 avril

3423 «Référendum malhonnête», PC, reportage, p. B-5.

28 avril

3424 «Brunch des tenants du Non - La «peur» comme plat de résistance», A. Brassard, reportage, p. A-3.

29 avril

3425 «Aux Îles-de-la-Madeleine - Ryan croise le fer avec un étudiant», PC, reportage, p. A-9.

3426 «Selon trois députés - Les péquistes manipulent l'opinion publique», PC, reportage, p. A-11.

30 avril

3427 «Dans son Alma Mater - Ryan refait le plein d'énergie», PC, reportage, p. A-14.

3428 «Ryan estime la campagne remarquablement calme», PC, reportage, p. A-14.

1er mai

3429 «Un Oui bluffeur», C. Fortin, reportage, p. A-3.

3430 «Parti libéral - Ryan ne ferme pas la porte aux changements constitutionnels», PC, reportage, p. A-11.

2 mai

3431 «Moments pénibles pour Claude Ryan», A. Bellemare, PC, reportage, p. A-7.

5 mai

3432 «À St-Bruno. L'ardeur des nonistes ne se dément pas», C. Fortin, reportage, p. A-9.

3433 «En terminant sa 3ème semaine de campagne Ryan promet une sévère leçon le 21 mai», PC, reportage, p. A-9.

8 mai

3434 «À LG-3 - Bourassa vole la vedette à Ryan», PC, reportage, p. A-9.

3435 «Frère du premier ministre - Fernand appuie le Non», PC, reportage, p. A-8.

3436 «Halley commente», reportage, p. A-2.

3437 «Lévesque tue la famille», PC, reportage, p. A-9.

3438 «Regroupement pour le Oui - Ryan y voit un danger de patronage», PC, reportage, p. A-9.

3439 «Sarcasmes», reportage, p. A-2.

9 mai

3440 «Appel aux médecins - Le docteur Bertrand choisi un Non positif», F. Côté, PC, reportage, p. A-9.

3441 «Attitude de prudence - Marcel Lessard», reportage, p. A-5.

3442 «Devant quelque 800 Québécoises - Ryan et Chaput-Rolland rendent témoignage pour le Non», reportage, p. A-2.

3443 «Pour Ryan les jeux sont faits», PC, reportage, p. A-9.

3444 «Le référendum dans la région», C. Fortin, reportage, p. A-2.

10 mai

3445 «Si le Oui l'emporte - Gratton démissionnera», PC, reportage, p. A-9.

12 mai

3446 «Pas de victoire fragile - Ryan», D. Charette, PC, reportage, p. A-1.

13 mai

3447 «Réforme constitutionnelle - Selon Ryan, il ne faut pas aller ni trop vite ni trop lentement», PC, reportage, p. A-12.

14 mai

3448 «Livre beige - Solutions jugées dangereuses», PC, reportage, p. A-20.

3449 «Ryan parle d'une imposture», PC, reportage, p. A-20.

15 mai

3450 «Claude Ryan ne croit pas que la région votera Oui majoritairement», C. Fortin, reportage, p. A-11.

3451 «Pour le Non - Même si ses enfants sont pour le Oui», reportage, p. A-2.

3452 «Ryan espère des résultats intéressants dans la région», B. Racine, PC, reportage, p. A-13.

3453 «Ryan revient dans la forteresse nationaliste», B. Tremblay, commentaire, p. A-4.

16 mai

3454 «Dans Roberval - Le Non gagnera ou sera pas mal «Egal à égal», C. Fortin, reportage, p. A-3.

3455 «En visite au Lac-Saint-Jean - Ryan s'en prend à Louis Laberge», PC, reportage, p. A-8.

3456 «Pour le Non - Benoît Fortin craint le lendemain de l'indépendance», B. Munger, reportage, p. A-7.

3457 «Un vote de confiance opposant Trudeau à Lévesque», B. Tremblay, commentaire, p. A-4.

17 mai

3458 «En marche vers l'objectif - Ryan appuyé par 600 universitaires», PC, reportage, p. A-11.

3459 «Gustave Côté brandit le spectre du nazisme», PC, reportage, p. 2.

20 mai

3460 «Ryan fait le bilan de la campagne», PC, reportage, p. B-7.

21 mai

3461 «Claude Ryan réclame des élections au Québec dès l'automne prochain», PC, reportage, p. A-20.

3462 «Dans la région et au Québec - Pas de surprise pour Halley», reportage, p. A-8.

3463 «Lessard souhaite une refonte de la constitution», reportage, p. A-3.

3464 «Pas un Oui au statu quo», reportage, p. A-14.

3465 «Référendum inutile», PC, reportage, p. A-20.

3466 «Volonté d'un fédéralisme renouvelé - Robert Lamontagne», reportage,
p. A-3.

THE RECORD

18 avril

3467 «Lesage, Bourassa back the No»,
CP, reportage, p. 1.

3468 «Ryan campaign strategy is already
clear», CP, reportage, p. 4.

21 avril

3469 «Dogs in the manger.» Revendica-
tions du Québec par rapport à
l'énergie et au Labrador», libre
opinion, p. 4.

22 avril

3470 «Bill 101 court opponent says
bilingualism not a threat» (A vote
for No)», CP, reportage, p. 4.

24 avril

3471 «Granby. Nos host soirée»,
N. Wyatt, reportage, pp. 1, 3.

25 avril

3472 «Thetford Yvettes jam local ELKs
Club», B. Nichol, reportage, p. 2.

28 avril

3473 «Mayor blasts municipal meddling»,
reportage, p. 3.

29 avril

3474 «Ryan: Sov Ass may lead to joining
US», CP, reportage, p. 2.

3475 «Stability in unity, says Bourassa»,
CP, reportage, p. 2.

30 avril

3476 «Sauvé: two governments will
protect us better than one», CP,
reportage, p. 8.

5 mai

3477 «Ryan mum on 60% No poll», C.
Treiser, reportage, pp. 1, 2.

6 mai

3478 «Pension fund siphoned, Kierans
charges Parizeau», CP, reportage,
p. 1.

7 mai

3479 «Good timing for some», CP, reportage, p. 1.

8 mai

3480 «Would Quebec keep boundaries?»,
A. Craig, commentaire, p. 5.

9 mai

3481 «Levesque family split in ref
debate», CP, reportage, p. 13.

12 mai

3482 «No rest yet», C. Treiser, commentaire, p. 4.
/Attitudes de Trudeau et Ryan dans
la campagne/

13 mai

3483 «Don't confine me again, author
Richler asks of Levesque», CP,
reportage, p. 8.

3484 «Senator Therese Casgrain: We
never thought of separation»,
CP , reportage, p. 8.

14 mai

3485 «Ryan: Confidence base of campaign»,
CP , reportage, p. 10.

15 mai

3486 «PAC: Respect anonymity of ballot box», A. K. Paterson, lettre, p. 4.

16 mai

3487 «Canadian freedom permits peaceful Quebec discussion», G. MacLaren, éditorial, p. 4.

20 mai

3488 «Father to daughter: A federalist's experience», C. Bowers, reportage, p. 4.

3489 «Little house», K. Snow, commentaire, p. 3.

21 mai

3490 «Missisquoi «machine» tramples Yes opposition», J. McCaghey, reportage, p. 3.

3491 «Richmond: No forces drink to Canada», C. Bowers, reportage, p. 3.

3492 «Ryan urges early vote», CP, reportage, p. 1.

23 mai

3493 «Ryan: Irregularities rampant», CP, reportage, p. 1.

LE REFLET

23 avril

3494 «Ouverture du bureau du comité du Non», reportage, pp. 40, 41.

30 avril

3495 «L'Association fédérale est préférable», Les Québécois pour le Non Châteauguay, communiqué, p. 8.

7 mai

3496 «Assemblée du Non à Saint-Philippe», reportage, p. 31.

14 mai

3497 «Comité des Québécois pour le Non district électoral de Huntingdon», commentaire, p. 26.

3498 «Non... Georges Forest à Châteauguay», M. Bergamini, reportage, p. 26.

3499 «Réunion du «Non» à Sainte-Catherine», Comité des Québécois pour le Non Châteauguay, communiqué, p. 26.

LE RÉGIONAL DE L'OUTAOUAIS

23 avril

3500 «Près de 5,000 militants à l'Aréna de Hull - Ralliement du «Non», R. Marcotte, reportage, p. 4.

14 mai

3501 «Message de Gilles Rocheleau», G. Rocheleau, communiqué, p. 7.

RELATIONS

Mai

3502 «Le centre du débat s'est déplacé», C. Taylor, commentaire, p. 149.

3503 «Participer à l'héritage que nous ont laissé nos ancêtres», G. St-Pierre, libre opinion, p. 140.

LE RÉVEIL À JONQUIÈRE

30 avril

3504 «Pour Jean Halley: La question est malhonnête», reportage, p. 2-B.

21 mai

3505 «Pour Jean Halley. Une victoire à saveur régionale», M. Fortin, reportage, p. 4.

3506 «Selon Marcel Lessard. La force
      des syndicats égale un «Oui»,
      M. Fortin, reportage, p. 6.

LA REVUE

30 avril

3507 «Claude Ryan à Repentigny», repor-
      tage, p. 1.

7 mai

3508 «Le camp du «Non» veut des chiffres»,
      reportage, p. 12.

14 mai

3509 «Raynault et Bégin à Mascouche.
      «C'est facile de voter Oui», repor-
      tage, p. 16.

LA REVUE DE GATINEAU

23 avril

3510 «Avec l'association pas de souve-
      raineté», E. Lalancette, libre opi-
      nion, p. 18.

30 avril

3511 «Le prix de l'énergie», E. Lalan-
      cette, libre opinion, p. 14.

7 mai

3512 «Les travailleurs québécois et le
      référendum», E. Lalancette, libre
      opinion, p. 16.

14 mai

3513 «Non», E. Lalancette, libre opinion,
      p. 18.

LA REVUE DE PAPINEAU

23 avril

3514 «Avec l'association pas de souve-
      raineté», E. Lalancette, libre
      opinion, p. 6.

3515 «5000 personnes à l'assemblée»,
      reportage, p. 8.

30 avril

3516 «Non avec Elie Lalancette/Le prix
      de l'énergie», libre opinion,
      p. 10.

7 mai

3517 «Non avec Elie Lalancette», libre
      opinion, p. 12.

14 mai

3518 «Non avec Elie Lalancette»,
      E. Lalancette, libre opinion, p. 8.

LE RICHELIEU AGRICOLE

29 avril

3519 «Dans un Québec indépendant: pou-
      voirs de négociation réduits avec
      les partenaires commerciaux», libre
      opinion, p. 8.

3520 «Document du Non: Développer toutes
      les régions du pays selon leur po-
      tentiel et leur climat», reportage,
      p. 7.

LE RIMOUSKOIS .

16 avril

3521 «Il y a aussi ceux qui disent Non»,
      B. Deschênes, reportage, p. A-25.

30 avril

3522 «La croisade du Non atteint Rimous-
      ki», B. Deschênes, reportage, p. A-2.

ST-LAURENT ÉCHO

23 avril

3523 «De toute façon, c'est Non, Non et Non à la question», O. Dumont, communiqué, p. 3-A.

7 mai

3524 «Campagne campagne: Un appel à la solidarité des femmes», L. Bossé, reportage, p. 4-A.

3525 «Dire Non, c'est être avant-gardiste (Rosaire Gendron)», L. Chassé, reportage, p. 20-A.

3526 «Plus j'y pense... plus c'est Non», O. Dumont, Comité du Non Rivière-du-Loup, lettre, p. 3-A.

14 mai

3527 «Une question tricotée, tortillée», reportage, p. 6-A.

3528 «Le 20 mai 1980: Votons «Non» à la question», O. Dumont, Comité du Non Rivière-du-Loup, lettre, p. 3-A.

21 mai

3529 «Bourassa a perdu le pouvoir par patriotisme», L. Chassé, libre opinion, p. 3-A.

28 mai

3530 «Comté de Rivière-du-Loup: Non comme dans le reste du Québec», M. Robitaille-Tremblay, reportage, p. 7-A.

3531 «Dans Kamouraska-Témiscouata: Une lutte propre (Grandmaison)», reportage, p. 7-A.

3532 «Le «Non» clame une victoire sentimentale», M. Robitaille-Tremblay, reportage, p. 5-A.

THE ST. LAWRENCE SUN/ LE SOLEIL DU ST-LAURENT

16 avril

3533 «Le député de Maisonneuve à Châteauguay. Georges Lalande inaugure le bureau du comité du Non», D. Boucher, reportage.

3534 «Provides retorts to «Yes» proponents. «Scowen predicts 60% per cent victory for «No» side in referendum vote», D. Rosenburg, reportage, p. A-1.

30 avril

3535 «L'idée d'un débat dans le comté n'était pas nouvelle!», J. Dulude, Comité du Non Châteauguay, communiqué, p. A-5.

14 mai

3536 «À ses concitoyens du comté de Châteauguay. «Message du président Joseph Dulude pour le comité des Québécois pour le Non», J. Dulude, communiqué, p. C-1.

3537 «Pour le comité du Non. Georges Forest de la cour suprême de passage ici», reportage, p. 1.

3538 «Le 20 mai, je voterai pour le Québec... au Canada!» - Gérard Bruchési, ex-député», G. Bruchési, libre opinion, p. C-4.

LA SEIGNEURIE

30 avril

3539 «Campagne de peur? Oui ou Non», Les Québécois pour le Non Chambly, libre opinion, p. 14.

7 mai

3540 «L'appât de l'association économique», Les Québécois pour le Non Chambly, libre opinion, p. 24.

3541 «Le piège de voter «Oui» pour donner un mandat de déblocage (bargaining power)», commentaire, p. 15.

14 mai

3542 «Canada, pays de richesses, de
liberté et de sécurité», commentaire, p. 22.

LA SEMAINE

15 avril

3543 «Avez-vous moins de 18 ans?»,
G. Asselin, comité du Non Lafontaine, lettre, p. 4.

3544 Nil

6 mai

3545 «Le camp du Non dans L'Assomption:
Le «Livre blanc» muet sur la fac-
ture... - Ouellette», reportage,
p. 8.

3546 «Déterminé et plus que jamais confiant: Prosper Boulanger dénonce
les 10 commandements péquistes»,
A. Merrette, reportage, p. 11.

3547 «Les sables bitumineux: Une garantie pétrolière pour le Canada -
Claude Forget», reportage, p. 5.

13 mai

3548 «Le député André Raynault traite
des perspectives économiques du
Québec», O. Michel, reportage,
p. 2.

3549 «Le P.Q. a réussi là où les anglais ont échoué», Association libérale de Lafontaine, lettre, p. 8.

3550 «Pour Prosper Boulanger: le référendum est autre chose qu'un con-
cours de popularité», A. Merrette,
reportage, p. 3.

3551 «Réunion d'ex-adversaire à Lavaltrie: Trêve... pour le «Non»,
reportage, p. 6.

27 mai

3552 «À 2% de la victoire: Ouellette
satisfait», reportage, p. 3.

30 avril

3553 «Dans le cadre du référendum: MM.
Levasseur et Lanctôt co-président
du «Non», reportage, p. 13.

7 mai

3554 «Pourquoi je dirai «Non» au référendum», J.-P. Lanctôt, communiqué,
p. 13.

14 mai

3555 «Des Chibougamois précisent leur
«Non», libre opinion, p. 13.

3556 «Pour Chapais 65 pour 100 de Non»,
reportage, p. 11.

3557 «Le Québec c'est ma patrie, le
Canada c'est mon pays», B. McNicholl,
libre opinion, p. 28.

21 mai

3558 «Pour Claude Ryan, il faut maintenant connaître le parti qui pourra
négocier», reportage, p. 2.

LE SOLEIL

15 avril

3559 «Rôle de l'armée défendu par le
général Allard», C. Tessier, reportage.

3560 «Ryan rend hommage au travail de
Trudeau», R. Giroux, reportage.

16 avril

3561 «Les Québécois diront Non», C. Ryan,
libre opinion, p. A-8.

3562 «Ryan invite les Québécois à faire
preuve de consistance», PC, reportage, pp. A-1, A-2.

17 avril

3563 «Berton vient appuyer le Non des
anglophones de Québec», R. Giroux,
reportage, pp. A-1, A-2.

3564 «L'enjeu, pour Ryan: le choix d'un
pays pour les Québécois», PC, UPC,
reportage, p. B-1.

18 avril

3565 «L'apport de MM. Lesage et Bourassa»,
M. Pépin, éditorial, p. A-6.

3566 «Lesage et Bourassa feront campagne
aux côtés de Ryan», PC, reportage,
p. B-1.

3567 «Un Oui mènerait à la crise, dit
Ryan», PC, reportage, p. B-2.

19 avril

3568 «Ryan veut une surveillance de la
Presse», B. Racine, PC, reportage,
p. A-1.

21 avril

3569 «La campagne du Non prend un nouveau souffle à Hull», PC, UPC,
reportage, p. A-12.

3570 «Ciaccia doute d'un deuxième référendum», L. Lachance, reportage,
p. A-11.

22 avril

3571 «Il sera ardu de reculer après un
Oui (Ryan)», PC, reportage, p. B-3.

23 avril

3572 «Chaput-Rolland est fatiguée d'être
injuriée», PC, reportage, p. B-4.

3573 «Les questions locales oubliées.
Ryan exploite le thème des libertés»,
R. Giroux, reportage, p. B-3.

3574 «La réforme constitutionnelle après
un Non. Ottawa ne rira pas de nous
(Le Moignan)», PC, reportage,
p. B-4.

3575 «Ryan vise une majorité de Non
chez les francophones», R. Giroux,
reportage, p. B-1.

25 avril

3576 «Edmonton aurait plus à se plaindre
que Québec (Ryan)», PC, reportage,
p. B-3.

3577 «Un Oui va provoquer la guerre
civile», L. Gaudreault, reportage,
p. B-3.

26 avril

3578 «Les lois, les impôts et les am-
bassades», J.-C. Rivest, libre
opinion, p. B-3.

3579 «Mines de sel: Ryan s'expliquera
aux Îles», R. Giroux, reportage,
p. B-5.

28 avril

3580 «En Gaspésie, le débat prend plus
de mordant», R. Giroux, reportage,
p. B-3.

3581 «Le référendum peut nous rendre
notre fierté, dit Ryan», PC,
reportage, p. B-3.

3582 «Le Tour de la question. Mon Non
est Nauat», L. Gaudreault, reportage, p. B-3.

29 avril

3583 «Dawson, Goulet et Pagé disent
que le PQ manipule les gens»,
D. Angers, reportage, p. A-12.

3584 «Pierre de Bané se rallierait
après un Oui», R. Giroux, reportage, p. A-13.

3585 «Ryan critique le projet», UPC,
reportage. p. A-1.

30 avril

3586 «Ryan évoque un nouvel organisme
pour le fisc», PC, reportage,
p. B-3.

1er mai

3587 «Explication d'un groupe de
«Yvette», R. Laberge, reportage,
p. A-5.

3588 «Kerwin rejette la politique
scientifique du Québec», C.
Tessier, reportage, p. B-8.

3589 «Ryan amenderait le livre beige
s'il le fallait», PC, reportage,
p. B-3.

2 mai

3590 «Ryan est gagné par un grand
optimisme», PC, reportage,
p. B-3.

3 mai

3591 «Ce Non que vous ferez entendre...»,
J.-C. Rivest, libre opinion,
p. B-3.

3592 «Des partisans du Oui posent des
actes fascistes (Ryan)», PC,
reportage, p. B-6.

3593 «Indécis, vous ne dormirez pas
en paix», R. Giroux, reportage,
p. B-4.

3594 «Tremblay craint un résultat trop
serré», D. Charette, PC, reportage, p. B-6.

5 mai

3595 «Évitons l'excès de confiance,
dit Ryan», PC, UPC, reportage,
p. B-3.

3596 «Madeleine Ryan a parlé à 26,000
femmes jusqu'ici», C. Vaillancourt,
reportage, p. 1.

3597 «Les tenants du Oui utilisent l'é-
quivoque (Lesage)», A. Bellemare,
PC, reportage, p. B-4.

6 mai

3598 «Caisse de dépôt. Kierans part en
accusant Parizeau», PC, reportage,
p. 1.

3599 «Le Non des jeunes: un choix
personnel», D. Angers, reportage,
p. 1.

3600 «Pour les bonnes oeuvres», L.
Gaudreault, reportage, p. B-3.

3601 «Ryan souhaite un verdict qui dé-
molirait une option», PC, reportage, p. B-3.

7 mai

3602 «Bourassa en bout de piste»,
G. Lesage, reportage, p. B-1.

3603 «Correctif», reportage, p. A-4.

3604 «Faute d'un budget de l'an 1, un
«énoncé» d'impact fiscal», P.
Bennet, reportage, p. B-3.

3605 «Kierans, le bagarreur», C.
Beauchamp, commentaire, p. A-6.

3606 «Ryan donne le feu vert à
Bourassa», R. Giroux, reportage,
p. 1.

8 mai

3607 «Non merci, vous ne briserez pas
le pays - Trudeau», J.-J. Samson,
reportage, p. 1.

9 mai

3608 «Gratton parie son poste», PC,
reportage, p. B-1.

3609 «Les problèmes de fond vont
rester (Ryan)», J.-J. Samson,
reportage, p. B-3.

10 mai

3610 «Bonne fête, Yvette», J. Dumais,
commentaire, p. A-6.

3611 «Ne raffinons pas, dit Ryan:
«Chaque vote est un vote»,
J.-J. Samson, reportage, p. B-5.

3612 «Oui, Ryan adore les foules»,
R. Giroux, reportage, p. B-4.

3613 «Si vous me disiez vrai...»,
J.-C. Rivest, libre opinion,
p. B-3.

12 mai

3614 «Objectif: 60 pour 100 (Ryan)»,
J.-J. Samson, reportage, p. B-3.

13 mai

3615 «Garneau imite ses ex-chefs»,
D. Angers, reportage, p. B-3.

3616 «Ryan déclare la guerre au Journal de Montréal», J.-J. Samson,
reportage, p. B-3.

14 mai

3617 «M. Ryan et la publicité fédérale», M. Pépin, éditorial, p. A-6.

3618 «Ryan dresse le bilan des deux
campagnes», R. Lacombe, reportage, p. B-3.

3619 «$3. milliards de perte par an»,
J.-J. Samson, reportage, p. B-3.

15 mai

3620 «Seul, le Québec ne pourra affronter l'avenir (Ryan)», J.-J. Samson,
reportage, p. B-3.

16 mai

3621 «Ryan fait campagne avec discrétion au Lac-Saint-Jean», J.-J.
Samson, reportage, p. B-3.

3622 «Le travail à la base est terminé»,
PC, reportage, p. B-3.

17 mai

3623 «Ryan fait l'éloge de Trudeau
à Maniwaki», PC, reportage,
p. B-7.

3624 «Le sprint final, pour conquérir
le vote francophone», J.-J.
Samson, reportage, p. B-2.

20 mai

3625 «Après un Non, Ryan visera le
bonheur pour le Québec», PC,
reportage, p. B-1.

21 mai

3626 «Dans l'Ouest du Québec.
Un Non merci sans équivoque»,
PC, reportage, p. A-18.

3627 «L'opposition sera vigilante.
Des élections au plus vite (Ryan)»,
J.-J. Samson, reportage, p. A-3.

22 mai

3628 «Alex Paterson: un rôle spécial
échoit aux Anglo-Québécois»,
L. Lachance, reportage, p. B-3.

3629 «Le messie ...?», G. Lesage,
reportage, p. B-1.

3630 «Ryan revendique pour lui seul
la victoire», J.-J. Samson,
reportage, p. B-1.

LE SOLEIL DU ST-LAURENT

23 avril

3631 «Le Comité du Non attire 800
personnes - Émile Genest n'avait
pas tout à fait tort», N.
Morand, reportage, p. 1.

3632 «Le P.Q. a choisi la haine et
l'humiliation» - Fernand Lalonde,
député libéral», N. Morand,
reportage, p. 11.

3633 «Pour Claude Dubois, député de
Huntingdon dire Oui au référendum,
c'est dire Oui aux felquistes,
maoïstes, marxistes et communistes
...», M. Martel, reportage, p. D-1.

3634 «Le référendum promis par Claude
Ryan», R. Lamothe, Comité du Non
Beauharnois, lettre, p. 18.

3635 «Les unionistes Jacques Cardinal
et Jocelyn Demers voteront Non»,
N. Morand, reportage, p. 1.

30 avril

3636 «Plus de 1,000 personnes au Non
dans Soulanges - Il importe plus
de parler et vivre librement que
de le faire en français ou en
anglais - Solange Chaput-Rolland»,
M. Martel, reportage, p. A-8.

7 mai

3637 «C'est la première fois qu'un gouvernement refuse de s'associer aux autres - Daniel Johnson», M. Martel, reportage, p. C-3.

3638 «Je dis Non et c'est Non-négociable - Madeleine Ryan», M. Jolicoeur, reportage, p. A-10.

3639 «Pour le Non. Derrière les chiffres», P. Winfield, communiqué, p. D-11.

3640 «Pour le Non. Une formule plus perfectionnée», S. L'Écuyer, communiqué, p. D-11.

3641 «Pour le Non. Sommes-nous vraiment menacés?», M. Lachapelle, communiqué, p. D-11.

3642 «Les Québécois sont profondément attachés au Canada - Thérèse Lavoie-Roux», M. Jolicoeur, reportage, p. A-6.

3643 «Les québécoises sont tannées de se faire dire quoi dire - Solange Chaput Roland», D. Boucher, reportage, p. A-14.

3644 «La question référendaire - Elle nous propose le divorce», M. Jolicoeur, reportage, p. A-13.

3645 «René Lévesque, y s'prend pour Élizabeth Taylor», M. Jolicoeur, reportage, p. A-11.

3646 «Soirée du Non à Beauharnois - Il aurait fallu plus qu'une question ambiguë pour briser le Canada... - Gérald Laniel», M. Martel, reportage, p. C-3.

9 mai

3647 «La souveraineté-association: ça mène nulle part... - Normand Toupin», M. Jolicoeur, reportage, p. A-16.

14 mai

3648 «Dimanche dernier à Huntingdon. La réalité est bien meilleure que le rêve du P.Q.... - Marc Lalonde», M. Martel, reportage, p. D-1.

3649 «Près de 1,000 personnes l'accueillent à Valleyfield. Claude Ryan parle d'un pays à développer...», M. Martel, reportage, p. 1.

3650 «Soirée du Non. Le gouvernement du Québec a réveillé la fierté des canadiens»... - Gérald Laniel», M. Martel, reportage, p. A-6.

21 mai

3651 «Au sein du comité du Non on a mené une campagne méthodique», M. Jolicoeur, reportage, p. A-6.

3652 «C'est une très belle victoire d'équipe - Jean Labesner», M. Jolicoeur, reportage, p. A-4.

3653 «J'ai toujours été fier de m'afficher comme canadien... Dr. P. Doucet», M. Jolicoeur, reportage, p. A-6.

3654 «Je suis heureux et j'en remercie la population... - Maurice Campeau», M. Jolicoeur, reportage.

3655 «Les québécois ont posé un geste courageux en votant Non - Paul Gérin-Lajoie, président du Comité du Non», M. Martel, reportage, p. A-4.

3656 «Les résultats prouvent le bon sens des québécois... - Claude Dubois», M. Martel, reportage, p. A-3.

LE SOMMET-ÉCHO DES LAURENTIDES

30 avril

3657 «Rien n'est plus dangereux que de rêver réveillé», R. Deschênes, libre opinion, p. 4.

7 mai

3658 «Claude Ryan accueilli chaleureusement dans son propre comté. «Avec un Oui le Québec s'engagera dans la voie de l'indépendance», M. Desbiens, reportage, p. 10.

3659 «Les méchants et les bons québécois», R. Deschênes, libre opinion, p. 4.

14 mai

3660 «C'est une question enrobée de chocolat... avec du poison à l'intérieur» - Camil Samson», M. Desbiens, reportage, p. 17.

3661 «Réponse à Mme Fernande Goulet-Yelle, Directrice des soins au foyer Ste-Agathe, à sa lettre parue dans Le Devoir du 29 avril 1980», S. Chalifoux, Comité du Non, lettre, p. 18.

21 mai

3662 «Un sérieux avertissement», M. Desbiens, éditorial, p. 4.

28 mai

3663 «Les Québécois ont dit encore Non au séparatisme», R. Deschênes, lettre, p. 4.

THE SUBURBAN

30 avril

3664 «Don't misinterpret the meaning of your vote», C. Languedoc, libre opinion, p. 1.

3665 «I know why I'll say No!» - Madeleine Ryan», reportage, p. 3.

3666 «Scowen: People don't want to lose their country», B. D. Eisenthal, reportage, p. A-7.

14 mai

3667 «Every vote crucial», reportage, p. 14.

3668 «The french press», F. Belfer, revue de presse, p. 18.

3669 «The politics of division», C. Languedoc, commentaire, p. 1.

3670 «PQ vision is not necessarily the people's choice», F. Belfer, commentaire, p. 11.

3671 «Rationality the key to campaign: Ryan», C. Languedoc, reportage, p. 10.

21 mai

3672 «Canada - A country worth saving», P. Lust, commentaire, p. A-4.

28 mai

3673 «Good will needed for constitutional reform», C. Languedoc, commentaire, p. A-7.

3674 «No clientele for PQ's option: Marx», C. Languedoc, reportage, p. A-15.

3675 «The referendum victory», H. Marx, commentaire, p. A-30.

LE SUDISTE

23 avril

3676 «Dans Taillon, le comité du Non en pleine action!», reportage, p. 11.

7 mai

3677 «Un coup de pouce de Ryan dans Taillon», reportage, p. 15.

THE SUNDAY EXPRESS

20 avril

3678 «Rest of Canada resent being left out of debate», B. Shaw, commentaire.

3679 «Ryan. I'll give PQ' a 1-2 punch», reportage.

27 avril

3680 «R.I.P., my belle Québec», D. Williamson, commentaire.

3681 «We had too much confidence in your judgment», Ryan tells crowd», A. Ambroziak, reportage.

4 mai

3682 «Disgraceful and deplorable» -
Ryan says PQ militants to blame
for campaign brawls», UPC, reportage.

3683 «Yes» will cause havoc - but it
won't be doomsday», B. Shaw,
libre opinion.

11 mai

3684 «Francophones won't be bullied
into «Yes» vote», B. Shaw, libre
opinion, p. 9.

3685 «No» needs to win big», G. Sinclair,
commentaire, p. 9.

3686 «Ryan's plea: Don't divide
Quebecers - Ryan tells 3,000 at
Paul Sauvé - «I reject PQ's ethnic
discrimination», reportage,
pp. 1, 2, 3.

18 mai

3687 «Confident Ryan urges conciliation
- PQ ideas,values must be integra-
ted - not «purged», UPI, reportage,
pp. 2, 3.

3688 «Homage to Roberts», D. Williamson,
reportage.

3689 «No» vote means rebirth», G. Sinclair, reportage, p. 9.

3690 «70 per cent of Quebecers will vote
«No» Tuesday», B. Shaw, libre opinion, p. 9.

24 mai

3691 «Stronger vote was needed to end
political unstability», B. Shaw,
libre opinion, p. 9.

SUNDAY STAR

20 avril

3692 «Throw 1-2 punch at PQ, Ryan urges»,
C. Arpin, reportage.

3693 «You have to take gambles»-Ryan
concedes», C. Arpin, reportage.

27 avril

3694 «Ryan hails «explosion» of love
for Canada», C. Arpin, reportage,
p. A-1.

18 mai

3695 «Ryan serves up add mix in last TV
appeal to voters», R. McKenzie,
reportage, p. A-8.

25 mai

3696 «The Yvettes: No turning back», C.
Goyens, P. Hluchy, reportage,
p. A-8.

LE TÉMISCAMIEN

16 avril

3697 «Un appel aux fédéralistes.
M. Claude Gagnon dit Non à la sou-
veraineté-confusion», J. Lalonde,
reportage.

23 avril

3698 «Les maires invités à joindre le
comité du Non», reportage, p. 7.

7 mai

3699 «À Val-D'Or, 1200 Yvettes disent
Non», J. Lalonde, reportage,
p. 2.

14 mai

3700 «Le P.Q. n'a pas fait la preuve que
sa patente est compréhensible et
négociable» - Claude Ryan, chef du
comité des Québécois pour le Non»,
J. Lalonde, reportage, p. 3.

3701 «La question est tortueuse, sinueuse,
malhonnête et... croche» - Camil
Samson», reportage, p. 3.

15 avril

3702 «A new Claude Ryan? No, he always
was tough», R. McKenzie, analyse,
p. A-15.

16 avril

3703 «PQ feared longer race Ryan says»,
C. Arpin, reportage, p. A-25.

3704 «Yes vote would weaken Quebec position - Ryan», C. Arpin, reportage,
p. A-25.

17 avril

3705 «Distorted» press angers Ryan»,
C. Arpin, reportage, p. A-14.

21 avril

3706 «Dozens of threats aimed at No
forces, Ryan says - Threats mount
against No forces, Ryan says»,
C. Arpin, reportage, pp. A-1,
A-19.

3707 «Federalist Lesage fathered PQ
dream», R. McKenzie, reportage,
p. A-9.

22 avril

3708 «Ryan criticizes Yes diplomas»,
C. Arpin, reportage, p. B-6.

23 avril

3709 «Yes sign of blind servitude -
Ryan», C. Arpin, reportage,
p. A-6.

24 avril

3710 «PQ compared to the Kremlin», C.
Arpin, reportage, p. A-6.

25 avril

3711 «PM wrong about emphasis» - Ryan»,
C. Arpin, reportage, p. A-6.

28 avril

3712 «Bourassa's ready if Ryan stumbles»,
R. McKenzie, reportage, p. A-8.

29 avril

3713 «Female instinct on federal side
Ryan says», C. Arpin, reportage,
p. A-12.

3714 «Is anyone listening to Ryan's TV
talks?», R. McKenzie, reportage,
p. A-13.

3715 «PQ nationalism threatens civil
liberties - Ryan», C. Arpin, reportage, p. A-12.

3716 «Ryan rejects plan to convene
Parliament in Québec», C. Arpin,
P. Wallin, reportage, p. 1.

30 avril

3717 «Defiant Ryan rebuffs «prophets of
doom», C. Arpin, reportage, p. A-6.

3718 «Ryan may survive mistakes», R.
McKenzie, reportage, p. A-6.

1er mai

3719 «Foolish» to misinterpret No: Ryan»,
C. Arpin, reportage, p. A-6.

3720 «A question of interpretation»,
UPC, reportage, p. A-6.
/Photographie avec légende/

2 mai

3721 «Separatist hecklers raise Ryan's
hackles», C. Arpin, reportage,
p. A-6.

3722 «Voters left off list, Ryan says»,
C. Arpin, reportage, p. A-6.

3 mai

3723 «First ladies of fight for Quebec»,
G. Cosgrove, reportage, p. H-1.

3724 «Trudeau intervention «very helpful»
- Ryan», C. Arpin, reportage,
p. A-6.

5 mai

3725 «Fight campaign violence with a
No vote - Ryan», C. Goyens,
reportage, p. A-6.

6 mai

3726 «PQ's tactics will backfire Ryan
says», C. Goyens, reportage,
p. A-6.

7 mai

3727 «PQ manipulates hydro project
Bourassa says», C. Goyens, reportage, p. A-6.

9 mai

3728 «Social unrest is Quebec's real
problem, Ryan says», UPC, CP,
reportage, p. 12.

10 mai

3729 «Ryan rides high on a wave of
emotion», C. Goyens, reportage,
p. B-5.

13 mai

3730 «Federal ads break law - Levesque»,
CP, reportage, p. 1.

3731 «60% needed for convincing victory
- Ryan - Ryan says victory must be
convincing», C. Arpin, reportage,
pp. 1, A-14.

14 mai

3732 «Federal ads legitimate Ryan says»,
C. Arpin, reportage, p. 1.

15 mai

3733 «Unite for change Ryan asks Quebec -
- Help rebuild Canada Ryan tells
Quebecers», C. Arpin, reportage,
pp. 1, A-6.

16 mai

3734 «Levesque won't have any excuses
for losing: Ryan», C. Goyens,
reportage, p. A-6.

17 mai

3735 «Ryan emerges as a formidable
political figure», C. Arpin, reportage, p. B-5.

3736 «Ryan vows he'll give no ground
to Trudeau on constitutional
issue», C. Arpin, reportage,
p. A-6.

19 mai

3737 «Ryan tells No forces to be wary»,
C. Arpin, reportage, p. A-6.

3738 «Strange bedfellows», reportage,
p. A-3.

3739 «Work to bitter end, Claude Ryan
urges», C. Arpin, reportage, p. A-1.

20 mai

3740 «French No vote key to harmony now,
Ryan says», C, Arpin, reportage,
p. A-14.

3741 «Totalling up», D. Laek, p. A-14.
/Photographie avec légende/

3742 «Vote No for mercy's sake - Ryan»,
reportage, p. A-1.

21 mai

3743 «Jubilant Ryan hurls challenge of
fall election at Levesque», C.
Arpin, reportage, p. A-22.

TOWN OF MOUNT ROYAL WEEKLY POST

24 avril

3744 «Ciaccia feels optimistic», reportage, p. 7.

3745 «Dirigera le «Non» à Mont-Royal/
Leads committee for No vote»,
reportage, p. 3.

ler mai

3746 «Independence is key issue /
L'objectif: c'est l'indépendance»,
reportage, p. 1.

8 mai

3747 «Canadian Legion urges Quebecers
to vote No», R. L. Ford, J. R.
Daigle, J. McCormack, lettre,
p. 16.

3748 «Pourquoi je voterai Non», libre
opinion, p. 3.

15 mai

3749 «Assurez-vous de voter le 20 mai -
Notre avenir en dépend!», reportage, p. 7.

3750 «Big attendance at rally of local
No supporters», reportage, p. 1.

3751 «Next tuesday's referendum and how
we should vote», éditorial, p. 4.

LE TRAIT D'UNION

23 avril

3752 «Michel Duval: Un nationaliste
qui ne se considère pas comme un
«vendu», reportage, p. 24.

14 mai

3753 «Au club de golf de Mascouche. Le
comité du Non a parlé d'économie
et de pension de vieillesse»,
reportage, p. 52.

3754 «L'opinion des lecteurs. Le comité
du Non dénonce une «mesquinerie»,
Comité pour le Non, libre opinion,
p. 5.

28 mai

3755 «Pour les tenants du Non dans
l'Assomption. Une défaite qui a
des odeurs de victoire», reportage,
p. 6.

LA TRIBUNE

16 avril

3756 «Le fédéralisme plus sûr - Michel
Gratton», reportage, p. C-14.

3757 «Le véritable enjeu: l'indépendance ou le fédéralisme renouvelé -
Claude Ryan», PC, reportage,
p. B-1.

18 avril

3758 «650 personnes disent Non merci
avec Ryan», PC, reportage, p. B-1.

19 avril

3759 «Mordecai Richler, ennemi juré des
ghettos», I. Warren, reportage,
p. B-11.

3760 «Le Non, seul moyen d'arracher du
pouvoir», L. Dion, reportage,
p. B-11.

22 avril

3761 «Ryan dans la Beauce «Le fédéral
synonyme de liberté», PC, reportage,
p. B-1.

23 avril

3762 «Daniel Johnson Jr à East Angus.
Le véritable enjeu: l'indépendance»,
reportage, p. C-10.

3763 «L'enjeu du référendum: quelle
sorte de liberté voulons-nous?»,
PC, reportage, p. B-1.

3764 «On nage en pleine hypothèse - Michel
Le Moignan», reportage, p. C-10.

3765 «Solange Chaput-Rolland à Victoriaville. «Le référendum a permis aux
femmes d'aller au bout de leur maturité», reportage, p. B-1.

24 avril

3766 «Ryan compare le gouvernement aux
maîtres du Kremlin», PC, reportage,
p. B-1.

25 avril

3767 «Claude Ryan à Granby. L'Ouest plus à plaindre», PC, reportage, p. B-1.

26 avril

3768 «Lancement de la campagne du Non dans Sherbrooke. «Le débat doit présenter une image plus idéologique», F. Gougeon, reportage, p. B-4.

28 avril

3769 «Le Devoir. Opinion des autres. Les faux ogres», L. Bissonnette, commentaire, p. B-2.

29 avril

3770 «Accusé d'être un autre Lord Durham, Ryan claque la porte», PC, reportage, p. B-1.

3771 «Un coût de $5 millions selon 3 députés. Le gouvernement accusé de manipuler l'opinion publique à même les deniers publics», PC, reportage, p. B-1.

30 avril

3772 «Le Canada: un héritage à conserver - Maurice Théroux», L. Dion, reportage, p. B-3.

3773 «Les dirigeants du PQ: des individus cyniques et des manipulateurs - Reed Scowen», Y. Rousseau, reportage, p. B-3.

1er mai

3774 «Bourassa à Thetford Mines. «Il faut essayer de profiter de la crise énergétique», reportage, p. B-1.

3775 «Ryan se dit prêt à changer des propositions constitutionnelles», PC, reportage, p. B-1.

2 mai

3776 «Je me sens à l'aise et chez moi d'un bout à l'autre du Canada - Lorne MacPherson», Y. Rousseau, reportage, p. B-3.

3 mai

3777 «Ryan rassure les québécois sur les dangers de minorisation», PC, reportage, p. B-4.

3778 «Une victoire trop serrée amènera l'instabilité politique» - Tremblay», PC, reportage, p. B-4.

3779 «La voix de l'Est. Une idée à approfondir», V. Audy, éditorial, p. B-3.

3780 Nil

3781 «Le Non l'emportera parce que les indécis opteront pour le connu - M. Pierre C. Fournier», L. Dion, reportage, p. B-4.

5 mai

3782 «Ryan à Sherbrooke. Le marché canadien important pour l'Estrie - Ryan», C. Bellavance, reportage, p. B-1.

6 mai

3783 «L'approche du P.Q. me fait penser à l'approche syndicale» - Ryan... avec ce que cela représente pour les libertés individuelles», PC, reportage.

8 mai

3784 «Robert Bourassa à Sherbrooke. Le Québec peut affirmer son identité sans morceler le Canada - Bourassa», G. Dallaire, reportage, p. B-3.

3785 «Ryan reproche au camp du Oui d'ouvrir la porte au patronage», PC, reportage, p. B-3.

9 mai

3786 «Le conflit qui divise la société québécoise va persister même avec une victoire du Non - Ryan», PC, reportage, p. B-1.

3787 «Le Moignan s'inclinerait devant
le souhait de l'Église. Baisse
du Oui «Une poussée d'enthousiasme
qui, après réflexion des électeurs,
s'estompe et continuera de s'estom-
per», L. St-Pierre, reportage, p. B-4.

3788 «Les tenants du Oui, ce sont ceux
qui n'ont rien à perdre - Mme Monique Gagnon Tremblay», reportage,
p. B-4.

10 mai

3789 «Le chef du Non opposé à un rapatriement unilatéral» PC, reportage,
p. B-1.

3790 «Pour le président du Non. Une
étape qui amènera le Canada à
renouveler sa constitution - Labrecque», L. St-Pierre, reportage,
p. B-4.

3791 «Ryan assuré d'obtenir la faveur
des francophones», PC, reportage,
p. B-1.

12 mai

3792 «Le Non ne peut se satisfaire d'une
victoire fragile», PC, reportage,
p. B-1.

13 mai

3793 «Benoît Perron a choisi le Non»,
reportage, p. B-3.

3794 «Je veux laisser cet héritage à
mes enfants» - André Beaumier», L.
St-Pierre, reportage, p. B-3.

3795 «Mme Monique Gagnon-Tremblay pense
déjà à l'après-référendum», reportage, p. B-4.

3796 «Ryan compare le Journal de Montréal à une «feuille de chou», PC,
reportage, p. B-1.

14 mai

3797 «Baisse de popularité de Ryan. Le
parti libéral n'a pas à s'alarmer -
Fernand Lalonde», L. St-Pierre,
reportage, p. B-4.

3798 «L'ex-premier ministre Bourassa
veut surtout faire réfléchir les
gens», reportage, p. B-4.

3799 «Le nouveau dépliant du P.Q.: une
imposture - Ryan», PC, reportage,
p. B-1.

15 mai

3800 «Les deux groupes linguistiques
doivent continuer à harmoniser
leurs rapports - Ronald Sutherland»,
F. Gougeon, reportage, p. B-4.

3801 «Ryan espère remporter les cinq
comtés du Saguenay-Lac-St-Jean»,
PC, reportage, p. B-3.

3802 «La souveraineté: ça ne marche pas
du tout», F. Gougeon, reportage,
p. B-4.

3803 «Yvon Brochu s'explique. Le référendum ne servira qu'à mesurer
le degré de division», reportage,
p. B-3.

16 mai

3804 «Non à la question. Non au statu
quo», J. Vignault, éditorial, p. B-2.

3805 «Piuze veut défendre la présence
active du Québec au sein du Canada»,
reportage, p. B-5.

3806 «Ryan appuie l'adoption des mesures
de guerre de 1970», PC, reportage,
p. B-1.

17 mai

3807 «Une campagne référendaire loyale
selon les forces du Non», D. Giroux,
reportage, p. B-6.

3808 «La question de fond», M. Roy,
revue de presse, p. B-3.

3809 «La question: un piège à ours -
Samson», reportage, p. B-5.

3810 «Le référendum: une option pour
le fédéralisme», P. Tremblay, revue
de presse, p. B-3.

3811 «Ryan rend hommage à Trudeau», PC, reportage, p. B-1.

3812 «Wladimir Ignatief espère que le Québec restera dans le Canada», L. St-Pierre, reportage, p. B-5.

19 mai

3813 «Grippé, Ryan met fin à sa campagne», PC, reportage, p. B-1.

3814 «Pour les forces du Non. Une dernière occasion de se parler», reportage, p. B-3.

3815 «Le référendum constitue le pas le plus important vers l'indépendance - Henri C. Lecours», reportage, p. B-3.

20 mai

3816 «Ryan s'engage à travailler pour que le Québec soit heureux dans le Canada», PC, reportage, p. B-1.

21 mai

3817 «Des flèches pour la Tribune. Une lutte propre de nos adversaires (Lionel Piuze)», reportage, p. A-8.

3818 «Il ne nous restera plus que la souveraineté culturelle», PC, reportage, p. B-3.

3819 «Oui 41%. Non 59%. Ryan exige des élections», PC, reportage, p. 1.

3820 «Prise de conscience de ce qu'est le Canada - Me Paul Biron», reportage, p. A-10.

22 mai

3821 «C'est à Lévesque de faire connaître ses intentions - Claude Ryan», PC, reportage, p. B-1.

3822 «L'électorat a réagi avec prudence... et la décision m'apparaît très sage - Roma Dauphin», reportage, p. B-5.

3823 «Sutherland donne une dernière chance au fédéralisme», F. Gougeon, reportage, p. B-4.

23 mai

3824 «M. Ryan, un mauvais gagnant», J. Vigneault, éditorial, p. B-2.

L'UNION

15 avril

3825 «Avec François Bourgeois comme président. Le comité du «Non» est en marche», reportage, p. B-3.

22 avril

3826 «Lancement de la campagne du «Non». «Le PQ plein de contradictions - Laurier Gardner», reportage, p. A-14.

3827 «Un «Non» au référendum, c'est un au fédéralisme renouvelé», L. Gardner, communiqué, p. A-2.

6 mai

3828 «Subvention ou prêts d'Agriculture Canada dans la région. 70 millions $ en 1977-78», reportage, p. A-11.

13 mai

3829 «Lors d'une réunion des tenants du Non. «Les perspectives du Québec sont très encourageantes» - André Raynauld», reportage, pp. C-13, C-14.

20 mai

3830 «Assemblées des Québécois pour le «Non». «Ce n'est pas le temps de régler les problèmes de discrimination» - Madeleine Ryan», reportage, p. 1.

3831 «C'est entre les deux océans que le Canada est riche» - Daniel Johnson Jr», reportage, p. A-12.

3832 «Devant la Chambre de Commerce. «Association et négociation: deux notions vides de sens» - Claude Forget», reportage, p. C-1.

3833 «Échange des drapeaux du Québec et du Canada. Bourgeois, St-Pierre, Dubois en lutte pour leur pays», reportage, p. B-3.

27 mai

3834 «Victoire du «Non». «Je suis satisfait des résultats» - François Bourgeois», reportage, p. B-2.

THE VAL-D'OR STAR

16 avril

3835 «Claude Ryan: heading towards an impasse», G. Dallaire, reportage, p. 3.

23 avril

3836 «Positive action committee», A. K. Paterson, S. McCall, communiqué, p. 14.

30 avril

3837 «Yvette rally great success», reportage, p. 14.

21 mai

3838 «A great victory» - Camil Samson», reportage, p. 3.

LA VALLÉE DE LA CHAUDIÈRE

16 avril

3839 «D'où viens-tu Yvette?», Comité du Non Beauce-Nord, lettre, p. A-10.

23 avril

3840 «Selon Ryan, le référendum est inutile», I. Lamontagne, reportage, p. A-16.

30 avril

3841 «Fédéralisme et Souveraineté-Association», A. Savoie, libre opinion, p. A-10.

3842 «Mon Non est beauceron», G. Marquis, libre opinion, p. A-10.

7 mai

3843 «J'ai deux amours», H. Mathieu, libre opinion, p. A-15.

3844 «Le Oui ne donne aucun bargaining power au Québec», S. Gagnon, libre opinion, p. A-15.

3845 «Pour le président du Non de Beauce-Nord - La question est piégée», I. Lamontagne, reportage, p. A-16.

3846 «Unis entre nous et avec tous pour notre liberté», A. Poulin, libre opinion, p. A-15.

21 mai

3847 «C'est décisif» les gens ne veulent pas de l'indépendance», I. Lamontagne, reportage, p. A-2.

28 mai

3848 «Secondaire V - Discours - L'heure du choix», L. Labbé, reportage, p. A-9.

THE VANCOUVER SUN

15 avril

3849 «Ryan confronts PQ deep in its own territory», Sun News Dispatches, reportage, p. A-11.

29 avril

3850 «Ryan learns as he goes along in Quebec referendum battle», F. Mackey, PC, reportage, p. A-2.

ler mai

3851 «Ryan calls for change», PC, reportage, p. A-10.

12 mai

3852 «Ryan sees lopsided victory for No campaign in Quebec», Sun News Dispatches, reportage, p. A-18.

15 mai

3853 «Two views of «new» federalism», M. Valpy, reportage, p. A-4.

17 mai

3854 «Bookies to look at Ryan ride», PC, reportage, p. A-13.

21 mai

3855 «Jubilant Ryan calls for election», M. Janigan, FP News Services, reportage, p. 7.

LA VICTOIRE

ler mai

3856 «Dans le fédéralisme, c'est possible de renverser notre statut de minorité» - Robert Bourassa», R. Binette, reportage, p. 3.

8 mai

3857 «La question du Parti Québécois est piégée pour mieux prendre les Québécois» - Camil Samson», R. Binette, reportage, p. 2.

15 mai

3858 «Nous avons des liens historiques avec le Canada et les autres provinces» - Me Guy Belisle», reportage, p. 14.

LA VOIX DE L'EST

16 avril

3859 «Une date importante dans l'histoire du Québec», V. Audy, éditorial, p. 4.

19 avril

3860 «Brome-Missisquoi - Le Non dévoile ses batteries», J. De Bruycker, reportage, p. 24.

3861 «Entre les deux», J. De Bruycker, reportage, p. 24.

21 avril

3862 «Iberville - F. Bergeron: Non», G. Tavernier, reportage, p. 6.

3863 «Johnson - LaBrèque cite l'histoire pour appuyer son option», F. Bélanger, reportage, p. 5.

22 avril

3864 «Brome-Missisquoi - Josette Boulanger: Un Non raisonné», J. De Bruycker, reportage, p. 6.

3865 «Claude Paquin - Ça part des tripes», J. De Bruycker, reportage, p. 6.

3866 «Le Comité du Non dit compter sur huit des neuf maires - Mais tous ne l'avouent pas», A. Gazaille, reportage, p. 5.

3867 «Entre les deux... Tisseyre craint le socialisme», reportage, p. 5.

25 avril

3868 «Entrevue avec Mordecai Richler - Un fier écrivain qui dira   parce qu'il déteste les ghettos», I. Warren, PC, reportage, p. 4.

3869 «Shefford - Émile Genest engage les militants du Non à aller porter la bonne nouvelle», A. Gazaille, reportage, p. 5.

26 avril

3870 «Brome-Missisquoi - Assemblée de cuisine du Non - Pas de la peur, mais du réalisme», J. De Bruycker, reportage, p. 13.

3871 «Shefford - La seule réponse compatible avec l'option fédéraliste: c'est le Non», A. Gazaille, reportage, p. 15.

3872 «Les Yvettes et la peur - Bégin et Masse traitent des thèmes populaires», A. Gazaille, reportage, p. 15.

28 avril

3873 «Brome-Missisquoi - 500 personnes pour le Non à Cowansville - Reed Scowen en appelle à tous les «Oui mous», J. De Bruycker, reportage, p. 12.

3874 «La campagne référendaire ne doit pas vous aveugler», V. Audy, éditorial, p. 4.

29 avril

3875 «Brome-Missisquoi - Grafftey présent... mais à l'écart», J. De Bruycker, reportage, p. 5.

3876 «Entrevues avec un cinéaste et un avocat - Me Litvack dira Non au tribalisme «enrobé de sucre» proposé par le P.Q.», L. Diggs, PC, reportage, p. 4.

3877 «Shefford - Cordeau essaie de rallier les bleus à la cause du Non», A. Gazaille, reportage, p. 6.

30 avril

3878 «Entre les deux... Opération de manipulation», A. Gazaille, reportage, p. 7.

1er mai

3879 «Une idée à approfondir», V. Audy, éditorial, p. 4.

3880 «Johnson - De passage à Acton Vale - Les contradictions du PQ relevées par Le Moignan», reportage, p. 5.

2 mai

3881 «Grafftey a un rôle à jouer», V. Audy, éditorial, p. 4.

3882 «Trop de monde, on change de salle - Deux secteurs favorisés au Québec: l'agriculture et le transport», F. Bélanger, reportage, p. 5.

3 mai

3883 «Brome-Missisquoi - Raymonde Hallé - Heureuse dans le Canada», J. De Bruycker, reportage, p. 20.

5 mai

3884 «Iberville - Samson explique son Non», G. Tavernier, reportage, p. 12.

3885 «Shefford - Je veux un vote à 100% pour le Non dans la région» - Alex Patterson», G. Vachon, reportage, p. 6.

3886 «Shefford - Un cours de formation pour les jeunes du Non», G. Tavernier, reportage, p. 6.

6 mai

3887 «Entre les deux... Comme le Kremlin», A. Gazaille, reportage, p. 6.

3888 «Entre les deux... Les trouvailles de Richard», A. Gazaille, reportage, p. 6.

3889 «Johnson - Campagne au ras du sol avec Lavoie-Roux», A. Gazaille, reportage, p. 5.

8 mai

3890 «Entrevue avec le Dr Augustin Roy - Je ne veux pas que le Québec soit un grand Cuba sans soleil», P. Roberge, PC, reportage, p. 4.

3891 «Johnson - Souvenez-vous de votre premier bébé» - Louise Cuerrier», A. Gazaille, reportage, p. 9.

9 mai

3892 «Entre les deux... Le frère de
René est contre», A. Gazaille,
reportage, p. 7.

3893 «Entre les deux... Lesage précise»,
J. De Bruycker, A. Gazaille, reportage, p. 6.

3894 «Shefford - Gautrin ne mâche pas
ses mots pour décrier l'option
péquiste», J. Bertrand, reportage,
p. 6.

10 mai

3895 «La démission de Kierans», V. Audy,
éditorial, p. 4.

3896 «Entre les deux... Un appel aux
médecins», reportage, p. 24.

3897 «La question référendaire: une
duperie», G. Tavernier, reportage,
p. 23.

12 mai

3898 «C'est le pays qu'on veut leur
léguer - Willie Goyette, 90 ans»,
G. Tavernier, reportage, p. 2.

3899 «200 «bâtisseurs» samedi, au Palace
- La corde du nationalisme jouée à
froid», A. Gazaille, reportage,
p. 2.

3900 «Reed Scowen aux bâtisseurs -
L'idée fédérale est idéaliste»,
J. De Bruycker, reportage, p. 2.

13 mai

3901 «Une démarche humiliante pour les
Québécois - Pierre Deniger», J.
De Bruycker, reportage, p. 5.

3902 «Entre les deux... Une promesse
de Gratton», A. Gazaille, reportage, p. 12.

3903 «Iberville - Un   pour ne pas
démembrer le pays - Michel Le Moignan», G. Tavernier, reportage,
p. 5.

3904 «Shefford - Malépart croit qu'un
coûterait cher aux Québécois»,
F. Bélanger, reportage, p. 6.

14 mai

3905 «Brome-Missisquoi - Oui et c'est la
fin du Canada dans dix ans» - Louise
Brais-Vaillancourt», J. De Bruycker,
reportage, pp. 16, 31.

3906 «Devant une salle comble au Palace -
Marcelle Racine «vole le show» chez
les Yvette», A. Gazaille, reportage,
pp. 1, 10.

3907 «Iberville - Guy Saint-Pierre prêche
à des convertis à Marieville», G.
Tavernier, reportage, p. 14.

3908 «Johnson - GM et Bombardier volent
la vedette dans une réunion du Non
à Valcourt», F. Bélanger, reportage,
p. 16.

15 mai

3909 «Entre les deux... Conseiller pour
le Non», reportage, p. 5.

16 mai

3910 «Brome-Missisquoi - Saint-Pierre:
«On ne refera pas la bataille des
Plaines d'Abraham», J. De Bruycker,
reportage, p. 8.

3911 «Une dernière assemblée du Non -
Verreault prédit 78% de Non dans
Shefford», A. Gazaille, reportage,
p. 5.

3912 «Entre les deux... Le Non des Mères»,
A. Gazaille, reportage, p. 7.

3913 «Entre les deux... Les anciens combattants maintenant», A. Gazaille,
reportage, p. 7.

3914 «Une union monétaire utopique» -
Robert Benoît», J. De Bruycker,
reportage, p. 8.

17 mai

3915 «La Voix de l'Est et le référendum»,
A. Guilbert, éditorial, p. 4.

20 mai

3916 Brome -Missisquoi - Springate et
Gratton «témoignent» pour la clôture
des activités du Non», J. De Bruycker,
reportage, p. 5.

3917 «Entre les deux... Enfant détesta-
ble», reportage, p. 8.

21 mai

3918 «Bernard Léveillé: «Lévesque a
eu sa réponse», reportage, p. 2.

3919 «Bertrand Duhamel: - «Une victoire
quand même pour le Québec», reportage, p. 2.

3920 «Robert Benoît: - La dernière
chance de renouveler le fédéralisme», reportage, p. 2.

22 mai

3921 «Le PQ doit se réenligner ou aller
en élections», - Robert Benoît»,
J. De Bruycker, reportage, p. 2.

3922 «Ryan espère des élections bientôt»,
PC, reportage, p. 8.

23 mai

3923 «Le principal allié de Ryan pourrait bien vite devenir son plus en-
combrant rival», D. Clift, PC, analyse, p. 3.

3924 «Une solide organisation et le vote
des «indécis» ont fait gagner le
Non dans Johnson», F. Bélanger,
reportage, p. 5.

24 mai

3925 «Robert Bourassa l'affirme dans
une entrevue exclusive à la Voix
de l'Est - Le projet péquiste
«très délibérement vague», A.
Gazaille, reportage, p. 1.

10 juin

3926 «Pour un Canada fort et un Québec
heureux: la stabilité économique»,
PC, reportage, p. 12.

LA VOIX DES MILLE-ÎLES

16 avril

3927 «Le Québec doit posséder une grande
mesure de souveraineté»... - Denis
Hardy», D. Hardy, libre opinion,
p. 4.

23 avril

3928 «L'association économique est-elle
possible?», D. Hardy, libre opinion,
p. 4.

3929 «Je dis Non à la démission d'un
peuple» - Jean Blanchard», J. Blanchard, libre opinion, p. 4.

7 mai

3930 «Le régime fédéral peut répondre à
nos besoins», D. Hardy, libre opinion, p. 4.

14 mai

3931 «L'argument de Fallu au sujet de la
monnaie n'est pas sérieux» - Denis
Hardy», reportage, p. 8.

3932 «Je vote «Non» sans dépit ni esprit
de vengeance», N. Filiatrault,
lettre, p. 12.

3933 «Jean-Marc Fontaine porte-parole du
Non», reportage, p. 12.

3934 «Roger Boisvert. Ma réponse sera
Non», libre opinion, p. 12.

3935 «La tentation de répondre Oui», D.
Hardy, libre opinion, p. 4.

28 mai

3936 «Personne n'est perdant - Nolan
Filiatrault», N. Filiatrault, lettre,
p. 4.

LA VOIX DU SUD

6 mai

3937 «Le comité du Non à St-Isidore», reportage, p. 10.

3938 «Réponse du député de Bellechasse-Dorchester à la lettre de Bertrand Sylvain parue dans votre journal à la rubrique Opinion du lecteur», B. Goulet, lettre, p. 6.

13 mai

3939 «J'ai deux amours», poème, p. 4.

3940 «La panique s'est emparée du clan du Oui», (Raynald Guay)», J. Légaré, reportage, p. 22.

27 mai

3941 «Le cas de la souveraineté est réglé (Bertrand Goulet)», J. Légaré, reportage, p. 14.

LA VOIX GASPÉSIENNE

30 avril

3942 «Claude Ryan: Projet inacceptable», R. Pelletier, reportage, p. A-21.

14 mai

3943 «Mme Chaput-Rolland: Il faut avoir du courage pour répondre Non», R. Pelletier, reportage, p. A-25.

3944 «Un message d'amour», D. St-Pierre, reportage, p. C-10.

3945 «Le Québec a trop mis dans ce pays-là...», G. Gagné, éditorial, p. A-4.

28 mai

3946 «Au nom de qui parle-t-elle?», G. Gagné, éditorial, p. A-4.

LA VOIX MÉTROPOLITAINE

22 avril

3947 «Le Comité pour le Non veut être plus rationnel qu'émotif», L. Grégoire-Racicot, reportage, p. 3.

3948 «Les nouvelles religions», libre opinion, p. 4.

3949 «Sur le vif. M. Ryan et la censure», Y. Beaudry, chronique, p. 6.

29 avril

3950 «Assemblée de 400 partisans du Non à Saint-Ours», reportage, p. 1.

3951 «La victoire du Non signifiera la reprise des négociations constitutionnelles», Le Rassemblement des Québécois pour le Non, libre opinion, p. 11.

6 mai

3952 «Le front commun des fédéralistes», Comité pour le Non du comté de Richelieu, lettre, p. 10.

3953 «Mme Thérèse Casgrain a prédit la victoire du Non», reportage, p. 1.

3954 «Réplique de Jean-Louis Leduc à Maurice Martel», reportage, p. 12.

13 mai

3955 «Le Canada: une forme valable de civilisation, a proclamé Robert Bourassa», reportage, p. 1.

3956 «Monsieur Lévesque et ses ministres l'on dit», Les Québécois pour le Non, libre opinion, p. 13.

LA VOIX POPULAIRE

15 avril

3957 «Laprade entre deux colonnes», billet, p. 3.
/Sur le rassemblement des Yvette/

3958 «Un Rocard dans le tableau péquiste», M. Ouellette, Comité du Non, libre opinion, p. 6.

22 avril

3959 «La souveraineté-association une
étape vers l'indépendance», J. G.
Legault, PLQ Ste-Anne, communiqué,
p. 6.

29 avril

3960 «Dans un Québec souverain. «Le prin-
cipe de la monnaie commune est une
absurdité» - Donat Taddeo», L.
Pellerin, reportage, p. 3.

3961 «Les retombées économiques de
· l'avion de chasse F-18», reportage,
p. 15.

6 mai

3962 «L'ennemi est dans nos murs» -
Jean-Guy Lafaille», J. G. Lafaille,
commentaire, p. 26.

3963 «Les groupes ethniques ont peur du
racisme», reportage, p. 51.

13 mai

3964 «Le Québec n'a pas besoin de sortir du Canada pour prendre en
charge son destin» - Claude Ryan»,
L. Pellerin, reportage, p. 3.

LE VOLTIGEUR

22 avril

3965 «Voter Non ce n'est pas désirer
le statu quo: c'est rejeter l'indépendance (Paul Biron)», reportage, p. 10.

29 avril

3966 «Réponse à l'argumentation souverainiste», L. Guignard, Comité
du Non, libre opinion, p. 42.

6 mai

3967 «L'Indépendance Non Merci», L.
Guignard, Comité du Non, libre
opinion, pp. 10, 11, 13.

13 mai

3968 «Non, à un pseudo Québec souverain»,
reportage, p. 14.

THE WATCHMAN

7 mai

3969 «Créditiste Samson is convinced
No's will win locally», reportage,
p. 8.

3970 «The «lights of Morin Heights», R.
Blair, reportage, p. 7.

14 mai

3971 «Chartrand at No rally: «Former
premiers did not need a mandate
to negotiate», reportage, p. 1.

3972 «A letter to Rene Lévesque from
the positive action committee»,
S. McCall, A. K. Paterson, lettre,
p. 3.

3973 «A pre-referendum day message from
the PAC», A. K. Paterson, communiqué, p. 15.

21 mai

3974 «Argenteuil women stand up to be
counted at Yvette rally», R. Blair,
reportage, p. 1.

THE WESTMOUNT EXAMINER

8 mai

3975 «Show the Flag», éditorial, p. 4.

22 mai

3976 «We did it», G. Springate, chronique, p. 6.

LE REGROUPEMENT NATIONAL POUR LE OUI

LES ASPECTS ORGANISATIONNELS
3977 À 5063B

L'APPEL

30 avril

3977 «Au lancement des Oui», reportage, p. 1.
/Photographies avec légendes/

14 mai

3978 «Remise d'un certificat pour le Oui», reportage, p. 11.

3979 «Section du Regroupement national pour le Oui», p. 6.

L'ARGENTEUIL

16 avril

3980 «Formation du Regroupement national pour le Oui du comté d'Argenteuil», reportage, p. 7.

23 avril

3981 «Le 19. Une assemblée de motivation se tenait pour les militants du P.Q.», reportage, p. 15.

7 mai

3982 «J'ai traversé la mer Rouge...», reportage, p. 27.
/Marche symbolique du ramoneur des pauvres/

14 mai

3983 «De nouvelles adhésions pour le Regroupement pour le Oui», reportage, p. 5.

L'ARTISAN

16 avril

3984 «Nos adversaires ne peuvent apporter un caractère positif à leur Non!!! Jacques Parizeau», D. Caza, reportage, p. 18.

3985 «Parizeau, L'Allier et Biron à Repentigny», D. Caza, reportage, p. 18.

30 avril

3986 «Parizeau et Desjardins à La Plaine. Une bonne grosse soirée de famille», reportage, p. 12.

L'AVANT-POSTE GASPÉSIEN

14 mai

3987 «Amqui. Actes de vandalisme commis au local du «Oui», B. Bergeron, reportage, p. 60.

3988 «Visite du ministre Lucien Lessard à Sayabec», reportage, p. 13.
/Photographies avec légendes/

L'AVENIR DE L'EST

15 avril

3989 «Commissaires et conseillers. D'autres personnalités pour le Oui», reportage, p. 2.
/Municipalité de L'Assomption/

22 avril

3990 «Oui au mandat de négocier. Marcel Léger», L. Boyer, communiqué, p. 8.
/Annonce de la tenue d'un déjeuner-anniversaire en l'honneur de l'élection de M. Léger dans Lafontaine. La SSBJ de Pointe-aux-Trembles/

3991 «Les tenants du «Oui» fourbissent leurs armes», C. Gariépy, reportage, p. 3.

3992 «Le 23 avril. Gérald Godin à l'Habitat des Pointeliers», Regroupement de Lafontaine pour le Oui, communiqué, p. 8.

29 avril

3993 «Pierre Bourgault dans Lafontaine», Regroupement de Lafontaine pour le Oui, communiqué, p. 3.

13 mai

3994 «Spectacle du Oui», communiqué, p. 5.
/Soirée à l'aréna Rodrigue-Gilbert/

L'AVIRON

16 avril

3995 «Campagne de financement du P.Q. Bonaventure. Succès sans précédent», reportage, p. 1-B.

30 avril

3996 «Ouest du comté de Bonaventure. Bureau du comité pour le Oui», J.-P. Huard, lettre, p. 21-A.

7 mai

3997 «Léo-Paul Marquis en campagne pour le Oui dans la région», reportage, p. 8-B.

3998 «Réunion d'information sur le référendum», Comité du Oui pour l'ouest de Bonaventure, communiqué, p. 8-B.

14 mai

3999 «Regroupement national pour le Oui (Est du Québec) 6 anciens députés diront Oui», reportage, p. 30-A.

BEAUCE NOUVELLE

8 avril

4000 «Table-ronde. La Beauce économique face à la Souveraineté-association», La Fondation pour le Oui, communiqué, p. 21.

29 avril

4001 «Oui. Gilles Bernier est le 3e président», reportage, p. 12.

4002 «Parizeau à St-Joseph», p. 9.
/Entrefilets/

LE CANADA-FRANÇAIS

16 avril

4003 «Comtés de Saint-Jean et Iberville. Véronneau et Lasnier présidents du «Oui», M.-O. Trépanier, reportage, p. 18.

4004 «Enthousiaste. Proulx prévoit l'emporter avec 60% dans Saint-Jean», M.-O. Trépanier, reportage, p. 8.

23 avril

4005 «Comté Iberville. Objectif de 2,300 cartes d'adhésion au Oui. Comité formé. Budget de $6,872», M.-O. Trépanier, reportage, p. 13.

4006 «Regroupement du Oui dans Saint-
Jean. «Mettre l'accent sur le man-
dat de négocier» - Tremblay»,
M.-O. Trépanier, reportage, p. 12.
/Voir erratum dans l'édition du
30 avril 1980, p. 16/

30 avril

4007 «Oui (Iberville). Nouvelle liste
de 64 adhésions», reportage, p. 16.

4008 «Saint-Eugène. Assemblée du Oui
le 2 mai à 19h30», reportage, p. 14.

7 mai

4009 «Comté d'Iberville. Liste de 33
adhésions!», reportage, p. 14.

4010 «Landry, Biron, Drummond. «Grande
visite» au Oui vendredi. Centrale
catholique», reportage, p. 15.

4011 «Marois à Marieville», reportage,
p. 14.
/Photographie avec légende/

14 mai

4012 «Ce soir. Tardif à Iberville»,
communiqué, p. 20.

4013 «D'ici le référendum. Beauséjour
mettra l'emphase sur le besoin de
solidarité», M.-O. Trépanier, reportage, p. 22.

4014 «Joron à Napierville», p. 22.
/Photographie avec légende/

LE CARILLON

14 mai

4015 «Lettre du père G.-H. Lévesque à
Doris Lussier. Une stratégie qui
frise la malhonnêteté intellectuelle», père G.-H. Lévesque, libre
opinion, p. 4.

4016 «Réplique de Doris Lussier. «Mon
père, je m'accuse...», D. Lussier,
libre opinion, p. A-4.

LE CARROUSEL DE THETFORD

15 avril

4017 «Regroupement du «Oui» à l'indépendance. M. Pierre Turcotte à la présidence», reportage, p. 3.

29 avril

4018 «Plusieurs adhésions pour le «Oui»,
reportage, p. 1.
/Photographie avec légende/

6 mai

4019 «Au programme des activités pour
le Oui», reportage, p. 11.

13 mai

4020 «En vedette - Au programme des
activités pour le Oui», reportage,
p. 8.

4021 «1447 sur 2385 mineurs appuient
le Oui», reportage, p. 13.

THE CHRONICLE-HERALD

19 mai

4022 «No» referendum vote won't stop
Levesque», CP, reportage, p. 24.

21 mai

4023 «Levesque still likes question»,
CP, reportage, p. 8.

4024 «Yes» supporters miss declaration
of «No» win», CP, reportage, p. 9.

24 mai

4025 «PQ strategy led from victory to
defeat», F. MacKey, CP, libre opinion, p. 7.

THE CITIZEN

16 avril

4026 «P.Q. confident of victory. Levesque has date with destiny», P.
Cowan, reportage, p. 7.

4027 «Rene okays debate», CP, reportage,
p. 41.

28 avril

4028 «Careful campaign paying off for
PQ? Quiet before storm», A. McCabe,
reportage, p. 47.

4029 «Francophone PS endorse «Oui» vote»,
p. 47

2 mai

4030 «Illegality claimed», CP, reportage, p. 43.

7 mai

4031 «Television debate», CP, reportage,
p. 69.

10 mai

4032 «Sheep following the leader?» R.
Pilon, reportage, p. 1.
/Photographie avec légende/

13 mai

4033 «Tight ship - «Yes» headquarters
spreading the word», A. McCabe,
reportage, p. 35.

16 mai

4034 «Hull police «Yes», CP, reportage,
p. 39.

4035 «Monumental mess», CP, reportage,
p. 39.
/Photographie avec légende/

21 mai

4036 «Levesque holds...», CP, reportage,
p. 48.
/Photographie avec légende/

4037 «Saddened Quebecers see results in
Paris», reportage, p. 46.

4038 «Violence follows referendum -
Police rout mob from Westmount to
end violence», M. Prentice, reportage, pp. 1,45.

31 mai

4039 «Yes committee to regroup - Goal
to defend Que. nationalism», CP,
reportage, p. 1.

LE CITOYEN

15 avril

4040 «La confiance règne pour le «Oui»,
reportage, p. 2.

4041 «Le «Mioui» actif à Richmond, reportage, p. 31.

4042 «Tournée référendaire. Pierre-Marc
Johnson dans Richmond», p. 12.
/Programme de la tournée de P.-M.
Johnson dans le comté de Richmond/

22 avril

4043 «Activité fébrile du «Oui» dans
Richmond», reportage, p. 27.

4044 «Assemblée publique avec le ministre Parizeau à Asbestos mardi soir»,
reportage, pp. 3,37.
/Programme de la tournée de J.
Parizeau dans Richmond/

4045 «   », reportage, p. 27.
/Photographies avec légendes/

4046 «Du calme Messieurs les nonnistes»,
M. Lamoureux, L. Cloutier, lettre,
p. 5.

29 avril

4047 «   », J.P. Lacasse, reportage,
p. 3.

4048 «Un des leaders du «Oui». Jean-François Bertrand dans la région», reportage, p. 2.
/Programme de la tournée de J.-F. Bertrand dans Richmond/

20 mai

4049 «Visite du ministre Lessard», reportage, p. 24.
/Photographies avec légendes/

CONTACT LAVAL

14 mai

4050 «Bernard Landry au Collège Bois-de-Boulogne», reportage, p. 2.

4051 «Le CA de ND de l'Espérance refuse son entrée à Laurin», F. Genest, reportage, p. 3.

4052 «Le Oui dans Crémazie», F. Genest, reportage, p. 3.

4053 «Réponse du Oui-St-Laurent», F. Genest, reportage, p. 2.

LE COURRIER DE SAINT-HYACINTHE

23 avril

4054 «Acton Vale: Comité des Québécois du «Oui», reportage, p. B-4.

4055 «Nouvelles adhésions pour le Oui dans Saint-Hyacinthe», reportage, p. B-4.
/Photographie avec légende/

4056 «Verchères. Lancement de campagne spectaculaire du Regroupement pour le Oui», A. Rodier, reportage, p. B-4.

4057 «Verchères: Plus de 1,000 signatures du Oui présentées à René Lévesque», reportage, p. B-5.

30 avril

4058 «Le comité du Oui dans Iberville», reportage, p. A-9.

4059 «Lévesque, Garon, Drummond... Le camp du Oui met le paquet dans St-Hyacinthe», A. Rodier, reportage, p. A-9.

7 mai

4060 «À Acton Vale. L'inauguration des locaux du Regroupement pour le Oui», C. Gauthier, reportage, p. A-7.

14 mai

4061 «Assemblée publique du Oui à l'IIAA», reportage, p. B-2.

4062 «Des médecins en faveur du Oui», p. B-3.
/Photographie avec légende/

4063 «Nouveaux adhérents pour le Oui», p. B-3.
/Photographies avec légendes/

LE COURRIER DE TROIS-PISTOLES

16 avril

4064 «Pour le comté de Rivière-du-Loup: M. Louis-Philippe Rioux de Trois-Pistoles: président du comité du Oui», A. Morin, reportage, p. A-8.

LE COURRIER DU SUD/
THE SOUTH SHORE COURIER

30 avril

4065 «Le 4 mai - Grande parade des regroupements du Oui», reportage, p. A-5.

4066 «Sur le référendum à Vidéotron. Une émission quotidienne avec Pierre Marois», reportage, p. D-7.

7 mai

4067 «Lévesque, L'Allier et Biron au Colisée Jean Béliveau», reportage, p. A-8.
/Annonce de la tenue d'une assemblée du Oui/

4068 «Mme Imelda Jubinville, 90 ans et elle dira Oui», reportage, p. A-5.

COURRIER LAURENTIDES

30 avril

4069 «Fallu en campagne référendaire - Locaux du Oui dans Terrebonne - Local du Oui Deux-Montagnes - Parizeau à la Chambre de commerce Boisbriand - Assemblée publique du Oui Deux-Montagnes - Charron à St-Eustache - Marcel Léger à Ste-Thérèse», R. Bellard, P. P. Guimond, reportage, p. 2.

14 mai

4070 «Bernard Landry à Lionel Groulx - Soirée du 14 mai - Centre culturel de St-Eustache - Aréna de Boisbriand», R. Bellard, P. P. Guimond, reportage, p. B-2.

COURRIER LAVAL

16 avril

4071 «Le PQ dépasse son objectif», reportage.

4072 «13 Lavallois au comité national du «Oui», reportage.

23 avril

4073 «Activités du Oui à Laval», reportage, p. 2.

4074 «Comités pour le Oui - 8 nouveaux Oui - Les trois présidents du Oui à Laval», reportage, p. 2.

4075 «René Lévesque à Laval», reportage, p. 2.

30 avril

4076 «Bérubé à Laval, reportage, p. 2.

4077 «   », reportage.

4078 «Parizeau à Laval», reportage, p. 2.

7 mai

4079 «Bérubé reçoit des pétitions», reportage, p. 2.

4080 «8 pétitions pour le Oui», reportage, p. 2.

14 mai

4081 «Bourgault dans le comté de Laval», reportage, p. A-2.

COURRIER MAG

16 avril

4082 «Un Oui courageux»: Lucien Lessard et Pierre Marois», reportage, p. 6.

23 avril

4083 «C'est avec...», reportage, p. 14. /Photographie avec légende/

4084 «Le comté de Chambly arrive bon deuxième des 110 comtés du Québec», Y. Leblond, reportage, p. 10.

4085 «Le Conseil du Regroupement du Comté de Verchères pour le Oui», reportage, p. 8.

4086 «Ouverture du comité pour le Oui dans Taillon en présence de René Lévesque», reportage, p. 10.

7 mai

4087 «Dans Verchères: quatre nouveaux regroupements pour le Oui», reportage, p. 14.

4088 «2,000 personnes pour le Oui à St-Hubert», reportage, p. 7.

4089 «Jacques-Yvan Morin à Saint-Hilaire», reportage, p. 13.

4090 «Marois à Verchères», reportage, p. 13.

4091 «Le Oui vous accueille», reportage, p. 13.

14 mai

4092 «Le ministre Bernard Landry de passage à Longueuil», reportage, p. 10.

4093 «Pierre Marois rencontre les gens
de l'âge d'or à Longueuil», reportage, p. 10.
/Photographie avec légende/

28 mai

4094 «L'au revoir du Oui», reportage,
p. 7.

4095 «Soirée de référendum au centre
Paul-Sauvé», B. Brault, reportage,
p. 7.
/Photographies avec légendes/

LE COURRIER RIVIÉRA

23 avril

4096 «90 personnes adhèrent au Oui», M.
Crête, reportage, p. 8.

30 avril

4097 «Lise Payette à Sorel, mardi le
29 avril», reportage, p. 14.
/Programme des activités/

14 mai

4098 «Les artistes pour le Oui sont
arrêtés à Berthier», reportage,
p. 1.
/Photographie avec légende/

4099 «Vaugeois rencontre des familles»,
reportage, p. 1.
/Photographie avec légende/

COURRIER-SUD

15 avril

4100 «Regroupement pour le «Oui» comté
de Lotbinière, reportage, p. 17.

22 avril

4101 «Dans Nicolet-Yamaska lancement de
la campagne du Oui», J. Desfossés,
reportage.

4102 «Les députés de la région lancent
leur livre «Pourquoi Oui», J. Desfossés.

13 mai

4103 «René Lévesque à Ste-Hyacinthe»,
reportage, p. 17.

4104 «René Lévesque au centre civique
de Drummondville», reportage, p. 55.

LE DEVOIR

26 avril

4105 «René Lévesque. Le magicien du
verbe et la passion du Québec»,
reportage, p. 12.

7 mai

4106 «Lotbinière. Où c'est un à un
qu'il faut arracher les votes»,
J.-C. Picard, reportage, p. 8.

9 mai

4107 «7,000 Oui au Petit Colisée», J.-C.
Picard, reportage, pp. 1,10.

10 mai

4108 «Oui, à douze jours du scrutin,
tout est encore possible», B.
Descôteaux, reportage, p. 7.

12 mai

4109 «Pour un Oui, pour un Non. Sur le
chemin du Roy», G. Deshaies, reportage, pp. 1,18.
/Compte-rendu du défilé des artistes
pour le Oui/

16 mai

4110 «101 musiciens pour le Oui», reportage, p. 25.

17 mai

4111 «Oui. La remontée arrive trop tard», B. Descôteaux, reportage, pp. 1,20.

20 mai

4112 «Lévesque nerveux mais confiant», B. Descôteaux, reportage, pp. 1,12.

21 mai

4113 «Pour les partisans du Oui au Centre Paul-Sauvé. Le miracle ne s'est pas produit», M. Nadeau, reportage, p. 2.

DIMANCHE-MATIN

25 mai

4114 «Le référendum: une leçon d'humilité pour bien des gens», p. 29.

LE DROIT

16 avril

4115 «Chronologie», PC, reportage, p. 28.

21 avril

4116 «Suite au sondage IQOP. Lévesque: «on devra travailler plus fort», PC, reportage, p. 12.

22 avril

4117 «La stratégie du Oui: une discussion entre voisins», N. Delisle, PC, reportage, p. 56.

23 avril

4118 «L'accent sera mis sur le porte-à-porte. Campagne du Oui lancée dans Papineau», R. Chartrand, reportage, p. 22.

24 avril

4119 «L'Abitibi: un défi pour le Oui», reportage, p. 23.

25 avril

4120 «Tenants du Oui, du Non et indécis. Tous sont à égalité en Haute-Gatineau», M. Gauthier, reportage, p. 19.

4121 «La «tornade» Lévesque a marqué la population de Sept-Iles. La Côte-Nord: une région «hautement nationaliste», R. Lajoie, reportage, p. 16.

29 avril

4122 «L'organisation du Oui à Rimouski et Joe Clark. Propos accueillis avec un grain de sel», R. Lajoie, reportage, p. 16.

4123 «Saguenay-Lac-St-Jean. Les sondages démontrent que les «bleuets» voteront Oui», G. Laframboise, reportage, p. 17.

30 avril

4124 «Demain et vendredi - Lévesque sera dans l'Outaouais», R. Chartrand, reportage, p. 23.

1er mai

4125 «Dans l'Outaouais, selon le président régional du PQ. Les fonctionnaires semblent maintenant être «rassurés», G. Goudreault, reportage, p. 26.

3 mai

4126 «Un débat télévisé avec Trudeau. Lévesque est prêt», PC, reportage, p. 37.

5 mai

4127 «Lettre du père Georges-Henri Lévesque à Doris Lussier. Une stratégie qui frise la malhonnêteté intellectuelle», G.-H. Lévesque, lettre, p. 7.

4128 «Scènes de violence. Lévesque n'est pas surpris», reportage, p. 16.

4129 «Le tiers des signataires de la pétition proviennent de la région de Montréal. Le Oui a déjà recueilli 68,127 appuis», N. Delisle, PC, reportage, p. 16.

6 mai

4130 «Chez le regroupement pour le Oui de Gatineau. On veut mener «une campagne sereine», reportage, p. 22.

4131 «Le Oui dans la circonscription de Gatineau. Les petits groupes dotés de noms originaux fourmillent», reportage, p. 24.

7 mai

4132 «Par fidélité aux convictions et objectifs fondamentaux de notre parti» - Dix-sept anciens députés unionistes adhèrent au Oui», PC, reportage, p. 25.

4133 «Visite à la CSRO. Jocelyne Ouellet obligée de délaisser son style flamboyant», reportage, p. 21.

8 mai

4134 «Les Oui demeurent confiants de l'emporter. Argenteuil: rien n'est encore gagné à 13 jours du référendum», reportage, p. 23.

9 mai

4135 «Samedi. Parizeau sera dans la région», reportage, p. 16.

12 mai

4136 «Aux prochaines élections. Mme Ouellette se représente dans Hull», M. Gauthier, reportage, p. 14.

14 mai

4137 «Dans la circonscription de Gatineau. Les Non accusés de mener une campagne de violence verbale», M. Gauthier, reportage, p. 22.

15 mai

4138 «Payette et Charron parmi les invités. Une fête du Oui à Gatineau», R. Daigle, reportage, p. 27.

4139 «Réponse de Doris Lussier au père Georges-Henri Lévesque. «Mon père, je m'accuse...», D. Lussier, lettre, p. 7.

16 mai

4140 «L'arrivée de Lévesque provoque le délire. Six mille voix clament en choeur: Oui», A. Bellemare, PC, reportage, p. 17.

20 mai

4141 «60 athlètes voteront Oui», N. Delisle, PC, reportage, p. 20.

21 mai

4142 «Des drapeaux et des bouteilles», M. Girard, PC, p. 24.

4143 «Une ovation de neuf minutes réservée à René Lévesque. L'euphorie dans la défaite chez les Oui», C. Duhaime, reportage, p. 23.

29 mai

4144 «Sur la rue Saratoga, à Aylmer. Un étalage de convictions nationalistes», G. Goudreault, reportage, p. 13.

31 mai

4145 «Une «ligue pour la défense des droits politiques du Québec», Regroupement pour le Oui: la relève est assurée», F. Côté, PC, reportage, p. 33.

L'ÉCHO

15 avril

4146 «La campagne référendaire: où s'informer et comment participer?», L. Cuerrier Sauvé, chronique, pp. 14,15.

4147 «Emard accepte la présidence. Au tour du comité du Oui de mettre la main sur un ex-député pour diriger ses troupes», Y. Beaucage, reportage, pp. 3,13.

22 avril

4148 «Louise Cuerrier inaugure un kiosque d'information sur le référendum au Salon de la Femme», M. Lefebvre - PQ Vaudreuil-Soulanges, communiqué, p. 26.

4149 «Le temps de la solidarité nationale», C. Chamberland - Comité du Oui, communiqué, p. 28.

29 avril

4150 «C'est parti pour le Oui dans le comté de Pointe-Claire», M. Roy - Comité du Oui Pointe Claire, reportage, p. 20.

4151 «Les militants pour le Oui se lancent dans la campagne référendaire», reportage, p. 20.

6 mai

4152 «Campagne référendaire. Le ministre Laurin à Ste-Anne, lundi le 12 mai prochain», Y. Beaucage, reportage, p. 6.

4153 «Des assemblées d'information pour le Oui dans tout le comté», reportage, p. 22.

4154 «Les échos de la semaine», chronique, p. 8.

4155 «Historien et écrivain - Réginald Hamel à la tête du «Oui» dans Pointe-Claire», communiqué, p. 17.

4156 «Lettre ouverte au Maire de Ste-Anne-de-Bellevue, M. Marcel Marleau», M. Séméteys - comité du Oui Pointe-Claire, lettre, p. 3.

4157 «La question est claire et simple», J. Wilkins, chronique, p. 25.

13 mai

4158 «Mercredi le 14 mai - Grand rassemblement des tenants du «Oui» en compagnie de Pierre Marois», M. Auclair, reportage, pp. 16,49.

4159 «Nouvelles du Oui dans Vaudreuil-Soulanges», reportage, p. 36.

4160 «Percée du Oui dans Soulanges! Au tour des gens de Soulanges d'adhérer au Oui», D. Leduc, reprotage, pp. 1,5.

4161 «Regroupement national pour le Oui dans Vaudreuil-Soulanges», reportage, p. 46.
/Annonce d'une soirée où sera présent Pierre Marois/

4162 «René Lévesque rencontrera les gens de l'ouest de l'Île de Montréal», reportage, p. 36.

20 mai

4163 «Avec Pierre Marois en tête - Plus de 1200 partisans scandent leur appui au Oui», reportage, p. 4.
/Photographies avec légendes/

4164 «Devant une centaine de personnes de l'âge d'or de Ste-Anne, Hélène Loiselle et Madeleine Arbour parlent du projet de souveraineté-association», reportage, p. 18.

L'ÉCHO ABITIBIEN

16 avril

4165 «Campagne pour le Oui. Une idée à faire passer plutôt qu'un candidat», reportage, p. 13.

23 avril

4166 «Activité de M. françois Gendron comme ministre-parrain», Y. Audet, reportage, p. 24-B.

4167 «C'est ouvert pour le Oui», reportage, p. 24-A.

30 avril

4168 «Nouvelles adhésions publiques au Oui», Y. Audet, reportage, p. 4.

4169 «Le Oui de Rouyn a son local», B. Robitaille, communiqué, p. 24-C.

4170 «Le recrutement du Oui se poursuit», B. Robitaille, communiqué, p. 24-C.

4171 «René Lévesque à Rouyn demain», reportage, p. 5.

7 mai

4172 «Gendron cherche à convaincre les indécis à voter Oui», reportage, p. 15.

4173 «Guy Chevrette à Matagami», communiqué, p. 8.

14 mai

4174 «Le comité du Oui accueille 21 nouveaux adhérants publics», Y. Audet, reportage, p. 26.

4175 «Conférences de presses et assemblées nombreuses pour le Comité du Oui», Y. Audet, commentaire, p. 5.

4176 «Gendron a visité plusieurs entreprises de Malartic», reportage, p. 13.

4177 «Gendron visite la vitrerie de Mont-Laurier», reportage, p. 20.

4178 «964 noms pour le Oui», G. Lyrette, reportage, p. 20.

4179 «Le Non en Abitibi-Témiscamingue: une campagne similaire à l'ensemble du Québec», G. Dallaire, reportage, p. 5.

L'ÉCHO DE FRONTENAC

15 avril

4180 «Dans Mégantic-Compton: Le Dr Peter Cohen devient président du regroupement pour le Oui», reportage, p. A-4.

L'ÉCHO DE LA LIÈVRE

16 avril

4181 «Un engagement pour le Oui», M.-P. Godard, reportage, p. 17.

23 avril

4182 «Le premier ministre Lévesque en visite dans la région dans la Rouge», reportage, p. 37.

7 mai

4183 «Le premier ministre Lévesque accueilli par une foule de militants du Oui dans le comté», reportage, p. 3.

14 mai

4184 «Une dernière manifestation du Oui», reportage, p. 7.

4185 «L'ex-candidat NPD dans Labelle se prononce», reportage, p. 7.

4186 «Le ministre Lazure à Mont-Laurier aujourd'hui», reportage, p. 3.

4187 «Un résident de Mont-Laurier se prononce pour le Oui», reportage, p. 13.

21 mai

4188 «Dernière manifestation du Oui dans le comté dimanche dernier: plus de 800 personnes se réunissent», reportage, p. 2.

L'ÉCHO DE LA TUQUE

23 avril

4189 «Le député Jolivet confiant d'une victoire souverainiste», A. Dupuis, reportage, p. 22.

7 mai

4190 «Organisé par le mouvement pour le
Oui, le déjeuner causerie porte
fruit», A. Dupuis, reportage, pp.
3,46.

4191 «Le regroupement pour le Oui en marche à La Tuque», A. Dupuis, reportage, p. 3.

L'ÉCHO DE LOUISEVILLE/BERTHIER

16 avril

4192 «Dans le comté de Maskinongé - Mr.
Jean Fugère: président du comité
du Oui», J.-P. Plante, reportage,
pp. 3,8.

4193 «Invité par le S.C.F.P., Voulez-
vous rencontrer le ministre Bédard?»,
reportage, p. 4.

7 mai

4194 «   », p. 1.
/Photographie avec légende/

14 mai

4195 «On ne peut éteindre un idéal.
(Jean Fugère)», J.-P. Plante, reportage, pp. 2,9.

ECHO DU NORD

16 avril

4196 «Les comités du Oui sont en place
dans la région», reportage,
p. A-11.

7 mai

4197 «Le 11 mai dans Prévost, les tenants
du Oui feront la fête. Rassemblement à St-Jérôme et tournée de Mme
Ouellette», reportage, p. A-17.

28 mai

4198 «Dans Prévost. Les tenants du Oui
dénoncent «cette victoire de la
peur», Y. Brasset, reportage,
p. A-15.

L'ÉCLAIREUR-PROGRÈS

16 avril

4199 «Les gens de Beauce-Sud disent Oui»,
reportage, p. B-3.

30 avril

4200 «Beauce-Sud, une campagne référendaire sereine (Gilles Bernier)»,
P.-A. Parent, reportage, p. A-8.

4201 «Les idées mélangées», chronique,
p. A-17.
/Anecdote lors d'une assemblée du
Oui où Lise Payette était invitée/

7 mai

4202 «Oui, un 8ième vice-président,
Paul-André Busque», P.-A. Parent,
reportage, p. A-30.

14 mai

4203 «   », reportage, p. C-33.
/Remise d'un certificat d'adhésion
au Oui. Photographie avec légende/

4204 «Des échevins et des maires
disent Oui», reportage,
p. B-4.

L'ÉLAN SEPT-ÎLIEN

17 avril

4205 «René Lévesque à Sept-Îles le 22
avril», reportage, p. 3.

24 avril

4206 «Guy Desjardins à la présidence du
comité du Oui», reportage, p. 6.

15 mai

4207 «Pierre Bourgault terminera la campagne pour le Oui», reportage, p. 3.

22 mai

4208 «Malgré la vague du Non - La côte-nord vote Oui», reportage, p. 3.

L'ÉTINCELLE

16 avril

4209 «Daniel Gevry à la présidence du Oui dans Johnson», reportage, p. 10.

4210 «Gaston Théroux nommé président du comité du Oui», reportage, p. 17.

4211 «Un groupe de Méoui à Richmond», reportage, p. 15.

4212 «Pierre-Marc Johnson à Windsor le 18 avril», reportage, p. 2.

23 avril

4213 «Le Méoui dénonce l'attitude des partisans du Non», M. Lamoureux, L. Cloutier, reportage, p. 19.

30 avril

4214 «Jean-François Bertrand pour le Oui», reportage, p. 21.

4215 «Le ministre Marois sera à Bromptonville», reportage, p. 1.

4216 «Souper causerie du ministre Parizeau», reportage, p. 19.

4217 «Vandalisme», reportage, p. 6. /Photographie avec légende/

7 mai

4218 «Remise de certificats référendaires», reportage, p. 4.

14 mai

4219 «Le ministre Guy Joron sera à Valcourt samedi», annonce, p. 22.

4220 «Plusieurs regroupements pour le Oui à Richmond», reportage, p. 17.

L'ÉTOILE DE L'OUTAOUAIS ST-LAURENT

24 avril

4221 «Avec 16 autres personnes - Les curés de Coteau-Landing et Pincourt... en faveur du Oui», reportage, p. 5.

4222 «René Lévesque dans le comté, lundi?», reportage, p. 8.

1er mai

4223 «Les militants du «Oui» de V.S. tiennent une assemblée d'information», reportage, p. 21.

8 mai

4224 «Cinq nouveaux regroupements adhèrent au Oui», reportage, p. 4.

15 mai

4225 «Les Cèdres: de nombreux citoyens font savoir qu'ils voteront Oui», reportage, p. 19.

4226 «Des gens d'affaires dans la région disent Oui à la Souveraineté-association», M. Lefebvre - Regroupement National pour le Oui Vaudreuil-Soulanges, reportage, p. 17.

L'ÉTOILE DU LAC

16 avril

4227 «Pourquoi pas un cadeau référendaire», R. Paradis, reportage, p. 6.

30 avril

4228 «Selon le ministre Bernard Landry -
Le comté de Roberval: une forteresse du Oui», J.-P. Larouche,
reportage, p. 4.

21 mai

4229 «Déception dans le camp du Oui»,
F. Coutu, R. Paradis, reportage,
p. 2.

L'ÉVANGÉLINE

18 avril

4230 «Lévesque appelle au calme», PC,
reportage, p. 13.

21 avril

4231 «Des «Oui» au Gazette», PC, reportage, p. 5.

15 mai

4232 «Lavigne pour le «Oui», PC, reportage, p. 22.

L'EXPRESS

29 avril

4233 «L'ex-candidat UN dans Drummond
prend position», reportage, p. 22.

4234 «Passage de Kevin Drummond», reportage, p. 22.

4235 «16 professionnels de la santé se
prononcent pour le Oui», reportage, p. 22.

6 mai

4236 «Le comité du «Oui» a présenté son
comité», reportage, p. 9.

4237 «Lise Payette et Jean-Paul L'Allier
au centre culturel le 9 mai au soir»,
reportage, p. 9.

13 mai

4238 «   », reportage, p. 1.
/Photographie et légende/

4239 «   », reportage, p. 48.
/Photographie et légende/

4240 «Une mesure de diversion», G.
Jutras, lettre, p. 50.

4241 «Position du Meoui sur le sondage du Cenon au collège de Drummondville», lettre, p. 48.

4242 «René Lévesque au centre civique»,
reportage, pp. 1,29.

LA FEUILLE D'ÉRABLE

16 avril

4243 «Regroupement du «Oui» dans Lotbinière. Nous sommes à la veille
d'un temps nouveau. Rodrigue Biron»,
C. Forand, reportage, p. 16.

23 avril

4244 «À Laurierville: Pancartes du «Oui»
arrachées ou disparues», C. Forand,
reportage, p. 3.

30 avril

4245 «Le Regroupement pour le Oui du
comté de Lotbinière en campagne»,
reportage, p. A-33.

7 mai

4246 «Biron parle du Oui. «4 millions
de citoyens ensemble ça ne peut pas
se tromper», C. Forand, reportage,
p. A-6.

4247 «Le Ministre Lise Payette à Princeville et Victoriaville le 10 mai»,
reportage, p. A-7.

14 mai

4248 «Lévesque à Victoriaville mercredi»,
reportage, p. A-5.

FLAMBEAU DE L'EST

15 avril

4249 «Jean-Pierre Tousignant, président du Regroupement d'Anjou pour le Oui», R. Paquette - attaché de presse de P.-M. Johnson, communiqué, p. 9.

29 avril

4250 «Pierre Bourgault au Regroupement de Lafontaine pour le Oui», Regroupement pour le Oui de Lafontaine, communiqué, p. 10.

6 mai

4251 «Des regroupements se joignent au Oui», R. Paquette, communiqué, p. 8.

13 mai

4252 «Au peuple de décider - R.L.O.», D. Vincent - Regroupement de Lafontaine pour le Oui, communiqué, p. 11.

3 juin

4253 «Gérard Beaudry remercie les citoyens de Bourget», G. Beaudry, libre opinion, p. 9.

LA FRONTIÈRE

23 avril

4254 «Gendron a rencontré la population d'Evain», reportage, p. 4.

4255 «Le «Oui» a son local», reportage, p. 5.

4256 «René Lévesque à Rouyn, le 1er mai», reportage, p. 5.

30 avril

4257 «Demain à Rouyn - Un programme chargé pour le PM», reportage, p. 5.

4258 «Val d'Or a son local du Oui», reportage, p. 5.

7 mai

4259 «Le Meoui prend sa propre défense», lettre, p. 10.

14 mai

4260 «   », reportage, p. 3.

4261 «À Rouyn-Noranda - Le Regroupement pour le Oui estime que tout va bien», reportage, p. 7.

LA GATINEAU

16 avril

4262 «Campagne d'adhésion pour le regroupement national du Oui. Lancement dans l'ensemble de L'Outaouais», reportage, p. A-9.

4263 «Regroupement national. Mme Jacqueline Tabib en sera responsable», reportage, p. A-9.

23 avril

4264 «Le Oui part en campagne», M. Clermont, reportage, p. 9.

30 avril

4265 «On mettra l'accent sur l'information. Le Oui déplore les techniques du Non», M. Clermont, reportage, p. 8.

7 mai

4266 «Jocelyne Ouellette à Ste-Thérèse-de-Gatineau. «Je parle de la haute-Gatineau partout au Québec», reportage, p. A-9.

4267 «Un Non dans une salle de Oui. Hubert Tremblay s'en tire bien... et on l'applaudit», reportage, p. A-8.

4268 «Pour le Oui. Ouellette et Parizeau à Maniwaki», reportage,
p. A-9.

14 mai

4269 «À Maniwaki aujourd'hui - Le ministre De Belleval», reportage,
p. A-11.

4170 «Groupes du milieu pour le Oui.
Ouellette et Parizeau remettent
19 certificats», reportage,
p. A-10.

4271 «Son comté c'est Hull. Mme Ouellette ne sera pas candidate dans
Gatineau», reportage, p. A-10.

28 mai

4272 «Déçu et surpris. A. Racine»,
reportage, p. A-9.

THE GAZETTE

15 avril

4273 «Referendum: We'll know the date
today», G. Fraser, reportage, p. 1.

17 avril

4274 «Short campaign period - PQ bets
early referendum date will favor
Yes», P. Cowan, analyse, p. 9.

22 avril

4275 «Correction, Castors out of debate»,
erratum, p. 6.
/Correction d'une erreur glissée
dans un article précédent concernant l'équipe de Hockey des Castors/

25 avril

4276 «Students occupy Gazette office say
stories unfair», CP, reportage,
p. 5.

26 avril

4277 «An Ookpik for lonely Corinne»,
reportage, p. 4.

6 mai

4278 «Yes posters annoy Sherbrooke
council», CP, reportage, p. 9.

7 mai

4279 «Do Yes petitions tell the whole
tale of how people will vote?»,
L. I. MacDonald, commentaire,
p. 8.

4280 «PM refuses a TV debate with premier», A. Phillips, reportage,
p. 15.

14 mai

4281 «La Presse rally staged in back
alley», CP, reportage, p. 15.

17 mai

4282 «Cross purposes», reportage, p. 3.

19 mai

4283 «Separatist battler wins a round
for the Yes», P. Orwen, reportage, p. 4.

20 mai

4284 «Levesque is on edge as he waits
for the verdict», L. Harris, reportage, pp. 1,10.

21 mai

4285 «Result is double embarrassment
for P.Q.», H. Bauch, analyse,
p. 30.

4286 «Yes crowd on the march heads west»,
reportage, p. 2.
/Réaction de militants du Oui au résultat du référendum/

22 mai

4287 «Paris referendum party a bust young Quebecers», J. Ferrabee, reportage, p. 19.

31 mai

4288 «Yes forces pledge «national» watchdog», H. Sheppard, reportage, p. 7.

LA GAZETTE DE MANIWAKI

16 avril

4289 «Le «Oui» trouve l'une de ses vice-présidentes dans la Haute-Gatineau», S. Payeur, reportage, p. 7.

23 avril

4290 «Pour le comité du Oui en Haute-Gatineau - Plus de 100 personnes travailleront activement», S. Dupras, reportage, p. 8.

21 mai

4291 «Visite ministérielle dans la Haute-Gatineau - Accueil glacé à la Barwood», S. Payeur, reportage, p. 7.

THE GLEANER

16 avril

4292 «Contact personnel pour le Oui», reportage, p. 20.

4293 «Mme Ouimet présidente du Oui», reportage, p. 20.

30 avril

4294 «Assemblée de cuisine pour le Oui», reportage, p. 17.

14 mai

4295 «Low-key approach in «Yes» campaign», reportage, pp. 1,3.

THE GLOBE AND MAIL

21 avril

4296 «Gentleman Levesque tugging at hearts», M. Strauss, reportage, p. 9.

22 avril

4297 «A kiss cuts off the sparring match as Levesque meets first dissenter», M. Strauss, reportage, p. 9.

4298 «Separate Quebec is «power to do», students are told», M. Gibb-Clark, reportage, p. 9.

24 avril

4299 «Levesque's descent into salt mine flavored by swipe against Ottawa», M. Gibb-Clark, reportage, p. 10.

25 avril

4300 «Think it over: Levesque to students», M. Gibb-Clark, reportage, p. 9.

28 avril

4301 «Levesque appeals to women for overwhelming Yes vote», V. Carrière, reportage, p. 10.

4302 «PQ sees wind in its sails but polls mirror even race», CP, reportage.

4303 «Shrewd ritual pays off for Levesque», W. Johnson, reportage, p. 8.

1er mai

4304 «Levesque carefully skirts the issue», W. Johnson, reportage, p. 8.

21 mai

4305 «Levesque early to cast ballot on his big day», M. Gibb-Clark, reportage, p. 10.

LE GUIDE

16 avril

4306 «Dans Bellechasse. Une vingtaine
de personnes adhèrent au Oui»,
R. Fleury, reportage, p. 34.

4307 «Dans Lotbinière. Maurice Faucher
est le président du comité du «Oui»,
L. Garneau, reportage, p. 31.

23 avril

4308 «Adrien Lambert s'implique dans le
comité du «Oui», communiqué, p. 19.

4309 «Comité du «Oui» Bellechasse. L'ex-
député créditiste Florian Guay à
la présidence», L. Garneau, reportage, p. 24.

30 avril

4310 «Comité du «Oui» de Bellechasse.
«Non pas une province sur dix, mais
un peuple sur deux», L. Garneau,
reportage, p. 47.

4311 «Jacques Parizeau à St-Joseph»,
reportage, p. 3.

4312 «Un livre d'or pour le Oui dans
Beauce-Nord», reportage, p. 59.

7 mai

4313 «Dans Beauce-Nord. 22 groupes
adhèrent au comité du Oui», reportage, p. 32.

4314 «Rodrigue Biron à Sainte Hénédine
le 13 mai», reportage, p. 54.

14 mai

4315 «Le Oui à St-Bernard», reportage,
p. 47.

4316 «Le regroupement pour le Oui fait
le point», reportage, p. 12.

LE GUIDE DE MONTRÉAL-NORD

23 avril

4317 «Les regroupements pour le Oui se
multiplient», communiqué, p. A-10.

7 mai

4318 «Le référendum: un regroupement
pour le Oui de 102 professeurs
à la polyvalente Henri-Bourassa»,
reportage, p. 13.

LE GUIDE DU NORD

15 avril

4319 «Hélène Loiselle bien accueillie
dans Gouin», reportage, p. 2.

4320 «Regroupement pour le Oui du
comté de Gouin», reportage, p. 2.

6 mai

4321 «Les nouvelles du Oui dans les
comtés de Dorion et de Laurier»,
reportage, p. 15.

L'HEBDO DE PORTNEUF

21 avril

4322 «Le Rallye Québec donne le ton à
la campagne référendaire», I. Jinchereau, reportage, p. 5.

28 avril

4323 «Portneuf. Cent personnes adhèrent
au Oui», I. Jinchereau, reportage,
p. A-12.

5 mai

4324 «Charron épate les travailleurs»,
I. Jinchereau, reportage, p. B-29.

HEBDO JOURNAL DE ROSEMONT

16 avril

4325   «Regroupement pour le Oui du comté
        de Gouin, Jean Rochefort président»,
        reportage, p. 17.

30 avril

4326   «René Lévesque au lancement du
        Comité de Gouin», communiqué, p. 20.

L'INFORMATION

16 avril

4327   «Dix-sept personnalités de l'Est du
        Québec au conseil du regroupement
        national du «Oui», G. Beaulieu,
        reportage, p. 2.

4328   «Le docteur Jean-Louis Desrosiers
        nommé président. Le Comité du «Oui»
        formé dans Matapédia», N. Martin,
        reportage, p. A-27.

30 avril

4329   «Au-delà de 400 citoyens du comté
        de Matane disent Oui à René Léves-
        que», reportage, p. A-25.

4330   «C'est parti pour le comité du
        «Oui» dans Matapédia», N. Martin,
        reportage, p. 2.

4331   «64 pour 100 de «Oui» dans Matapé-
        dia le jour du référendum», N. Mar-
        tin, reportage, p. B-16.

7 mai

4332   «Selon Meoui, 8,000 étudiants de
        l'Est du Québec disent Oui», M.
        Poirier, reportage, p. B-7.

14 mai

4333   «Dans l'Est du Québec, six anciens
        députés de différents partis poli-
        tiques répondent Oui à la question
        référendaire», reportage, p. B-28.

L'INFORMATION RÉGIONALE

16 avril

4334   «M. Denis Marsan présidera le comi-
        té du Oui du comté de Châteauguay»,
        reportage, p. 2.

4335   «Le regroupement local du Oui...
        une équipe déterminée», reportage,
        p. 15.

30 avril

4336   «Comté Beauharnois. Ils se pro-
        noncent pour le Oui», A. Meloche,
        reportage, p. 12.

14 mai

4337   «Comté de Beauharnois. Les agri-
        culteurs fiers du ministre Jean
        Garon», reportage, p. 28.

4338   «Comté de Beauharnois. Sondage
        dans les usines: le Oui sort
        gagnant», reportage, p. 15.

4339   «Les étudiants au référendum. Si
        Oui demain nous appartient», repor-
        tage, p. 28.

4340   «Gérard Bourdon, ancien candidat
        libéral dans Châteauguay, adhère
        publiquement au Oui», lettre,
        p. 24.

JOLIETTE JOURNAL

16 avril

4341   «Le comité du Oui. Un démarrage
        à grand déploiement», C. Hétu,
        reportage, pp. 1,6.

4342   «Ouverture du local du Oui à Ber-
        thier», C. Rondeau, reportage,
        p. A-12.

4343   «Le regroupement national pour le
        Oui dans le comté de Joliette-
        Montcalm», communiqué, p. A-12.

23 avril

4344 «Comité du Oui - Joliette Montcalm. Travail d'équipe et minutieuse stratégie», C. Hétu, reportage, p. 1.

4345 «Oui. Au menu: Lise Payette, Tardif, Biron, Bisaillon, Parizeau...», C. Hétu, reportage, p. A-12.

4346 «Oui, Oui et Oui», reportage, p. 1.

4347 «Veux-tu gagner ton pays?», C. Rondeau, reportage, p. 1.

30 avril

4348 «À Saint-Gabriel. Création du regroupement pour le Oui, vendredi», R. Robitaille, reportage, p. C-1.

4349 «Lise Payette au club québécois», communiqué, p. 18.

4350 «Comité du Oui. La poursuite sereine d'une campagne au point», C. Hétu, reportage, p. A-8.

7 mai

4351 «Des adhésions au Oui», reportage, p. A-20. /Photographie avec légende/

4352 «Inauguration du local du Oui à St-Gabriel», C. Rondeau, reportage, p. C-9.

4353 «1,096 femmes disent Oui», reportage, p. A-16.

4354 «Pas de débat mais... Une réunion-gâteau pour Jean Garon à St-Ambroise», L. Pelletier, reportage, p. A-18.

14 mai

4355 «Un autre groupe pour le Oui», reportage, p. A-16. /Photographie avec légende/

4356 «La campagne référendaire à Saint-Félix. Jean-François Bertrand a presque visité R. Poirier», C. Rondeau, reportage, p. C-8.

4357 «Caravane du Oui», p. C-1. /Photographies avec légendes/

4358 «La caravane du pays à Berthierville», C. Rondeau, reportage, pp. A-8, C-1.

4359 «Un grand rassemblement régional pour le Oui? Tout dépendra...», C. Hétu, reportage, p. A-13.

4360 «Ils diront Oui!», reportage, p. A-14.

4361 «Vandalisme au comité du Oui», reportage, p. A-11.

21 mai

4362 «Il marche pour le Oui», C. Rondeau, reportage, p. C-3.

28 mai

4363 «Le gouvernement péquiste devra mettre son option en veilleuse - Chevrette l'admet», C. Hétu, reportage, pp. 1,6.

LE JOURNAL DE CHAMBLY

22 avril

4364 «Comité d'Iberville. Bassette adhère au «Oui», reportage.

4365 «Dans Chambly $101,382 pour le «Oui», Regroupement national pour le Oui, communiqué, p. 16.

4366 «Denis Lazure se prononce. Le camp du Non manque de savoir-vivre», D. Lazure, lettre, p. 4.

29 avril

4367 «Même René...», A. D. Paquette, reportage, p. 13.

4368 «Région de Chambly. Le Comité du Oui ouvre un local», communiqué, p. 15.

6 mai

4369 «Ryan votera Oui - Lise Payette»,
S. Lavallée, reportage, p. 14.

LE JOURNAL DE MONTRÉAL

15 avril

4370 «La stratégie du Oui en deux
manuels», D. Brosseau, reportage, p. 23.

16 avril

4371 «Marcel Léger lance le registre
des artisans de la nation québécoise», G. Pilon, reportage, p. 27.

17 avril

4372 «Charlotte, Hervé et Guy Godin
mécontents», J.-P. Sylvain, reportage, p. 29.

4373 «Le 40e anniversaire du droit de
vote des femmes», reportage, p. 29.

4374 «Rodrigue Biron exige une rétrac-
tation publique de la part de Mme
Monique Bégin», reportage, p. 29.

19 avril

4375 «Le Oui fait des conquêtes à Laval»,
G. Pilon, reportage, p. 21.

25 avril

4376 «Raid à la «Gazette», M. Benoît,
reportage, p. 33.

4377 «La stratégie du Oui, la meilleure
jamais vue en politique», reportage, p. 4.

27 avril

4378 «Des employés de banque pour le
Oui», reportage, p. 21.

28 avril

4379 «Il y a dix ans, le PQ faisait
élire 7 députés», reportage,
p. 25.

29 avril

4380 «Un patient surmonte sa maladie
pour voir le premier ministre»,
G. Pilon, reportage, p. 28.

30 avril

4381 «Corinne Lévesque fait ses débuts»,
reportage, p. 5.

ler mai

4382 «Un autre ancien ministre de l'UN
dit Oui », PC, reportage, p. 41.

2 mai

4383 «Dans la foulée des Jacqueline,
Margaret, Maureen et Madeleine,
Corinne Côté Lévesque est devenue
une politicienne», N. Girard, reportage, p. 6.

4384 «Les partisans du Oui se font
attaquer», Y. Laprade, reportage,
p. 33.

4385 «Timide, Mme Lévesque casse la
glace», M. Tremblay, reportage,
p. 33.

4 mai

4386 «170 «Ouiters» lèvent leur verre
à la victoire du Oui», M. Tremblay,
reportage, p. 4.

4387 «68,127 personnes ont signé la
pétition», PC, reportage, p. 4.

5 mai

4388 «Lévesque se demande si Ryan ne
coure pas après la violence sur
son passage», M. Tremblay, reportage, p. 5.

4389 «Lévesque toujours prêt à rencontrer Trudeau à la télévision»,
reportage, p. 5.

6 mai

4390   «Horaire du PM Lévesque», repor-
        tage, p. 35.

4391   «Lévesque dévoile 50 cas de vanda-
        lisme, d'intimidation et de menaces
        dont sont victimes les partisans
        de son comté», M. Tremblay, repor-
        tage, p. 5.

7 mai

4392   «Marc-André Bédard vole le «show»
        de Lévesque», M. Tremblay, repor-
        tage, p. 5.

4393   «Un succès pour Lise», reportage,
        p. 23.

9 mai

4394   «Dimanche, les artistes pour le
        Oui emprunteront le Chemin du
        pays», C. Lévesque, reportage,
        p. 31.

4395   «Le Meoui invente les tracts à ne
        pas jeter après usage», M. Benoît,
        reportage, p. 31.

11 mai

4395A   «Lévesque reçoit un accueil déli-
        rant dans le fief de Chrétien»,
        reportage, p. 22.

12 mai

4396   «Le «Chemin du pays» en bref.
        Ils y étaient», reportage, p. 9.

4397   «10,000 «Oui» clament leur fierté»,
        G. Pilon, reportage, p. 4.

13 mai

4398   «À 90 ans, elle n'a pas peur», re-
        portage, p. 35.

14 mai

4399   «8000 personnes l'ovationnent», PC,
        reportage, p. 5.

4400   «Un Oui dans la ruelle de la
        Presse», reportage, p. 23.

15 mai

4401   «Les étudiants en majorité pour
        le Oui», reportage, p. 41.

16 mai

4402   «2,000 «ONDIOUI», reportage, p. 31

17 mai

4403   «Floralies 1980. Un départ éblouis-
        sant», Y. Laprade, reportage, p. 3.
        /Discours de René Lévesque lors de
        l'inauguration/

4404   «Le monde de la santé - Corinne
        Côté-Lévesque reçoit 20,000 signa-
        tures», reportage, p. 19.

19 mai

4405   «Le secret de la bonne santé de
        René Lévesque», reportage, p. 5.

20 mai

4406   «Ça se dit mieux!», reportage, p. 4.
        /Photographie avec légende/

21 mai

4407   «Hier soir au centre Paul-Sauvé -
        Le fameux rendez-vous avec l'His-
        toire remis à plus tard», G. Pilon,
        reportage, p. 4.

LE JOURNAL DE QUÉBEC

15 avril

4408   «Indécis et Non mous sont visés»,
        D. Brosseau, reportage, p. 7.

4409   «Paul Rocheleau dirige un comité
        de 47 membres», reportage, p. 7.

17 avril

4410   «Chez André Arthur», reportage, p. 8.

4411 «Les tenants du Non baptisés par Lévesque de chevaliers de l'Apocalypse», A. Leclair, reportage, p. 7.

18 avril

4412 «Biron exige», reportage, p. 6.

19 avril

4413 «Lévesque en tournée», PC, reportage, p. 6.

22 avril

4414 «Trottier et Maltais défendent le Oui», S. Lampron, reportage, p. 6.

25 avril

4415 «   », reportage, p. 6.
/Photographie avec légende/

26 avril

4416 «Au local du «Oui», reportage, p. 10.

29 avril

4417 «Même à Ottawa», reportage, p. 6.
/Photographie avec légende/

30 avril

4418 «Les patriotes de 1837», reportage, p. 5.
/Photographie avec légende. Remise d'un chandail à René Lévesque à l'effigie des patriotes/

4419 «Le premier discours de madame Lévesque», reportage, p. 7.

1er mai

4420 «Tout le matériel: les armes référendaires pour le comité du Oui», A. Leclair, reportage, p. 6.

4421 «Trudeau pouvait-il dire autre chose que Non?», N. Girard, commentaire, p. 8.

2 mai

4422 «Corinne, «politicienne» pour la cause», N. Girard, commentaire, p. 8.

4423 «Vous êtes gênée?», reportage, p. 7.

3 mai

4424 «Reggie Chartrand: un retour à la boxe pour le Oui», reportage, p. 10.

6 mai

4425 «L'option du Oui appuyée par 750 hommes à toges», PC, reportage, p. 11.

7 mai

4426 «Aujourd'hui, les «créditistes» pour le Oui», N. Girard, reportage, p. 8.

4427 «Un bel exemple», N. Girard, reportage, p. 8.

4428 «Boivin ou Lévesque, l'un ne va pas sans l'autre», A. Leclair, reportage, p. 6.

4429 «Ne cédez pas», N. Girard, reportage, p. 8.

8 mai

4430 «30 anciens candidats créditistes disent Oui à Lévesque», PC, reportage, p. 6.

9 mai

4431 «Allô, 10,000», N. Girard, reportage, p. 8.

4432 «Pour les New Yorkais, un «Oui» lumineux», PC, reportage, p. 6.

12 mai

4433 «Rien de trop beau», reportage, p. 6.
/Photographie avec légende/

14 mai

4434 «503 économistes voteront Oui», PC,
reportage, p. 7.

4435 «L'enjeu de l'Outaouais», PC, reportage, p. 9.

4436 «Rallye La Presse», reportage, p. 7.

15 mai

4437 «Les «Oui» feront le saut», reportage, p. 6.
/Organisation d'une manifestation
de sauts en parachute pour le Oui/

16 mai

4438 «L'appui des postiers», PC, p. 14.
/Photographie avec légende/

4439 «Le Meoui intensifie son action»,
PC, reportage, p. 4.

4440 «Les résultats du référendum con-
testés? René Lévesque dit ni oui
ni non», N. Girard, commentaire,
p. 8.

17 mai

4441 «   », reportage, p. 5.
/Photographie avec légende. Croix
du Mont-Royal avec un Oui/

4442 «Idée lumineuse», reportage, p. 7.
/Les chauffeurs de taxi pour le Oui
allumeront leurs phares, le jour du
référendum/

20 mai

4443 «Quel Oui», reportage, p. 7.
/Photographie avec légende/

21 mai

4444 On a trouvé la soirée longue», Y.
Pellerin, reportage, p. 8.

31 mai

4445 «Le regroupement du «Oui est dissout ... mais renaîtra», PC, reportage, p. 12.

LE JOURNAL DE ST-BRUNO

30 avril

4446 «À St-Bruno, la machine du Oui
est en marche», p. 15.

7 mai

4447 «Citoyenne très connue de St-Basile
Elle s'implique dans la campagne
référendaire», reportage, p. 10.

4448 «Grande assemblée publique du Oui.
Lévesque, L'Allier et Parizeau au
colisée Jean Béliveau», reportage,
p. 4.

14 mai

4449 «Dans Chambly, d'autres personnalités adhèrent au Oui», reportage,
p. 12.

JOURNAL DES CITÉS NOUVELLES

1er mai

4450 «Attaque contre les tenants du
Oui», comité du Oui, communiqué
p. 8.

8 mai

4451 «Activité du Oui», reportage,
p. 10.

4452 «Le Oui fait une percée dans le
West Island», Comité du Oui,
lettre, p. 10.

LE JOURNAL DES PAYS D'EN HAUT

16 avril

4453 «Bernard Morin, président. Tout
est en place pour le Oui dans
Prévost», reportage, p. 2.

4454 «Marie-Pia Godard préside le comité pour le Oui dans Laurentides-
Labelle», reportage, p. 2.

23 avril

4455 «Dans le comté de Prévost. Les
porte-parole officiels du Oui sont
connus», reportage, p. 8.

4456 «M. René Lévesque mardi dans Laurentides-Labelle», reportage, p. 14.

4457 «400 personnes portent le Oui aux
sections de vote du comté», reportage, p. 14.

30 avril

4458 «Mme Lise Payette à Saint-Jérôme
aujourd'hui», reportage, p. 7.

7 mai

4459 «Dimanche prochain. Le «Oui» sera
en fête dans tout le comté», reportage, p. 3.

14 mai

4460 «Adhésions au Regroupement pour le
Oui», reportage, p. 15.

4461 «Un long défilé traverse le comté
pour le Oui», M. Lalonde, reportage, p. 2.

JOURNAL LE ST-FRANÇOIS

15 avril

4462 «Adhésions au «Oui»?. Les unionistes imiteraient Biron», reportage.

4463 «Albert Lemieux dans le comité
national du «Oui», reportage.

4464 «Conseil pour le Oui dans Beauharnois. Alphonse Caron, président.
Robert Cauchon et Me Albert Lemieux,
vice-présidents conjoints», reportage.

4465 «Ex-député fédéral. René Emard
président du «Oui» dans Vaudreuil-
Soulanges», reportage.

4466 «Près de $40,000 en trois semaines
Succès sans précédent d'une campagne
populaire en vue du Oui», Parti Québécois comté de Beauharnois, communiqué.

4467 «Samedi, à la polyvalente Baie
St-François. Le ministre Marois,
l'ex-ministre libéral Drummond et
de nouvelles adhésions au Oui»,
reportage.

22 avril

4468 «Rendez-vous important: Pour fêter
le quarantième anniversaire du vote
des femmes», Comité du Oui Beauharnois, communiqué, p. 43.

4469 «Trois centres pour accueillir les
sympathisants du «Oui». Dans le
comté de Beauharnois», Comité du
Oui Beauharnois, communiqué, p. 43.

29 avril

4470 «Des militants pour le Oui enta-
ment la campagne référendaire»,
Regroupement pour le Oui Vaudreuil-
Soulanges, communiqué, p. 25.

13 mai

4471 «Comté de Beauharnois. Sondage
dans les usines: le Oui sort
gagnant», Comité pour le Oui comté
de Beauharnois, communiqué, p. 36.

4472 «Les étudiants au référendum. Si
Oui, demain vous appartient»,
Regroupement national pour le Oui
Comté de Beauharnois, communiqué,
p. 16.

LE LAC ST-JEAN

23 avril

4473 «Les anciens députés y vont pour le
Oui», V. Munger, reportage, p. 7.

4474 «50 «Oui» de plus dans la balance»,
reportage, p. 7.

4475 «Kevin Drummond à Alma», reportage,
p. 3.

4476 «Rachel Ouellet est nommée présidente du Comité du Oui», reportage,
p. 5.

30 avril

4477 «Il y a aussi des femmes pour le
Oui, V. Munger, reportage, p. 9.

7 mai

4478 «Après 21h00, le Oui ne téléphone
plus», reportage, p. 8.

4479 «250 scientifiques appuient le
«Oui», reportage, p. 71.

4480 «Trois ministres dans le comté»,
reportage, p. 8.

MACLEAN'S

14 avril

4481 «There's «No» business like «Yes»
business», D. Thomas, reportage,
pp. 24,25.

LE MESSAGER DE LACHINE

23 avril

4482 «Le comité du Oui lance sa campagne. Yes committee kicks off
campaign», reportage, p. 1.

LE MESSAGER DE LASALLE/THE MESSENGER

15 avril

4483 «Campagne de financement. Le PQ
local dépasse son objectif», reportage, p. A-3.

4484 «Comté Notre-Dame de Grâce. Marcel
Primeau à la tête du comité du Oui»,
reportage, p. A-1.

29 avril

4485 «Grande assemblée publique mercredi avec J. Y. Morin», communiqué,
p. A-1.

4486 «Lors d'une récente...», reportage, p. A-1.
/Photographie avec légende/

6 mai

4487 «Le ministre Camille Laurin visitera Lasalle mercredi», reportage, p. A-1.

13 mai

4488 «Camille Laurin chaudement reçu
à Ville Saint-Pierre», reportage,
p. B-9.

4489 «M. Jacques Yvan Morin...», reportage, p. C-2.
/Photographie avec légende/

4490 «Les travailleurs de la commission
scolaire disent Oui», reportage,
p. A-8.

LE/THE MESSAGER DE VERDUN

16 avril

4491 «Dans le comté Sainte-Anne. Le
regroupement pour le «Oui» ouvre
son local», reportage, p. A-5.

4492 «Regroupement local pour le Oui
est parti à Verdun», reportage,
p. A-1.

23 avril

4493 «À Verdun: Lancement de la campagne du Oui», reportage, p. 11.

4494 «Dans Ste-Anne jeudi. Duhaime
lancera la campagne du Oui»,
C. Marcircil - regroupement pour
le Oui Ste-Anne, communiqué, p. 11.

30 avril

4495 «La maison bleue», reportage, p. A-2.
/Photographie avec légende/

7 mai

4496 «Camille Laurin à Verdun le 8 mai»,
reportage, p. A-2.

14 mai

4497 «Biron à Verdun», reportage,
p. A-6.

4498 «Le conseil d'administration de
l'hôpital de Verdun pour le Oui»,
reportage, p. A-6.

4499 «L'ex-ministre libéral Jean-Paul
L'Allier dira Oui», reportage,
p. A-6.

4500 «Les madelinots pour le Oui se regroupent autour de Denyse Leblanc»,
reportage, p. A-6.

4501 «Vendredi soir - Le premier ministre à l'Auditorium», reportage,
p. 1.

4502 «What a Yes really means», R.
Demers, communiqué, p. A-6.

LE MIRABEL

15 avril

4503 «Le Oui», reportage.

22 avril

4504 «Des porte-parole pour le Oui»,
reportage, p. 9.

29 avril

4505 «Guy Chevrette dans le comté», reportage, p. 9.

4506 «Lise Payette à Saint-Jérôme demain»,
reportage, pp. 4,15.

4507 «Pas de révision des listes de porte à porte», reportage, p. 7.

4508 «Trois nominations au camp du Oui»,
reportage, pp. 6,10.

6 mai

4509 «Dimanche le 11 mai. Le Oui sera
en fête dans tout le comté de Prévost», annonce, p. 9.

4510 «Dimanche le 11 mai, rassemblement
pour le Oui. Les gens de mon quartier disent «Oui» à la polyvalente
de Mont-Rolland», annonce, p. 9.

THE MONCTON TRANSCRIPT

28 avril

4511 «Yes side has wind in its sails»,
CP, reportage.

THE NEWS/LES NOUVELLES

16 avril

4512 «Adhésion à la St-Jean Baptiste
et au Oui», reportage, p. 10.

23 avril

4513 «Ouverture du local du comité du
Oui», reportage, p. 9.

4514 «Le regroupement pour le Oui»,
reportage, p. 13.

30 avril

4515 «   », reportage, p. 20.

4516 «Activités des partisans du Oui»,
reportage, p. 9.

4517 «Le bon numéro...», reportage,
p. 3.

4518 «Lancement de la campagne du Oui
dans L'Acadie», reportage, p. 9.
/Photographie avec légende/

4519 «Pétition pour le Oui présentée
au premier ministre - Premier
Lévesque presented with «Oui»
petition by hospital workers»,
reportage, p. 1.

7 mai

4520 «Pour le Oui. Les ministres Parizeau et Laurin sont venus à Saint-
Laurent», reportage, p. 9.

14 mai

4521 «Du coté du Oui», reportage, p. 13.

4522 «Jacques Yvan Morin visite les citoyens du Oui de Saint-Laurent»,
reportage, p. 9.

LE NORD-EST

16 avril

4523 «Campus Mingan: Le Meoui tiendra
une semaine référendaire», J.-G.
Gougeon, reportage, p. 2.

23 avril

4524 «C'est parti pour le Oui à Port-
Cartier», reportage, p. 11.

30 avril

4525 «Marois à Schefferville et Fermont»,
reportage, p. 2.

LE NORDIC (BAIE-COMEAU)

23 avril

4526 «Lucien veut l'or», reportage,
p. 3.

4527 «Plusieurs personnalités adhèrent
au Oui», R. Hovington, reportage,
p. 3.

30 avril

4528 «L'A.G.E. se décide», reportage,
p. 6.

4529 «9 maires voteront Oui», reportage,
p. 6.

4530 «On attend 23,000 Oui», reportage,
p. 6.

7 mai

4531 «Le Oui en avance affirme Lucien
Lessard», R. Hovington, reportage, p. 4.

14 mai

4532 «Ils disent Oui», reportage, p. 4.

LE NORDIC (SEPT-ÎLES)

16 avril

4533 «Le Meoui du Campus Mingan organise un pré-référendum en Mai», reportage, p. 10.

4534 «René Lévesque à Sept-Îles jeudi»,
annonce, p. 3.

23 avril

4535 «Le Havre a son comité du Oui»,
D. Turbis, reportage, p. 30.

30 avril

4536 «Guy Desjardins le chef du Oui
dans Duplessis», reportage, p. 4.

4537 «On vise un objectif de 60% de
Oui», reportage, p. 4.

LE NOUVEAU CLAIRON

14 mai

4538 «Pétition pour le Oui», G. Pothier,
lettre, p. 37.

4539 «Regroupement national pour le Oui»
reportage, p. 11.

NOUVEAU JOURNAL ST-MICHEL

16 avril

4540 «L'avenir du Québec appartient
aussi aux aveugles», reportage,
p. 6.
/Édition en braille du livre blanc/

LA NOUVELLE DU HAUT ST-FRANÇOIS

22 avril

4541 «Liste des présidents de comités pour le Oui», reportage.

6 mai

4542 «East Angus, visite de M. Johnson», communiqué, p. 3.

13 mai

4543 «Jean-Paul L'Allier à Sherbrooke», J. Jeanson, reportage, p. 14.

LA NOUVELLE REVUE

16 avril

4544 «Pour Bertrand Duhamel - Son Oui: une démarche qui s'inscrit dans l'ordre normal des choses», J.-P. Jodoin, reportage, p. 3.

23 avril

4545 «18 nouveaux groupes adhèrent au Oui», J.-P. Jodoin, reportage, p. 1.

7 mai

4546 «Jacques Parizeau dans Shefford», reportage, p. 3.

14 mai

4547 «Artistes et artisans invités à joindre les forces du Oui», J.-P. Jodoin, reportage, p. 5.

4548 «Soirée Mia Riddez-Morisset», reportage, p. 3.

NOUVELLES DE L'EST

15 avril

4549 «Le «Oui» de Maisonneuve s'organise», reportage, p. 18.
/Photographies avec légendes/

22 avril

4550 «La SSJBM de Maisonneuve et Ste-Marie dit Oui au référendum», reportage, p. 20.

29 avril

4551 «Dans Maisonneuve: un Oui multiplié», reportage, p. 15.

4552 «Être contagieux: mot d'ordre au lancement du Oui dans Ste-Marie», reportage, p. 14.

6 mai

4553 «Jacques Parizeau dans Ste-Marie», reportage, p. 12.

13 mai

4554 «Oui-Maisonneuve», reportage, p. 10.

4555 «Oui - Ste-Marie», reportage, p. 10.

LE NOUVELLISTE

15 avril

4556 «Le comité pour le «Oui»...», p. 13.
/Photographie avec légende/

4557 «Le Dr Paul Demers à la présidence du comité du Oui dans Trois-Rivières», J.-M. Beaudoin, reportage, p. 12.

16 avril

4558 «Aucune vague en faveur du «Oui» mais un courant», PC, reportage, p. 30.

18 avril

4559 «Initiative du ministre Vaugeois. Lancement régional du livre «Pourquoi Oui», J.-M. Beaudoin, reportage, p. 10.

19 avril

4560 «Ex-ministre unioniste. Armand Maltais joint les Oui», PC, reportage, p. 19.

4561 «Parachutage raté. Les «Oui» reçoivent des diplômes», N. Delisle, PC, reportage, p. 19.

22 avril

4562 «Comté Nicolet-Yamaska. L'objectif du Oui: 75% des suffrages», R. Dolan-Caron, reportage, p. 14.

25 avril

4563 «Ils reçoivent leur certificat. Les frères Maristes adhèrent au «Oui», PC, reportage, p. 18.

28 avril

4564 «L'incendie d'un comité pour le Non. Avertissement du ministre de la justice», PC, reportage, p. 5.

30 avril

4565 «La stratégie du Oui. Doris Lussier était-il prophète en son pays?», C. Savory, reportage, p. 16.

3 mai

4566 «Débat Lévesque-Trudeau? Oui, mais dans les deux langues», PC, reportage, p. 7.

5 mai

4567 «Plus de 68,000 signatures», N. Delisle, PC, reportage, p. 15.

7 mai

4568 «Les ex-ministres et députés unionistes expliquent leur Oui», N. Delisle, PC, reportage, p. 47.

10 mai

4569 «Émission annulée. Parizeau blâme Radio-Québec», PC, reportage, p. 44.

15 mai

4570 «Lavigne, Mme Fortin et trois grandes familles soreloises. Nouvelles adhésions au Oui», reportage, p. 32.

16 mai

4571 «Lévesque acclamé», A. Bellemare, PC, reportage, p. 14.

17 mai

4572 «Un bilan positif des tenants du Oui-Clair», C. Savory, reportage, p. 42.

19 mai

4573 «L'assemblée de clôture du Oui dans Champlain. Une grande réunion de famille», M. Aubry, reportage, p. 3.

4574 «René Lévesque. Le gouvernement cherche un mandat pour négocier», PC, reportage, p. 1.

20 mai

4575 «L'organisation référendaire du côté du Oui. Une formule à succès: le regroupement et son certificat», J.-M. Beaudoin, reportage, p. 12.

21 mai

4576 «Dans le camp du Oui. Désolation et consternation prédominent», N. Delisle, PC, reportage, p. 2.

L'OEIL RÉGIONAL

16 avril

4577 «Les 14 présidents du Oui de la région sud», reportage, p. 8.

23 avril

4578 «Charron à Beloeil vendredi soir», reportage, p. 8.

Oui est bien parti à
, communiqué, p. 8.

 attend jusqu'à 22h
irs», reportage, p. 8.

arois anime une émission
nne sur le référendum à
on», reportage, p. 8.

i, un «happening» du Oui
fé Saint-Mathieu», communiqué,

mai

«Lévesque, L'Allier et Parizeau
à Longueuil», reportage, p. 10.

«Morin et L'Allier à Saint-Hilaire»,
reportage, p. 10.

85   «4 nouveaux groupes dévoilés. Les
regroupements pour le Oui se pour-
suivent dans Verchères», J.-M.
Bouchard, reportage, p. 43.

14 mai

4586   «À Saint-Hilaire - Morin se fait rassurant», reportage, p. 1.

4587   «Des milliers de personnes atten-
dues à Saint-Hilaire le 18 mai pour
un concert «référendaire», communiqué, p. 8.

4588   «Le local du Oui pour la section
de Beloeil est ouvert», communiqué,
p. 8.

4589   «Le théatre des Deux Rives dit Oui»,
reportage, p. 8.

THE OTTAWA JOURNAL

30 avril

4590   «Patriotic T-shirt», reportage,
p. 10.
/Photographie avec légende/

2 mai

4591   «Sock it to «em», reportage, p. 8.
/Photographie avec légende/

7 mai

4592   «Grass-roots support», reportage,
p. 8.
/Photographie avec légende/

13 mai

4593   «Bêêê-Oui», reportage, p. 7.
/Photographie avec légende/

21 mai

4594   «Frustrated Yes-supporters vent
anger on west Montreal - Quebecer
will accept decision», M. Morissette, reportage, pp. 1,14.

4595   «Sobering thoughts», reportage,
p. 15.
/Photographie avec légende/

31 mai

4596   «Rene creates watchdog», reportage, p. 10.

LA PAROLE

16 avril

4597   «Mardi prochain, au CEGEP - Le
Meoui accueillera M. Gérald Godin»,
reportage, p. 10.

30 avril

4598   «Au sujet des défenses permises...
et le comité du Oui dit non...»,
reportage, p. 3.

7 mai

4599   «Adhésion de 25 personnes à l'option du Oui», reportage, p. 3.

4600   «Le Meoui se dissocie du sondage
du Cenon», reportage, p. 2.

4601   «Pour le Oui - 14 «regroupements
de milieu de vie» se font connaître», reportage, p. 3.

4602   «Vendredi à 20h - Lise Payette et
Jean-Paul L'Allier au Centre culturel», reportage, p. 2.

14 mai

4603 «Ce soir, au Centre Marcel Dionne - Rassemblement monstre des tenants du Oui», reportage, p. 2.

4604 «Le président du Oui compte sur l'engagement de ses troupes pour ce faire - L'important, c'est de susciter une prise de conscience des citoyens jusqu'à la fin (Me Germain Jutras)», reportage, p. 6.

4605 «René Lévesque, Jacques Parizeau et Kevin Drummond y seront», reportage, p. 2.

4606 «Vendredi soir - Jean-Paul L'Allier n'était pas le seul «libéral» au centre culturel», reportage, p. 9.

LA PETITE NATION/LE BULLETIN

22 avril

4607 «Regroupement national pour le Oui - Bernard Guindon, président dans Argenteuil», reportage, p. 5.

4608 «Regroupement national pour le Oui - Comité pour le Oui à Thurso», reportage, p. 5.

4609 «Regroupement national pour le Oui - Jean-Claude Charette, président dans Papineau», reportage, p. 5.

4610 «Regroupement national pour le Oui - Nominations au conseil d'administration pour l'Outaouais», reportage, p. 5.

29 avril

4611 «À Pointe-Gatineau - Lancement de la campagne pour le Oui dans Papineau», C. Chénier, reportage, p. 9.

6 mai

4612 «Comité du Oui - Ouverture du local à Buckingham», C. Chénier, reportage, p. 8.

13 mai

4613 «Dans la Petite-Nation: mille noms pour le Oui», communiqué, p. 5.

LE PEUPLE-COURRIER

23 avril

4614 «Biron et Drummond à Ste-Perpétue», reportage, p. 7.
/Photographie/

4615 «Florian Guay, président du comité du Oui dans Bellechasse», reportage, p. 8.

4616 «Le notaire Roméo Roy prend la barre du comité du Oui dans Kamouraska-Témiscouata», reportage, p. 3.

30 avril

4617 «Lancement de la campagne référendaire dans Bellechasse. Ils diront Oui le 20 mai», B. Sylvain, Regroupement national pour le Oui Bellechasse, reportage, p. 8.

14 mai

4618 «À St-Adalbert, le Dr Lizotte évoque le passé», reportage, p. 9.

4619 «Devant Lise Payette les syndiqués de Rexfor manifestent à nouveau leur désaccord», reportage, p. 5.

4620 «Ils ont dit Oui», reportage, p. 6.
/Liste de personnes et groupes d'adhérants au Oui/

28 mai

4621 «Dans Bellechasse, le P.Q. demeure sur un pied d'alerte», reportage, p. 5.

PEUPLE-TRIBUNE

23 avril

4622 «De passage au Collège de Lévis. Rodrigue Biron fait un acte de foi en la souveraineté-association», J. Bouchard, reportage, p. A-5.

30 avril

4623 «Bellechasse - Dorchester. En marge du lancement de la campagne référendaire pour le «Oui»...!», L. Trudeau, reportage, p. C-4.

4624 «Ils diront Oui le 20 mai», reportage, p. C-11.

4625 «Lévesque répond à la presse locale», S. Geoffrion, reportage, p. A-6.

4626 «Le Non se fait sentir au Collège de Lévis», reportage, p. A-7.

7 mai

4627 «Campagne référendaire. Parizeau réunit 400 personnes en assemblée publique à Ste-Justine», reportage, p. C-7.

4628 «Rodrigue Biron à Ste-Hénédine», reportage, p. C-2.

LE PHARILLON-VOYAGEUR

23 avril

4629 «Le premier ministre nomme les membres de l'exécutif du Oui. Le Maire de Pabos-Mills président du Oui dans Gaspé», G. Marcotte, reportage, p. 4.

PLEIN JOUR SUR CHARLEVOIX

23 avril

4630 «Regroupement national pour le Oui. Paul-Henri Jean accepte la présidence», reportage, p. 7.

30 avril

4631 «   », reportage, p. 1.

4632 «Se sont prononcés en faveur du Oui», reportage, p. 34.

7 mai

4633 «Pour le président du Oui. Il y a effectivement 20% d'indécis», reportage, p. 8.

14 mai

4634 «Référendum dans Charlevoix - Les travailleurs syndiqués appuieraient massivement le Oui», reportage, p. 10.

PLEIN JOUR SUR LA MANICOUAGAN

22 avril

4635 «Dans Saguenay. La campagne du Oui est lancée», reportage, p. 4.

27 mai

4636 «Pour les tenants du Oui. Ce n'est que partie remise», reportage, p. 8.

LE PLEIN JOUR SUR LE SAGUENAY

7 mai

4637 «Gérard Paquet répondra Oui», reportage, p. 2.

14 mai

4638 «À Forestville - Trois nouveaux regroupements du Oui ont été formés», reportage, p. 2.

4639 «À Saint-Paul et Sault-au-Mouton les ministres Lessard et Johnson sont passés vite comme l'éclair», reportage, p. 4.

4640 «La démission de l'abbé Bériault pour défendre la cause du Oui», reportage, p. 10.

LA PRESSE

17 avril

4641 «Le camp du Oui fêtera les 40 ans de droit de vote des femmes», H. Roberge, reportage, p. A-11.

4642 «Pas de grosses assemblées - Le PQ: une stratégie d'infiltration», J. Bouchard, reportage, p. A-11.

4643 «Très peu de péquistes chez les présidents du Oui à Québec», P. Vincent, reportage, p. A-18.

18 avril

4644 «Charron vise 10,000 regroupements de citoyens pour le Oui», P. Vincent, reportage, p. A-13.

19 avril

4645 «Lévesque n'oeuvre qu'en pays ami», Y. Leclerc, reportage, p. A-9.

4646 «Un autre ex-ministre dans le camp du Oui», reportage, p. A-11.

4647 «20 appels à la minute à la permanence du Oui», J. Bouchard, reportage, p. A-11.

22 avril

4648 «Dépliants publicitaires aux personnes âgées: pas d'ingérence à Verdun», M. Favreau, reportage, p. A-12.

4649 «Laurin entrevoit une nouvelle amitié entre deux grands peuples», F. Bernard, reportage, p. A-11.

4650 «Le père du Oui ou la guerre des boutons», P. Longpré, reportage, p. A-12.

4651 «La venue de Trudeau n'inquiète que peu Lévesque», Y. Leclerc, reportage, p. A-12.

24 avril

4652 «Les chauffeurs d'autobus ont peine à retenir leurs élans politiques», M. Gagnon, reportage, p. A-13.

4653 «Le Meoui ajuste son tir», J. Bouchard, reportage, p. A-7.

25 avril

4654 «Les fonctionnaires fédéraux disent Oui à de meilleures conditions de travail», P. Vincent, reportage, p. A-12.

4655 «Lévesque à Château-Richer - La campagne devient une affaire de famille», Y. Leclerc, reportage, p. A-11.

26 avril

4656 «Lévesque respire l'assurance et la confiance», Y. Leclerc, reportage, p. A-10.

29 avril

4657 «Le porte-à-porte du PQ a un double but», J. Bouchard, reportage, p. A-13.

30 avril

4658 «Les Yvettes, un dur coup - Les Québécoises pour le Oui refont surface à leur façon», H. Roberge, reportage, p. A-12.

1er mai

4659 «Des Québécois de 26 origines se rallient au Oui», reportage, p. A-10.

4660 «Oui d'un ex-ministre», reportage, p. A-13.

2 mai

4661 «Souverainiste casse-cou», reportage, p. A-12.

3 mai

4662 «Thérèse Baron fait campagne pour le Oui - «Le reste du Canada prend une attitude patronale», M. Favreau, reportage, p. A-12.

5 mai

4663 «Un défilé pour le Oui», G. Tardif, reportage, p. A-13.

4664 «20,000 adhésions pour l'express du Oui», M. Gagnon, reportage, p. A-12.

6 mai

4665 «L'échelle du Oui compte 1067 noms», M. Gagnon, reportage, p. A-12.

7 mai

4666 «Marois s'est fait crever ses pneus», G. Tardif, reportage, p. A-11.

4667 «Le Oui dimanche - Spectacle à Québec, pique-nique à Montréal», P. Vincent, reportage, p. A-11.

8 mai

4668 «Félix aux partisans du Oui à Québec - Quelques milions de Oui et nous voilà chez-nous dans cent jours», P. Vincent, reportage, p. A-1.

9 mai

4669 «50 artistes empruntent le Chemin du Roy dimanche», A. Pépin, reportage, p. A-13.

4670 «Elie Fallu - Fallu ferait appel aux tribunaux», J.-P. Charbonneau, reportage, p. A-10.

4671 «Fonctionnaires - 2,600 noms en faveur du Oui», G. Lamon, reportage, p. A-10.

4672 «Il marche pour enlever la suie sur le pays», M. Gagnon, reportage, p. A-13.

4673 «Réactions au sondage - Morin se dit encore plus certain de la victoire du Oui», reportage, p. A-10.

10 mai

4674 «Le nouveau message du Oui - Un meilleur contrat, sans rien briser», J. Bouchard, reportage, p. A-9.

4675 «Le Oui. tiendra cinq assemblées la semaine prochaine», J. Bouchar[d] reportage, p. A-9.

4676 «Parizeau boude Radio-Québec», re[portage], portage.

4677 «Peu de monde au rallye du Oui ru[e] Saint-Denis», J. Bouchard, A. Pép[in] reportage, p. A-9.

4678 «Sur Times Square», p. A-9. /Photographie d'une affiche lumineuse du Oui à New-York/

12 mai

4679 «Le dernier Gaëtan Lapointe - Une expérience pleine de devenirs», reportage, p. B-12.

4680 «Les derniers efforts du Oui port[e]ront sur les indécis», J. Bouchar[d] reportage, p. A-9.

4681 «Laval - Le camp du Oui oublie 10,000 électeurs», J.-P. Charbonneau, reportage, p. A-10.

4682 «La marche des artistes se termin[e] devant 10,000 personnes à Québec» P. Vincent, reportage, p. A-9.

14 mai

4683 «Une fête de 9,000 personnes - Le[s] coudes serrés à Paul Sauvé», A. Pépin, reportage, p. A-9.

4684 «Le Oui peut-il encore renverser la vapeur?», M. Laurendeau, analyse, p. A-10.

4685 «400 employés de La Presse disen[t] Oui», H. Laprise, reportage, p. A-11.

15 mai

4686 «Le rêve qui se dérobe», L. Gagn[on] reportage, p. A-15.

17 mai

4687 «Corinne Côté-Lévesque emballée [et] satisfaite», J. Bouchard, reporta ge, p. A-13.

4688 «2000 fonctionnaires fédéraux diront
Oui», reportage, p. A-14.

4689 «Lévesque à 13000 personnes - «Une
nouvelle amitié entre deux nations»,
Y. Leclerc, reportage, p. A-11.

19 mai

4690 «Des certificats d'adhésion aux
grandes assemblées - Lévesque a
laissé Ryan prendre l'avance dans
l'espoir de le doubler à la fin»,
Y. Leclerc, reportage, p. A-13.

21 mai

4691 «Ovation monstre pour Lévesque - À
Paul-Sauvé, on a servi la défaite
à petite dose», P. Vincent, reportage, p. 2.

4692 «15 milles dans les rues pour
oublier la défaite», M. Gagnon,
reportage, p. 5.

4693 «René Lévesque: La balle est dans
le camp fédéraliste», reportage,
p. A-1.

23 mai

4694 «Le 20 mai - Que faisait-elle là?»,
H. Roberge, reportage, p. A-2.

31 mai

4695 «Une «ligue des droits politiques
du Québec» prendra la relève du
Regroupement pour le Oui», F. Côté,
PC, reportage, p. A-2.

LE PROGRÈS DE COATICOOK

16 avril

4696 «En marche avec le Oui», reportage,
p. 2.

23 avril

4697 «M. Jean-Louis Langlois, de Magog,
lance la campagne du rassemblement
national pour le «Oui» dans Orford»,
reportage, p. 1.

7 mai

4698 «   », p. 32.
/Comité du Oui d'Orford à la télé-
vision communautaire de Coaticook.
Photographies avec légendes/

PROGRÈS DE ROSEMONT

30 avril

4699 «Le ministre Landry visite la cité
des retraités», J. de Laplante,
reportage, p. 8.

LE PROGRÈS DE THETFORD

15 avril

4700 «Présentation du regroupement
pour le Oui», reportage, p. 10.

6 mai

4701 «En bref...», reportage, p. 6.

LE PROGRÈS DE VILLERAY

22 avril

4702 «Assemblée enthousiaste au lancement du Oui dans Dorion», communiqué, p. 9.

4703 «Lancement de la campagne du Oui
dans Laurier», reportage, p. 11.

29 avril

4704 «Dominique dit Oui», reportage,
p. 13.
/Photographie avec légende/

6 mai

4705 «Des nouvelles du Oui», chronique,
p. 13.

PROGRÈS-DIMANCHE

20 avril

4706 «Lagacé dit Oui», reportage, p. 8.

4707 «Péquistes mécontents», PC, reportage, p. 54.

PROGRÈS-ÉCHO

7 mai

4708 «Le Mouvement étudiant pour le Oui désire contrebalancer le vote anglophone», G. Thibeault, reportage, p. A-8.

14 mai

4709 «À Rimouski, samedi. L'Allier pour le Oui», reportage, p. A-4.

LE QUOTIDIEN DU SAGUENAY-LAC ST-JEAN

16 avril

4710 «Fonctionnaires Québec Oui-Publicité que Gendron préfère ne pas commenter», PC, reportage, p. A-15.

17 avril

4711 «La souveraineté politique du Québec part du Saguenay-Lac St-Jean» - Marc-André Bédard», A. Bellemare, PC, reportage, p. A-1.

18 avril

4712 «Enquête Malouf», PC, reportage, p. A-10.

4713 «Mise en demeure à Mme Bégin», PC, reportage, p. A-9.

19 avril

4714 «Oui au référendum», reportage, p. A-3.

22 avril

4715 «Pétition pour le Oui», reportage, p. A-11. /Photographie avec légende/

23 avril

4716 «Pétition pour Lévesque», PC, reportage, p. A-20.

24 avril

4717 «Kevin Drummond», B. Munger, reportage, p. A-3.

4718 «M.-A. Bédard au Cegep», B. Munger, reportage, p. A-3.

4719 «Le Oui à Roberval», B. Munger, reportage, p. A-3.

4720 «40ème anniversaire», B. Munger, reportage, p. A-3.

4721 «Rodrigue Biron», B. Munger, reportage, p. A-3.

25 avril

4722 «Les Frères maristes adhèrent au Oui», PC, reportage, p. A-11.

30 avril

4723 «Le dernier «sprint» de la SNQ», reportage, p. A-6.

4724 «Patriote», PC, reportage, p. A-15. /Photographie avec légende/

4725 «Pétanque-référendum», PC, reportage, p. A-15.

1er mai

4726 «Référendum - À l'instar de Biron, Prévost votera Oui», PC, reportage, p. A-9.

4727 «Rempli à craquer», reportage, p. A-12.

7 mai

4728 «La visite de René Lévesque - Succès
certain, mais impact mal précisé»,
C. Fortin, reportage, p. A-2.

9 mai

4729 «Corinne Côté à Alma», C. Fortin,
reportage, p. A-2.

13 mai

4730 «Bédard: Nouveau refus», reportage, p. A-2.

14 mai

4731 «Rejetés à la ruelle», PC, reportage, p. A-12.
/Photographie avec légende/

16 mai

4732 «91 regroupements du Oui dans Jonquière», reportage, p. A-3.

4733 «Vandalisme», reportage, p. B-6.
/Photographie avec légende/

17 mai

4734 «Oui Oui», reportage, p. A-3.
/Photographie avec légende/

20 mai

4735 «Dernière conférence», PC, reportage, p. A-10.
/Photographie avec légende/

22 mai

4736 «Manifestation houleuse», PC, reportage, p. A-9.

THE RECORD

15 avril

4737 «Yes forces prepare for local campaigns», CP, reportage, p. 4.

16 avril

4738 «Referendum chronology», CP, reportage, p. 2.

18 avril

4739 «Just listens», CP, reportage, p. 5.

22 avril

4740 «Saguenay is backbone of Sov Ass
support», CP, reportage, p. 4.

28 avril

4741 «Another role for Johnson?», D.
Young, reportage, p. 1.

2 mai

4742 «Beer as important as referendum
for James Bay workers», CP, reportage, p. 4.

14 mai

4743 «Campaign doesn't give Levesque
chance to see undecided», CP, reportage, p. 4.

4744 «Trudeau: Levesque debate divisive»,
CP, reportage, p. 2.

26 mai

4745 «Run or get clubbed», J. Duff,
commentaire, p. 4.
/L'auteur commente l'action répres-
sive de la police le soir du référendum,envers les manifestants du
Oui/

LE REFLET

16 avril

4746 «M. Denis Marsan présidera le comité du Oui du comté de Châteauguay»,
Comité du Oui Châteauguay, reportage, p. 2.

4747 «Les présidents des regroupements
pour le Oui de la Région Sud», reportage, p. 5.
/Photographie avec légende/

23 avril

4748 «Oui c'est parti pour le Oui», reportage, p. 29.

4749 «Le Oui dans La Prairie», reportage, p. 28.

4750 «Oui... Jean-Paul L'Allier à Ste-Catherine le 23 avril prochain», reportage, p. 28.

4751 «Ouverture d'un local du Oui dans la ville de Laprairie», reportage, p. 28.

30 avril

4752 «À Châteauguay: Assemblée publique sur la souveraineté-association lundi le 5 mai», communiqué, p. 16.

4753 «À Delson: Assemblée publique mercredi 30 avril», communiqué, p. 2.

4754 «À Mercier: Assemblée publique, jeudi le 1er mai», Comité du Oui Châteauguay, communiqué, p. 2.

4755 «À Saint-Mathieu: Assemblée publique mardi le 6 mai», Comité du Oui Châteauguay, communiqué, p. 2.

4756 «Insulte aux Québécois», reportage, p. 2.

4757 «Mme Riel Elmalet lance la campagne des mini-regroupements pour le Oui dans le comté de Laprairie», reportage, p. 2.

4758 «Regroupement du Oui dans le comté de Châteauguay», F. Juteau, communiqué, p. 16.

7 mai

4759 «Assemblée à Saint-Philippe, jeudi le 8 mai à 19h30», Comité du Oui Châteauguay, communiqué, p. 38.

4760 «Comité du Oui de Sainte-Martine», reportage, p. 6.

4761 «La famille Monette de Delson dira Oui au référendum», p. 6.

4762 «Jacques Parizeau, ministre des finances, sera à Châteauguay dimanche prochain le 11 mai», communiqué, p. 6.

4763 «Lévesque, Parizeau et Biron au colisée Jean Béliveau lundi le 12 mai», reportage, p. 6.

4764 «Les locaux du Oui dans Huntingdon», Regroupement des Québécois pour le Oui Huntingdon, communiqué, p. 38.

4765 «Mme Imelda Jubinville, 90 ans, et elle dira Oui», reportage, p. 7.

14 mai

4766 «Denis Lazure, ministre des Affaires sociales, sera à Saint-Constant vendredi le 16 mai à 20:00», Comité du Oui Châteauguay, communiqué, p. 6.

4767 «Gérard Bourdon, ancien candidat libéral dans Châteauguay adhère publiquement au Oui», Comité du Oui Châteauguay, reportage, p. 6.

LE RÉGIONAL DE L'OUTAOUAIS

23 avril

4768 «Faut pas prendre des souris pour des éléphants - J. M. Rivest», J. M. Rivest, reportage, p. 5.

7 mai

4769 «Une campagne calme et sereine pour le «Oui» dans Gatineau», reportage, p. 11.

14 mai

4770 «La campagne référendaire dans la région - Les fonctionnaires fédéraux retiennent l'attention», reportage.

4771 «Le Conseil des Gens d'Affaires opte pour le Oui», reportage, p. 5.

LE RÉVEIL À JONQUIÈRE

23 avril

4772 «Bernard Landry en ville», reportage, p. 21.

4773 «Deux autres Oui», reportage, p. 2.

4774 «Étudiants et la campagne», reportage, p. 20.

30 avril

4775 «Nomination «Oui», M. Fortin, C. Girard, reportage, p. 15.

7 mai

4776 «René Lévesque est reparti avec plusieurs Oui en poche», M. Fortin, reportage, p. 2.

21 mai

4777 «Un goût amer dans la bouche», C. Girard, reportage, p. 4.

LA REVUE

16 avril

4778 «La campagne de financement du P.Q. à La Plaine», Y. Bellavance, reportage, p. 13.

4779 «Des élus de Mascouche et LaPlaine disent Oui», reportage, p. 12.

4780 «Local du «Oui» du comté de l'Assomption», reportage, p. 12.

4781 «Parizeau, L'Allier et Biron à Repentigny. Le «Oui» L'Assomption lance sa campagne le 20 avril», reportage, p. 1.

4782 «Regroupement national pour le «Oui» du comté de Terrebonne», reportage, p. 3.

4783 «Représentants du comté de L'Assomption au comité national», reportage, p. 13.

30 avril

4784 «Adhérants du «Oui» à La Plaine», reportage, p. 11.

4785 «Les jeunes pour le « Oui», reportage, p. 10.

4786 «Local du «Oui» à Mascouche», reportage, p. 11.

7 mai

4787 « », p. 2.
/Photographie avec légende/

4788 « »
/Photographie avec légende/

4789 «Le Meoui vous invite», reportage, p. 12.

4790 «Les regroupements pour le Oui sont en marche», reportage, p. 13.

4791 «Tout le monde dit «Oui», reportage, p. 12.

28 mai

4792 «Message du président du Oui de L'Assomption», reportage, p. 14.

LA REVUE DE GATINEAU

7 mai

4793 «Le «Oui» de Papineau en porte à porte», reportage, p. 21.

LA REVUE DE PAPINEAU

30 avril

4794 «Les «Oui» de Papineau en porte à porte», reportage, p. 23.

LE RIMOUSKOIS

7 mai

4795 «Le Meoui, vers le nationalisme, le souverainisme et une société plus progressive», reportage, p. B-12.

ST-LAURENT ECHO

16 avril

4796 «Comté de Rivière-du-Loup. Louis-
Philippe Rioux préside le comité
pour le Oui dans le comté de Rivière-du-Loup», M. Robitaille-Tremblay,
reportage, p. 8-A.

4797 «Mme Ferreti», communiqué, p. 25-A.

4798 «11 autres adhésions au Oui», M.
Robitaille-Tremblay, reportage,
p. 8-A.

23 avril

4799 «Le comité du Oui à l'oeuvre dans
Kamouraska-Témiscouata», reportage,
p. 8-A.

30 avril

4800 «L'association du Cegep de Rivière-
du-Loup, Oui au référendum», L.
Chassé, reportage, p. 12.

4801 «Kamouraska-Témiscouata, 14 nouvelles personnalités diront «Oui», L.
Bossé, reportage, p. 9-A.

4802 «La lutte sera dure pour les tenants
du Oui - Lucien Lessard», L. Bossé,
reportage, p. 3-A.

4803 «Les «Oui» continuent d'affluer»,
L. Chassé, reportage, p. 17.

7 mai

4804 «Campagne référendaire: Rodrigue
Biron rassure les indécis», L. Bossé
reportage, p. 22-A.

4805 «CEGEPS de Rivière-du-Loup et de La
Pocatière Oui au référendum», L.
Chassé, reportage, p. 9-A.

14 mai

4806 «Campagne référendaire», communiqué,
p. 30.

4807 «Doutes justifiés des ancêtres», reportage, p. 19-A.

21 mai

4808 «Oui par logique», L. Chassé, reportage, p. 18-A.

28 mai

4809 «Non à la négociation d'égal à
égal: Une victoire de la haute-
finance», L. Bossé, reportage,
p. 12-A.

THE ST. LAWRENCE SUN/
LE SOLEIL DU ST-LAURENT

16 avril

4810 «Comté de Chambly. Denis Marsan
présidera le comité du Oui», Comité du Oui Châteauguay, reportage,
p. A-1.

23 avril

4811 «50 nouveaux adhérents affichent
leur appartenance au Oui», D.
Boucher, reportage, p. A-3.

30 avril

4812 «À Châteauguay, Mercier et Delson.
Des assemblées publiques sur la
souveraineté-association», Comité
du Oui Châteauguay, communiqué,
p. A-10.

4813 «Yes men hold meeting on sovereignty
ass.», F. Juteau, Comité du Oui
Châteauguay, communiqué, p. A-3.

14 mai

4814 «Ancien candidat libéral dans Châteauguay, Gérard Bourdon adhère
publiquement au Oui», Comité du
Oui Châteauguay, reportage,
p. C-12.

4815 «Vendredi 16 mai à 20.00. Le ministre Lazure à St-Constant», Comité
du Oui Châteauguay, communiqué,
p. C-1.

LA SEIGNEURIE

23 avril

4816 «À Contrecoeur: plus de 1000 signatures pour le Oui», reportage, p. 54.

4817 «Le lancement de la campagne pour le Oui», N. Jarry, reportage, p. 33.

4818 «La logique fédéraliste», Y. Lafortune, reportage, p. 48.

7 mai

4819 «Des agriculteurs du comté de Verchères au rendez-vous», reportage, p. 30.

4820 «Enseignants, facteurs et cols bleus de Boucherville - Sous le parapluie de Lise Payette», J. Laporte, reportage, p. 14.

14 mai

4821 «Le regroupement national pour le Oui», Y. Leblond, reportage, p. 28.

28 mai

4822 «L'au revoir du Oui», reportage, p. 45.

LA SEMAINE

15 avril

4823 «Notre «Oui» n'a pas d'âge!», reportage, p. 4.

4824 «Le Oui dans l'Assomption lance sa campagne le 20 avril. Parizeau, L'Allier et Biron à Repentigny», reportage, p. 6.

4825 «23 élus du monde scolaire et municipal se prononcent pour le Oui», reportage, p. 6.

29 avril

4826 «Pierre Bourgault au regroupement de Lafontaine pour le Oui», reportage, p. 25.

6 mai

4827 «Assemblées à St-Roch de l'Achigan. Les gens du «Oui» parlent d'agriculture», reportage, p. 9.

4828 «Dans Lafontaine: On se regroupe pour le Oui», reportage, p. 14.

4829 «Dans l'Assomption: Un libéral, un unioniste et un progressiste conservateur adhèrent au Oui», reportage, p. 14.

4830 «Le Oui de la Semaine. Le regroupement des employés des galeries rive-nord pour le Oui», reportage, p. 10.

4831 «Parlant de la campagne du Non: «Il faut avoir beaucoup de patience» - Pierre Desjardins», reportage, p. 12.

13 mai

4832 «Grand spectacle du «Oui», reportage, p. 2.

4833 «Les ministres Duhaime et Garon nous ont rendu visite», reportage, p. 34.

27 mai

4834 «Les résultats du 20 mai dans le camp du Oui: L'Assomption annonce le temps qu'il fera - Pierre Desjardins», commentaire, p. 2.

LE SOLEIL

15 avril

4835 «La stratégie référendaire du PQ est presque parfaite», M. Bérubé, lettre.

17 avril

4836 «Le ciel est gris pour le Non et serein pour le Oui (Lévesque)», J.-J. Samson, reportage, p. B-2.

18 avril

4837 «Charron vise la création de 10,000
cellules», J.-J. Samson, reportage,
p. B-2.

4838 «Un économiste s'explique», P. Fréchette, lettre, p. A-8.

19 avril

4839 «Au pays de Biron», C. Vaillancourt,
reportage, p. B-3.

22 avril

4840 «Un Oui solide», reportage, p. B-2.

23 avril

4841 «Avec le Oui et ITT, Lévesque tombe
pile, sur la Côté-Nord», J.-J. Samson, reportage, p. B-3.

4842 «Le Oui fera une campagne «saine»
dans Charlevoix», D. Gauthier, reportage, p. A-5.

4843 «La télévision d'État fait faux
bond à la campagne du Oui», PC,
reportage, p. B-1.

24 avril

4844 «La papeterie de la vallée pourrait
coûter plus cher à faire marcher (Lévesque)», M. David, reportage, p. A-4.

4845 «Unanimité des ex-députés créditistes. Armand Caouette votera Oui»,
R. Lacombe, reportage, p. B-3.

25 avril

4846 «The Gazette occupé», reportage,
p. B-2.
/Photographie avec légende/

4847 «Kamouraska-Témiscouata. Le notaire
Roy, à la tête du comité du Oui»,
R. Laberge, reportage, p. A-4.

4848 «Lévesque continue d'amasser les
Oui», J.-J. Samson, reportage,
p. B-3.

4849 «Où niche donc l'association?»,
G. Lesage, reportage, p. B-1.

26 avril

4850 «Létourneau: presque une descente
aux enfers», J. Samson, reportage,
p. D-5.

4851 «Oui en famille sous l'oeil des
caméras», J.-J. Samson, reportage,
p. B-4.

29 avril

4852 «As-tu eu ton beau diplôme?», G.
Lesage, reportage, p. A-11.

30 avril

4853 «Équipe réduite pour Lévesque»,
J.-J. Samson, reportage, p. B-1.

4854 «Morin dit Non à Castonguay», G.
Lesage, reportage, p. B-1.

1er mai

4855 «14 libéraux dans le conseil du
Oui. Les autres sont de toutes
les couleurs», R. Lacombe, reportage, p. B-3.

2 mai

4856 «Une défaite du Oui, Corinne Côté
Lévesque n'ose y penser», J.-J.
Samson, reportage, pp. A-1, A-2.

3 mai

4857 «Le dialogue plutôt que le «gros
show», J.-J. Samson, reportage,
p. B-4.

5 mai

4858 «Léger enchanté de l'appui populaire pour le Oui», N. Delisle, PC,
reportage, p. B-5.

4859 «Lévesque: l'attitude du Non est
la cause», PC, reportage, p. B-3.

6 mai

4860 «L'ombre du rival», UPC, reportage,
p. B-2.
/Photographie avec légende/

7 mai

4861 «Chez lui, Biron vole la vedette
à Lévesque», C. Vaillancourt, reportage, p. B-3.

8 mai

4862 «En sept jours, les créditistes
pour le Oui se regroupent», R. Giroux, reportage, p. B-3.

4863 «Félix Leclerc invite les Québécois
à «faire un pays», D. Angers, reportage, p. 1.

12 mai

4864 «En famille», reportage, p. B-1.
/Photographie avec légende/

13 mai

4865 «Erreur sur la personne», PC, reportage, p. B-4.

4866 «Pour qui je vote?», reportage,
p. B-1.
/Photographie avec légende/

14 mai

4867 «Dîner causerie Comté Charlesbourg»,
communiqué, p. A-17.

4868 «Un Oui de 500 économistes», R.
Giroux, reportage, p. B-3.

4869 «Le Oui tiendrait un sprint sportif
à Montréal samedi», A. Bouchard,
reportage, p. B-2.

16 mai

4870 «Lévesque à Beauport: un accueil
sympathique», G. Ouellet, reportage, p. B-3.

4871 «Malgré des sièges vides, de l'enthousiasme chez le Oui», G. Ouellet,
reportage, p. B-1.

4872 «Le Méoui entreprend son sprint
final», R. Lacombe, reportage, p.
B-2.

17 mai

4873 «Là aussi!», PC, reportage, p.
B-7.

4874 «Le sprint final. Pour récupérer
les «non parlables», R. Giroux,
reportage, p. B-2.

21 mai

4875 «D'anciens slogans et un hommage
à Lévesque», R. Giroux, reportage,
p. A-4.

4876 «Morin invite les siens à conserver l'espoir», D. Anger, reportage,
p. A-5.

4877 «Petites manifs à Montréal», reportage, p. A-15.

4878 «Sainte déception priez pour nous!»,
G. Dubé, reportage, p. A-16.

12 juin

4879 «L'expérience du référendum incite
le Meoui à se donner une vocation
permanente», R. Lacombe, reportage,
p. B-9.

LE SOLEIL DU ST-LAURENT

15 avril

4880 «Regroupement local pour le Oui.
Alphonse Caron, président, Robert
Cauchon et Albert Lemieux, vice-
présidents conjoints», N. Morand,
reportage, p. A-13.

4881 «J'invite les membres à adhérer
au comité du Oui», V. Pineau,
lettre, p. A-10.

4882 «Samedi à Baie St-François. Le
ministre Marois et l'ex-ministre
libéral Kevin Drummond», communiqué, p. A-8.

23 avril

4883 «Le comité du Oui n'a pas fait et
ne fera pas de sondage. Alphonse
Caron président», N. Morand, reportage, p. 1.

4884 «Dans le comté de Beauharnois- Trois centres pour les sympathisants du Oui», communiqué, p. C-6.

4885 « Lécuyer se prononce pour le Oui», M. Martel, reportage, p. 9.

30 avril

4886 «Beauharnois, plusieurs personnalités se prononcent pour le «Oui», A. Meloche, communiqué, p. C-1.

4887 «Jean Garon à St-Louis de Gonzague», communiqué, p. A-8.

4888 «Le ministre Joron à Valleyfield», Comité du Oui, communiqué, p. A-12.

4889 «Regroupement national pour le Oui de Vaudreuil-Soulanges. Plus de 250 adhésions présentées à René Lévesque», M. Jolicoeur, reportage, p. 1.

7 mai

4890 «C'est parti pour le Oui», communiqué, p. B-7.

4891 «Dimanche le 11 mai. Le ministre Parizeau sera à Châteauguay», Comité du Oui Châteauguay, communiqué p. A-3.

4892 «Jacques Parizeau au Cegep dimanche (Valleyfield)», M. Jolicoeur, communiqué, p. A-6.

4893 «Résultats du sondage. Le comité du Oui estime avoir fait des gains», N. Morand, reportage, p. A-3.

14 mai

4894 «Marois à Vaudreuil ce soir», communiqué, p. 17.

4895 «Melocheville. Majorité des échevins pour le Oui», communiqué, p. C-1.

4896 «L'un des enjeux du référendum. Le vote indiquera qui de Ryan ou de Lévesque sera négociateur», M. Jolicoeur, reportage, p. 15.

LE SOMMET-ÉCHO DES LAURENTIDES

16 avril

4897 «Dans Laurentides-Labelle. Marie-Pia Godard nommée présidente pour le Oui», reportage, p. 7.

4898 «Je m'engage à la mesure de mes moyens - Marie-Pia Godard», reportage, p. 7.

23 avril

4899 «Mardi prochain René Lévesque sera en tournée dans le comté», communiqué, p. 7.

4900 «400 personnes portent le Oui aux sections de vote du comté», reportage, p. 7.

30 avril

4901 «Dernière heure - René Lévesque ovationné par des Oui en délire!», reportage, p. 7.

14 mai

4902 «Assemblées à Mt-Laurier et St-Jérôme», reportage, p. 21.

4903 «Dans la roulotte du Oui», reportage, p. 21.

4904 «Marie-Pia Godard fait un bilan. «J'ai le sentiment d'avoir participé à l'action des vrais bâtisseurs d'ici», reportage, p. 20.

4905 «Pour le ministre Jacques Léonard. Les indécis feront la différence pour le «Oui», M. Desbiens, reportage.

4906 «Pour le Oui», reportage, p. 16.

21 mai

4907 «Du côté du «Oui» Déçus... mais pas découragés!», reportage, p. 2.

THE SUBURBAN

23 avril

4908 «Counting the referendum vote»,
H. Marx, commentaire, p. 49.

4909 «Yes or No», reportage, p. 42.

LE SUDISTE

16 avril

4910 «Les troupes du Oui, prêts à la
bataille», reportage.

23 avril

4911 «Dans Laprairie, Monique Riel-
Elmanet accepte de présider le
comité du Oui», reportage, p. 22.

4912 «Le maire Robidas dira Oui jeudi
à Ville Lemoyne», reportage, p. 2.

7 mai

4913 «Grande assemblée publique du Oui.
Lévesque et Parizeau au colisée
Jean-Béliveau lundi prochain»,
reportage, p. 23.

THE SUNDAY EXPRESS

11 mai

4914 «Oui» love New York», reportage,
p. 2.

SUNDAY STAR

20 avril

4915 «PQ Piper», reportage.
/Photographie avec légende/

27 avril

4916 «Campaign debut», reportage, p. A-6.
/Photographie avec légende/

11 mai

4917 «Oui flashes in New York», UPI,
reportage, p. A-8.

18 mai

4918 «Satisfying fans», reportage.
/Photographie avec légende/

LE TÉMISCAMIEN

16 avril

4919 «Les troupes du Oui se concertent»,
reportage.

30 avril

4920 «Recrutement pour le Oui», reportage, p. 21.

14 mai

4921 «Parizeau à Val D'Or», reportage,
p. 21.

TORONTO STAR

19 avril

4922 «Look-alike supporter...», UPC,
reportage, p. A-14.
/Photogrpahie avec légende/

29 avril

4923 «Oh No!», CP, reportage, p. A-12.
/Photographie avec légende/

30 avril

4924 «The Oui team», CP, reportage,
p. A-6.
/Photographie avec légende/

1er mai

4925 «What ales the Yes vote?», C.
Goyens, reportage, p. A-6.

5 mai

4926 «Don't cry little one», UPC, reportage, p. A-6.
/Photographie avec légende/

12 mai

4927 «A sheepish Yes», CP, reportage,
p. A-7.
/Photographie avec légende/

14 mai

4928 «Head strong», reportage, p. A-6.
/Photographie avec légende/

16 mai

4929 «The last lap», UPC, reportage,
p. A-7.
/Photographie avec légende/

17 mai

4930 «Say it with flowers», B. Spremo,
reportage, p. A-6.
/Photographie avec légende/

19 mai

4931 «I'll trade Ya», B. Spremo, reportage, p. A-6.
/Photographie avec légende/

20 mai

4932 «Food for thought», UPC, reportage,
p. A-14.
/Photographie avec légende/

4933 «Yes, he does the shopping», P.
Doyle, reportage, p. A-14.

21 mai

4934 «The agony of defeat», B. Spremo,
reportage, p. A-1.
/Photographie avec légende/

4935 «Banner yet waved», B. Spremo,
reportage, p. A-23.
/Photographie avec légende/

4936 «Defiant shout», B. Spremo, reportage, p. A-23.
/Photographie avec légende/

4937 «Not so fast», D. Lock, reportage, p. A-6.
/Photographie avec légende/

4938 «Slipping away», D. Lock, reportage, p. A-6.
/Photographie avec légende/

4939 «3,000 Yes voters hit streets in
frustration», C.Goyens, L. Heller,
J. Honderick, reportage, p. A-6.

LE TRAIT D'UNION

16 avril

4940 «Le Oui a son local», reportage,
p. 5.

4941 «Parizeau, L'Allier et Biron à
Repentigny. Le Oui L'Assomption
lance sa campagne le 20 avril»,
reportage, p. 22.

4942 «Vingt-quatre élus se prononcent
pour le Oui», reportage, p. 36.

7 mai

4943 «Au comité du Oui. Pierre Desjardins reçoit les journalistes», reportage, p. 25.

14 mai

4944 «À Lachenaie. Un Doris Lussier
captivant», p. 1.
/Photographie avec légende/

4945 «Un comité pour le «Oui» au pavil-
lon Desjardins», reportage, p. 6.

4946 «Les ministres Duhaime et Garon
nous ont rendu visite», reportage,
p. 38.

LA TRIBUNE

15 avril

4947 «Une femme à la tête du Oui dans
Arthabaska», reportage, p. C-6.

4948 «Offensive des forces du Oui dans
Johnson», reportage, p. C-6.

17 avril

4949 «Drummondville. Gérald Godin au CEGEP», p. B-7.

4950 «Lac Mégantic. Le Dr Cohen défend les couleurs du Oui», reportage, p. B-7.

4951 «Lévesque lance la campagne du Oui dans la Beauce. «La Beauce est le symbole de ce que l'on veut pour le Québec de demain» - Lévesque», PC, reportage, p. B-1.

4952 «Thetford Mines. 23 adhérants au Oui», reportage, p. B-7.

18 avril

4953 «Johnson en visite dans... Johnson», communiqué, p. A-4.

19 avril

4954 «Plusieurs groupes rencontrent Lévesque et donnent leur appui au Oui», PC, reportage, p. B-1.

24 avril

4955 «Des hommes d'affaires boudent Landry», PC, reportage, p. B-3.

4956 «Lévesque chez les Madelinots», PC, reportage, p. B-1.

25 avril

4957 «Le nombre des indécis inconnu», reportage, p. B-3.

4958 «La veillée pour le Oui. La symphonie en Oui majeur applaudie», reportage, p. B-3.

26 avril

4959 «Lise Payette préfère l'humour», PC, reportage, p. B-4.

4960 «Le ministre Duhaime à Drummondville, le ton de la campagne l'inquiète», reportage, p. B-4.

29 avril

4961 «Brochette de 9 noms et 22 groupements pour le Oui», reportage, p. B-3.

4962 «Des vandales s'attaquent au «Oui», reportage, p. A-3.

30 avril

4963 «M. A. Bédard à Sherbrooke. Déjà des effets positifs et... le Oui n'a pas été prononcé», reportage, p. B-3.

5 mai

4964 «Le camp du Oui tient à propager une image calme - Michel Marengo», L. Dion, reportage, p. B-4.

7 mai

4965 «Lévesque reçoit 17 ex-députés de l'Union Nationale», PC, reportage. p. B-1.

14 mai

4966 «Il faut travailler parce que cela ne va pas être facile - Corinne Côté-Lévesque», reportage, p. B-1.

16 mai

4967 «200 postiers pour le Oui», PC, reportage, p. B-1.

4968 «Un Oui majoritaire marquera la fin de toutes les querelles - Pierre Turcotte», P. Sévigny, reportage, p. B-5.

17 mai

4969 «Nicole Beaudoin a dit Oui pour ne pas «faire injure à l'espoir», D. Giroux, reportage, p. B-6.

19 mai

4970 «Le Oui en avance dans Sherbrooke - Michel Marengo», C. Bellavance, reportage, p. B-3.

20 mai

4971 «Une campagne qui a fait appel au bon sens des gens - Clair», reportage, p. B-4.

21 mai

4972 «Les partisans du Oui consternés», N. Delisle, PC, reportage, p. B-3.

26 mai

4973 «Les Oui cultivés et les Non-instruits», J. Vigneault, commentaire, p. B-2.

31 mai

4974 «Une ligue des droits politiques du Québec prendra la relève du regroupement du Oui», PC, reportage, p. B-9.

L'UNION

15 avril

4975 «Un objectif de 23 382 «Oui», Nicole Beaudoin, présidente du comité pour le «Oui» dans Arthabaska», reportage, p. A-13.

6 mai

4976 «Samedi le 10 mai. Lise Payette à Princeville et à Victoriaville», reportage, p. B-1.

13 mai

4977 «René Lévesque à Drummondville», reportage, p. A-8.

LA VALLÉE DE LA CHAUDIÈRE

16 avril

4978 «Les tenants du Oui de Beauce-Nord. Un président. Un livre d'or... et d'autres adhésions», I. Lamontagne, reportage, p. A-11.

7 mai

4979 «Rodrigue Biron à Sainte-Hénédine», reportage, p. A-14.

LA VALLÉE DE LA DIABLE

23 avril

4980 «René Lévesque dans Laurentides-Labelle mardi, le 29 avril», reportage, p. 5.

30 avril

4981 «400 personnes portent le Oui aux sections de vote du comté», reportage, p. 3.

14 mai

4982 «Dans la roulotte du Oui», reportage, p. 10.

4983 «Jacques Léonard à St-Jovite», reportage, p. 10.
/Photographie avec légende/

4984 «Lazure à Mont-Laurier», reportage, p. 10.

21 mai

4985 «   », reportage, p. 4.
/Photographie avec légende/

THE VANCOUVER SUN

1er mai

4986 «Beer is the big issue at LG-3», PC, reportage, p. A-10.

14 mai

4987 «PQ's Yes rally energy-intensive», E. Austin, reportage, p. 3.

21 mai

4988 «Dejected look», CP, reportage, p. B-1.
/Photographie avec légende/

9 «Yes Celebrates», E. Austin, reportage, p. 1.

LA VOIX DE L'EST

15 avril

0 «Référendum le 26 mai», A. Gazaille,
   reportage, p. 5.

16 avril

1 «Entre les deux...«Liste de Oui
   dans Iberville», A. Gazaille, reportage, p. 6.

21 avril

2 «Entre les deux... Duhamel s'en
   mêle», A. Gazaille, reportage,
   p. 11.

3 «Entre les deux... Le maire de Ste-
   Sabine s'est branché», J. de Bruycker,
   A. Gazaille, reportage, p. 6.

4 «Entre les deux... le Oui à Ste-
   Cécile», J. de Bruycker, A. Gazaille, reportage, p. 6.

5 «Entre les deux... Trépanier a fait
   le coup», J. de Bruycker, A. Gazaille, reportage, p. 6.

22 avril

6 «Entre les deux... Le Oui en «gang»,
   reportage, p. 5.

7 «Shefford - 27% des étudiants du
   CEGEP sont indécis», A. Gazaille,
   reportage, p. 6.

23 avril

8 «Entre les deux... Le Oui dans ses
   meubles», J. de Bruyker, A. Gazaille, reportage, p. 14.

9 «Le PQ cherche à porter le débat
   dans les milieux de travail et de
   loisir», N. Delisle, PC, analyse,
   p. 4.

2 mai

5000 «Brome-Missisquoi - Le comité du
      Oui prend l'air dans son comté»,
      J. de Bruycker, reportage, p. 12.

3 mai

5001 «Entre les deux... Pierre Marois
      à Marieville», A. Gazaille, repor-
      tage, p. 21.

5 mai

5002 «Entre les deux... Hommage», re-
      portage, p. 6.

6 mai

5003 «Des regroupements», reportage,
      p. 6.
      /Photographie avec légende/

5004 «Entre les deux... Duhaime à
      Granby», F. Bélanger, A. Gazaille,
      reportage, p. 5.

5005 «Entre les deux... Regroupement
      deans Shefford», A. Gazaille, re-
      portage, p. 6.

5006 «Entre les deux... Regroupement
      dans Iberville», A. Gazaille, re-
      portage, p. 6.

7 mai

5007 «Entre les deux... Johnson à Cowans-
      ville», J. de Bruycker, A. Gazaille,
      reportage, p. 9.

8 mai

5008 «Entre les deux... Biron à Acton
      Vale», A. Gazaille, reportage,
      p. 10.

9 mai

5009 «Entre les deux... Ça se regroupe
      dans Iberville», A. Gazaille, re-
      portage, p. 7.

5010 «Entre les deux... Il n'a pu se
      libérer», A. Gazaille, reportage,
      p. 7.

5011 «Entre les deux... Les second au Québec», A. Gazaille, reportage, p. 7.

5012 «Entre les deux... Parizeau à Roxton sud», A. Gazaille, reportage, p. 7.

5013 «Shefford - À 74% - Les cégepiens votent Oui», A. Gazaille, reportage, p. 6.

12 mai

5014 «Entre les deux... Une spectatrice attentive», reportage, p. 2.

13 mai

5015 «Un autre épisode de la guerre référendaire - Les locaux du Oui saccagés à Bedford», J. de Bruycker, reportage, p. 1.

15 mai

5016 «Entre les deux... Ralliement à Bromont», reportage, p. 5.

5017 «Entre les deux... Regroupements dans B.-M.», reportage, p. 5.

16 mai

5018 «Entre les deux... Joron à Valcourt», A. Gazaille, reportage, p. 8.

5019 «Entre les deux... La clôture du Oui - Shefford», A. Gazaille, reportage, p. 8.

5020 «Entre les deux... 122,822 adhésions», A. Gazaille, reportage, p. 7.

20 mai

5021 «Entre les deux... Acte courageux», reportage, p. 8.

5022 «Entre les deux... Adhésions», reportage, p. 8.

5023 «Entre les deux... Répercussions», reportage, p. 8.

5024 «Les tout derniers», reportage, p. 7.

LA VOIX DES MILLE-ÎLES

16 avril

5025 «Parizeau, Biron et L'Allier à Repentigny», communiqué, p. 4.

5026 «Dans Terrebonne - Guy Mercier présidera le Oui», reportage, p. 4.

23 avril

5027 «Lancement de la campagne du Oui», reportage, p. 4.

7 mai

5028 «Dimanche le 4 mai 1980...», reportage, p. 5.
/Photographie avec légende/

5029 «Le ministre Landry visite le Meoui», reportage, p. 9.

5030 «Quartiers et groupes adhèrent au «Oui», reportage, p. 5.

5031 «Sainte-Thérèse baillonne le Oui», reportage, p. 3.

5032 «Sur la tribune...», reportage, p. 4.
/Photographie avec légende/

14 mai

5033 «A propos d'un Oui baillonné», J.-P. Duquette, lettre, p. 4.

5034 «La peur, mauvaise conseillère - Louise Harel», reportage, p. 12.

5035 «Le référendum et l'esprit communautaire», Regroupement pour le Oui comté de Terrebonne, lettre, p. 7.

5036 «Réponse à Denis Hardy. Il n'est pas d'intérêt public de confronter nos opinions - Elie Fallu», lettre, p. 1.

5037 «Les travailleurs adhèrent au Oui», Regroupement pour le Oui comté de Terrebonne, lettre, p. 5.

LA VOIX DU SUD

29 avril

5038 «Nouvelles adhésions au «Oui» dans Bellechasse», reportage, p. 5.

5039 «La population de Ste-Rose était au rendez-vous», reportage, p. 10.

LA VOIX GASPÉSIENNE

16 avril

5040 «En Gaspésie, François Gagnon et Lise Couturier dirigent le Oui», R. Pelletier, reportage, p. C-18.

5041 «Les partisans du Oui: comme l'athlète près de gagner la médaille d'or», reportage, p. C-19.

5042 «Pour le «Oui». Citoyens de l'est au regroupement national», reportage, p. C-19.

23 avril

5043 «   », reportage, p. 25. /Photographies avec légendes/

30 avril

5044 «Locaux inaugurés», D. St-Pierre, reportage, p. A-27.

7 mai

5045 «M. Morin remet des certificats», R. Pelletier, reportage, p. D-19.

LA VOIX MÉTROPOLITAINE

22 avril

5046 «Pierre Marois sera conférencier samedi», annonce, p. 3.

5047 «Le regroupement pour le Oui présente 90 nouveaux adhérents», L. Grégoire-Racicot, reportage, p. 3.

29 avril

5048 «1000 signatures présentées à René Lévesque à Contrecoeur», reportage, p. 15.

6 mai

5049 «Grande assemblée des familles qui diront Oui», reportage, p. 10.

5050 «Mme Lise Payette a reçu l'adhésion au Oui d'un millier de personnes», reportage, p. 10.

13 mai

5051 «Des familles entières et des groupes sociaux adhèrent au Oui», reportage, p. 1.

LA VOIX POPULAIRE

29 avril

5052 «La campagne de financement du parti Québécois remporte un succès dans Ste-Anne», reportage, p. 15.

5053 «Demain soir le ministre Parizeau au souper select», reportage, p. 22.

5054 «Le regroupement pour le Oui compte de nouveaux membres», reportage, p. 15.

6 mai

5055 «À cause d'un Oui un citoyen de St-Henri victime de vandalisme», L. Pellerin, reportage, p. 13.

13 mai

5056 «René Lévesque s'adresse aux gens du 3ème âge», C. Marcil, communiqué, p. 5.

LE VOLTIGEUR

29 avril

5057 «Une mesure de diversion», G. Jutras, lettre, p. 42.

5058 «Le Regroupement national pour le
Oui à St-Germain», communiqué,
pp. 30,32.

13 mai

5059 «Le comité du Non fabrique des faux
pharmaciens», communiqué, p. 11.

5060 «René Lévesque au Centre civique
de Drummondville», reportage, p. 41.

THE WESTMOUNT EXAMINER

17 avril

5061 «Drummond playing into PQ's hands»,
L. C. Tombs, lettre, p. 5.

.

24 avril

5062 «Monday evening - Two ministers
speak at «Yes» kick-off rally»,
A. Dodge, reportage, p. 32.

8 mai

5063 «Anglos for «Yes» to rally next
Friday», reportage, p. 6.

15 mai

5063A «Local «Yes» drive to end with
rally», reportage, p. 8.

22 mai

5063B «Windows, flower bed victims of
«Oui» March», reportage, pp. 1,2.

_____

LES THÈSES

5064 À 7410

L'ACTUALITÉ

mai

5064 «Le père du référendum. Pour un
Oui ou pour un Non. Claude Morin
retournera négocier à Ottawa, ou
rentrera chez lui...», B. Aubin,
reportage, pp. 34-42,80.
/Portrait de Claude Morin/

L'APPEL

16 avril

5065 «Agir vaut mieux que gémir», L.
O'Neil, lettre, p. 5.

L'ARGENTEUIL

30 avril

5066 «Qu'adviendra-t-il après le référendum?», C. Marchand, lettre, p. 2.

21 mai

5067 «Oui... mais sans complaisance»,
D. Latouche, reportage, p. 10.

L'ARTISAN

16 avril

5068 «Le discours de M. Parizeau sur la
question référendaire», J. Parizeau,
p. 22.
/Discours intégral du 6 mars à
l'Assemblée nationale/

23 avril

5069 «Parizeau, Biron et L'Allier unanimes: «Le reste du Canada voudra négocier», D. Caza, reportage, p. 12.

30 avril

5070 «Suite du discours de M. Parizeau prononcé le 6 mars à l'Assemblée nationale», J. Parizeau, pp. 11,12.

7 mai

5071 «Un Québec souverain ne sera pas plus mal pris qu'un Canada souverain - Jacques Parizeau», reportage, p. 5.

14 mai

5072 «À Lachenaie: On a aussi joué sur les mots», D. Caza, reportage, p. 8.

5073 «Discours de R. Lévesque du 5 mai 1980», R. Lévesque, pp. 13,14,20.

5074 «M. Jacques Parizeau, à Carleton «La souveraineté, c'est payant», reportage, p. 21.

28 mai

5075 «L'Assomption annonce le temps qu'il fera», Bureau du député de L'Assomption, reportage, p. 16.

AU FIL DES ÉVÉNEMENTS

17 avril

5076 «Les entraves du système», A. Dumas - Meoui-Laval, lettre, p. 10.

5077 «La souveraineté-association est économiquement viable», libre opinion, p. 7.

L'AVANT-POSTE GASPÉSIEN

23 avril

5078 «Pour Jules Bélanger: La sérénité continuera à servir le Oui», reportage, p. 42.

14 mai

5079 «Le comité du «Oui» - Claude Morin à Amqui», reportage, p. 15.

5080 «Le ministre Claude Morin à Causapscal», reportage, p. 32.

L'AVENIR DE L'EST

22 avril

5081 «La population doit décider», commentaire, p. 8.

29 avril

5082 «Gérald Godin à l'Habitat des Pointeliers «La souveraineté-association: un duo», L. Babin, reportage, p. 3.

5083 «Une personnalité créditiste se prononce. Lise Lajeunesse: Oui!», Y. Desnoyers, reportage, p. 2.

13 mai

5084 «Avec un «Oui» on négocie debout! Avec un «Non» on négocie à genoux! - Marcel Léger», D. Desjardins, reportage, p. 2.

5085 «C'est parti pour le Oui dans Lafontaine», R. Soucy, communiqué, p. 3.

5086 «Oui pour une négociation et pour l'égalité», Regroupement de Lafontaine pour le Oui, communiqué, p. 5.

27 mai

5087 «C'était beaucoup trop tôt», D. Desjardins, éditorial, p. 4.

5088 «Comté de L'Assomption. M. Parizeau n'a pu être rejoint. Une
période de réflexion intense»,
C. Gariépy, reportage, p. 2.

5089 «Malgré la défaite du «Oui» au Québec. «Il subsiste encore de l'espoir» - Pierre Desjardins», C.
Gariépy, reportage, p. 2.

5090 «Le «Oui» battu dans Lafontaine.
«Il faudra repenser nos moyens» -
Marcel Léger», C. Gariépy, repor-
tage, p. 3.

L'AVIRON

23 avril

5091 «Regroupement pour le «Oui» Bonaventure», J.-P. Audet, président
Oui Bonaventure, communiqué, p.
21-A.

7 mai

5092 «Le «Oui» étudiant de l'Est du
Québec», lettre, p. 1-B.

14 mai

5093 «Lucien Lessard à Matapédia», reportage, p. 2-A.

BEAUCE NOUVELLE

22 avril

5094 «Ste-Marie. «Le miracle de la Beauce n'est pas venu de l'étranger» -
René Lévesque», P. Turcotte, reportage, p. 1.

29 avril

5095 «Claude Morin milite en Beauce»,
reportage, p. 16.

5096 «Lise Payette demande aux femmes
de voter», reportage, p. 12.

LE CANADA-FRANÇAIS

23 avril

5097 «Marcel Léger au Cegep lundi. Convaincre les indécis et les Non
«mous», M.-O. Trépanier, reportage, p. 11.

5098 «Sur la prochaine génération.
Biron craint les conséquences d'un
Non. À Sainte-Brigide lundi der-
nier», L. Bédard, reportage, p. 14.

30 avril

5099 «Ceux qui voteront Oui», R. Lafontaine, éditorial, p. 6.
/Portrait des partisans du Oui/

5100 «Ex-candidats du NPD. Sloan et
Roy adhèrent au Oui», M.-O. Trépanier, reportage, p. 16.

5101 «Selon Proulx. Massé: prophète
à la mémoire courte!», M.-O. Trépanier, reportage, p. 15.

5101A «Techniciennes en radiologie, professeurs, etc. Dix regroupements
pour le Oui à Saint-Jean. De
Bellefeuille présent», M.-O. Trépanier, reportage, p. 14.

7 mai

5102 «Adhésions au Oui. Michaud met en
relief le pouvoir économique», M.-O.
Trépanier, reportage, p. 15.

5103 «Ex-candidat conservateur, Paul
Desrochers adhère au Oui», G. Bérubé, reportage, p. 11.

5104 «Ils ont amorcé la Révolution tranquille». Véronneau invite les gens
âgés au défi' 80! Pour un Oui massif», M.-O. Trépanier, reportage,
p. 11.

5105 «Neuf regroupements pour le Oui.
«La technique de la peur c'est
comme un boomerang» - Tremblay»,
M.-O. Trépanier, reportage, p. 12.

5106 «Rôle de baromètre. «Le Québec a
les yeux tournés sur le comté de
Saint-Jean!» Guy Bisaillon», M.-O.
Trépanier, reportage, p. 14.

14 mai

5107 «Accueilli chaleureusement Garon
parle d'autosuffisance alimentaire.
Québec défavorisé par Ottawa», G.
Lévesque, reportage, p. 20.

5108 «Biron fait le bilan. Les usines
en Ontario, le chômage au Québec.
Un Oui, un héritage à laisser»,
reportage, p. 22.

5109 «Claude Ryan, selon Landry. Excellente raison de voter Oui», reportage, p. 18.

5110 «Devant quelque 700 personnes.
Landry dénonce la centralisation
économique. De l'auto au F-18A.
Appel à la dignité», M.-O. Trépanier, reportage, p. 16.

5111 «Ex-organisatrice libérale. Lucette Métras adhère au Oui», reportage, p. 20.

5112 «Oui au référendum. Drummond
s'explique», L. Bédard, reportage,
p. 18.

5113 «Oui! Sans détour», R. Lafontaine,
éditorial, p. 6.

5114 «Toute la question est là!», L.
Métras, libre opinion, p. 18.

21 mai

5115 «Centre d'accueil et Résidence
Richelieu. Visite éclair de Lazure
lundi. Il rassure 100 retraités»,
reportage, p. B-1.

5116 «Il prévoyait la défaite. «Après
la victoire de la peur viendra
celle du courage...» - Jérôme
Proulx», M.-O. Trépanier, reportage, p. 7.

5117 «Malgré la défaite du Oui. Lasnier
parle de victoire notable - Résultats correspondant à ses prévisions»,
G. Lévesque, reportage, p. 2.

5118 «Napierville. Proulx très nerveux
et une salle vide...», M.-O. Trépanier, reportage, p. 6.

5119 «Selon Beauséjour. Tous les indécis ont répondu Non», reportage,
p. 2.

5120 «Soirée référendaire. Grande déception au P.Q.... ailleurs on délire!»,
reportage, p. 7.

28 mai

5121 «Comité du Oui. Des ennuis pour
Lucette Métras!», reportage, p. 9.

5122 «Oui, à la croisée des chemins», L.
Véronneau, A. Picard, lettre, p. 12.

LE CARROUSEL DE THETFORD
——————————————————————

29 avril

5123 «Oui... - Nous sommes capables...»,
J. Garon, libre opinion, p. 9.

5124 «Le Regroupement pour le «Oui» présente de nouvelles adhésions», reportage, p. 6.

6 mai

5125 «Le gouvernement fédéral est-il
vraiment le gardien des minorités?»,
reportage, p. 11.

5126 «Sirop d'érablement de Doris Lussier», reportage, p. 5.

13 mai

5127 «L'ex-maire de Black Lake appuie
le Oui», reportage, p. 6.

5128 «La péréquation: Un beau mirage!»,
L. Bécotte, libre opinion, p. 8.

5129 «Qu'est-ce qui va se passer le
lendemain du référendum?», libre
opinion, p. 8.

THE CHRONICLE-HERALD
————————————————————

15 avril

5130 «Quebec women hold Key in upcoming
referendum vote», CP, reportage,
p. 13.

16 avril

5131 «Levesque wants majority of at
least 55 per cent», CP, reportage,
pp. 1,2.

17 avril

5132 «Sovereign Quebec may turn to U.S.»,
CP, reportage, p. 5.

5133 «Yes» vote would force negotiation
- Lévesque», CP, reportage, pp. 1,2.

18 avril

5134 «Levesque, Trudeau «agree», CP,
reportage, p. 3.

23 avril

5135 «French Quebecers must vote «Yes»
to counteract English - Levesque»,
CP, reportage, p. 5.

5136 «Resignation of Quebec PC official
suggested», reportage, p. 5.

29 avril

5137 «Federalists attacked by Levesque»,
CP, reportage, p. 4.

3 mai

5138 «Laurin believes PQ will win 47 per
cent of votes», reportage, pp. 1,2.

5 mai

5139 «No» campaign insults Quebec», CP,
reportage, p. 3.

6 mai

5140 «No» side called «crybabies», CP,
reportage, p. 5.

13 mai

5141 «Workman questions Levesque's
motives», CP, reportage, pp. 1,2.

14 mai

5142 «Giving a mandate like trying new
restaurant», CP, reportage, p. 12.

5143 «Levesque issues plea for economists' help», CP, reportage, pp.
1,2.

16 mai

5144 «Premiers provide «no common front»,
A. Bishop, reportage, pp. 1, 2.

17 mai

5145 «Constitutional reform likely easier
if Quebec separated - Drummond», A.
Bishop, reportage, p. 1.

19 mai

5146 «Levesque jeered by retirees», CP,
reportage, pp. 1,2.

20 mai

5147 «Independant state idea formally
launched in 1922», CP, reportage,
p. 21.

5148 «Levesque hoping for re-run of 1962
provincial election results», CP,
reportage, p. 8.
/Biographie de René Lévesque/

5149 «Papineau pushed concept of independance in Quebec», CP, reportage,
p. 23.

5150 «Range of topics would come before
sovereignty-association table», CP,
p. 38.

21 mai

5151 «Wait till next time» - premier»,
CP, p. 1.

3 juin

5152 «New-federalism «doomed to fail »-
Laval professor», J. Langley, reportage, p. 2.

6 juin

5153 «National referendum possible», J. Langley, reportage, p. 8.

THE CITIZEN

15 avril

5154 «Levesque reaction. Throne speech «fuzzy»», CP, reportage, p. 9.

17 avril

5155 «Levesque gets negative calls on radio show», CP, reportage, p. 47.

5156 «Levesque slams PM's hard line», A. McCabe, reportage, pp. 1,47.

5157 «PQ's ace: Closer tie with U.S.», CP, p. 47.

18 avril

5158 «Trudeau's declaration a tactical move: René», A. McCabe, reportage, p. 39.

22 avril

5159 «I never said it was hell» Premier, bus driver debate Que. future», CP, p. 47.

5160 «René confused on poll results», reportage, p. 47.

23 avril

5161 «Lévesque attacks «October Crisis tactics», A. McCabe, reportage, p. 49.

24 avril

5162 «Down in the mine... Levesque in salt talks», A. McCabe, reportage, p. 55.

5163 «What we could have become...», R. Hickl-Szabo, reportage, p. 55.

25 avril

5164 «Laughing at us». Lévesque scorns Trudeau's constitutional conference proposal», CP, reportage, p. 43.

26 avril

5165 «Quebec and Israel share similar goals: Levesque», reportage, p. 73.

28 avril

5166 «PQ ministers pledging W. Quebec prosperity», R. Hickl-Szabo, reportage, p. 47.

29 avril

5167 «Lévesque: Federalist anti-negotiation stand «a lie», CP, reportage, p. 49.

30 avril

5168 «Auto system unfair - René», CP, reportage, p. 65.

ler mai

5169 «René sees anglo press conspiracy», F. Howard, reportage, p. 67.

2 mai

5170 «Levesque: PS jobs safe in Quebec», F. Howard, reportage, p. 43.

3 mai

5171 «His plea for Oui: Referendum comic book sees Ryan as bird of prey», L. Seale, reportage, p. 49.

5172 «Trudeau «out of touch» says René», reportage, p. 49.

5 mai

5173 «Farm vote sought», reportage, p. 39.

5174 «Vote won't hurt Quebec credit rating»,CP, reportage, p. 39.

6 mai

5175 «Dirty tricks charges; Levesque:
«oil on fire», CP, reportage,
p. 55.

5176 «Signs of irritation abound as
Levesque campaigns on», F. Howard,
reportage, p. 7.

7 mai

5177 «Kierans resignation angers Lévesque», reportage, p. 69.

5178 «Levesque dons Duplessis mantle»,
reportage, p. 69.

5179 «Old rhetoric of 60s marks Levesque's referendum talk», F. Howard,
commentaire, p. 7.

8 mai

5180 «Pockets emptied' - René», CP,
reportage, p. 49.

9 mai

5181 «Lévesque raps campaign, praises
ethnic community», CP, reportage,
p. 20.

10 mai

5182 «Lévesque rejects BNA move», CP,
reportage, p. 1.

5183 «Levesque tells Trudeau to accept
Yes vote», CP, reportage, p. 81.

12 mai

5184 «Dirty tricks» claimed - Federals
face lawsuit on ads», L. Seale,
reportage, p. 47.

5185 «Outaouais faces uncertain future
if «Oui» side wins», D. Fullerton,
analyse, p. 7.

14 mai

5186 «Advertising experts...», C. Gordon,
reportage, p. 2.

5187 «If he wins... - René «ready to talk»,
L. Seale, reportage, p. 47.

5188 «They're relaxed - Quebec post-
referendum violence Levesque myth»,
F. Howard, analyse, p. 7.

16 mai

5189 «Federal spending riles Levesque -
«No» win may be contested», A.
McCabe, reportage, p. 1.

17 mai

5190 «Testy René shows frustration», A.
McCabe, reportage, p. 73.

5191 «Unique spirit» of Quebec for
English as well - Anglo «Yes» vote
minute but determined», D. Butler,
reportage, p. 73.

20 mai

5192 «Buoyed by poll - Lévesque: «Keep
on working», A. McCabe, reportage,
p. 41.

5193 «Lévesque underestimated Quebecers'
love of Canada», C. Young, éditorial, p. 6.

21 mai

5194 «On streets and in politics Lévesque
learned to fight», L. Seale, reportage, p. 48.

5195 «The question still good: Lévesque»,
CP, reportage, p. 48.

5196 «Victory next time» - Levesque says
he'll try again», A. McCabe, reportage, p. 48.

22 mai

5197 «Resort to violence? - Sociologist
worries about results if Levesque
loses power», CP, reportage, p. 71.

23 mai

5198 «Referendum loss temporary setback:
PQ ministers», CP, reportage, p. 17.

LE CITOYEN

15 avril

5199 «Lancement officiel de la campagne. Le comité du «Oui» est optimiste», p. 17.

29 avril

5200 «D. Sckoropad se rallie au regroupement national pour le Oui», reportage, p. 9.

5201 «Parizeau a suscité l'enthousiasme», J. Roy, reportage, pp. 3,23.

5202 «Souper à la Chambre de commerce. Jacques Parizeau à Richmond», reportage, p. 31.

6 mai

5203 «Chez les Yvettes, peu de démocratie et fausse publicité», R. Arsenault, lettre, p. 20.

5204 «Il faut régler le problème», R. Laliberté, éditorial, p. 4.

5205 «Jacques Proulx pour le Oui», reportage, p. 11.

5206 «Je me souviens», M. Lévesque, libre opinion, pp. 4,5.

5207 «Jean-François Bertrand à St-Camille. «Le fédéral se moque des Québécois», reportage, p. 2.

13 mai

5208 «Mise au point de René Lévesque. Les chèques de pension», R. Lévesque, lettre, p. 12.

5209 «Oui à l'autodétermination», J.-P. Lacasse, libre opinion, pp. 4,10.

5210 «Un Oui de dignité», J. Chailler, libre opinion, p. 4.

5211 «Oui, je crois», D. Morel, libre opinion, p. 4.

5212 «Le président du Oui confiant d'une victoire», J. Roy, reportage, p. 2.

5213 «Le Québec: une nation souveraine», C.-G. Théroux, libre opinion, p. 4.

27 mai

5214 «Heureusement il y a Vancouver...», J.-P. Lacasse, commentaire, p. 4.

5215 «La propagande fédéraliste provoque la défaite du Oui» - Gaston Théroux», J. Roy, reportage, p. 2.

LA CONCORDE

6 mai

5216 «Dans un Québec souverain. Les pensions de vieillesse ne seront pas abolies», reportage, p. 19.

5217 «Le gouvernement fédéral jette de la poudre aux yeux une fois de plus - Jean Garon», R. Binette, reportage, pp. 12,20.

5218 «Le Oui du coeur!», G. Boileau, éditorial, p. 2.

20 mai

5219 «À Saint-Eustache. Un accueil triomphal pour Jean-Paul L'Allier», R. Binette, reportage, pp. 3,9.

LE CONFIDENT DE LA RIVE-NORD

7 mai

5220 «L'Allier dit «Oui» à un nouveau Canada», reportage, p. 21.

5221 «Oui au référendum: un déblocage», R. Lapointe, communiqué, p. 4.

5222 «Paul-Henri Jean devant 500 militants du «Oui». Charlevoix ne devra pas être à la remorque du Québec le soir du 20 mai», reportage, p. 2.

5223 «Selon le président du PQ. Les jeux sont loin d'être faits», reportage, p. 5.

21 mai

5224 «La première étape d'un processus de changement. Paul-Henri Jean», reportage, p. 2.

CONTACT LAVAL

30 avril

5225 «René Lévesque rencontre le «Oui» à l'hôpital Sacré-Coeur», reportage, p. 3.

7 mai

5226 «2,500 étudiants l'accueillent: René Lévesque au Collège Ahuntsic», F. Genest, reportage, p. 2.

14 mai

5227 «Charron rencontre l'AHAA», F. Genest, reportage, p. 2.

5228 «René Lévesque dans Bourassa», F. Genest, reportage, p. 2.

21 mai

5229 «Dans Crémazie. «Défaite difficile à avaler» - le président du comité du Oui», p. 3.

5230 «Le Oui de Saint-Laurent. On a pensé au national», A.-G. Lauzon, reportage, p. 2.

5231 «Tardif reste optimiste», F. Genest, reportage, p. 2.

LE COURRIER DE MALARTIC

7 mai

5232 «À Rouyn-Noranda. René Lévesque dénonce la campagne du Non», reportage, p. 5.

14 mai

5233 «Le ministre Gendron à Malartic: Les familles Beaudoin et Lalonde disent Oui», M. St-Denis, reportage, p. 18.

LE COURRIER DE SAINT-HYACINTHE

16 avril

5234 «Lucien Pilon, président du Comité du Oui. «Le régime fédéral actuel entraîne l'inégalité», A. Rodier, reportage, p. A-7.

23 avril

5235 «Le Québec n'a pas eu sa juste part - Lucien Pilon», A. Rodier, reportage, p. B-3.

30 avril

5236 «Biron prêche pour le Oui à Ste-Brigide», p. A-9.

5237 «Charron se fait voler la vedette par un nationaliste... de 83 ans», A. Rodier, reportage, p. A-8.

5238 «Trudeau nie le droit du Québec à l'auto-détermination. Maurice Champagne-Gilbert», A. Rodier, reportage, p. A-5.

7 mai

5239 «P-M. Johnson à Saint-Pie. Rentrée réussie pour «l'enfant du pays», A. Rodier, reportage, p. A-7.

5240 «René Lévesque dénonce vertement les politiques agricoles d'Ottawa», A. Rodier, reportage, p. A-6.

14 mai

5241 «Une attitude à éviter», P. Bornais commentaire, p. A-2. /Critique de l'attitude du ministre Jean Garon à l'ouverture de la Raffinerie de sucre du Québec/

5242 «Ils diront «Oui», reportage, p. B-1.

5243 «Raffinerie. Une inauguration à saveur référendaire», A. Rodier, reportage, p. A-2.

5244 «Selon Jacques-Yvan Morin. «Le vieux régime» sera changé par la persuasion», A. Rodier, reportage, p. B-2.

21 mai

5245 «Le peuple a donné une autre chance aux fédéralistes... (René Lévesque)», P. Bornais, reportage, p. B-1.

5246 «Une raclée dure à avaler», A. Rodier, reportage, p. B-1.

28 mai

5247 «Au député, M. Fabien Cordeau», B. Desrosiers, lettre, p. A-4.

5248 «L'impossible défi? ...», P. Bornais, éditorial, p. A-4.

LE COURRIER DE TROIS-PISTOLES

30 avril

5249 «Partisans du Non», reportage, p. A-3.

5250 «Partisans du Oui», A. Morin, reportage, p. A-3.

14 mai

5251 «À Rivière-du-Loup mercredi: Plus de 500 personnes accueillent le ministre Lise Payette», A. Morin, reportage, p. A-13.

LE COURRIER DU SUD/
THE SOUTH SHORE COURIER

30 avril

5252 «Lazure salue d'une promesse le Oui des «55 ans et plus», reportage, p. A-7.

5253 Le Oui dans Laporte. Après les vedettes le monde «ordinaire», A. Gruda, reportage, p. A-4.

5254 «Une solidarité sans précédent», R. Lévesque, libre opinion, p. A-5.

7 mai

5255 «À l'hôpital Charles-Lemoyne. Lise Payette dénonce la campagne de peur menée par les tenants du Non», reportage, p. A-9.

5256 «Les adversaires du Oui s'attaquent au ministre Pierre Marois», reportage, p. B-8.

5257 «Dans le comté de Verchères il n'y a pas de doute, c'est Oui», Le regroupement pour le Oui, communiqué, p. B-6.

5258 «Douze ans de pouvoir ont prouvé que Trudeau ne veut rien changer - Le député Charbonneau», reportage, p. B-6.

5259 «Le gros bon sens», D. Lussier, libre opinion, p. A-6.

5260 «Peu importe le résultat du référendum, nous avons atteint un point de non retour - Doris Lussier», A. Gruda, reportage, p. A-3.

COURRIER LAVAL

7 mai

5261 «Parizeau à Laval», reportage, p. 2.

14 mai

5262 «Deux comédiennes pour le «Oui», reportage, p. A-2.

COURRIER MAG

16 avril

5263 «Campagne référendaire: Naissance du comité du «Oui» dans Chambly», A. Gruda, reportage, p. 19.

5264 «Garder l'actuel marché commun», R. Lévesque, libre opinion, p. 13.

23 avril

5265 «Dans un Québec souverain - Aux
citoyens âgés une pension équiva-
lente ou supérieure à celle que
verse actuellement le gouvernement
du Canada», reportage, p. 18.

5266 «Du député de Verchères - Des rap-
pels instructifs», J.-P. Charbonneau, libre opinion, p. 49.

5267 «L'interdépendance», R. Lévesque,
libre opinion, p. 20.

5268 «La logique fédéraliste», Y. Lafortune, libre opinion, p. 4.

30 avril

5269 «Le ministre Lazure dénonce l'attitude incendiaire d'Ottawa», reportage, p. 12.

5270 «Oui, bien sûr!», libre opinion,
p. 12.

5271 «Une solidarité sans précédent»,
R. Lévesque, libre opinion, p. 24.

7 mai

5272 «Les locataires des HLM sont des
citoyens à part entière», reportage,
p. 37.

5273 «Ne blessons pas les Québécois dans
leur intelligence», libre opinion,
p. 13.

5274 «Oui à l'égalité», R. Lévesque,
libre opinion, p. 14.

5275 «Si les autres provinces affir-
maient une volonté de négociation,
le Oui passerait à 95%», A. Gruda,
reportage, p. 7.

14 mai

5276 «Le Comité du Non se cherche dans
Chambly - Denis Lazure», reportage,
p. 10.

5277 «Le Non viole la loi 92 dans Verchères», reportage, p. 10.

21 mai

5278 «Retour à la normalité», L. Beauregard, éditorial, p. 4.

28 mai

5279 «Que reste-t-il à fêter sinon le
Dominion Day?», L. Beauregard,
éditorial, p. 4.

LE COURRIER RIVIÉRA

16 avril

5280 «Ex-président de la ligue des droits
de l'homme. Président du Oui dans
Verchères», reportage, p. 8.

23 avril

5281 «Ce n'est pas une question de parti
politique, c'est une question de
conscience collective - Maurice
Martel», M. Crête, reportage, p. 7.

5282 «En présence de René Lévesque.
Les travailleurs de Verchères rallient le Oui», M. Crête, reportage,
p. 2.

30 avril

5283 «Ils diront Oui», reportage, p. 15.

5284 «Oui, je crois que la question est
claire - Pierre Marois», M. Crête,
reportage, p. 2.

7 mai

5285 «Clarifions le débat devant les
gens de Marine» dit M. Martel au
député fédéral», reportage, p. 17.

5286 «La question est honnête j'aurais
aimé ça que mon parti la pose...»
L'ex-ministre Jean-Paul L'Allier»,
M. Crête, reportage, p. 2.

5287 «Selon Lise Payette. Il ne faut
pas être péquiste pour voter Oui»,
M. Crête, reportage, p. 6.

14 mai

5288 «Le ministre Vaugeois rencontre des
familles», M. Crête, reportage, p. 52.

5289 «Souveraineté-association. «Si
c'était la séparation, je ne serais
pas là» - Maurice Martel», reportage, pp. 10,14.

5290 «Le 20 mai. Maurice Martel appelle
les québécois francophones à la solidarité», M. Crête, reportage,
pp. 2,10.

28 mai

5291 «Le référendum. «On a perdu une
bataille mais on n'a pas perdu la
guerre» - Maurice Martel», M. Crête,
reportage, p. 2.

COURRIER-SUD

22 avril

5292 «Déclaration de Louis Caron», L.
Caron, libre opinion, p. 3.
/Président du Oui Nicolet-Yamaska/

29 avril

5293 «Oui», L. Caron, libre opinion,
p. 3.

5294 «Le regroupement pour le Oui du
comté de Lotbinière en campagne»,
reportage, pp. 40,41.

6 mai

5295 «Lettre à memère», L. Caron, libre
opinion, p. 3.

13 mai

5296 «Une affaire de coeur», L. Caron,
libre opinion, p. 3.

5297 «La prudence est du côté du Oui!»,
A. Charbonneau, commentaire, p. 63.

5298 «Le regroupement pour le Oui du
comté de Lotbinière. À l'école
St-Antoine des citoyens et des
citoyennes s'informent sur le référendum», reportage, p. 62.

20 mai

5299 «L'irréalisme du Conseil du patronat», A. Charbonneau, p. 51.

LE DEVOIR

18 avril

5300 «Lévesque félicite Trudeau d'avoir
fait progresser le débat référendaire», reportage, p. 1.

5301 «René Lévesque commente le discours
de Pierre Trudeau. Sur le sens de
la question, Ottawa et Québec sont
d'accord», R. Lévesque, p. 8.
/Texte intégral de la déclaration
de R. Lévesque à la presse concernant le discours de P.E. Trudeau à
la Chambre des communes/

19 avril

5302 «Un comité du Oui au journal «The
Gazette», reportage, p. 5.

5303 «René Lévesque s'étonne. L'intervention de Davis, un signe d'«affo-
lement»?», reportage, p. 1.

21 avril

5304 «D'abord convaincre les francophones
indécis (Lévesque)», reportage, p. 1.

5305 «Camille Laurin répond à Pierre
Trudeau. Le mandat référendaire
est plus important que celui que
les Québécois ont confié aux députés fédéraux», reportage, p. 7.

5306 «Le sens du Oui», R. Barberis, analyse, p. 9.

23 avril

5307 «Lévesque critique l'administration
«stérile» d'Ottawa», reportage,
p. 1.

25 avril

5308 «Lévesque tient Ottawa responsable
de l'état des chantiers maritimes»,
reportage, p. 1.

5309 «Les Yvettes nous conduiront au
Oui», N. Lacelle, commentaire,
p. 13.
/Autant le projet du Oui que du
Non est inacceptable pour les femmes. Un Oui au référendum freine-
rait la montée de la droite/

26 avril

5310 «Marcel Léger devant un groupe d'industriels. Les Québécois ne peuvent plus s'endetter pour le pétrole», p. 2.

28 avril

5311 «Un appel à René Lévesque. Les femmes connaissent, elles, le «prix de
l'égalité», reportage, p. 1.

5312 «Le PQ réplique à Marc Lalonde. La
cherté du pétrole n'a rien à voir
avec le référendum», reportage,
p. 4.

29 avril

5313 «Au-delà des barrières culturelles»,
V. Teboul, libre opinion, p. 7.

5314 «Lévesque rappelle l'élection de
62», reportage, p. 1.

5315 «La logique du politique», D. Moniè-
re, analyse, p. 9.
/Le rôle de l'État à l'âge du capi-
talisme monopolistique d'État. La
décentralisation du fédéralisme est
fausse, les provinces auront toujours des pouvoirs secondaires.
Dans le fédéralisme le Québec sera
toujours minoritaire, l'évolution
du fédéralisme étant déterminée par
les rapports de forces démographi-
ques, économiques et politiques.
La souveraineté-association permet-
trait de développer le Québec selon
nos exigences/

30 avril

5316 «Où est le péril?», P. Vadeboncoeur,
commentaire, p. 9.

5317 «Le siège social du Non est rendu
à Ottawa (Lévesque)», reportage,
p. 1.

1er mai

5318 «Avant de dire un Oui critique», M.
Raboy, analyse, p. 10.
/La stratégie du P.Q. est un brave
effort pour camoufler les bases sociales de l'oppression nationale/

5319 «Le boycott des jeux mène au Oui»,
P. Chantraine, commentaire, p. 10.

5320 «Une idée qui illustre «les vrais
dangers du Non», PC, reportage,
p. 9.
/Création d'une agence fédérale
de perception des impôts/

5321 «Lévesque: la Baie-James démontre
la compétence évidente des Québécois», reportage, p. 1.

2 mai

5322 «Le budget de l'an 1: une idée malhonnête, commente Lévesque», reportage, p. 1.

5323 «Une histoire de termes» A. Poznanska
Parizeau, libre opinion, pp. 6,7.

3 mai

5324 «Une camisole de force», J. Boucher,
libre opinion, p. 6.

5325 Eh bien, on continuera de tourner
en rond (Lévesque)», F. Barbeau,
reportage, pp. 1,20.
/Réponse à l'allocution de P. Trudeau/

5326 «L'impasse du Non», P. Drouilly,
analyse, p. 6.

5327 «Morin invite Ryan à retirer son
projet», PC, reportage, p. 8.
/Agence de perception des impôts/

5328 «Le Non accusé d'avoir violé la loi
sur les dépenses référendaires»,
reportage, p. 8.

5329 «Oui. Le mandat d'aller «négocier
ce bonheur», M. Laurier, reportage,
p. 1.

5 mai

5330 «Lévesque à Saint-Hyacinthe. L'a-
griculture a besoin d'un Oui», reportage, pp. 1,18.

6 mai

5331 «Un choix de raison et de dignité.
Oui à l'avenir», J.-M. Léger, libre
opinion, p. 9.

5332 «Lévesque accuse le Non de créer un climat de désordre», reportage, pp. 1,10.

7 mai

5333 «Aux Haïtiens du Québec», S. B. Blémur, p. 9.

5334 «Désaccord sur la politique de placement de la Caisse de dépôt. Parizeau associe la démission de Kierans au référendum», reportage, p. 15.

5335 «Dire Non serait une honte éternelle», F. A. Angers, libre opinion, p. 11.

5336 «L'industrie du bois de sciage réagit mal à un discours à saveur trop référendaire», R. Lefebvre, PC, reportage, p. 6.

5337 «Lévesque cite en exemple la Coopérative de Manseau», PC, reportage, pp. 1,12.

5338 «Un refus du Canada anglais confirmerait que le Québec est colonisé (Bourgault)», PC, reportage, p. 8.

8 mai

5339 «Bérubé s'en prend au président de Domtar... mais le ministre a été mal informé», M. Nadeau, reportage, p. 14.

5340 «Un défi à la logique», A. Lemieux, analyse, p. 8.
/À propos de la thèse du livre blanc sur l'intégration économique/

5341 «Les expressions «gangrène», «fascisme», «germe de haine», etc. Bédard reproche au Barreau de ne pas être intervenu», B. Morrier, reportage, p. 2.

5342 «Gestation, création, vibration», J. Laurendeau, libre opinion, p. 8.

5343 «Lévesque à l'Université de Sherbrooke. Le Québec «paye plus que sa part pour la recherche», B. Descôteaux, reportage, pp. 1,12.

5344 «Le Oui d'un écologiste», M. Jurdant, libre opinion, p. 8.
/Le Oui rapprocherait l'État du citoyen, mais ce ne serait qu'un pas vers la promotion de technologies adaptées à l'homme et vers l'abolition des privilèges/

5345 «Richard Legendre, sportif pour le Oui», PC, reportage, p. 6.

9 mai

5346 «Lévesque dénonce la campagne «laide et humiliante», du Non», B. Descôteaux, reportage, pp. 1,10.

5347 «Vers la souveraineté», M. Brunet, libre opinion, p. 9.

10 mai

5348 «Advenant une victoire du Oui. Lévesque somme Trudeau de dire s'il entend négocier», B. Descôteaux, reportage, pp. 1,20.

5349 «Un choix entre idéologies économiques», K. C. Henley, libre opinion, p. 12.

5350 «La déception attend le Non», A. Macleod, libre opinion, p. 13.
/Le livre beige du PLQ représente une position «minimaliste» qui laisse peu de place à la négociation. Il se compare au projet C-60 du gouvernement central. Toutefois les deux projets s'opposent fortement au niveau du Conseil fédéral/

5351 «Un fédéraliste fatigué», R. Décary, p. 19.
/Publication Léon Dion. Le Québec et le Canada, les voies de l'avenir. Les Editions Québécor, Montréal, 1980, 236 p./

12 mai

5352 «Oui - Une victoire, même serrée, est possible», B. Descôteaux, reportage, pp. 1,18.

5353 «Un pas en avant», J.-C. Leclerc, éditorial, p. 16.
/«Un Non nous fait courir un plus grand danger d'impasse pour l'avenir que le Oui; alors que le Oui, même s'il n'a pas la certitude du succès, marquera de toute manière un net progrès dans l'affirmation de nos aspirations nationales et sociales»/

5354 «Le meilleur choix économique»,
M. Nadeau, éditorial, p. 16.
/La politique économique du
Canada a défavorisé le Québec
aux dépens de l'Ontario. La
souveraineté-association per-
mettrait aux Québécois de dis-
poser de leurs impôts et d'une
politique cohérente de dévelop-
pement/

5355 «Une société bloquée», L. Bissonnette, éditorial, p. 16.
/Dans les conditions actuelles
«le fédéralisme renouvelé devient
une proposition aussi hypothétique
que la souveraineté-association.
Depuis plus de dix ans, l'impossi-
bilité d'annoncer le moindre début
de renégociation du pacte confédératif» incite ceux qui sont en faveur du changement, à choisir la
souveraineté et ses risques/

13 mai

5356 «Au-delà des simplifications», L.
Dion, analyse, p. 11.
/«L'incapacité de plus en plus
flagrante du cadre constitutionnel
canadien de convertir convenable-
ment en termes politiques les besoins et les aspirations des individus et des collectivités dans
toutes les régions du pays et plus
particulièrement au Québec»/

5357 Lévesque dénonce la coalition qui
veut empêcher le Québec d'avancer»,
B. Descôteaux, reportage, pp. 1,12.

5358 «Le Oui conduit-il à l'impasse?»,
L. Balthazar, analyse, p. 8.
/Les différentes possibilités de
négocier advenant une victoire du
Oui/

14 mai

5359 «Au nom de la liberté», R. Piché,
libre opinion, p. 8.
/Lettre à Claude Ryan au sujet des
libertés/

5360 «L'application du livre beige ferait
reculer le Québec de 20 ans (Morin)»,
PC, p. 7.

5361 «Leur refus nie un droit», J.-L. Roy,
M. Champagne-Gilbert, L. Carrier,
libre opinion, p. 8.
/Déclaration de trois anciens présidents de la Ligue des droits de
l'homme à propos du refus de négocier
des premiers ministres provinciaux
et du gouvernement fédéral/

5362 «Lévesque tente de rassurer les «vic-
times de la campagne de peur», B.
Descôteaux, reportage, pp. 1,12.

5363 «Mon Oui est canadien», T. Sloan,
libre opinion, p. 9.
/Oui «pour l'idée d'une nouvelle
confédération et pour le début des
négociations difficiles mais essen-
tielles»/

5364 «Selon Parizeau devant 8,000 partisans. Ottawa a tué tout espoir de
renouvellement constitutionnel»,
P. Poirier, reportage, p. 12.

5365 «Le 20 sera positif», P. Vadeboncoeur,
libre opinion, p. 12.
/Quel que soit le résultat du scrutin
du 20 mai, le nationalisme québécois
«en sortira mieux instruit, plus ir-
réductible, mieux identifié au peuple
québécois, plus répandu, plus cons-
cient»/

15 mai

5366 «Lévesque propose aux provinces de
tenir un référendum après un Oui»,
B. Descôteaux, reportage, p. 1.

5367 «La question: la démocratie», J.
Mascotto, libre opinion, p. 9.

5368 «Le référendum, une étape», R. Barberis, P. Drouilly, libre opinion,
p. 9.
/«Si le Oui l'emporte, on ne peut
laisser à quelques hommes politiques la seule responsabilité des
négociations à venir. Si le Non
l'emporte, on ne peut non plus
laisser à quelques hommes politiques la responsabilité de redéfi-
nir l'orientation du mouvement.
Dans l'un ou l'autre cas, c'est
collectivement que l'on doit poursuivre la lutte»/

16 mai

5369 «Appel aux groupes ethniques», J. Couture, libre opinion, p. 13.

5370 «En réplique à Trudeau. De quel renouvellement s'agit-il? demande Lévesque», B. Descôteaux, reportage, pp. 1,14.

5371 «Le PQ sera responsable de sa défaite», L. Roy, libre opinion, p. 10.
/«Par son refus d'éduquer politiquement ses membres et de mobiliser les couches populaires dans des actions concrètes, par une pratique du pouvoir qui ne faisait pas de compromis avec son seul allié solide et qui, même, l'affaiblissait en semant chez lui la division, le gouvernement Lévesque semble bien devoir causer sa propre perte»/

17 mai

5372 «Faire reculer la honte», H. Demers, p. 19.
/À propos du livre de P. Vadeboncoeur: To be or not to be, that is the question. L'Hexagone, Montréal, 1980/

5373 «Je voterai Oui», Comment le Québec m'a absorbé...», M. Reid, libre opinion, pp. 21,22.

5374 «Ottawa n'a pas le sens de l'honneur (Lévesque)», PC, reportage, p. 20.

5375 «Le Oui des écrivains», J. Royer, reportage, p. 21.

5376 «Un Oui peu exaltant», C. Dufour, p. 19.
/Critique du livre: Gilles Bourque et Gilles Dostaler. Socialisme et indépendance. Boréal Express, Montréal, 1980, 224 p./

19 mai

5377 «Claude Morin: le dernier sondage démontre le ralliement des francophones», PC, reportage, p. 8.

5378 «Lévesque: l'association pourrait aller plus loin», B. Descôteaux, reportage, pp. 1,8.

5379 «Pour empêcher qu'une minorité contre le besoin de changement. Lévesque fait appel à la solidarité des francophones», B. Descôteaux, reportage, p. 3.

5380 «Les rêves d'aujourd'hui», B. Tempe, libre opinion, p. 7.

20 mai

5381 «L'étapisme, hérésie devenue loi», reportage, p. 7.

5382 «La peur de faire peur», reportage, p. 9.
/R. Lévesque et la base militante du PQ/

21 mai

5383 «La balle vient d'être renvoyée dans le camp fédéraliste (Lévesque)», B. Descôteaux, reportage, pp. 1,14.

5384 «Claude Morin ébranlé», PC, reportage, p. 4.

5385 «Déception du côté des artistes», reportage, p. 4.

22 mai

5386 «Le gouvernement et le Parti québécois analysent l'échec référendaire de mardi», J.-C. Picard, reportage, p. 4.

5387 «M. Pinard craint la violence si le PQ perd», reportage, p. 4.

28 mai

5388 «Une semaine après...», G. Tarrab, libre opinion, p. 9.

29 mai

5389 «L'important, c'est la rose...», D. Lussier, libre opinion, p. 12.
/Le référendum est une étape déterminante vers la souveraineté/

31 mai

5390 «Une ligue prend la relève. Le Regroupement du Oui est dissout», F. Côté, PC, reportage, pp. 1,16.

5391 «Un regroupement national permanent», P. Drouilly, R. Barberis, libre opinion, p. 14.

3 juin

5392 «Nous souvenir de Godbout», R. Rudin, libre opinion, p. 8.

DIMANCHE DERNIÈRE-HEURE

18 mai

5393 «Les sondages n'affectent pas l'optimisme des troupes de Lévesque», J.-G. Pinel, reportage, p. 2.

25 mai

5394 «Des élections au Québec. En novembre ou au printemps», J.-G. Pinel, reportage, p. 4.

1er juin

5395 «Il aurait dû se taire», reportage, p. 9.
/Déclaration de Jean Garon sur les électeurs qui ont voté Non/

DIMANCHE-MATIN

27 avril

5396 «En réponse à Marc Lalonde. Joron et Landry attaquent Ottawa en matière d'énergie», R. Dutrisac, reportage, p. 7.

5397 «Lévesque invite les femmes à dire Oui», G. Saint-Jean, reportage, p. 7.

5398 «Selon le Meoui. Plus de 75% des étudiants voteraient Oui», P. Leroux, reportage, p. 6.

5399 «Trudeau se prend pour Louis XIV» - Marcel Léger», P. Leroux, reportage, p. 5.

4 mai

5400 «Coté «A-A» par l'agence Standard & Poor. L'économie du Québec ne serait pas à la merci du résultat référendaire», P. Leroux, reportage, p. 6.

5401 «Pour que la souveraineté soit économiquement significative le Québec doit créer sa monnaie», A. Poirier, commentaire, p. B-50.

11 mai

5402 «Un «Non» plongerait le Québec dans la honte - R. Lévesque», G. Saint-Jean, reportage, p. 3.

18 mai

5403 «C'est l'heure du ralliement - Lévesque aux sportifs», J. Trudel, reportage, p. 2.

5404 «Des athlètes pour le Oui... qui ne peuvent pas tous se prononcer», G. Saint-Jean, reportage, p. 2.

LE DROIT

15 avril

5405 «Ancien député de Saint-Laurent sous Lesage et Bourassa. Léo Pearson dans le camp du «Oui», PC, reportage, p. 16

5406 «Le «Non» positif. Lévesque: on entre dans la fiction», PC, reportage, p. 3.

16 avril

5407 «Après un «Oui», selon Lévesque. Le Canada sera tenu de négocier», p. 28.

5408 «Un message clair». Michel Légère votera Oui», G. Laframboise, reportage, p. 28.

5409 «René Lévesque réclame un appui massif au «Oui». Québec: Oui ou Non le 20 mai», N. Delisle, PC, reportage, p. 1.

5410 «Selon Yves Martin, recteur de l'Université de Sherbrooke. Une marche «irréversible» vers la souveraineté», F. Côté, PC, reportage, p. 7.

17 avril

5411 «Lévesque lance officiellement la campagne référendaire du «Oui». La Beauce, «symbole de ce qu'on veut», N. Delisle, PC, reportage, p. 20.

18 avril

5412 «Dans le comté de Gatineau. Le groupe du Oui démarre», M. Gauthier, reportage, p. 16.

5413 «De Bellefeuille lance le Oui dans Saint-Laurent. Que Trudeau voie plutôt à l'économie», C. Duhaime, reportage, p. 16.

5414 «La dernière chance de se faire entendre», C. Duhaime, reportage, p. 16.

5415 «Lancement du Oui dans Hull. Rivest dénonce ceux qui essaient de semer la peur», G. Laframboise, reportage, p. 16.

5416 «Pour obtenir un Oui massif. Alfred travaille avec les «gens de la base», R. Chartrand, reportage, p. 14.

5417 «Un premier certificat collectif», PC, reportage, p. 18.

5418 «Trudeau mêle pommes et oranges», PC, reportage, p. 16.

19 avril

5419 «Des certificats aux tenants du Oui», N. Delisle, PC, reportage, p. 36.

5420 «Guindon votera Oui», reportage, p. 36.

5421 «Le Non de Bourassa. L'Allier ne comprend pas», A. Bellemare, PC, reportage, p. 36.

21 avril

5422 «Les tenants du «Non» prônent la «censure de l'information» - le premier ministre Lévesque», PC, reportage, p. 12.

22 avril

5423 «Je vote Oui parce que je suis libéral - Godbout», F. Côté, PC, reportage, p. 7.

5424 «Parce qu'ils sont tellement «fluctuants et contradictoires». Lévesque ne commente plus les sondages», N. Delisle, PC, reportage, p. 18.

5425 «Le seul qui refusera de négocier sera Trudeau - Bourgault», D. Lessard, PC, reportage, p. 56.

23 avril

5426 «Advenant un Oui, Ottawa négociera - Ouellette», P. Ouimet, reportage, p. 28.

5427 «Charge de Lévesque contre le régime fédéral actuel. Le Québec écrasé par les «mensonges», PC, reportage, p. 23.

24 avril

5428 «Au moins la moitié voteront Oui - Biron. Les unionistes profondément divisés», G. Laframboise, reportage, p. 24.

5429 «Contre les gauchistes. Bourgault se défend bien!», reportage, p. 24.

5430 «Fabien Roy: un Oui du coeur», R. Laframboise, reportage, p. 1.

5431 «Le «Oui» aidera les minorités hors Québec», R. Bouchard, reportage, p. 23.

25 avril

5432 «Les chantiers maritimes sont dans un «état déplorable» au Québec - Lévesque. Une industrie délaissée par Ottawa», N. Delisle, PC, reportage, p. 17.

26 avril

5433 «Les Juifs devraient comprendre, selon Lévesque. Entre le Québec et Israel», P. Tourangeau, PC, reportage, p. 36.

5434 «Le Québec ne peut plus se payer le fédéralisme», PC, reportage, p. 37.

5435 «René Lévesque dénonce Jean Chrétien. Le «gérant général» se contredit», P. Tourangeau, PC, reportage, p. 36.

28 avril

5436 «Lents progrès du français dans la fonction publique. Ouellette s'inspire de Yalden pour critiquer le fédéralisme», N. Fortin, reportage, p. 15.

5437 «15,000 Montréalais réservaient un accueil triomphal à Lévesque», P. Tourangeau, PC, reportage, p. 24.

5438 «Sondage de Radio-Canada. Morin se félicite de l'attitude des canadiens», N. Fortin, reportage, p. 15.

29 avril

5439 «Les juifs Sépharades en majorité pour le Non», C. Duhaime, reportage, p. 17.

5440 «Virulente sortie contre le camp du Non. Lévesque s'en prend aux fossoyeurs de notre avenir», P. Tourangeau, CP, reportage, p. 17.

30 avril

5441 «À Ottawa, selon Lévesque. Même 12 ans de «french power» n'ont rien changé», PC, reportage, p. 47.

5442 «Le référendum dans l'Outaouais québécois (1). L'argument de l' «ogre fédéral», P. Tremblay, éditorial, p. 6.
/À propos de l'argument de la destruction de l'Outaouais québécois par le gouvernement fédéral/

5443 «Répondant aux attaques des forces du Non de l'Outaouais. Rivest cite un cas de «matraquage intellectuel», P. Ouimet, reportage, p. 22.

1er mai

5444 «La politique, selon Louise Harel. «C'est l'affaire de toutes les femmes», C. Duhaime, reportage, p. 45.

5445 «S'il n'y avait pas eu la nationalisation de l'électricité...» Lévesque à LG-3: tout un accueil!», P. Tourangeau, PC, reportage, p. 27.

5446 «Sondage: le choix des questions. Gallup a manipulé les personnes interrogées - le premier ministre Lévesque», P. Tourangeau, PC, reportage, p. 45.

2 mai

5447 «Documentation et macarons fournis par le Fédéral. Le Comité du Oui dépose une plainte», PC, reportage, p. 41.

5448 «En tournée dans l'Outaouais. Lévesque continue d'attaquer Ottawa», M. Ouimet, reportage, p. 17.

5449 «René Lévesque dans l'Outaouais. Lévesque dénonce la campagne de «matraquage» de Rocheleau», M. Ouimet, reportage, p. 1.

5450 «Yves Chevalier, candidat possible aux prochaines élections provinciales dans Hull. On lui demande de se désister, sinon...», P. Ouimet, reportage, p. 13.

3 mai

5451 «Alfred s'en prend à Rocheleau et Fortas. «Des méthodes qui rappellent la pègre», reportage, p. 37.

5452 «Morin invite Ryan à retirer son «invraisemblable» proposition», PC, reportage, p. 36.

5453 «Nous continuerons de tourner en rond... et Lévesque riposte», P. Tourangeau, PC, reportage, p. 1.

5 mai

5454 «Afin de progresser, selon Lévesque.
L'agriculture a besoin d'un Oui»,
PC, reportage, p. 16.

5455 «Il existe une solidarité dans
l'Outaouais, selon le député ministre Ouellette. La Haute-Gatineau
en fait la preuve», reportage,
p. 14.

6 mai

5456 «L'avocat Serge Ménard. Un Oui
forcera la main aux autres provinces», PC, reportage, p. 28.

5457 «Les incidents violents lors du
passage de Ryan dans l'Outaouais.
Ouellette tient les Non responsables», reportage, p. 22.

5458 «Liste rendue publique: 58 cas
de violence contre des gens du
Oui - Lévesque», PC, reportage,
p. 23.

5459 «Un «Oui» de reconnaissance»,
PC, reportage, p. 7.
/Adhésion de Colette Boky au Oui/

5460 «La plus importante pétition à ce
jour. L'Alcan: 3,515 travailleurs
disent Oui», PC, reportage, p. 23.

7 mai

5461 «Bourgault maintient que le Canada
anglais négociera suite à un Oui.
Trudeau a «menti comme d'habitude»,
PC, reportage, p. 24.

5462 «Lévesque en tournée dans Lotbinière», PC, reportage, p. 25.

5463 «Le ministre Marois se fait mordant.
La campagne du Non «presque abjecte»,
reportage, p. 24.

5464 «Le Oui des hésitants», P. Tremblay,
éditorial, p. 6.

5465 «Parizeau répond à Kierans. Démission référendaire», PC, reportage,
p. 2.

5466 «Le régime fédéral et le Québec.
Une camisole de force économique»,
J. Boucher, libre opinion, p. 7.

5467 «Yves Bérubé devant les manufactu-
riers. Des propos référendaires
inattendus et mal reçus», R.
Lefebvre, PC, reportage, p. 25.

8 mai

5468 «Une chose facile» Le tennisman
Legendre se prononce pour le Oui»,
D. Charette, PC, reportage, p. 29.

5469 «Manifestation du Oui à Québec.
7,000 partisans font le plein d'énergie», PC, reportage, p. 23.

5470 «Marois dans la vallée de La Lièvre
La joute référendaire en... trois
périodes», reportage, p. 23.

5471 «Les pétitions pour le Oui continuent de s'empiler», N. Delisle,
PC, reportage, p. 25.

9 mai

5472 «Attitude au cours de la campagne
référendaire. Lévesque blâme sévèrement le quotidien «The Gazette»,
PC, reportage, p. 17.

5473 «Une époque maintenant révolue.
Plus de «complexe d'infériorité» -
Charron», A. Bellemare, PC, repor-
tage, p. 16.

10 mai

5474 «Lévesque somme Trudeau de répondre.
Ottawa respectera-t-il le Oui des
Québécois?», N. Delisle, PC, repor-
tage, p. 37.

5475 «Un mandat «prudent et raisonnable» -
Lise Payette», PC, reportage, p. 37.

5476 «Modernisation forestière. Un
échec du fédéralisme - Bérubé»,
A. Archambault, reportage, p. 37.

12 mai

5477 «Avec la décision d'Ottawa de rapatrier la constitution. Voter Non
est un «risque effrayant» - Parizeau», M. Gauthier, PC, reportage,
p. 16.

5478 «Intégration des fonctionnaires
fédéraux. L'attrition suffira dit
Parizeau», R. Lajoie, reportage,
p. 1.

5479 «Le projet proposé par le gouvernement Lévesque est réalisable. Le
passé parle par lui-même - Parizeau», M. Gauthier, reportage,
p. 14.

5480 «Ralliement à Québec. 10,000
tenants du Oui accueillent les artistes», R. Lefebvre, PC, reportage, p. 17.

5481 «Le 20 mai, les Québécois donneront
«le plus extraordinaire» spectacle
de leur histoire. Lévesque confiant
que le Oui gagnera», N. Delisle, PC,
reportage, p. 17.

5482 «Les Yvettes auraient voté Non de
toute façon - Payette», PC, reportage, p. 16.

13 mai

5483 «Dans quinze ans: les Québécois
rouleront sur l'or - Me Guy Bertrand», R. Lefebvre, PC, reportage,
p. 21.

5484 «D'ici le 20 mai. Rivest craint
les coups bas», reportage, p. 16.

5485 «Entre le salut et la damnation»,
H. Larocque, lettre, p. 7.

5486 «Un «Non merci» que Lévesque
digère mal. Dépliants illégaux:
«Ottawa se déshonore», N. Delisle,
PC, reportage, p. 39.

5487 «L'Ontario a toujours été traitée
comme un enfant chéri - Le ministre
Camille Laurin», reportage, p. 16.

14 mai

5488 «En votant Oui le 20 mai - L'Allier
«On va se commander un uniforme sur
mesures», F. Simard, reportage,
p. 17

5489 «Un Non menacerait la fonction publique», P. Tourangeau, PC, reportage, p. 19.

5490 «Plus de 8,000 personnes l'accueillent à Sherbrooke. Lévesque ovationné comme jamais», PC, reportage,
p. 23.

15 mai

5491 «À Buckingham, Mme Ouellette livre
un discours tout en douceur», G.
Goudreault, reportage, p. 25.

5492 «De Belleval cite les services
aériens en exemple. Transports:
Ottawa nuit au Québec», M. Gauthier,
reportage, p. 24.

5493 «Juger «selon les faits, selon nos
actions». Alfred invite les personnes âgées à dire Oui à un déblocage», R. Dégarie, reportage, p. 24.

5494 «Le maire de Hull est un anti-toute» -
Mme Ouellet, reportage, p. 17.

5495 «Les négociations advenant un Oui
au référendum. Québec serait prêt
dès la fin de l'été», N. Delisle,
PC, reportage, p. 1.

5496 «Le référendum et la longue marche
vers la souveraineté», M. Brunet,
lettre, p. 7.

16 mai

5497 «Quand le premier ministre parle
de renouveler la constitution.
Trudeau n'est pas «crédible» -
Landry», M. Ouimet, reportage,
p. 15.

5498 «Référendum du 20 mai: Lévesque
pourrait contester le résultat»,
PC, reportage, p. 1.

5499 «Renouvellement du fédéralisme.
Lévesque doute des intentions de
Trudeau», N. Delisle, PC, repor-
tage, p. 17.

5500 «Ryan cite le Saguenay-Lac-St-Jean
en exemple. Les «forteresses» doivent être abolies», B. Racine, PC,
reportage, p. 16.

5501 «Si le Oui gagne. Les francophones
hors Québec n'ont pas à avoir peur».
P. Ouimet, reportage, p. 19.

17 mai

5502 «Violente réaction de Lévesque au
jugement. Ottawa se croit «au-dessus
des lois», N. Delisle, PC, reportage,
p. 36.

20 mai

5503 «À Saint-Édouard de Lotbinière.
Fête de famille du Oui», A. Bellemare, PC, reportage, p. 20.

5504 «Cette fois, je me sens nerveux» -
Lévesque», PC, reportage, p. 21.

5505 «Plus de 1,500 personnes réunies
à Gatineau. La campagne du Oui
prend fin dans la joie dans l'Outaouais», J. Lefebvre, reportage,
p. 21.

5506 «Si les gouvernements québécois et
fédéral sont amenés à négocier la
souveraineté-association. Une longue liste de questions à régler»,
P. Gessell, PC, reportage, p. 17.

5507 «Une victoire du Non définie par
Lévesque. Une condamnation au
«statu quo», N. Delisle, PC,
reportage, p. 20.

21 mai

5508 «C'est une bonne question», PC,
reportage, p. 24.

5509 «La population changera d'idée
très vite, selon Morin. Ça ne
prendra pas longtemps «pour se
rendre compte du vide», PC, reportage, p. 25.

5510 «Pour le PQ-Outaouais, des élections seraient différentes. «On
passerait comme une balle», G.
Goudreault, reportage, p. 34.

27 mai

5511 «Voeux pieux et dossier noir»,
J. Martin Godbout, éditorial,
p. 6.

4 juin

5512 «Lévesque fait confiance à Trudeau
«jusqu'à nouvel ordre», B. Racine,
PC, reportage, p. 4.

5513 «Publicité fédérale pendant le
référendum. Les dépenses d'Ottawa
ont dépassé les $3 millions», P.
Tourangeau, PC, reportage, p. 2.

LE DYNAMIQUE DE LA MAURICIE

14 mai

5514 «Oui ou Non», R. Pagé, éditorial,
p. 2.

28 mai

5515 «Questions sur la réponse», R. Pagé,
éditorial, p. 2.

L'ÉCHO

22 avril

5516 «Parle fort Québec!», L. Cuerrier-
Sauvé, commentaire, p. 16.

29 avril

5517 «Une entrevue de Marcel Auclair.
René Emard de la Chambre des Communes à la présidence du Comité du
Oui», M. Auclair, reportage,
pp. 5,14.

6 mai

5518 «Droit de vote des femmes. Des
tenants du «Oui» de V.-S. participent à la célébration du 40e anniversaire», M. Lefebvre, reportage,
p. 14.

5519 «Hystérie et panique qui augure mal
pour le clan du Non», L. Cuerrier-
Sauvé, chronique, p. 18.

13 mai

5520 «Dans 7 jours, 1 choix: l'avenir
du Québec!», éditorial, p. 47.

5521 «Il serait dommage qu'une minorité
puisse décider de l'avenir d'un
peuple majoritaire - Louise Cuerrier», M. Auclair, reportage, p. 46.

5522 «Pour Cuerrier et Emard, il faut
maintenant convaincre les indécis»,
D. Leduc, reportage, p. 5.

5523 «Trudeau déloge Ryan pour dire Oui
à la séparation et Non à la négociation», M. Gadbois, lettre, p. 36.

27 mai

5524 «Une jeunesse sans espoir, c'est un
peuple sans avenir», commentaire,
p. 20.

L'ÉCHO ABITIBIEN

16 avril

5525 «Le ministre Garon voit l'avenir
du Québec dans la diversité de
son agriculture», G. Lyrette,
reportage, p. 8-B.

5526 «Référendum le mardi 20 mai»,
reportage, p. 1.

23 avril

5527 «Campagne du «Oui» à Normétal»,
reportage, p. 24-B.

5528 «Langage inacceptable», reportage,
p. 24.
/Concernant les propos de Mme
Monique Bégin/

5529 «M. Tousignant a mal compris la
question», reportage, p. 24-A.

30 avril

5530 «Accusation de Gingras. Une enflu-
re verbale selon Gendron», G.
Dallaire, reportage, p. 24-B.

5531 «Gendron dénonce la campagne du
Non», reportage, p. 24-B.

5532 «Gendron déplore le ton de la campagne», reportage, p. 1.

7 mai

5533 «Gendron s'en prend à Samson et
Tousignant», reportage, p. 24-B.

5534 «Le premier ministre dénonce l'ex-
ploitation politique des Non», C.
Arcand, reportage, p. 14.

5535 «René Lévesque à Rouyn: Nous avons
aussi vécu un référendum il y a 18
ans», C. Arcand, reportage, p. 15.

5536 «Trudeau fait des peurs aux Québécois» - J.-M. Godbout», G. Lyrette,
reportage, p. 24-B.

14 mai

5537 «Gendron réplique au Comité du Non»,
reportage, p. 26.

5538 «Le rapatriement de la constitution
un trompe-l'oeil selon Chevrette»,
J. Gagnon, reportage, p. 20.

21 mai

5539 «Gendron est fier des Abitibiens»,
reportage, p. 5.

5540 «Jean-Paul Bordeleau: déçu mais
fier de son comté», G. Dallaire,
reportage, p. 6.

5541 «René Lévesque va surveiller
Trudeau», reportage, p. 4.

28 mai

5542 «L'option n'est pas mise en veilleuse» - Jean-Paul Bordeleau», reportage,
p. 10.

L'ÉCHO DE FRONTENAC

22 avril

5543 «Référendum: le mardi 20 mai»,
reportage, p. A-3.

6 mai

5544 «Lancement de la campagne du «Oui»
à Lambton», E. Ducharme, reportage,
p. A-4.

5545 «Visite de Rodrigue Biron à East-
Angus», reportage, p. B-1.

L'ÉCHO DE LA LIÈVRE

23 avril

5546 «Lancement de la campagne du Oui -
Léonard met en garde la population
contre le Oui-Non de Trudeau», L.
Phaneuf, reportage, p. 3.

30 avril

5547 «Jacques Léonard à L'Annonciation:
«Une négociation comme beaucoup
d'autres», reportage, pp. 35, 49.

5548 «Le Ministre Joron à Ste-Agathe -
Un message rassurant à faire
livrer», P. Dupuis, reportage,
p. 9.

14 mai

5549 «Regroupement pour le Oui: Des
chasseurs et des pêcheurs se réunissent», L. Phaneuf, reportage,
p. 6.

5550 «Surprise de fin de campagne:
L'ex-député libéral Roger Lapointe,
dira «Oui» au référendum», P.
Dupuis, reportage, p. 5.

21 mai

5551 «Visite du ministre des affaires
sociales: De nouveaux postes pour
le centre d'accueil Ste-Anne»,
reportage, p. 5.

L'ÉCHO DE LA TUQUE

14 mai

5552 «Assemblée pour le Oui. Le ministre Duhaime donne sa version des
faits», A. Dupuis, reportage, p. 3.

21 mai

5553 «Une province divisée dans un pays
divisé», A. Mercier, éditorial,
p. 6.

28 mai

5554 «Le Non est une efface et nous sommes les brouillons - Jacques Bou-
dreault», A. Dupuis, reportage,
p. 36.

L'ÉCHO DE LOUISEVILLE/BERTHIER

16 avril

5555 «Être ou ne pas être! Voilà la
question», J.-L. Dion, libre opinion,
p. 22.

30 avril

5556 «Le député Mercier «échappe» un
«Non» pour un «Oui». Le débat référendaire demande de la dignité et
de la maturité», M. Lemire, reportage, p. 3.

7 mai

5557 «Continuité vers l'égalité», R.
Charette, lettre, pp. 10, 16.

5558 «Le député de Champlain, à Louise-
ville: «La pomme est mûre dans
Maskinongé» (Marcel Gagnon)»,
J.-P. Plante, reportage, pp. 1, 35.

14 mai

5559 «Devant des centaines de personnes,
«C'est pas la séparation c'est la
négociation que nous voulons»
(R. Biron)», P. Bellemare, reportage, p. 17.

5560 «En liberté...», M. Mayer, libre
opinion, pp. 26, 27.
/Les raisons de voter Oui/

5561 «Il a pris la parole à une assemblée du Oui; «La campagne de Mr.
Ryan est une trahison» (Jean-
François Bertrand)», M. Lemire,
reportage, p. 16.

ECHO DU NORD

16 avril

5562 «Parizeau donne le coup d'envoi à la campagne référendaire dans Prévost», C. Lamarche, reportage, p. A-10.
/Discours inaugural de Jacques Parizeau/

23 avril

5563 «Le fédéralisme renouvelé, reconstitué, rentable, rénové, rajeuni, récrépi, renoué, ranimé, recommencé, révisé, revivifié, etc... etc...», F. Thivierge, libre opinion, p. B-18.

30 avril

5564 «Les députés Joron et Chevrette dans la région. Diminution du fardeau fiscal dans le cadre d'un Québec souverain?», C. Lamarche, reportage, p. A-15.

7 mai

5565 «Le brouillage de cartes des adversaires du Oui». L'enjeu se trouve dans la question référendaire», F. Thivierge, libre opinion, p. B-16.

5566 «J.-P. L'Allier plaide en faveur de l'égalité des peuples», reportage, p. A-14.

5567 «Lévesque rassemble plus de 600 personnes à Sainte-Agathe», C. Lamarche, reportage, p. A-14.

14 mai

5568 «Ex-député libéral de Laurentides-Labelle, Roger Lapointe dira Oui!», C. Lamarche, reportage, p. A-14.

5569 «Militants du Oui à Sainte-Sophie. Impossible de faire sortir les indécis», C. Lamarche, reportage, p. A-13.

5570 «Venue chercher une pétition pour le Oui - La ministre Ouellette se fait refuser l'entrée dans une usine jérômienne», reportage, p. A-8.

L'ÉCLAIREUR-PROGRÈS

23 avril

5571 «Le coup d'envoi. René Lévesque, président du Regroupement national pour le Oui choisit la Beauce», M. Roy, reportage, p. A-22.

5572 «Le fédéralisme n'a pas créé le miracle beauceron», L. P. Côté, reportage, p. C-24.

30 avril

5573 «Je suis là où il y a de l'espoir» (Lise Payette)», P.-A. Parent, reportage, p. B-9.

7 mai

5574 «À 15 jours du 20 mai, ce qu'on vous demande, c'est d'ajouter un chapitre à l'histoire du Québec» (Parizeau)», M. Roy, reportage, p. A-5.

5575 «Oui. Fabien Roy adhère», P.-A. Parent, reportage, p. A-38.

14 mai

5576 «Tenants du Oui: la liste se prolonge», Y. Naari, reportage, p. A-27.

28 mai

5577 «Les Rouges ont divisé les francophones (Fabien Roy)», L.-P. Côté, reportage, p. A-3.

5578 «Triste soirée pour les tenants du Oui», L.-P. Côté, reportage, p. A-14.

L'ÉLAN SEPT-ÎLIEN

24 avril

5579 «Arrêter de se prendre pour moins qu'on est», reportage, p. 5.

5580 «Des arguments pour le Oui», reportage, p. 7.

8 mai

5581 «Pierre Marois dans les villes nor-
diques», reportage, p. 3.

15 mai

5582 «Libéraux et créditistes avec Parizeau», reportage, p. 3.

5583 «Réfléchir avant d'agir», éditorial,
p. 4.

5584 «La violence et le référendum»,
Comité du Oui comté de Duplessis,
communiqué, p. 7.

22 mai

5585 «Guy Desjardins, président du comité du Oui», reportage, p. 3.

L'ÉTINCELLE

23 avril

5586 «Le ministre Johnson invite la population à voter Oui», reportage,
p. 4.

5587 «Le ministre Johnson visite les
usines», p. 1.
/Photographie avec légende/

7 mai

5588 «M. Jacques Proulx se prononce pour
le Oui lors de la visite de J.-F.
Bertrand», reportage, p. 24.

14 mai

5589 «Oui à l'avenir du Québec», reportage, p. 6.

L'ÉTOILE DE L'OUTAOUAIS ST-LAURENT

24 avril

5590 «Cuerrier: Avec le livre beige,
Gérin-Lajoie propose un recul sur
sa «thèse» du statut particulier»,
Y. Beaucage, reportage, p. 9.

1er mai

5591 «À Vaudreuil lundi. Lévesque récolte 289 «Oui», Y. Beaucage,
reportage, p. 5.

5592 «Paul Gérin-Lajoie est un fédéraliste déçu depuis longtemps. René
Lévesque», M. Auclair, reportage,
pp. 5, 7.

8 mai

5593 «Pour parler de souveraineté-association. Louise Cuerrier visite
les citoyens de Rigaud», Regroupement National pour le Oui Vaudreuil-
Soulanges, communiqué, p. 37.

15 mai

5594 «À Sainte-Anne-de-Bellevue. Laurin
tente de convaincre indécis et anglophones à participer à la quête
du pays», Y. Beaucage, reportage,
pp. 3, 13.

22 mai

5595 «Pour les partisans du Oui, ce
n'est que partie remise», M. Auclair,
reportage, p. 5.

L'ÉTOILE DU LAC

30 avril

5596 «Naïveté et économie ne vont pas
ensemble» - Bernard Landry», R.
Paradis, reportage, p. 4.

7 mai

5597 «Les locataires des H.L.M. sont des
citoyens à part entière», reportage,
p. 28.

5598 «M. Edmond Pilote, 85 ans. Oui
parce que le bon Dieu lui a donné
la mémoire», F. Coutu, reportage,
p. 25.

14 mai

5599 «À Dolbeau et Mistassini. Le ministre Lazure a aussi parlé de référendum», F. Coutu, reportage, p. 14.

5600 «Alain McNicoll. Il votera Oui
pour un déblocage», F. Coutu, reportage, p. 19.

L'ÉVANGÉLINE

15 avril

5601 «Lévesque: ils n'ont rien appris»,
PC, reportage, p. 5.

18 avril

5602 «Le référendum d'abord», PC, reportage, p. 13.

29 avril

5603 «Lévesque attaque les «menteurs»,
PC, reportage, p. 15.

2 mai

5604 «Lévesque: le «non» recule», PC,
reportage, p. 17.

7 mai

5605 «Un geste politique, dit le ministre des Finances», PC, reportage,
p. 19.

9 mai

5606 «Charron: plus de complexes», PC,
reportage, p. 19.

5607 «Lévesque attaque «The Gazette»,
PC, reportage, p. 19.

12 mai

5608 «Cent artistes pour le «Oui» au
centre des congrès à Québec», PC,
reportage, p. 20.

13 mai

5609 «Lévesque dénonce Ottawa pour ses
dépenses au Québec», PC, reportage,
p. 14.

15 mai

5610 «Lévesque envisage de négocier avec
Ottawa dès la fin de l'été», PC,
reportage, p. 22.

16 mai

5611 «Lévesque voit en Trudeau un centra-
lisateur forcené», PC, reportage,
p. 18.

20 mai

5612 «Lévesque a demandé aux électeurs
de «lire la question», PC, reportage, p. 14.

21 mai

5613 «Lévesque: respecter ce dernier
sursaut du vieux Québec», PC,
reportage, p. 19.

L'EXPRESS

6 mai

5614 «Faut-il ajouter foi aux propos de
M. Claude Ryan?», G. Jutras, lettre,
p. 67.

13 mai

5615 «Négocier «d'égal à égal», G. Jutras,
lettre, p. 49.

LA FEUILLE D'ÉRABLE

16 avril

5616 «Le déjeuner du Oui attire 250 personnes. «Nous sommes capables de
nous prendre en main» - Hélène
Pelletier Baillargeon», M. Sarra-
Bournet, reportage, p. 11.

23 avril

5617 «Au Cegep Jacques Baril rencontre les étudiants», M. Sarra-Bournet, reportage, p. 7.

30 avril

5618 «Ministre Yves Duhaime devant la Chambre de commerce. «Nous ne voulons pas briser le Canada, mais le réorganiser!», C. Forand, reportage, p. A-8.

5619 «Le «Oui» et les avantages de l'égalité politique», L. Bellavance, Regroupement National pour le Oui, lettre, p. A-26.

14 mai

5620 «Lévesque à Manseau: «La règle de fond, c'est l'égalité», M. Sarra-Bournet, reportage, p. A-5.

5621 «Le «Oui», dans la continuité vers l'égalité», L. Bellavance, Regroupement national pour le Oui Arthabaska, lettre, p. A-10.

5622 «Le 1er référendum, ce n'est pas tellement engageant (Jacques Baril)», reportage, p. 3.

21 mai

5623 «À Victoriaville», C. Forand, reportage, p. 5.

28 mai

5624 «Ce soir, j'ai mal à ma fierté d'être québécois (Jacques Baril)», reportage, p. A-6.

FINANCE

5 mai

5625 «M. Ryan propose le fisc de grand-papa», F. Roberge, éditorial, p. 4.

12 mai

5626 «Oui» L'héritage de la révolution tranquille», F. Roberge, éditorial, p. 4.

19 mai

5627 «L'économie québécoise face au référendum. Le Québec sera toujours une bonne affaire pour le Canada», A. D'Amour, analyse, p. 20.

5628 «Pour un Oui stratégique», J. Forget, éditorial, p. 4.

26 mai

5629 «Un programme chargé pour M. Trudeau», F. Roberge, éditorial, p. 4.

THE FINANCIAL POST

10 mai

5630 «Quebec's top civil servant», A. Charters, reportage, p. 13.

FLAMBEAU DE L'EST

15 avril

5631 «Le ciel ne nous est pas tombé sur la tête. Marcel Léger», communiqué, p. 10.

5632 «Le Comité des jeunes pour le Oui. Anjou applique la démarche péquiste», Comité des Jeunes pour le Oui Anjou, communiqué, p. 10.

5633 «Ottawa isole le Québec du reste du monde - Richard Dorval», analyse, p. 9.

5634 «La Souveraineté-association: Beaucoup plus un nationalisme libérateur que dominateur» PQ - Bourget», A. Savard, attaché de presse de M. Camille Laurin, communiqué, p. 10.

22 avril

5635 «La campagne référendaire, une page d'histoire importante - Pierre-Marc Johnson», Bureau du député P.-M. Johnson, communiqué, p. 13.

5636 «Dans Bourget. Jeannine Thomas adhère au regroupement du Oui», reportage, p. 14.

5637 «Me Gérard Beaudry est président du Comité du Oui de Bourget», G. Beaudry, président du Oui Bourget, communiqué, p. 10.

5638 «Un Oui au référendum: c'est un déblocage du problème constitutionnel - Raynald Simard», R. Simard, Comité des Jeunes pour le Oui Anjou, communiqué, p. 14.

5639 «Un Oui au référendum sera la continuité de l'évolution logique de l'histoire - Marie-Jeanne Robin», Regroupement pour le Oui Anjou, communiqué, p. 13.

5640 «Le Québec doit passer de statut de province à celui d'État national. Regroupement de Bourget pour le Oui», A. Savard, Regroupement du Oui Bourget, communiqué, p. 13.

29 avril

5641 «Débat Johnson-Tremblay: «Le Oui marque de précieux points», R. Paquette, attaché de presse de P.-M. Johnson, communiqué, p. 12.

5642 «Devant le Regroupement de Lafontaine pour le Oui: On nous endette pour nous prouver que le fédéralisme peut être rentable - Gérald Godin», Regroupement de Lafontaine pour le Oui, communiqué, p. 10.

5643 «Ma réponse est Oui - Lise Lajeunesse», Y. Desnoyers, reportage, p. 9.

5644 «Oui pour une négociation et pour l'égalité», Regroupement du Oui Lafontaine, communiqué, p. 9.

5645 «Pour ne pas vivre ce que leurs parents ont vécu: Les jeunes disent Oui», J.-C. St-André, Comité des jeunes pour le Oui Anjou, communiqué, p. 9.

5646 «Le Regroupement de Bourget pour le Oui lance sa campagne», A. Savard, Regroupement de Bourget pour le Oui, reportage, p. 10.

5647 «La souveraineté association: Acheminement de la chenille au papillon!», M.-J. Robin, Regroupement d'Anjou pour le Oui, communiqué, p. 12.

6 mai

5648 «Bernard Landry devant les travailleurs d'Atlas Turner», A. Savard, reportage, p. 11.

5649 «Des Italo-Québécois se prononcent pour le Oui», Un groupe d'Italo-québécois pour le Oui, libre opinion, p. 11.

5650 «Oui nous avons la jeunesse et un pays à bâtir», R. Simard, communiqué, p. 11.

5651 «Le regroupement de Bourget pour le Oui dénonce les propos de Claude Ryan», A. Savard, communiqué, p. 8.

5652 «Selon Gérard Beaudry - Les provinces anglophones faussent le véritable enjeu du référendum», G. Beaudry, communiqué, p. 12.

13 mai

5653 «Gérard Beaudry vous invite à la réflexion», G. Beaudry, président du Oui Bourget, commentaire, p. 11.

5654 «Le Gouvernement du Québec ne sollicite pas de chèque en blanc - Le Regroupement d'Anjou pour le Oui», R. Paquette, Regroupement d'Anjou pour le Oui, communiqué, p. 16.

5655 «Lisez bien la question avant de voter - Marcel Léger», M. Léger, analyse, p. 16.

5656 «Notre détermination convaincra le reste du Canada - le R.B.O.», R. Dorval, comité de promotion du Regroupement de Bourget pour le Oui, communiqué, p. 15.

5657 «Un Oui au référendum, c'est la fin de l'incertitude - Marcel Léger», communiqué, p. 15.

5658 «Plus ça change... plus c'est pareil», L. P. Chénier, Regroupement d'Anjou pour le Oui, communiqué, p. 12.

5659 «Pour être respecté du Canada-anglais: Oui», J.-C. St-André, Comité des jeunes pour le Oui d'Anjou, communiqué, p. 12.

5660 «Le R.B.O. souhaite une campagne plus civilisée», A. Savard, attaché de presse du Regroupement de Bourget pour le Oui, communiqué, p. 15.

5661 «Trudeau veut un référendum contraire à l'idéologie péquiste», A. Savard, Regroupement de Bourget pour le Oui, communiqué, p. 12.

LA FRONTIÈRE

16 avril

5662 «Les Institutions politiques du document Ryan / 3e partie», P. La Ferté, analyse, p. 70.

5663 «Je me souviens», chronique, p. 70.

23 avril

5664 «Que de gaspillage pour la ferraille!», P. La Ferté, chronique, p. 54.

30 avril

5665 «Les conséquences d'un Non», chronique, p. 56.

7 mai

5666 «Les Québécois et la Souveraineté - Lévesque se souvient de la nationalisation de l'électricité», reportage, p. 5.

LA GATINEAU

16 avril

5667 «Antoine Grégoire votera pour le Oui», reportage, p. A-9.

30 avril

5668 «Partisan du Oui. «Je ne veux pas être identifié à Samson» - Jean-Marie Ouellet. «Plusieurs électeurs expliquent leur choix», M. Clermont, reportage, p. 8.

7 mai

5669 «Un Non ça ne se négocie pas - Mme Ouellette», reportage, p. A-9.

14 mai

5670 «Jacques Parizeau devant 800 personnes à Maniwaki. On se fait toujours dire: «Grouillez pas, restez calmes», reportage, p. A-10.

5671 «Le Oui en Haute-Gatineau», libre opinion, p. A-8.

5672 «Le Oui s'adresse aux tenants du Non. Nous avons des questions gênantes à leur poser», reportage, p. A-11.

5673 «Référendum' 80. Pourquoi ce référendum», libre opinion, p. A-8.

THE GAZETTE

15 avril

5674 «Liberal joins Yes forces», CP, reportage, p. 10.

5675 «Parizeau confident Ontario will bargain», reportage, p. 10.

5676 «PQ mocks Ottawa's «desperate indecision» - PQ mocks throne speech», reportage, pp. 1, 2.

5677 «Relaxed premier certain of solid majority», M. C. Auger, reportage, p. 10.

16 avril

5678 «Conservative federalist sees no harm in voting Yes», J. Hunter, reportage, p. 12.

5879 «It's official: We'll vote Yes or No on May 20 - We'll win and start negociations in fall: Lévesque», G. Fraser, reportage, pp. 1, 2.

5680 «Payette undaunted by «Yvette» rally and not ready for «first-class burial», F. Wilson, reportage, p. 12.

5681 «Visits by premiers would help PQ: Godin», reportage, p. 12.

17 avril

5682 «Talk to us or we'll turn to States - says Morin», CP, reportage, pp. 1, 2.

5683 «Tired federalist» will vote for sovereignty-association», G. Fraser, reportage, p. 6.

5684 «TV star can't understand No voters», CP, reportage, p. 6.

5685 «Yes vote would mean new mandate - premier says. PM must change: Levesque. Trudeau must change if vote a No: Levesque», M. C. Auger, reportage, pp. 1, 2.

18 avril

5686 «Callers can't rattle Levesque on radio open line program», CP, reportage, p. 8.

5687 «Canada will have to deal-premier says», M. C. Auger, reportage, p. 8.

19 avril

5688 «The first week of the official referendum campaign is over and it's clear from the start the two leaders follow different strategy: Playing to the stands», M. C. Auger, reportage, p. 25.

21 avril

5689 «Levesque talks to friendly crowds who swamp him with Yes petitions», J. Ruimy, reportage, p. 10.

22 avril

5690 «Narrow victory for No forces dangerous: Bourgault», L. Harris, reportage, p. 10.

5691 «Premier answers critics at Yes Rally», J. Ruimy, reportage, p. 10.

23 avril

5692 «How long will soft sell go on working for the premier?», L. I. MacDonald, commentaire, p. 9.

5693 «Premier finds ideal crowd for we-can-do-it message», J. Ruimy, reportage, p. 4.

5694 «Why I'm voting Yes», P. Julien, reportage, p. 6.

24 avril

5695 «Premier stresses jobs for islanders», J. Ruimy, reportage, p. 10.

5696 «Referendum won't affect oil prices», PC, reportage, p. 10.

5697 «Why I'll vote Yes», M. D'Estée, reportage, p. 10.

5698 «Yvettes are being used - Payette», CP, reportage, p. 10.

25 avril

5699 «Levesque copes with student challenge», J. Ruimy, reportage, p. 8.

5700 «Why I'll vote Yes», J.-P. Ferland, reportage, p. 10.

26 avril

5701 «Speech to Jewish Grays: Levesque wins grudging admiration», J. Ruimy, H. Sheppard, reportage, pp. 1, 4.

5702 «Why I'll vote Yes», reportage, p. 8.

5702A «Zeroing in on the pride», J. Ruimy, reportage, p. 26.

28 avril

5703 «Godin makes TMR «money back» offer», reportage, p. 8.

5704 «Levesque steals spotlight at women's suffrage rally», E. McKeough, reportage, p. 8.

5705 «PQ ministers see bright energy future», J. Saunders, reportage, p. 9.

5706 «Why I'll vote Yes», reportage, p. 4.

29 avril

5707 «Beggar status irks Vaugeois», J. Ruimy, reportage, p. 9.

5708 «Levesque rebukes «Liars»», A. Phillips, reportage, p. 9.

5709 «Why I'll vote Yes», reportage, p. 8.

30 avril

5710 «Last gasp» of federalists: Levesque scoffs at nation of Commons in Montreal», A. Phillips, reportage, p. 9.

5711 «Levesque mocks Trudeau, Clark, Ryan and Chretien», L. I. MacDonald, commentaire, p. 7.

5712 «Nil»

1er mai

5713 «PQ cabinet ministers go after ethnic voters», P. Curran, reportage, p. 6.
/Voir correction, the Gazette, 6 mai 1980, p. 2/

5714 «Premier irked by Gallup poll», A. Phillips, reportage, p. 6.

5715 «Why I'll vote Yes», reportage, p. 6.

2 mai

5716 «Evil spirits fight sovereignty: Morin», CP, reportage, p. 8.

5717 «Levesque warns Liberals against «budget» projection», A. Phillips, reportage, p. 8.

5718 «Parizeau reassures senior citizens», S. Whittaker, reportage, p. 8.

3 mai

5719 «Levesque, harking back to the bad old days of 1962», A. Phillips, commentaire, p. 26.

5720 «Quebec will seek new deal even if No vote: Premier», A. Phillips, reportage, p. 2.

5 mai

5721 «Every vote counts, Laurin tells West End workers», A. Wilson-Smith, reportage, p. 14.

5722 «Levesque hints No forces trying to look like martyrs», A. Wilson-Smith, reportage, p. 14.

5723 «New terms required for political changes», D. McGillivray, commentaire, p. 37.

5724 «Why I'll vote Yes», reportage, p. 15.

5725 «Yvettes aren't cramping Lise Payette's style», J. Quig, reportage, p. 15.

6 mai

5726 «Cool debate, says Levesque listing attacks on supporters», reportage, p. 1.

5728 «It's back to the blackboard for Levesque sales pitch», A. Phillips, reportage, p. 9.

5729 «Lawyer sees merit in a Yes vote», CP, reportage, p. 10.

5730 «Premier accuses opponents of vandalism», L. Harris, reportage, p. 9.

5731 «Why I'll vote Yes», reportage, p. 9.

7 mai

5732 «Berube scorches anglo «Rhodesians», G. Fraser, reportage, p. 15.

5733 «Charron campaigns for hospital votes», reportage, p. 15.

5734 «Non-partisan' woman scores hit at Yes Rally», CP, reportage, p. 14.

5735 «Premier accuses federalists of phone «blitz»», CP, reportage, p. 11.

5736 «Quit Caisse post to discredit Yes side, Kierans «coup» irks Levesque», L. Harris, reportage, p. 1.

5737 «Why I'll say Yes», reportage, p. 14.

8 mai

5738 «Why I'll say Yes», reportage, p. 10.

9 mai

5739 «Bedard raps NO side for insults», reportage, p. 9.

5740 «Gazette ignored Yes rally: Levesque», reportage, p. 1.

5741 «Lazure certain of association», reportage, p. 8.

5742 «Legendre prize catch for Yes side», CP, reportage, p. 8.

5743 «Premier praises «courage» of ethnic voters for a Yes», CP, reportage, p. 9.

5744 «That «Oui» on Prevost farmer's barn is «No» to liberal machine in Québec», CP, reportage, p. 9.

5745 «Why I'll say Yes», reportage, p. 8.

10 mai

5746 «Anyone can be a Quebecer», P. Bourgault, commentaire, p. 23.

5747 «French grads aiming for the top», B. Price, reportage, p. 31. /Reportage et interviews de jeunes étudiants francophones sur leur devenir professionnel, leurs aspirations, leurs options politiques/

5748 «Lévesque goes soft on the undecided», L. Harris, reportage, p. 26.

5749 «Now, Levesque challenges Trudeau», S. Whittaker, reportage, p. 3.

5750 «Quebec and federal ownership: What happens to the post office, airports, railway and the seaway?», J. Ruimy, reportage, p. 3.

5751 «Why I'll vote Yes», reportage, p. 4.

12 mai

5752 «Levesque expects cliffhanger but says Yes side can still win», reportage, p. 1.

5753 «Levesque foresees a close contest but hopes Yes force will still win it», M. C. Auger, reportage, p. 11.

5754 «Why I'll vote Yes», reportage, p. 10.

13 mai

5755 «Economists sign petition for Yes vote», G. Fraser, reportage, p. 15.

5756 «Why I'll vote Yes», reportage, p. 10.

5757 «Won't dare thwart' will of a people: PM must negotiate - Levesque», M. C. Auger, reportage, pp. 1, 2.

14 mai

5758 «Levesque is in there pitching to keep up campaign mood», L. I. MacDonald, commentaire, p. 7.

5759 «Liberal policy would imperil jobs: Morin», CP, reportage, p. 15.

5760 «Soup first, then a bite of fish...», CP, reportage, p. 15.

5761 «Why I'll say Yes», reportage, p. 14.

5762 «Yes rally at Paul Sauvé turns into one big party», A. Phillips, reportage, pp. 1, 2.

5763 «Zero in on undecided voter: Levesque», G. Fraser, reportage, pp. 1, 2.

15 mai

5764 «Levesque: Rest of Canada could have vote if Yes wins», G. Fraser, reportage, pp. 1, 2.

5765 «Pointe aux Trembles rally draws more than 4,000 Yes supporters», M. C. Auger, reportage, p. 6.

5766 «The Yes side is concerned that its support is splipping», L. I. MacDonald, commentaire, p. 9.

5767 «Yes or No, let's keep cool: Laurin», L. Harris, reportage, pp. 1, 2.

5768 «Yes voter is clearly voting for sovereignty: Parizeau», M. C. Auger, reportage, p. 14.

16 mai

5769 «Author votes Yes to crack Quebec «ghetto», CP, reportage, p. 19.

5770 «Parizeau's campaign pitch «from the heart», M. C. Auger, reportage, p. 19.

5771 «Why I'll vote Yes», reportage, p. 6.

17 mai

5772 «The difficult years are behind us, says Bernard Landry, in predicting a tremendous trade surplus», reportage, p. 18.

5773 «Levesque's desperate race against time», G. Fraser, reportage, pp. 13, 19.

5774 «Levesque «disagrees» with unity petition», M. Hoffman, p. 3.

5775 «Levesque misjudged pride», C. Young, commentaire, p. 15.

5776 «Levesque slams council ad ruling», L. Harris, reportage, pp. 1, 2.

5777 «Marxist group favors Yes», reportage, p. 3.

5778 «Quebec's trade balance is uncharted territory. Figures lacking to show how we would fare as a sovereign nation», J. Saunders, reportage, p. 18.

19 mai

5779 «Lévesque a little disappointed with campaign windup», G. Fraser, reportage, p. 4.

5780 «Premier accuses English media of «big lie» tactics», reportage, p. 5.

5781 «Quebec vote like colony's - Parizeau», UPC, reportage, p. 4.

5782 «Yes means nothing but negociation - Lévesque», G. Fraser, reportage, pp. 1, 4.

21 mai

5783 «It's not easy to swallow: Lévesque», G. Fraser, reportage, pp. 1, 2.

5784 «Shattered dream but the losers are gracious», L. Harris, reportage, pp. 1, 10.

22 mai

5785 «Premier «depressed» but not flattened», G. Fraser, L. Harris, reportage, p. 16.

24 mai

5786 «You're in for a surprise», P. Bourgault, commentaire, p. 19.

LA GAZETTE DE MANIWAKI

23 avril

5787 «Soyez contagieux», S. Payeur, reportage, pp. 2, 3.

30 avril

5788 «Stratégie du «Oui» - La question
faut la lire le mandat ne signifie
pas la séparation», S. Payeur,
reportage, p. 5.

7 mai

5789 «Les comités du «Non» - Des corneil-
les du fédéral - Jocelyne Ouellette»,
S. Payeur, reportage, pp. 5, 8.

14 mai

5790 «19 regroupements dans la Haute-
Gatineau», S. Payeur, reportage,
p. 2.

THE GLEANER

16 avril

5791 «Chairman named - Referendum date
May 20; Yes group launched here»,
C. Alary, reportage, pp. 1, 7.

5792 «Le référendum, une décision québécoise: Rodrigue Biron décrit le
Oui comme une sécurité, et le Non
comme dangereux», reportage, pp.
19, 24.

14 mai

5793 «L'Accueil du Sans Abri reçoit
une subvention de $70,000 du MAS»,
reportage, p. 17.

THE GLOBE AND MAIL

16 avril

5794 «World as witness, Lévesque says:
Quebec votes May 20», M. Gibb-Clark,
reportage, p. 1.

17 avril

5795 «Yes vote creates mandate, Levesque
answers Trudeau», M. Gibb-Clark,
reportage, pp. 1, 2.

18 avril

5796 «Lévesque tries to put PM on PQ
side», W. Johnson, commentaire.
/Importance de la participation de
M. Trudeau dans la campagne référendaire, pour M. Lévesque/

5797 «Trudeau speech shows they agree
on question's sense, Levesque
says», M. Gibb-Clark, reportage,
p. 11.
/Opinion de René Lévesque au sujet
d'un discours prononcé par P.E.
Trudeau/

19 avril

5798 «Davis voice could help Yes vote,
Lévesque says», reportage, p. 12.

21 avril

5799 «Invitation blocked to Jewish group,
Levesque charges», reportage.

23 avril

5800 «The time to face reality is before
May 20», W. Johnson, reportage,
p. 8.

25 avril

5801 «Referendum won't clear up anything»,
W. Johnson, reportage, p. 8.

28 avril

5802 «Drummond perplexes resentful
anglos», J. Turner, reportage,
p. 10.

29 avril

5803 «Levesque brands Clark and others
as liars, «con men», V. Carrière,
reportage, p. 10.

30 avril

5804 «Sovereign Quebec would crimp
freedoms», W. Johnson, commentaire,
p. 8.

ler mai

5805 «Question on latest Gallup poll
was rigged, Levesque alleges»,
V. Carrière, reportage, p. 9.

2 mai

5806 «Ryan's «budget» on independance
an unethical play, Levesque says»,
V. Carrière, reportage, p. 9.

3 mai

5807 «No vote would bring fruitless
talks, PQ says», V. Carrière,
reportage, p. 1.

5 mai

5808 «Ottawa taking funds from Quebec,
PQ says», reportage, p. 10.

5809 «Roy to remain leader if funds
available to pay him a salary»,
M. Strauss, reportage, p. 10.

6 mai

5810 «No camp threatening Yes workers
fuelling tensions, Levesque
charges», J. Turner, reportage,
p. 10.

7 mai

5811 «Railway, seaway called Quebec's
roads to poverty», W. Kerr, analyse,
p. 10.

8 mai

5812 «DREE funds just return of tax, PQ
argue», J. Simpson, analyse, p. 10.

10 mai

5813 «Ottawa «playing» in proposal on
constitution, Quebec says», J.
Turner, reportage, p. 11.

12 mai

5814 «His good cheer wearing thin, a
revived Levesque aims pitch at
crucial francophone voters»,
J. Turner, reportage, p. 15.

5815 «Levesque demonstrates his skating
skill», W. Johnson, reportage,
p. 8.

13 mai

5816 «Biron finds rancor in search for
Yes vote», M. Strauss, reportage,
p. 10.

5817 «No» mailing has Levesque in a
tempest», J. Turner, reportage,
p. 10.

15 mai

5818 «English manipulated by establishment, Levesque contends», J. Turner,
reportage, p. 10.

5819 «Parizeau says «Yes» means sovereignty is worthwhile», CP, reportage,
p. 10.

16 mai

5820 «Lévesque aims barbs at Trudeau's
promises», reportage, p. 1.

5821 «Levesque asks to be given unity
petition», CP, reportage, p. 10.

5822 «PQ leader dismisses Trudeau
commitment on renewed federalism»,
J. Turner, reportage, p. 10.

17 mai

5823 «Children's TV pioneer, RC priest
will vote Yes», reportage, p. 14.

5824 «Federal purchasing policies touch
raw nerve», J. Simpson, reportage,
p. 14.

5825 «Former star on RCMP to vote Yes»,
reportage, p. 14.

5826 «Holds DSO, brigadier to vote
yes», reportage, p. 14.

5827 «No decision to challenge «No» victory, Levesque says», J. Turner, reportage, p. 12.

19 mai

5828 «Won't yield on lawmaking, Levesque suggests», M. Gibb-Clark, reportage, p. 10.

20 mai

5829 «The final day: Levesque: «I feel nervous», M. Gibb-Clark, reportage, p. 10.

LE GUIDE

16 avril

5830 «Dans Beauce-Nord. Le juge Ferland à la tête du comité du Oui», B. Carrier, reportage, p. 23.

23 avril

5831 «Campagne référendaire. René Lévesque part en guerre à Sainte-Marie!», B. Carrier, reportage, p. 17.

5832 «Dans Beauce-Nord. 270 femmes se prononcent pour le «Oui», B. Carrier, reportage, p. 13.

30 avril

5833 «Le regroupement pour le Oui du comté de Lotbinière en campagne», reportage, p. 35.

5834 «Une visite de poids dans la Beauce», B. Carrier, reportage, p. 2.

7 mai

5835 «Busque opte pour le Oui», reportage, p. 16.

5836 «Fabien Roy explique son Oui», reportage, p. 3.

5837 «J'ai peur de ce qu'un «Non» pourrait apporter (Guy Chevrette)», reportage, p. 60.

5838 «Parizeau à St-Joseph. Des Oui pour écrire un chapitre de l'histoire du Québec», B. Carrier, reportage, p. 2.

5839 «Le regroupement du Oui de Beauce-Nord et l'agriculture», analyse, p. 56.

14 mai

5840 «Lévesque dans Lotbinière. Biron est dangereusement en forme», B. Carrier, reportage, p. 34.

5841 «Regroupement pour le Oui Lotbinière. Information sur le Oui», reportage, p. 25.

5842 «Rodrigue Biron à St-Narcisse et Ste-Agathe», B. Carrier, reportage, p. 33.

LE GUIDE DE MONTRÉAL-NORD

16 avril

5843 «Nous avons pris racine au Québec», G. Gaspo, reportage, pp. 10, 11.

7 mai

5844 «Négocier d'égal à égal», reportage, pp. 15, 16.

5845 «Oui, c'est Québécois», A. Dupont, lettre, p. 10.

14 mai

5846 «Assemblée pour le Oui. Cinq milles personnes à l'aréna de Montréal-Nord», reportage, pp. 1, 15.

5847 «Lettre ouverte de Jacques-Yvan Morin sur le référendum», J.-Y. Morin, lettre, p. 6.

5848 «Le point de vue de J. Léopold Gagner - L'étrange maison de verre», J.-L. Gagner, libre opinion, pp. 10, 11.

LE GUIDE DU NORD

15 avril

5849 «Le fédéralisme, une formule dépassée», communiqué, p. 2.

L'HEBDO

14 mai

5850 «Entretien avec M. Denis Vaugeois ministre des Affaires culturelles et des Communications du Québec», R. L. Leclerc, reportage, p. 11.

L'HEBDO DE PORTNEUF

21 avril

5851 «Le 3e âge s'implique dans le Oui», I. Jinchereau, reportage, p. 5.

5 mai

5852 «L'ex-président des gens de l'air croit dans l'association», J.-Y. Roy, reportage, p. B-38.

12 mai

5853 «Parizeau relance le Oui dans Portneuf», I. Jinchereau, reportage, p. A-3.

5854 Nil

26 mai

5855 «La triste et momentanée victoire du «Non». Attitudes extérieures des 2 groupes après le référendum», R. Jasmin lettre, p. A-5.

HEBDO JOURNAL DE ROSEMONT

7 mai

5856 «Grande assemblée au centre Paul-Sauvé le 13 mai. Tout bien réfléchi, c'est Oui!», communiqué, p. 17.

14 mai

5857 «Après un «Oui» majoritaire qu'arrivera-t-il?», communiqué, p. 12.

5858 «Oui à un mandat fort de négocier une nouvelle entente», communiqué, p. 11.

5859 «Oui, au mandat de négocier», communiqué, p. 31.

5860 «Oui aux minorités francophones», communiqué, p. 31.

L'INFORMATION

7 mai

5861 «Les deux camps sont nez à nez» Claude Charron à Mont-Joli», reportage, p. A-5.

5862 «Pourquoi la souveraineté-association?» L. Marquis, lettre, pp. A-2, A-3.

14 mai

5863 «Mon gouvernement ne veut pas faire la séparation du Québec (le ministre Lise Payette)», N. Martin, reportage, p. A-10.

5864 «La peur et le fédéralisme», L. Marquis, commentaire, p. A-2.

28 mai

5865 «Comité local du Oui. Les gens n'ont pas voté sur le fond de la question» (la coprésidente, Mme Rita Beaulieu)», N. Martin, reportage, p. A-10.

L'INFORMATION RÉGIONALE

16 avril

5866 «Rodrigue Biron à Huntingdon: Un Oui est la réponse la plus sécuritaire», reportage, p. 13.

23 avril

5867 «Châteauguay, Le comité du Oui officiellement en action», J. Godin, reportage, p. 17.

5868 «800 personnes accueillent le Ministre Marois et Kevin Drummond à Valleyfield», C. Laurin, reportage, p. 7.

7 mai

5869 «Le ministre Jean Garon à St-Louis de Gonzague. «Ryan n'a jamais assisté à un débat agricole», reportage, p. 4.

14 mai

5870 «L'affaire des F-18 a prouvé que le French Power à Ottawa est une illusion», R. Dusseault, lettre, p. 23.

5871 «Les chèques de pensions de vieillesse sont intouchables» (J.-Y. Morin)», reportage, p. 24.

5872 «Le député Roland Dussault lance un appel à la population anglophone du comté de Châteauguay», lettre, p. 23.

5873 «Dire oui, c'est vouloir devenir co-propriétaire plutôt que locataire» (Jean-Paul L'Allier)», reportage, p. 27.

5874 «HLM Melocheville, Visite de Me Albert Lemieux et Robert Cauchon», reportage, p. 28.

5875 «Information evening on Sovereignty Association», K. Bowmer, reportage, p. 49.

5876 «Kevin Drummond, ex-député et ministre libéral et Mme Hermine Ouimet, vice-présidente U.N. de Huntingdon, ensemble pour le Oui», reportage, p. 27.

5877 «Message aux personnes âgées», lettre, p. 28.

5878 «MNA Roland Dussault makes a call to the english speaking population of Châteauguay», reportage, p. 27.

5879 «Nous disons Oui au marché commun Canada-Québec», lettre, p. 24.

5880 «Poursuite judiciaire contre le Dr. Doucet, co-président du Non», lettre, p. 6.

5881 «Ste-Martine, M. Fernand Lizotte, 76 ans, nous parle de son Oui au référendum», G. L. Bouchard, lettre, p. 23.

5882 «La souveraineté est un mécanisme non pas de défense mais de progrès» (Jacques Parizeau)», reportage, pp. 12, 13.

5883 «A Yes vote is the only way to satisfying constitutional change» (Henry Milner, president of CASA)», F. Juteau, lettre, p. 23.

INTERFÉRENCES

17 avril

5884 «Fonction de l'utopie», B.-L. Simard, libre opinion, p. 3.

5885 «Pour un Québec à notre image», A. Fortin, libre opinion, p. 1.

JOLIETTE JOURNAL

23 avril

5886 «Chevrette dénonce les excès de langage du comité du Non», C. Hétu, reportage, p. A-12.

5887 «Comité du Oui Berthier. Les conservateurs joignent les rangs du regroupement pour le Oui», G. Loyer, comité du Oui Berthier, reportage, p. 2.

5888 «Dans la continuité vers l'égalité», Regroupement national pour le Oui, lettre, p. A-5.

5889 «Pour le Oui dans Berthier. Gilles Pelletier à Lavaltrie», C. Rondeau, reportage, pp. A-12, A-17.

5890 «Le risque du Non, le sens du Oui,
la solidarité des Québécois», le
Regroupement national pour le Oui,
lettre, P. A-5.

5891 «Selon M. Bernard Quessy. Un Non
signifiera que le peuple du Québec
ne veut pas négocier», C. Rondeau,
reportage, p. C-2.

5892 «Tardif est réjoui de voir ces Oui»,
L. Pelletier, reportage, p. 9.

7 mai

5893 «Au club Québécois. 650 convives
acclament Lise Payette», C. Hétu,
reportage, p. A-16.

5894 «Notre agriculture, une richesse
naturelle», Le regroupement national pour le Oui, lettre, p. A-5.

5895 «Les Québécois sont les assistés
sociaux du fédéralisme» - Gérald
Godin», C. Hétu, reportage, p. A-15.

5896 «Les Yvettes: contre-publicité
plus efficace qu'une campagne sur
le sexisme», C. Hétu, reportage,
p. A-16.

14 mai

5897 «Dans Berthier, le Oui en avance
de 6 points», C. Rondeau, reportage,
p. 1.

5898 «Garon persuadé que Ryan n'aime pas
l'agriculture», L. Pelletier, reportage, p. A-12.

5899 «Un Non mettrait fin à la consultation», L. Pelletier, reportage,
p. A-11.

5900 «Nos divisions internes tourne-
raient à l'avantage de la minorité
anglophone» - Denis Lazure», G.
Loyer, reportage, p. A-9.

5901 «Le passé est garant de l'avenir»,
L. Pelletier, reportage, p. A-8.

5902 «La prudence est du côté du Oui»,
A. Charbonneau, commentaire,
p. B-1.

5903 «La question, selon Claude Charron,
c'est un contrat de 125 mots», L.
Pelletier, reportage, p. A-15.

5904 «Réponse au maire Beaudry, Chevrette
pare les «coups», C. Hétu, reportage,
p. A-14.

5905 «Le sens de la question», Regroupement national pour le Oui Joliette-
Montcalm, communiqué, p. A-5.

28 mai

5906 «A cause de la confusion. Les Québécois ont voté contre la séparation et non contre la souveraineté-
association», G. Loyer, reportage,
p. A-16.

5907 «Baptiste et sa dernière chance ou
le fédéralisme renouvelé», R.
St-George, lettre, p. A-4.

5908 «Chevrette l'admet. Le gouvernement
péquiste devra mettre son option en
veilleuse», C. Hétu, reportage, p. 1.

5909 «Pour les militants du Oui les Québécois n'étaient pas prêts: ce
sera pour la prochaine fois», C.
Hétu, G. Loyer, reportage, p. A-18.

LE JOURNAL DE CHAMBLY

29 avril

5910 «Lazure dénonce les propos insensés
d'Ottawa», communiqué, p. 12.

6 mai

5911 «Why do we need a new Québec -
Canada arrangement?», Regroupement
pour le Oui, communiqué, p. 12.

13 mai

5912 «En réponse à Dupont. «Le Québec
traite mieux ses citoyens du troisième âge que le reste du Canada» -
Denis Lazure», S. Lavallée, reportage.

5913 «Le Québec, à l'heure du choix»,
Y. Lafortune, lettre, p. 13.

27 mai

5914 «Les 40% de Oui ou la victoire
dans la défaite», S. Lavallée,
éditorial, p. 4.

JOURNAL DE MONTRÉAL

15 avril

5915 «Le capitaine du J.E. Bernier se
lance dans la campagne», G. Pilon,
reportage, p. 23.

5916 «L'ex-libéral Léo Pearson contre
le Non», PC, reportage, p. 23.

16 avril

5917 «Pour André Pelletier, il s'agit
d'un «Oui» de continuité», G. Pilon,
reportage, p. 27.

5918 «Pourquoi l'association entre le
Québec et le Canada», G. Godin,
libre opinion, p. 27.

17 avril

5919 «Un juge accuse Ryan de grossière
indécence! - Lévesque triomphe
avec une tactique à la Bourassa»,
N. Girard, reportage, p. 2.

5920 «Lévesque n'était pas en Beauce
par hasard», G. Pilon, reportage,
p. 3.

5921 «Les positions de Trudeau et Ryan
risquent d'aggraver la crise canadienne - Léon Dion», PC, reportage,
p. 29.

5922 «Le premier ministre évoque le
nouveau dynamisme économique du
Québec», reportage, p. 3.

5923 «Trudeau sera obligé de modifier
son attitude - Lévesque», reportage, p. 3.

18 avril

5924 «Lionel Villeneuve ne veut pas être
étranger dans son propre pays», G.
Pilon, reportage, p. 29.

5925 «Un mandat référendaire prime sur
tout mandat électoral» - René Lévesque», PC, reportage, p. 6.

19 avril

5926 «Lévesque a «évolué» sur l'interprétation à donner au résultat
référendaire», N. Girard, reportage, p. 6.

5927 «Vous m'étonnez Monsieur Trudeau!»,
G. Godin, libre opinion, p. 21.

20 avril

5928 «Le comité de surveillance? Un
geste de censure «IDIOT» - René
Lévesque», G. Pilon, reportage,
p. 21.

5929 «Lévesque s'en prend à MM. Lesage
et Bourassa», G. Pilon, reportage,
p. 21.

21 avril

5930 «Je vote Oui parce que je suis libéral», PC, reportage, p. 31.

5931 «Parizeau, Biron et L'Allier. Tous
solidaires du Oui», G. Pilon, reportage, p. 5.

22 avril

5932 «Léveillé dit Oui», reportage,
p. 29.

5933 «Lévesque chaudement accueilli par
les débardeurs de Montréal», G.
Pilon, reportage, p. 29.

5934 «Le premier ministre ne commentera
plus les sondages», PC, reportage,
p. 29.

5935 «Trudeau sera le seul qui refusera
toute négociation» - Bourgault»,
PC, reportage, p. 5.

23 avril

5936 «Grand-papa et grand-maman pour le
«Oui», reportage, p. 31.

5937 «Théo vote Oui pour ne plus être
un pea soup», G. Pilon, reportage,
p. 31.

5938 «Violente sortie de Lévesque contre les députés fédéraux», G. Pilon, reportage, p. 5.

24 avril

5939 «Budget: Ottawa manoeuvre pour ne pas nuire au «Non», G. Godin, libre opinion, p. 33.

5940 «Corinne entre dans la campagne», G. Pilon, reportage, p. 33.

25 avril

5941 «Par familles entières et par communautés religieuses on adhère maintenant au Oui», PC, reportage, p. 4.

26 avril

5942 «Marcel Léger aux hommes d'affaires. «Lisez bien le texte de la question: on y parle d'association et non de séparation», M. Saindon, reportage, p. 9.

5943 «Un peu de respect, gens du Non», G. Godin, libre opinion, p. 25.

5944 «La vague du Oui déferle sur Montréal», G. Pilon, reportage, p. 25.

27 avril

5945 «Une grande fête pour les femmes du Québec. 15,000 personnes en délire pour le «Oui», G. Pilon, reportage, p. 5.

5946 «La vague de fond se prépare», G. Pilon, reportage, p. 21.

28 avril

5947 «Avertissement aux gens du Non», PC, reportage, p. 12.

5948 «Moi aussi, j'aime le Canada», G. Godin, libre opinion, p. 25.

5949 «Morin, Bédard et Biron indignés», PC, reportage, p. 16.

29 avril

5950 «Ceux qui disent Non aujourd'hui disaient déjà Non en 1962» - René Lévesque», M. Tremblay, reportage, p. 5.

5951 «1,035 avocats adhèrent au Oui», M. Tremblay, reportage, p. 5.

30 avril

5952 «Laurin veut récupérer $250 millions et la souveraineté en matière scientifique du gouvernement du Canada», N. Girard, reportage, p. 6.

5953 «Lévesque suggère qu'Ottawa siège dans le trou de la Place Guy Favreau à Montréal», M. Tremblay, reportage, p. 5.

5954 «Le Père Noël fédéral», G. Godin, libre opinion, p. 31.

1er mai

5955 «Corinne Lévesque émeut les travailleurs de LG-3», M. Tremblay, reportage, p. 5.

5956 «1,346 travailleurs de la Baie James assurent René Lévesque de leur appui au référendum», reportage, p. 5.

5957 «Penses-y» suggère le ministre Charron», N. Girard, reportage, p. 6.

5958 «Ryan comparé à Godbout», reportage, p. 41.

5959 «31,963 québécois ont joint 756 regroupements du Oui», PC, reportage, p. 41.

2 mai

5960 «L'affirmation de Raynauld, selon le premier ministre, confirme l'effritement du front négatif», PC, reportage, p. 5.

5961 «Jean Alfred dénonce la façon dont on manipule les groupes ethniques», reportage, p. 33.

5962 «Lévesque s'en prend à l'élévation soudaine de Trudeau», PC, reportage, p. 5.

5963 «Le nouveau secrétaire d'état américain est sympathique à la souveraineté-association», PC, reportage, p. 5.

5964 «Un Oui à 60% aurait plus d'effet qu'à 50%», PC, reportage, p. 33.

5965 «Les pêcheurs seront maîtres chez eux», reportage, p. 33.

5966 «Selon Morin, Claude Ryan doute de son livre beige», PC, reportage, p. 33.

3 mai

5967 «Agence commune de perception des impôts. «Une invraisemblable proposition...» - Claude Morin», PC, reportage, p. 25.

5968 «Chef d'opposition à vie», G. Godin, reportage, p. 25.

5969 «Pour Lévesque, Trudeau ignore ce qui se passe dans son propre camp», M. Tremblay, reportage, p. 5.

5970 «René défie Trudeau de l'affronter à la télé», reportage, p. 5.

4 mai

5971 «Pour Charron, Trudeau touche l'argument de fond», reportage, p. 4.

5 mai

5972 «J'ai gagé sur vous, ne me decevez pas», lance Paul Couture à Lévesque et Garon», M. Tremblay, reportage, p. 25.

5973 «Le PM sème chez plus de 1,000 agriculteurs», M. Tremblay, reportage, p. 5.

5974 «Québécois et Écossais ont des points en commun», PC, reportage, p. 17.

5975 «Le souverain, c'est le peuple monsieur Trudeau», G. Godin, reportage, p. 25.

6 mai

5976 «En «famille», le PM invite ses militants à la prudence et aussi à la pondération», reportage, p. 5.

5977 «Il faudra négocier avec force, soutient Me Ménard», PC, reportage, p. 35.

5978 «Lévesque lance un appel aux indécis à la télé», PC, reportage, p. 35.

7 mai

5979 «Dix-sept ex-députés de l'Union Nationale au Oui», PC, reportage, p. 5.

5980 «Ottawa endette le Québec», G. Godin, libre opinion, p. 23.

5981 «Pour le président du Regroupement...», reportage, p. 6.

5982 «Pour Reggie, c'est d'abord s'affirmer», reportage, p. 23.

8 mai

5983 «Biron puise dans son expérience d'industriel pour parler négociations», M. Tremblay, reportage, p. 41.

5984 «Une bonne récolte pour René Lévesque: des appuis par centaines pour le «Oui»!», PC, reportage, p. 5.

5985 «Il faut développer la recherche scientifique pour éviter la fuite des capitaux et des cerveaux - Yves Bérubé», PC, reportage, p. 52.

5986 «Pour le tennisman Richard Legendre, le Oui sera le match à finir entre Lévesque et Trudeau», PC, reportage, p. 41.

5987 «7,000 partisans du Oui enthousiastes refusent de plaire aux Trudeau, Lalonde et Chrétien», G. Pilon, reportage, p. 5.

9 mai

5988 «Denis Lazure dénonce le comité d'action positive», PC, reportage, p. 31.

5989 «Léger: «Les vrais résultats nous les connaîtrons le 20», reportage, p. 5.

5990 «Lévesque s'en prend à «The Gazette», PC, reportage, p. 5.

5991 «Le Oui aux personnes âgées: soyez à l'écoute des jeunes», M. Tremblay, reportage, p. 5.

5992 «Sondage: Morin croit en la victoire», PC, reportage, p. 5.

10 mai

5993 «Lévesque demande à Trudeau d'agir en démocrate», M. Tremblay, reportage, p. 2.

5994 «Lévesque et le rapatriement de la constitution. «Un coup de force unilatéral et dangereux...», N. Girard, reportage, p. 6.

5995 «Négocier debout ou à genoux», G. Godin, libre opinion, p. 3.

5996 «Le scénario d'après-référendum», N. Girard, reportage, p. 6.

11 mai

5997 «Biron a payé le prix pour «être honnête et franc» avec lui-même!», M. Tremblay, reportage, p. 9.

5998 «C'est les bras ouverts que nous nous présentons devant le peuple canadien», PC, reportage, p. 23.

5999 «Ottawa sera poursuivi pour avoir fait de la publicité illégale», UPC, reportage, p. 22.

6000 «Une raison de plus pour ne pas voter Non le 20 mai», PC, reportage, p. 22.

6001 «Reggie ne veut rien savoir des gauchistes», M. Saindon, reportage, p. 22.

12 mai

6002 «Ce sont toujours les mêmes qui disent Non» «Changer, c'est vivre!», M. Tremblay, reportage, pp. 2, 3.

6003 «Dans 9 jours, nous serons chez nous si on veut» - Félix», A. Leclerc, reportage, p. 4.

6004 «Dodo et son père ont volé le «show», Y. Rochon, reportage, p. 5.

6005 «Pourquoi l'Ontario appuie le Non», G. Godin, libre opinion, p. 9.

6006 «Trudeau est en train de s'ajuster au cas où...», reportage, p. 2.

13 mai

6007 «500 propriétaires de PME se rallient derrière Lévesque», G. Pilon, reportage, p. 5.

6008 «12,000 partisans réservent à Lévesque un accueil délirant», G. Pilon, reportage, p. 5.

6009 «Le maire de Pointe-aux-Trembles répondra Oui», A. Beauvais, reportage, p. 35.

6010 «Marcel Léger dénonce l'hypocrisie de Ryan», reportage, p. 35.

6011 «Ottawa fausse le jeu démocratique», reportage, p. 5.

14 mai

6012 «500 économistes donnent leur appui au premier ministre du Québec», G. Pilon, reportage, p. 5.

6013 «Devant 8,000 partisans - Lévesque lance un appel à la solidarité des francophones», G. Pilon, reportage, p. 5.

6014 «Des professionnels veulent entendre parler de salaire et non de référendum», N. Girard, reportage, p. 6.

6015 «Le Québec est menacé par Ryan selon Morin», PC, reportage, p. 23.

6016 «Unanimité dans Mercier sur les fleurs», G. Godin, libre opinion, p. 23.

15 mai

6017 «Après la victoire du Oui ce ne
sera ni la séparation et encore
moins l'indépendance - René
Lévesque», G. Pilon, reportage,
p. 40

6018 «Avec un Oui, les négociations
pourraient commencer fin juin»,
PC, reportage, p. 41.

6019 «Fonds non-autorisés - Ottawa se
conduit comme une canaille dit le
chef du Oui», reportage, p. 40.

6020 «Les Québecois sont-ils des ordures,
M. Ryan?» - Marcel Léger», reportage, p. 41.

16 mai

6021 «Le chef du Oui doute de la sincé-
rité de Pierre E. Trudeau», G.
Pilon, reportage, p. 5.

6022 «200 postiers de Québec disent Oui»,
PC, reportage, p. 5.

6023 «Lévesque pourrait contester léga-
lement le résultat du référendum»,
N. Girard, reportage, p. 6.

6024 «Mme Renée Morin rappelle ses démê-
lés avec Ryan», reportage, p. 31.

6025 «Ottawa et le comité du Non
auraient dépensé entre $4 et $5
millions», reportage, p. 5.

6026 «Des personnes âgées insultées
par la publicité fédérale», Y.
Laprade, reportage, p. 31.

17 mai

6027 «8,500 militants du Oui à Verdun -
Lévesque déçu qu'Ottawa passe par-
dessus une loi du Québec», G. Pilon,
reportage, p. 5.

6028 «Jean-François Bertrand accorde peu
de crédit au dernier sondage», PC,
reportage, p. 19.

6029 «Si le Oui est battu. - Lévesque
aura-t-il les mains liées face à
Ottawa?», N. Girard, analyse, p. 8.

6030 «Le référendum: une étape», R.
Barberis, P. Drouilly, analyse,
p. 8.

6031 «La série Trudeau-Bourassa de 1971»,
G. Godin, libre opinion, p. 19.

18 mai

6032 «Bain de foule pour René à l'Âge
d'or», G. Pilon, reportage, p. 2.

19 mai

6033 «Claude Morin se garde de crier
victoire», PC, reportage, p. 8.

6034 «Le dernier message du Premier
ministre «Votez avec votre coeur
et avec votre raison», G. Pilon,
reportage, p. 5.

6035 «Mai 1980 - Le mois de la réflexion»,
G. Godin, libre opinion, p. 25.

20 mai

6036 «Le premier ministre comme une tornade», UPC, reportage, p. 4.

21 mai

6037 «La balle est dans le camp des fédéralistes» - Lévesque», reportage,
p. 3.

22 mai

6038 «Ce Non est-il un début ou une
fin?», G. Godin, libre opinion,
p. 9.

25 mai

6039 «La marche vers la souveraineté
demeure irréversible», PC, reportage, p. 14.

31 mai

6040 «Le Regroupement national pour le
Oui renaîtra dans un proche avenir»,
M. Tremblay, reportage, p. 13.

6041 «Selon Jean-Paul L'Allier - Trudeau
va tenter d'obtenir une délégation
massive de pouvoirs en faveur du
fédéral», PC, reportage, p. 12.

15 avril

6042 «Pour Lévesque, «des propos vagues
et souvent ambigus», N. Girard,
reportage, p. 4.

16 avril

6043 «Oui, Lévesque se donne déjà 55%
des suffrages», PC, reportage,
p. 7.

6044 «Pourquoi l'association entre le
Canada et le Québec», G. Godin,
libre opinion, p. 6.

17 avril

6045 «Dion n'est pas surpris des propos
des chefs du clan du Non», PC,
reportage, p. 7.

6046 «Favoritisme», reportage, p. 8.

6047 «Trudeau devra repenser son attitude», reportage, p. 8.

18 avril

6048 «Marcel Claveau dira Oui», reportage, p. 6.

6049 «M. Trudeau mêle les pommes et les
oranges» (Lévesque)», PC, reportage,
p. 6.

19 avril

6050 «L'Allier ne comprend pas le «Non»
de Bourassa», PC, reportage, p. 6.

6051 «Tardif a sa raison», PC, reportage, p. 6.

6052 «Le 20 mai, la mariée ne manquera
pas de robes», N. Girard, commentaire, p. 8.

6053 «Vous m'étonnez, monsieur Trudeau»,
G. Godin, libre opinion, p. 7.

21 mai

6054 «Des gens qui tombent dans l'excès»,
G. Godin, libre opinion, p. 6.

6055 «Je vote Oui, parce que je suis
libéral», PC, reportage, p. 5.

22 avril

6056 «Les fédéralistes savent bien
qu'ils négocieront, et disent le
contraire», PC, reportage, p. 7.

23 avril

6057 «Landry, au Journal, étale sa confiance», reportage, p. 7.

6058 «Pour ne pas nuire au Non, pas de
budget à Ottawa avant le référendum»,
G. Godin, libre opinion, p. 6.

6059 «Soyez contagieux, demande le premier ministre aux gens de la côte-
nord», N. Girard, commentaire,
p. 8.

24 avril

6060 «Lise Payette: Les gens du Non
«utilisent les Yvettes», PC, reportage, p. 7.

6061 «La tornade Lévesque a balayé la
Côte-Nord», N. Girard, commentaire,
p. 8.

25 avril

6062 «Lévesque à la Davie: Même ceux
qui auront dit Non seront fiers
de la victoire du Oui», A. Leclair,
reportage, p. 7.

6063 «Lévesque monte à l'attaque», N.
Girard, reportage, p. 8.

26 avril

6064 «C'est un monsieur», G. Godin, libre
opinion, p. 7.

6065 «La tournée Lévesque», PC, reportage, p. 10.

28 avril

6066 «Moi aussi j'aime le Canada», G.
Godin, libre opinion, p. 6.

29 avril

6067 «La voie pour le Oui», reportage,
p. 7.

30 avril

6068 «Les Fédéraux dans le «trou»,
place Favreau», reportage, p. 5.

6069 «Le ministre Laurin veut récupérer
250 millions et la souveraineté
scientifique», N. Girard, reportage,
p. 8.

6070 «Le Père Noël fédéral», G. Godin,
libre opinion, p. 6.

1er mai

6071 «... Corinne fait pleurer les gars
de la Baie James», M. Tremblay,
reportage, p. 7.

6072 «Pendant que Lévesque captive des
centaines d'étudiants», reportage,
p. 7.

2 mai

6073 «Lévesque prend Raynauld... au mot»,
PC, reportage, p. 7.

6074 «Le ramoneur des pauves «pédale»
son Oui de Hull à Québec», A.
Leclair, reportage, p. 6.

3 mai

6075 «Chef de l'opposition... à vie»,
G. Godin, libre opinion, p. 7.

6076 «La paille et la poutre», reportage, p. 6.

6077 «Trudeau relèvera-t-il le défi
Lévesque?», M. Tremblay, reportage,
p. 6.

5 mai

6078 «L'agriculture a besoin d'un Oui»,
PC, reportage, p. 7.

6079 «Charron donne la réplique à
Trudeau», PC, reportage, p. 9.

6080 «Fabien Roy voit encore un Oui majoritaire», A. Leclair, reportage,
p. 7.

6081 «Ils courent après...», PC, reportage, p. 5.

6082 «Notre cote de crédit, encore
excellente», PC, reportage, p. 9.

6083 «Le souverain, c'est le peuple
M. Trudeau...», G. Godin, libre
opinion, p. 6.

6 mai

6084 «Exaspéré par Ryan, le «martyr»,
Lévesque sort sa liste de plaintes»,
M. Tremblay, reportage, p. 7.

6085 «Une visite qui devient un autre
triomphe», M. Tremblay, reportage,
p. 7.

7 mai

6086 «Négociations publiques», N. Girard,
reportage, p. 8.

6087 «Ottawa endette le Québec», G.
Godin, libre opinion, p. 7.

6088 «Pourquoi Eric Kierans démissionne,
à quelques jours du référendum»,
N. Girard, commentaire, p. 8.

6089 «Trudeau n'aura pas le choix si le
Québec vote Oui... et il devra
ravaler certaines déclarations»,
A. Leclerc, reportage, p. 5.

8 mai

6090 «Le délire du Oui : chansons et
poésie», A. Leclair, reportage,
p. 3.

6091 «On ne nous demande pas de courir,
mais bien de nous tenir debout :
Richard Legendre, champion de
tennis», PC, reportage, p. 6.

9 mai

6092 «Charron répond à Trudeau», PC,
reportage, p. 6.

6093 «Lévesque dénonce «The Gazette»
qui ignore les Ouis de Québec»,
PC, reportage, p. 7.

6094 «Réagissant au sondage, Morin
se dit certain de la victoire du
Oui», PC, reportage, p. 10.

6095 «Sur le dos des malades», PC,
reportage, p. 10.

10 mai

6096 «Après le référendum: le scénario
est clair», N. Girard, reportage,
p. 8.

6097 «Assurance-vie Desjardins: on
avait boudé Ryan, on accorde à
Parizeau un accueil triomphal»,
A. Leclair, reportage, p. 6.

6098 «Lévesque a une question pour
Trudeau», PC, reportage, p. 6.

6099 «La motion des communes est dange-
reuse et... révélatrice, selon
Lévesque», N. Girard, commentaire,
p. 8.

6100 «Négocier debout ou à genoux», G.
Godin, libre opinion, p. 7.

6101 «Une entrevue exclusive avec René
Lévesque à 8 jours du référendum»,
M. Tremblay, reportage, p. 3.

12 mai

6102 «Finissons-en une fois pour toutes... clament nos artistes à des
milliers de Québécois survoltés»,
A. Leclair, reportage, p. 5.

6103 «Non: dangereux», reportage,
p. 6.

6104 «Les Ouis fusaient de toutes parts:
c'était un délire collectif», G.
Pilon, reportage, p. 4.

6105 «Pourquoi l'Ontario appuie le Non»,
G. Godin, libre opinion, p. 7.

13 mai

6106 «À Québec, Lévesque passe de l'enthousiasme à la colère», A. Leclair,
reportage, p. 7.

6107 «Claude Morin dénonce ce «coup de
force» du fédéral», reportage,
p. 7.

6108 «Le mépris des lois déshonore
Ottawa - Lévesque», reportage,
p. 7.

6109 «Le Québec est riche» affirme Me
Bertrand», PC, reportage, p. 5.

14 mai

6110 «Lévesque aurait créé un malaise
chez des Juifs», PC, reportage,
p. 4.

6111 «Lévesque supplie les 8,000 personnes de cesser de l'ovationner»,
PC, reportage, p. 6.

6112 «Les «pros» du gouvernement prennent d'assaut une conférence de
presse», N. Girard, reportage,
p. 8.

6113 «Unanimité dans Mercier... sur les
fleurs», G. Godin, libre opinion,
p. 7.

15 mai

6114 «Deux ex-présidents de l'Association
libérale adhèrent au Oui», reportage, p. 7.

6115 «Ryan croit-il que les Québécois
sont des ordures», reportage,
p. 12.

6116 «6 millions de Québécois en sont
témoins: Ottawa se conduit en
canaille» - Lévesque», G. Pilon,
reportage, p. 5.

16 mai

6117 «Lévesque: Trudeau offre des promesses sans garantie», PC, reportage, p. 5.

17 mai

6118 «Jean-François Bertrand fait mentir
le dernier sondage», PC, reportage, p. 11.

6119 «Lévesque aura-t-il les mains libres pour négocier», N. Girard, commentaire, pp. 8, 9.

6120 «La série Trudeau-Bourassa de 1971», G. Godin, libre opinion, p. 6.

20 mai

6121 «Le camp du Non et Ottawa ont dépensé 3 fois plus d'argent que le camp du Oui», PC, reportage, p. 9.

6122 «Lévesque le répète une dernière fois: Un Non condamnerait le Québec au statu quo...», PC, reportage, p. 4.

6123 «Lévesque se dit plus nerveux qu'en 1976», PC, reportage, p. 4.

6124 «Ouis athlétiques», reportage, p. 6.

21 mai

6125 «Claude Morin ébranlé», PC, reportage, p. 8.

6126 «Il y aura bien une autre fois: ce sera la bonne», S. Drouin, reportage, p. 13.

6127 «Lévesque lance un vibrant appel à la sérénité», reportage, p. 5.

6128 «Le Non de la dernière chance», Y. Pellerin, reportage, p. 8.

6129 «Pierre Bourgault: le triomphe de Robert Bourassa», PC, reportage, p. 3.

6130 «Le retour du mari repentant pour le ministre Bérubé», PC, reportage, p. 3.

6131 «Vive le Québec libre! crie le député de Chauveau», PC, reportage, p. 4.

23 mai

6132 «41% de Oui: un bloc solide de citoyens qui ont accepté de se faire confiance», PC, reportage, p. 6.

LE JOURNAL DE ST-BRUNO

30 avril

6133 «Le ministre Lazure dénonce l'attitude incendiaire d'Ottawa», reportage, p. 15.

6134 «Mise en garde», reportage, p. 25.

7 mai

6135 «L'importance de faire un choix au référendum», L. Poissant, libre opinion, p. 6.

14 mai

6136 «Le Oui dans Chambly. Un défilé réussi», reportage, p. 15.

6137 «Le Québec à l'heure du choix», Y. Lafortune, communiqué, p. 10.

JOURNAL DES CITÉS NOUVELLES

17 avril

6138 «Le référendum: au-dessus des partis», Comité du Oui, lettre, p. 14.

24 avril

6139 «Répondre Oui à une question claire», Comité du Oui, lettre, p. 7.

1er mai

6140 «Six questions à propos du référendum», Comité du Oui, lettre, p. 8.

LE JOURNAL DES PAYS D'EN HAUT

30 avril

6141 «Regroupement pour le «Oui». Guy Chevrette visite le comté», reportage, p. 7.

7 mai

6142 «L'égalité des 2 peuples: est-ce tellement extraordinaire», R. Maurice, libre opinion, p. 2.

6143 «Guy Joron dénonce la campagne de faussetés des tenants du «Non», reportage, p. 17.

6144 «Nous sommes les champions de l'électricité» (René Lévesque)», reportage, p. 10.

6145 «Le parti communiste. Le «Oui» est un moindre mal», reportage, p. 16.

6146 «Le regroupement du «Oui». Ce qu'ils ont dit à la réunion de Sainte-Agathe», reportage, p. 11.

21 mai

6147 «Le 20 mai sera positif», Y. Rochon, chronique, p. 12.
/Retranscription d'un article de P. Vadeboncoeur/

JOURNAL LE ST-FRANÇOIS

15 avril

6148 «Adhérents au Oui», J. Jeanson, reportage, p. 26.

6149 «La première intervention publique de Biron pour le «Oui». «Mon Oui, je ne l'accorde pas à Lévesque ou au PQ mais au gouvernement provincial...», reportage, p. 2.

6150 «Toute la question est là!», M. Leboeuf, comité du Oui, communiqué.

22 avril

6151 «Le «Oui» de Kevin Drummond. «On n'a pas besoin de deux «gangs» de voleurs pour nous gouverner», reportage.

6152 «Quatorze nouvelles adhésions publiques au «Oui», reportage, p. 14.

29 avril

6153 «Le clan du «Non» essaie de brouiller les esprits», J. Langevin, Comité du Oui Beauharnois, communiqué, p. 32.

6154 «Plusieurs personnalités de la région de Beauharnois se prononcent pour le «Oui», A. Meloche, reportage, p. 16.

6155 «Selon Alphonse Caron. Le clan du Non est pris de panique», A. Caron, président du Oui Beauharnois, communiqué, p. 34.

6156 «Les tenants du Non: Une campagne d'intimidation et teintée de racisme... Laurent Lavigne», reportage, p. 8.

6 mai

6157 «Jean Garon à Saint-Louis-de-Gonzague. «Ce sont les agriculteurs qui mèneront la marche...», reportage, p. 3.

6158 «Réplique du Meoui. L'art d'être aveuglement partisan... c'est quoi?», lettre, p. 4.

13 mai

6159 «La motion pour le rapatriement de la constitution. «Le geste le plus ahurissant de l'histoire politique du Canada» - Jacques Parizeau», reportage, p. 2.

6160 «Le vrai sondage sera le 20 mai» - Alphonse Caron», reportage, p. 16.

27 mai

6161 «À Trudeau de tenir ses promesses maintenant» - Mme Louise Cuerrier», reportage.

6162 «Cette défaite ne signifie pas la fin du PQ» - Alphonse Caron», reportage, p. 5.

LE LAC ST-JEAN

16 avril

6163 «Bédard veut des discussions de fond sur l'avenir du Québec», V. Munger, reportage, p. 17.

6164 «Conférence de Mme Hélène Pelletier-Baillargeon, Les «Yvettes» du capital politique pour le PLQ», reportage, p. 16.

6165 «... de même que Paul-Émile Harvey», reportage, p. 16.

30 avril

6166 «Brassard fait appel au maître chez-nous», reportage, p. 9.

6167 «Un homme à imiter», V. Munger, éditorial, p. 4.
/Sur la décision de Kevin Drummond de militer à l'intérieur du Oui/

6168 «Kevin Drummond dénonce les fabricants de peur», V. Munger, reportage, p. 8.

6169 «Un mandat de négocier comme peuple et non comme province», G.-H. Fortin, chronique, p. 15.

7 mai

6170 «Jacques Brassard. «Le Oui c'est le pouvoir de négocier», reportage, p. 7.

6171 «Oui à un pays normal», G. Perron, chronique, p. 12.

6172 «René Lévesque visite son fief», V. Munger, reportage, p. 7.

6173 «Selon Brassard. Les Non perdent au profit des indécis», reportage, p. 8.

14 mai

6174 «Corinne Coté-Lévesque touche les militants», reportage, p. 7.

6175 «Evidemment Oui», V. Munger, libre opinion, p. 13.

6176 «Je suis fier d'être québécois et d'appartenir à un peuple en éveil», M. Martel, chronique, p. 10.

6177 «Morin parle des commandos de polissons», V. Munger, reportage, p. 7.

6178 «La parabole de la Baie James», p. 6.
/Allocution du député Jacques Brassard devant la SNQ/

21 mai

6179 «Et c'est Non», V. Munger, éditorial, p. 4.

6180 «Pour Brassard, le Oui reste inévitable», V. Munger, reportage, p. 3.

LA LIBERTÉ

8 mai

6181 «La thèse du Oui: L'étapisme et la politique de l'apaisement», A. Bédard, analyse, pp. 8, 9.

MACLEAN'S

14 avril

6182 «Opportunity knocks for Quebec's brave new breed», P. C. Newman, éditorial, p. 3.

28 avril

6183 «Levesque's deadly plan for darkness at noon», P. C. Newman, éditorial, p. 3.

6184 «Levesque's «Cui» momentum», D. Thomas, reportage, pp. 17, 18, 19.

12 mai

6185 «The «Yes» force fights the polls», S. Riley, reportage, p. 22.

19 mai

6186 «A case for a «Yes» vote» P. Bourgault, libre opinion, p. 6.

6187 «End of message», D. Thomas,
analyse, p. 4.

6188 «Quebec's front man in English
Canada», J. Quig, reportage,
pp. 12, 14, 16.

LE MADAWASKA

7 mai

6189 «À la pige», reportage, p. 2-C.

LE MESSAGER DE LACHINE

16 avril

6190 «Pour les Yvettes», R. Richard,
lettre, p. A-6.

14 mai

6191 «Les dangers du Non», R. St-Michel
Piper, communiqué, p. A-4.

6192 «Saviez-vous que...», P. Charbonneau, communiqué, p. A-4.

28 mai

6193 «Oui camp deplores split», reportage, p. A-1.

LE MESSAGER DE LASALLE/THE MESSENGER

22 avril

6194 «Le peuple Québécois votera Oui
pour signifier sa maturité - Claude
de L. Milette», reportage, p. A-1.

6 mai

6195 «Le Québec verse un milliard à
Ottawa qui en redonne $500,000,000
à l'industrie ontarienne», Regroupement pour le Oui, communiqué,
p. C-5.

13 mai

6196 «Jacques-Yvan Morin à LaSalle...
«Nous sommes un vieux peuple démocratique en train de se libérer par
la parole», reportage, p. A-2.

6196A «Le référendum de la bonne entente»
D. Zizian», reportage, p. C-2.

6197 «Solidairement votons Oui!», G.
Kentzinger, libre opinion, p. C-2.

6198 «Tout bien réfléchi c'est Oui»
Claude de L. Milette», C. de Lori-
mier Milette, libre opinion, p. C-2.

LE/THE MESSAGER DE VERDUN

23 avril

6199 «Lazure rencontre les citoyens âgés
pour le Oui», reportage, p. A-1.

30 avril

6200 «La campagne du Oui lancée à Ste-
Anne», reportage, p. A-2.

6201 «Léger rencontre le comité local
du Oui», reportage, p. A-2.

7 mai

6202 «Oui solidairement», J.-M. Lacoste,
libre opinion, p. 2.

6203 «Rhéaume répond à la lettre de
Savard», G. Rhéaume, lettre,
p. B-2.

14 mai

6204 «En passant par Sainte-Anne -
«Ottawa veut maintenant rapatrier
la constitution», J.-M. Lacoste,
libre opinion, p. A-6.

6205 «Laurin visite Verdun», reportage,
p. A-6.

6206 «Laurin visits Verdun», reportage,
p. A-6.

6207 «Message du président du Oui à la
population verdunoise», J. Ranger,
libre opinion, p. A-6.

6208 «René Lévesque s'adresse aux gens
du troisième âge», C. Marcil, communiqué, p. A-6.

6209 «Rencontre des personnes âgées
pour le Oui», reportage, p. A-6.

11 juin

6210 «La majorité des francophones ont
dit Oui au référendum», G. Rhéaume,
libre opinion, p. B-15.

LE MIRABEL

22 avril

6211 «Dans Deux-Montagnes. De Bellefeuille lance la campagne du Oui»,
reportage, p. 34.

29 avril

6212 «Oui Mai!», D. Piché, lettre,
p. 6.

6 mai

6213 «Au club Québécois. Le peuple québécois est en train d'atteindre une
maturité politique» - Lise Payette»,
D. Proulx, reportage, p. 3.

13 mai

6214 «Oui, la laine des moutons, c'est
nous qui la tondaine...» ou «Je me
souviens», D. Piché, communiqué,
p. 6.

6215 «Tardif ne comprend pas les maires
qui disent Non», D. Proulx, reportage, p. 7.

27 mai

6216 «Il en faudra de la patience, de
l'insistance et des gants blancs!»,
D. Piché, communiqué, p. 10.

6217 «La minorité la mieux traitée au
Canada», reportage, p. 8.

6218 «On déplacera les chaises», reportage, p. 8.

6219 «Un recul pour le Québec», commentaire, p. 10.

6220 «Une victoire de la peur», reportage, p. 9.

THE MONCTON TRANSCRIPT

17 avril

6221 «Singer says she'll vote Yes», CP,
reportage.

23 avril

6222 «Québec TV star says Yes to vote»,
R. Winters, CP, reportage.

6223 «Yes vote will lead Quebecers out
of ghetto, says film-maker», CP,
reportage.

30 avril

6224 «Pilot plans to vote Yes in Quebec
referendum», A. Freeman, CP, reportage, p. 14.

5 mai

6225 «Fails to explain sovereignty-association. Levesque talks about
«new deal» for Quebec», CP, reportage, p. 3.

6226 «Minority forever», CP, reportage,
p. 3.

7 mai

6227 «English minority would understand merits of PQ proposal - Menard», CP, reportage, p. 32.

15 mai

6228 «Levesque wants Quebecers to be masters in own house», CP, reportage, p. 3.
/Biographie de René Lévesque/

16 mai

6229 «Premier Levesque says he might not take «No» for answer», CP, reportage, p. 1.

21 mai

6230 «Levesque says feds have ball now», CP, reportage, p. 1.

6231 «Police crack down hard on demonstrators», CP, reportage, p. 1.

THE MONITOR

23 avril

6232 «D'Arcy McGee, Westmount, Mount-Royal, Outremont - Le Regroupement National pour le Oui begins local campaign», reportage, p. 6.

30 avril

6233 «Levesque addresses Jewish Community on «Oui» option», reportage, pp. 6, 27.

THE NEWS/LES NOUVELLES

30 avril

6234 «Levesque addresses Jewish community on «Oui» option», reportage, pp. 1, 4.

14 mai

6235 «Réponse de Gérard Lépine», reportage, p. 13.

NEWS AND CHRONICLE

24 avril

6236 «Cuerrier reacts to Gerin-Lajoie role», J. Tremblay-Burley, reportage, p. 1.

1er mai

6237 «MNA Louise Cuerrier defends the Yes option», J. Tremblay-Burley, reportage, p. 5.

6238 « Premier expects W.I. understanding », J. Tremblay-Burley, P. Lyons, reportage, pp. 1, 2.

8 mai

6239 «Canada must change say anglo Yes supporters», P. Lyons, reportage, pp. 1, 2.

15 mai

6240 «Immigrants on the front line-view of Yes supporter», Y. Daoust, libre opinion, p. 5.

6241 «Laurin to supporters: «We want justice...»», B. Hayes, reportage, pp. 1, 2.

6242 «Yes» menu», commentaire, p. 4.

22 mai

6243 «Jacques Cartier - Oui camp deplores split», P. Boulanger, reportage, p. 1.

6244 «Yes supporter - «Equality will come», P. Mace, reportage, p. 1.

LE NORD-EST

16 avril

6245 «Chevrette aux nationalistes de Duplessis. Le message de René Lévesque n'a pas changé depuis 13 ans», J.-G. Gougeon, reportage, p. 2.

23 avril

6246 «Dans Duplessis: Guy Desjardins président de la campagne du Oui», J.-G. Gougeon, reportage, p. 2.

30 avril

6247 «Président du Oui. Guy Desjardins dévoile les noms de ses adjoints», J.-G. Gougeon, reportage, p. 4.

6248 «René Lévesque: Oui: combiner le coeur et l'intelligence», D. Potier-Tessier, reportage, p. 2.

14 mai

6249 «Le ministre de Belleval: Un Oui signifiera qu'on veut prendre nos responsabilités», J.-G. Gougeon, reportage, p. 5.

6250 «Péréquation: Parizeau réplique à Solange Chaput-Rolland», J.-G. Gougeon, reportage, p. 2.

6251 «Port Cartier: Dionne explique son adhésion au Oui», J.-G. Gougeon, reportage, p. 12.

6252 «Le Québec mérite mieux que cela», A. Lamoureux, libre opinion, p. 8.

LE NORDIC (BAIE-COMEAU)

30 avril

6253 «Indépendance ou séparation», L. Lessard, communiqué, p. 4.

7 mai

6254 «Et il explique», reportage, p. 4. /Commentaire de Lucien Lessard sur la campagne référendaire dans le comté de Saguenay/

14 mai

6255 «Les indécis comprennent la question», reportage, p. 4.

LE NORDIC (SEPT-ÎLES)

16 avril

6256 «Neuf mois avant que la question soit posée, l'opposition répondait Non», reportage, p. 11.

23 avril

6257 «L'aéroport du Havre et la campagne référendaire... Lessard marque des points», D. Turbis, reportage, p. 30.

6258 «La Confédération se compare à une partie de hockey - Lucien Lessard», D. Turbis, reportage, p. 30.

14 mai

6259 «Avec les chiffres de Raynauld Parizeau dit: «C'est possible», reportage, p. 11.

21 mai

6260 «Bilan des deux chefs locaux - «Le débat et la publicité s'y rattachant ont été faussés» - Guy Desjardins», reportage, p. 4.

LE NOUVEAU CLAIRON

7 mai

6261 «Le Regroupement national pour le Oui - Visite de M. Pierre-Marc Johnson», reportage, p. 36.

NOUVEAU JOURNAL ST-MICHEL

16 avril

6262 «Le fédéralisme renouvelé: un mythe», M.-L. Vincent, communiqué, p. 11.

23 avril

6263 «Oui, c'est Québécois!», libre opinion, p. 9.

30 avril

6264 «Jacques Parizeau à St-Michel», reportage, p. 3.

6264-A «Oui! Ils vont négocier», Regroupement national pour le Oui Viau, communiqué, p. 10.

7 mai

6265 «Le ministère et le 3e âge», reportage, p. 14.

6266 «Le référendum - Il n'y a aucun risque à dire «Oui»!», communiqué, p. 11.

14 mai

6267 «Le référendum - Oui pour une négociation et pour l'égalité», communiqué, p. 4.

LA NOUVELLE DU HAUT ST-FRANÇOIS

22 avril

6268 «La confédération de 1867 nous a été présentée comme un pacte entre deux peuples égaux, mais... - Député Gérard Gosselin», reportage.

29 avril

6269 «Visite de Rodrigue Biron pour promouvoir le Oui», reportage, p. 35.

6 mai

6270 «Allocution du ministre Johnson devant la chambre de commerce de Sherbrooke», J. Jeanson, reportage, p. 3.

13 mai

6271 «Après les unionistes, les créditistes joignent le Oui», J. Jeanson, reportage, p. 1.

6272 «Entrevue avec Jean-Paul L'Allier», reportage, p. 14.

20 mai

6273 «Visite du député de Beauce-Nord, M. Adrien Ouellette», reportage, p. 13.

LA NOUVELLE REVUE

16 avril

6274 «Message aux personnes du troisième âge», Dr A. Derome, chronique, p. 26.

23 avril

6275 «René Lévesque et Paul-O. Trépanier, un seul et même discours pour le Oui», J.-P. Jodoin, reportage, p. 4.

30 avril

6276 «Où s'en va-t-on?», P. Arbour, chronique, p. 24.

6277 «Le président du Oui-Shefford dénonce «La campagne de la peur» menée par les tenants du Non», J.-P. Jodoin, reportage, p. 2.

7 mai

6278 «Selon Pierre-Marc Johnson: Trudeau comprend rien au nationalisme», reportage, p. 3.

14 mai

6279 «Le Oui accuse le député Lapierre
d'agir dans l'illégalité», J.-P.
Jodoin, reportage, p. 4.

6280 «Des tenants du Oui auraient reçu
plusieurs lettres injurieuses»,
J.-P. Jodoin, reportage, p. 3.

6281 «Trudeau à la rescousse du Non»,
L. Lapointe, C. Bédard, M. Royer,
communiqué, p. 44.

6282 «What does Quebec want?...:
Nothing - Jacques Parizeau remplacé
par Pierre Marois et Louise Cuerrier», J.-P. Jodoin, reportage,
pp. 6, 40.

28 mai

6283 «Les québécois ont voulu donner
une dernière chance au fédéral»,
reportage, p. 3.

6284 «Shefford: des résultats satisfai-
sants», reportage, p. 2.

NOUVELLES DE L'EST

15 avril

6285 «L'avantage de remplacer les institutions fédérales actuelles par des
institutions communautaires», libre
opinion, p. 19.

22 avril

6286 «Jeudi et vendredi derniers - Lise
Payette dans Maisonneuve et Ste-
Marie», reportage, p. 19.

6 mai

6287 «Le Non poursuit sa campagne», reportage, p. 14.

13 mai

6288 «Les autres provinces et le fédéral
disent qu'ils ne négocieront pas...»,
libre opinion, p. 8.

LE NOUVELLISTE

15 avril

6289 «Pearson votera Oui», PC, reportage,
p. 12.

16 avril

6290 «La date du référendum: 20 mai.
Le Oui mettra fin au statut de minorité», N. Delisle, PC, reportage,
p. 1.

6291 «La ligne politique traditionnelle
est l'autonomie du Québec - Le
député Charbonneau», reportage,
p. 7.

17 avril

6292 «Trudeau fait de l'intimidation -
Léon Dion», PC, reportage, p. 19.

18 avril

6293 «Lévesque fustige Trudeau», PC,
reportage, p. 30.

19 avril

6294 «La panique dans le camp du Non»,
PC, reportage, p. 19.

21 avril

6295 «Chez les francophones. La grande
majorité va voter Oui, dit Rodrigue
Biron», C. Savary, reportage,
p. 10.

6296 «Lancement du «Oui» dans Laviolette.
Je suis satisfait du sondage - Le
ministre Léonard», J.-M. Beaudoin,
reportage, p. 10.

6297 «René Lévesque dixit. Ryan prône
une censure de l'information»,
N. Delisle, PC, reportage, p. 1.

22 avril

6298 «Advenant un Oui au référendum.
Seul Trudeau refusera de négocier
avec le Québec - Pierre Bourgault»,
D. Lessard, PC, reportage, p. 14.

6299 «Le fédéralisme est un échec -
Martel», reportage, p. 14.

6300 «Lazure réitère ses engagements»,
PC, reportage, p. 33.

6301 «Lévesque commentant les divers
sondages. Les gens en sont
écoeurés», N. Delisle, PC, reportage, p. 33.

6302 «Le Oui au référendum, un Oui pour
le peuple - Gilbert Paquette», reportage, p. 7.

23 avril

6303 «Dans les milieux financiers. La
victoire du Oui ne fait pas de
doute» - Parizeau», PC, reportage,
p. 47.

6304 «Dans l'Ouest. Un Oui sera bien
accueilli», PC, reportage, p. 20.

6305 «Récupérons nos outils normaux de
développement»-René Lévesque», N.
Delisle, PC, reportage, p. 20.

24 avril

6306 «Énergie. «Lalonde est malhonnête»
- Guy Joron», PC, reportage, p. 25.

25 avril

6307 «But du référendum. Mandat de
négocier», reportage, p. 18.

6308 «En votant Oui, on dit Non à un
Hydro-Canada - Me Bélanger», R.
Dolan-Caron, reportage, p. 18.

6309 «Lévesque et l'état déplorable de
nos chantiers maritimes: Ottawa
est responsable», N. Delisle, PC,
reportage, p. 1.

6310 «Le Meoui fait irruption au journal
«The Gazette», PC, reportage, p. 16.

26 avril

6311 «Il n'y a plus de danger de violence», M. Girard, PC, reportage,
p. 56.

6312 «Lévesque dénonce la «logique» de
Jean Chrétien», P. Tourangeau, PC,
reportage, p. 56.

6313 «Lévesque devant un auditoire juif.
Parallèle entre Israël et Québec»,
P. Tourangeau, PC, reportage, p. 40.

28 avril

6314 «Au congrès de la SSJB. L'Allier
plaide en faveur du Oui», C. Savary,
reportage, p. 24.

6315 «Parizeau à Trois-Rivières. Pas un
autre bail de 100 ans», J.-M. Beaudoin, reportage, p. 24.

6316 «La première assemblée du Oui dans
Trois-Rivières. Les femmes contribuent à la réussite», J.-M. Beaudoin,
reportage, p. 24.

6317 «Les propos tenus par des représentants du Non. «Vaste campagne
d'intimidation» - Morin, Bédard,
Biron», A. Bellemare, PC, reportage,
p. 5.

6318 «15,000 personnes acclament Lévesque», PC, reportage, p. 1.

29 avril

6319 «Je suis estomaqué», reportage,
p. 22.
/Jacques Parizeau contredit l'affirmation du maire Lafontaine selon
laquelle le Conseil des ministres
serait divisé sur la question/

6320 «Un Parizeau persuasif», reportage,
p. 22.

6321 «Les partisans du «Non» sont les
fossoyeurs de notre avenir», P.
Tourangeau, PC, reportage, p. 12.

30 avril

6322 «Depuis 12 ans le French Power nous
laisse siphonner - Lévesque», PC,
reportage, p. 17.

6323 «Il faut continuer ce qui a été
commencé» - Guy Chevrette», reportage, p. 16.

1er mai

6324 «Le Canada anglais a besoin d'un
choc», reportage, p. 41.

6325 «Samson a dit des stupidités -
Duhaime», reportage, p. 41.

6326 «Sur les chantiers de la Baie James.
Corinne demande que la vie du cou-
ple soit autorisée», P. Tourangeau,
PC, reportage, p. 41.

2 mai

6327 «Dire Non c'est retarder l'échéance - Lise Payette», reportage,
p. 22.

6328 «Le parti Crédit social uni
(Québec) dit Oui», reportage,
p. 22.

6329 «Se référant à l'affirmation du
critique André Raynaud, Lévesque
ressent l'effritement du Non»,
P. Tourangeau, PC, reportage, p. 9.

3 mai

6330 «Fascisme. Lévesque réplique»,
PC, reportage, p. 6.

6331 «Lévesque répond à Trudeau. «Nous
irons chercher toutes les graines
que nous pourrons», P. Tourangeau,
PC, reportage, p. 7.

5 mai

6332 «L'agriculture a besoin d'un Oui
pour progresser», N. Delisle, PC,
reportage, p. 1.

6333 «Aucune surprise», PC, reportage,
p. 15.

6334 «Mme Francine Jutras est catégorique. Contradictions dans les propos jadis soutenus par Claude Ryan»,
J.-M. Beaudoin, reportage, p. 15.

6 mai

6335 «Contre les tenants du Oui. 58 cas
de vandalisme dénoncés par Lévesque»,
N. Delisle, PC, reportage, p. 38.

6336 «Lévesque de retour au tableau noir.
«Point de mire», PC, reportage,
p. 39.

6337 «S'il ne veut pas négocier. Le
Fédéral ne devrait pas se mêler du
référendum - Morin», reportage,
p. 37.

6338 «Travailleurs de l'Alcan. Pétition
de 3,515 Oui», N. Delisle, PC,
reportage, p. 37.

7 mai

6339 «Bourgault à des étudiants. Trudeau
a menti comme d'habitude», PC, reportage, p. 47.

6340 «Dans le fond, c'est ce qu'on demande aux gens... Est-ce qu'on a confiance en nous? - René Lévesque»,
J.-M. Beaudoin, reportage, p. 20.

6341 «La démission de Kierans. «Une
décision référendaire» - Jacques Parizeau», PC, reportage, p. 1.

6342 «Landry invite les Oui à «ouvrir
la machine», reportage, p. 16.

6343 «Négociation par le vide - Morin»,
reportage, p. 20.

6344 «Son discours déplait aux délégués.
Bérubé compare les noirs de Rhodésie
aux Québécois», R. Lefebvre, PC,
reportage, p. 20.

8 mai

6345 «Faisons en sorte de garder nos
cerveaux et nos capitaux» - Bérubé»,
R. Lefebvre, PC, reportage, p. 15.

6346 «Lévesque reçoit de l'appui dans
les cantons de l'Est», N. Delisle,
PC, reportage, p. 15.

6347 «Le Oui de Richard Legendre. «Nous
sommes différents», D. Charette,
PC, reportage, p. 46.

6348 «Trudeau le champion no 1 du statu
quo - le député Charbonneau», reportage, p. 14.

9 mai

6349 «Chasseurs et pêcheurs de la Mauricie. 250 d'entre eux joignent le
Oui», C. Savary, reportage, p. 14.

6350 «Les deux options nez à nez - Morin», PC, reportage, p. 5.

6351 «Un excès de zèle», PC, reportage, p. 15.

6352 «Jean Garon réclame une enquête publique sur l'ACDI», J.-M. Beaudoin, reportage, p. 14.

6353 «Lise Payette est retournée sur les lieux de son crime», P. Roberge, PC, reportage, p. 15.

6354 «Pour son attitude au cours de la campagne référendaire. Le journal The Gazette vertement pris à partie par René Lévesque», N. Delisle, PC, reportage, p. 15.

6355 «Trudeau frappe bas - Charron», A. Bellemare, PC, reportage, p. 15.

10 mai

6356 «Je ne sais pas si je voterai Oui au deuxième référendum - Lise Payette», J.-M. Beaudoin, reportage, p. 42.

6357 «Le Québec pourrait se tourner vers le Mexique pour le pétrole», J.-M. Beaudoin, reportage, p. 42.

6358 «René Lévesque somme Trudeau de répondre», N. Delisle, PC, reportage, p. 43.

6359 «Ryan, le Godbout des années' 80 - Yves Duhaime», G. Gagnon, reportage, p. 44.

6360 «Sur le plan agricole. «Oui préférable» - J. Garon», reportage, p. 42.

12 mai

6361 «Devant près de 3,000 partisans enthousiastes. Lévesque fustige l'orgie de dépenses du Fédéral», C. Savary, reportage, p. 10.

6362 «Duhaime se demande si Ottawa n'aurait pas donné à Chrysler les $200 millions de La Prade», J.-A. Dionne, reportage, p. 9.

6363 «Illégalité», PC, reportage, p. 1.

6364 «Lise Payette reçoit un accueil enthousiaste dans Arthabaska», reportage, p. 20.

6365 «René Lévesque aux tenants du Non: Pensez-y comme il faut», M. Aubry, reportage, p. 10.

6366 «Rodrigue Biron aux parents: Léguez à vos enfants un pays «à leur mesure...», J.-M. Beaudoin, reportage, p. 10.

13 mai

6367 «Le fédéral se déshonore - Lévesque», N. Delisle, PC, reportage, p. 13.

14 mai

6368 «503 économistes québécois donnent leur appui au Oui», N. Delisle, PC, reportage, p. 26.

6369 «Les étudiants invités à faire la contagion du Oui», C. Savary, reportage, p. 22.

6370 «Lessard suggère de traîner la question dans sa poche», M. Aubry, reportage, p. 22.

15 mai

6371 «Advenant une victoire du Oui. Les négociations pourraient commencer dès la fin de l'été», J.-M. Beaudoin, reportage, p. 32.

6372 «Soirée clôture dans Berthier. Nombreux appels à la solidarité», M. Aubry, reportage, p. 33.

16 mai

6373 «Ca fait 12 ans que Trudeau a le mandat de renouveler le fédéralisme. - Charron», M. Aubry, reportage, p. 14.

6374 «Lévesque apporte une réplique cinglante à Trudeau. Un gouvernement qui se déshonore», N. Delisle, PC, reportage, p. 15.

6375 «Mise en demeure au ministre Chrétien», reportage, p. 14.

6376 «Le 21 mai au matin... On va s'en sortir de ce tournage en rond - Charron», J.-M. Beaudoin, reportage, p. 15.

17 mai

6377 «Avec une partie des $200 millions. Financement d'une usine thermique à Parent» - Johnson», B. Quenneville, reportage, p. 13.

6378 «Contrairement aux affirmations du clan du Non. À la Wayagamack les syndiqués appuient massivement le Oui», C. Aubry, reportage, p. 42.

6379 «Frais de publicité du gouvernement fédéral. Duhaime s'inquiète de l'avenir», M. Aubry, reportage, p. 43.

6380 «Invraisemblance des derniers sondages» - Jean-François Bertrand», PC, reportage, p. 43.

6381 «Ottawa n'a aucun sens de l'honneur - Lévesque», N. Delisle, PC, reportage, p. 43.

6382 «Si le Oui l'emporte... les négociations iront très vite» - Denis Vaugeois», M. Aubry, reportage, p. 43.

19 mai

6383 «Fermeture de la campagne du Oui dans Trois-Rivières. Airs de valse et rythmes disco se mêlent aux discours politiques», J.-M. Beaudoin, reportage, p. 3.

6384 «Les francophones se solidarisent», PC, reportage, p. 3.

6385 «Ils venaient fêter le Oui par anticipation», A. Bellemare, PC, reportage, p. 3.

6386 «... On est encore peureux au Québec», J.-M. Beaudoin, reportage, p. 13.

6387 «Orgie de dépenses fédérales» - Morin», PC, reportage, p. 5.

6388 «Selon R. Lévesque. Un «Non» condamnerait le Québec au statu quo», N. Delisle, PC, reportage, p. 5.

20 mai

6389 «Lévesque magasine», PC, reportage, p. 5.

21 mai

6390 «Les artistes sont déçus. Pas de la fiction», PC, reportage, p. 2.

6391 «Claude Morin risque de devenir le bouc émissaire. Le «père» de l'étapisme le plus affecté de tous», A. Bellemare, PC, reportage, p. 12.

6392 «Des lendemains hésitants», C. Bruneau, commentaire, p. 5.

6393 «Malgré la défaite. L'optimisme règne dans le camp du Oui», L. -F. Lajoie, reportage, p. 3.

6394 «Martel heureux de cette lutte», reportage, p. 8.

6395 «Mouvement irréversible» - Jules Samson», reportage, p. 7.

6396 «Nous perdons dans la dignité», reportage, p. 6.

6397 «Nous sommes déçus», reportage, p. 3.

6398 «Le PQ a gagné quelques points», reportage, p. 7.

6399 «Si j'ai bien compris c'est à la prochaine» - René Lévesque», F. Côté, PC, reportage, p. 5.

6400 «L'unique gagnant c'est le fédéral», reportage, p. 8.

22 mai

6401 «Advenant une défaite du PQ. Une résurrection possible du FLQ?», PC, reportage, p. 1.

4 juin

6402 «Pourquoi reprocher aux gens âgés leur opinion?», R. Gagné, commentaire, p. 4.

16 avril

6403 «L'ex-président de la Ligue des droits de l'homme devient président du Oui dans Verchères», reportage, p. 8.

6404 «Mon engagement est non-partisan» affirme M. Champagne-Gilbert», M. Champagne-Gilbert, lettre, pp. 8, 32, 77.

6405 «Les «Yvettes» et le référendum», J.-P. Charbonneau, chronique, p. 20.

23 avril

6406 «La campagne du Oui est lancée dans Verchères. Un Oui non partisan à un mandat de négocier», M. Ledoux, reportage, p. 8.

6407 «Oui: plus qu'hier, moins que demain», V. Desilets, communiqué, p. 36.

30 avril

6408 «Dites Non, après nous vous dirons Oui», J.-P. Charbonneau, chronique, p. 20.

6409 «Les données contrediront les affirmations des tenants du Non» dit Charbonneau. Le dernier sondage confirme que les canadiens-anglais négocieraient», communiqué, p. 10.

6410 «Il faut départisanner le référendum», D. Lussier, libre opinion, p. 13.

6411 «Lazure dénonce l'attitude incendiaire d'Ottawa», communiqué, p. 32.

6412 «1,000 Oui présentés à Lévesque», J.-M. Bouchard, reportage, pp. 16, 66.

6413 «Serein, Claude Charron insiste sur la solidarité des Québécois», M. Ledoux, reportage, p. 8.

6414 «Tenir compte de la réalité», M. Desilets, communiqué, p. 19.

7 mai

6415 «Des agriculteurs du comté étaient au rendez-vous», communiqué, p. 2.

6416 «Après 12 ans, Trudeau a prouvé qu'il était le champion du statu quo», communiqué, p. 6.

6417 «Une des citoyennes les mieux connues de Saint-Basile s'implique dans la campagne référendaire», communiqué, p. 10.

6418 «Jean-Pierre Charbonneau à Saint-Denis. Un Oui fera avancer le Québec», L. Paquet, reportage, pp. 10, 78.

6419 «Tout bien réfléchi...», V. Désilets, communiqué, p. 20.

14 mai

6420 «À Saint-Hilaire, J.-Y. Morin rassure: la souveraineté-association n'est pas la séparation», M. Ledoux, reportage, pp. 8, 47.

6421 «I firmly believe that Quebec, as a country will be as good a place to live for minorities, as Canada has been for its French minorities», J.-P. Charbonneau, chronique, p. 26.

6422 «Le Non viole la loi 92 dans le comté», communiqué, p. 8.

6423 «Pierre Marois: Oui pour développer notre potentiel», communiqué, p. 15.

6424 «Pour mon peuple et ma patrie: Oui», J.-P. Charbonneau, chronique, p. 20.

6425 «Susceptibilité ou clairvoyance?», communiqué, p. 8.

6426 «Tout bien réfléchi, c'est Oui», R. Prévost, communiqué, p. 16.

28 mai

6427 «L'aurevoir du Oui», communiqué, p. 10.

6428 «Champagne-Gilbert: le Québec reste profondément divisé», reportage, p. 10.

6429 «Charbonneau: la révolution tranquille des Québécois ne s'arrêtera
pas avec un Non», M. Ledoux, reportage, pp. 10, 52.

6430 «Un Non qui doit vouloir dire un
Oui», J.-P. Charbonneau, chronique,
p. 20.

6431 «Les péquistes sont déçus mais ne
s'avouent pas vaincus», reportage,
p. 10.

6432 «Qu'est-ce qu'un référendum», D.
Lussier, commentaire, p. 14.

THE OTTAWA JOURNAL

14 avril

6433 «Levesque likens plan to Common
Market», CP, reportage.

16 avril

6434 «Historic dates», CP, reportage.

18 avril

6435 «Pierre aids us, Rene contends»,
reportage.

19 avril

6436 «Long winding road near end for
Levesque», P. Hadekel, reportage,
p. 8.

21 avril

6437 «World opinion will pressure
Canada to negotiate: René», CP,
reportage.

22 avril

6438 «Levesque distrusts new poll»,
CP, reportage, p. 58.

6439 «Rene runs into heat as drivers
speak out», reportage.

23 avril

6440 «Gov't lying on jet deal, Levesque
says again», CP, reportage.

24 avril

6441 «Those separatist fictions», commentaire.

25 avril

6442 «Levesque laughs at PM's proposal»,
M. Doyle, reportage.

28 avril

6443 «Public fears Yes less than leaders
do» - Morin», S. Won, reportage.

29 avril

6444 «Levesque swats No's», reportage.

ler mai

6445 «Rene wins some Yes's says No to
Gallup poll», CP, reportage, p. 8.

2 mai

6446 «No-forces waging «sick» campaign» -
Levesque». «Davis: Yes means closing
of minds», S. Won, reportage,
pp. 1, 2.

3 mai

6447 «Levesque is playing it by the
polls», J. Gray, analyse, p. 6.

6448 «Rene says Yes to talks if vote No»,
CP, reportage, p. 9.

5 mai

6449 «Quebec credit rating secure
now», CP, reportage, p. 8.

7 mai

6450 «Trudeau, Levesque debates closer»,
CP, reportage, p. 8.

9 mai

6451 «Gazette biased says Levesque»,
UPC, reportage, p. 8.

6452 «Quebec gov't getting into Asbestos
business», CP, reportage, p. 23.

10 mai

6453 «Promise negociation if Yes-camp
wins, Rene tells Trudeau», UPC,
reportage, p. 9.

6454 «Yes likened to labor bargaining»,
S. Won, reportage, p. 9.

12 mai

6455 «English Yes out of closet -
Minority within a minority in
West Quebec speaks out», S. Won,
reportage, p. 8.

6456 «Parizeau rows PS jobs for Hull»,
reportage, p. 8.

13 mai

6457 «Laurin appeals to pride», S. Won,
reportage, p. 8.

6458 «Rene rails against gov't ad
campaign», reportage, p. 1.

14 mai

6459 «Levesque searches for scapegoats»,
P. Hadekel, reportage, p. 8.

15 mai

6460 «Long road to the referendum -
First independence movement a
legacy of the conscription crisis»,
D. Clift, reportage, p. 8.

16 mai

6461 «Half Hull police back Yes», S. Won,
reportage, p. 8.

17 mai

6462 «Emotion takes hold as sagging Yes-
side faces likely defeat», P.
Hadekel, reportage, p. 9.

6463 «Rene gets unity petition», CP,
reportage, p. 9.

6464 «Tuesday's decision final Levesque
tells hot-line audience», UPC,
reportage, p. 8.

21 mai

6465 «Levesque warns PM to deliver
promises», P. Hadekel, reportage,
p. 13.

6466 «Mystified simple folk voted their
wallets - Feds «forgot rules», A.
Fotheringham, commentaire, pp. 1,
15.

6467 «Separation momentum stalled but
not stopped», W. Stewart, analyse,
p. 14.

22 mai

6468 «Pollster warns of Quebec violence»,
CP, reportage, p. 8.

6469 «Rene Levesque concedes...», reportage, p. 7.
/Photographie avec légende/

LA PAROLE

16 avril

6470 «Cohabitation du Oui et du Non -
Il accepte la présidence du Comité
du Oui dans Drummond - Germain
Jutras voit dans le référendum un
événement positif et une chance de
déblocage», reportage, p. 3.

23 avril

6471 «Claude Boucher et Grégoire Mercure
parmi les nouveaux adhérents au
Oui», reportage, p. 3.

6472 «Le Oui dans la continuité vers
l'égalité», M. Clair, chronique,
p. 4.

6473 «Pas de retour en politique pour
Kevin Drummond», reportage, p. 3.

6474 «Tout en lançant des accusations - Clair devance Pinard sur son propre terrain et annonce en primeur deux projets fédéraux», reportage, p. 3.

30 avril

6475 «Ayant constaté un «malaise systématique chronique» 16 médecins proposent le Oui comme traitement», reportage, p. 3.

6476 «Une mesure de diversion», G. Jutras, lettre, p. 4.

6477 «Le ministre Duhaime à propos du référendum: Une occasion unique de manifester une solidarité qui a toujours fait défaut au Québec», reportage, p. 3.

6478 «Il pense être en mesure de rallier 2000 partisans - Roger Blais opte pour le Oui afin d'être assuré d'un Canada nouveau», reportage, p. 10.

7 mai

6479 «Illustrant la souveraineté-association - «Le Québec veut avoir son propre thermostat» (Gérald Godin)», reportage, p. 9.

6480 «Pour Michel Clair, la question référendaire s'inscrit dans un contexte de continuité historique», reportage, p. 2.

14 mai

6481 «Aux dires de Jean-Paul L'Allier - René Lévesque est le chef politique du moment capable de défendre les aspirations des Québécois à Ottawa», reportage, p. 3.

6482 «Elle aimerait être son ange gardien - Lise Payette a l'intuition que Claude Ryan dira Oui», reportage, p. 2.

6483 «Les erreurs du passé», G. Jutras, lettre, p. 4.

21 mai

6484 «Les gouvernements devront tenir compte de l'opinion de ceux qui ont voté pour l'option du Oui» (Germain Jutras)», reportage, p. 3.

6485 «Il déplore surtout une certaine campagne de peur - «Je n'ai pas l'intention d'arrêter de travailler pour le Québec» (Michel Clair)», reportage, p. 3.

28 mai

6486 «Que Lévesque négocie le fédéralisme renouvelé, ce n'est pas une trahison» (Normand Jutras)», reportage, p. 3.

6487 «Roger Blais déçu du résultat mais satisfait du référendum», reportage, p. 3.

6488 «Selon Mme Suzanne B. Mélançon - Une question de bonne foi maintenant», reportage, p. 3.

6489 «Seul le temps permettra aux Québécois de découvrir quel était l'enjeu véritable (Jean-Marie Boisvert)», reportage, p. 3.

LA PETITE NATION/LE BULLETIN

15 avril

6490 «Comité des Québécois pour le Oui. C'est parce que tu t'organises que tu es bon - Emmanuel Marcotte», reportage, p. 7.

22 avril

6491 «Le Mardi 20 mai. Oui ou Non», J. Alfred, libre opinion, p. 5.

29 avril

6492 «Au Regroupement du Oui - Nous avons la fierté de notre compétence», reportage, p. 3.

6493 «Des non qui n'en sont pas» - Jocelyne Ouellette», reportage, p. 3.

6494 «La souveraineté-association du
Québec - 1 - Les faits canadiens»,
S. Lamarche, éditorial, p. 4.

6 mai

6495 «Le Mardi 20 mai. Oui ou Non»,
J. Alfred, libre opinion, p. 5.

6496 «La souveraineté-association du
Québec - 2 - Les faits québécois»,
S. Lamarche, éditorial, p. 4.

13 mai   .

6497 «J'y suis, j'y reste: une devise
de cimetière». - Le ministre Pierre
Marois dans la Lièvre», C. Chénier,
reportage, p. 3.

6498 «La souveraineté-association du
Québec. Une volonté démocratique
claire», S. Lamarche, éditorial,
p. 4.

27 mai

6499 «La mariée est trop belle, monsieur
Ryan», J. Lamarche, éditorial,
p. 4.

LE PEUPLE-COURRIER

16 avril

6500 «Adrien Lambert dira Oui», reportage, p. 3.

23 avril

6501 «Lambert, Lizotte et Caron co-pré-
sidents pour le Oui dans Montmagny-
L'Islet», reportage, p. 3.

14 mai

6502 «À St-Pascal, Lise Payette ridicu-
lise Ryan au profit de Trudeau»,
reportage, pp. B-1, B-3.
/Photographie avec légende/

6503 «Les politiques fédérales: les
causes du dynamisme insuffisant
de l'économie québécoise», Comité
du Oui Montmagny-L'Islet, lettre,
p. 7-C.

6504 «Le pourquoi du Oui du maire Gilles
Caron», Comité du Oui Montmagny-
L'Islet, lettre, p. 24.

6505 «Un Yves Thériault à la portée des
étudiants, dans Pascal-Taché», reportage, p. 18.

28 mai

6506 «Bellechasse. Le président du Oui
estime que le référendum n'aura
pas été vain», reportage, p. 11.

6507 «Montmagny-L'Islet. Selon les co-
présidents du Oui, la peur a joué
un rôle important dans la campagne»,
reportage, p. 3.

6508 «Nous avons raté une occasion de
nous donner un pays». Léonard
Lévesque», reportage, p. 3.

PEUPLE-TRIBUNE

16 avril

6509 «Un Oui à la continuité...», libre
opinion, p. C-22.

23 avril

6510 «Adrien Lambert s'implique dans le
comité du Oui», reportage, p. C-4.

6511 «Bellechasse. Plusieurs personnes
de St-Anselme diront Oui au référendum», reportage, p. C-12.

6512 «Florian Guay président du Oui dans
Bellechasse», reportage, p. C-13.

6513 «Les leçons de l'histoire nous
enseignent de voter Oui», Les amis
pour le Oui Bellechasse, libre
opinion, p. C-18.

6514 «René Lévesque en Beauce», L.
Carrier, reportage, p. C-4.

30 avril

6515 «À Lévis cette semaine. Lévesque
récolte le Oui de 700 travailleurs
de la Davie», S. Geoffrion, reportage, p. A-6.

6516 «Campagne du Oui à Lévis. Garon et Chevrette invitent les partisans du Oui à la modération», S. Geoffrion, reportage, p. A-13.

6517 «Un Oui préserve notre avenir alors qu'un Non entraîne le blocage. (Claude Morin)», reportage, p. C-8.

14 mai

6518 «À L'Assurance-Vie Desjardins. «Parizeau «affronte» un public convaincu», S. Geoffrion, reportage, p. A-7.

6519 «Bellechasse: La visite de Claude Morin écourtée par l'annonce du rapatriement unilatéral de la constitution», L. Trudeau, reportage, p. C-6.

6520 «Pourquoi je dirai «Oui» à la question référendaire», J.-M. Lessard, libre opinion, p. A-6.

28 mai

6521 «Ce n'est que partie remise. Jean-Pierre Marquis», L. Trudeau, reportage, p. C-6.

6522 «On a encore fait peur au monde» (Jean Garon)», S. Geoffrion, reportage, p. A-7.

6523 «Un pas en avant: M. Louis-Alfred Ferland», L. Carrier, reportage, p. C-8.

6524 «La victoire de M. Trudeau» (Camille Fortier)», S. Geoffrion, reportage, p. A-7.

LE PHARILLON-VOYAGEUR

7 mai

6525 «Invité par le Méoui du Cegep. Le député de Rimouski stimule les étudiants», G. Marcotte, reportage.

14 mai

6526 «Au Collège de la Gaspésie. 600 Oui accueillent Lise Payette», G. Marcotte, reportage, p. 3.

6527 «Parlant du mon pays... (billet de Jules Bélanger)», J. Bélanger, p. 24.

PLEIN JOUR SUR CHARLEVOIX

16 avril

6528 «Le fédéralisme renouvelé: un mythe», J. Nadeau, M. Rochette, libre opinion, p. 12.

30 avril

6529 «Un Non conduit à l'impasse» - Louise Beaudouin», reportage, p. 8.

6530 «Nos outils pour notre développement», commentaire, p. 34.

6531 «Pour le Oui dans Charlevoix. Une campagne saine marquée de vérité», reportage, p. 7.

6532 «Le regroupement national pour le Oui. La souveraineté association économiquement c'est sûr!», Comité du Oui, commentaire, p. 34.

7 mai

6533 «L'association d'états souverains: formule de l'avenir», Comité du Oui, communiqué, p. 39.

6534 «Que veulent les québécois?», Comité du Oui, communiqué, p. 39.

6535 «Sécurité et ouverture», communiqué, p. 39.

14 mai

6536 «Non au référendum un cul de sac», commentaire, p. 3.

6537 «Oui au référendum un déblocage», libre opinion, p. 3.

6538 «Oui! Ils vont négocier», R. Lapointe, libre opinion, p. 3.

6539 «Pour Paul-Henri Jean - Seul le Oui suscitera des changements», reportage, p. 5.

PLEIN JOUR SUR LA MANICOUAGAN

22 avril

6540 «Les promoteurs du Oui veulent
vaincre la peur», reportage, p. 7.

29 avril

6541 «Avec ce Oui majoritaire, tout va
changer», L. Lessard, commentaire,
p. 20.

6542 «Dossier noir des affaires sociales», G. Théberge Comité du Oui,
communiqué, p. 20.

6 mai

6543 «Charron recommande les bouchées
doubles pour le Oui», reportage,
p. 5.

6544 «La sécurité, la liberté, la pros-
périté», G.-Y. Gagnon Regroupement
national pour le Oui, commentaire,
p. 8.

13 mai

6545 «Dossier «affaires sociales» (suite
et fin)», G. Théberge, communiqué,
p. 10.

20 mai

6546 «Les conséquences d'un Oui: Lessard
assure qu'il n'y a aucune crainte»,
reportage, p. 8.

6547 «Nos adversaires dévient du débat»,
reportage, p. 8.

6548 «Oui... Québec!», L. Lessard, communiqué, p. 9.

27 mai

6549 «D'après Me Gagnon. Une nouvelle
chance offerte au fédéral», reportage, p. 8.

LE PLEIN JOUR SUR LE SAGUENAY

30 avril

6550 «Comité du Oui», L. Lessard, libre
opinion, p. 4.

7 mai

6551 «Faut changer le système» - Jacques
Brassard», reportage, p. 3.

6552 «Le Oui n'en démord pas. Le refus
de négocier n'est que du bluff»,
reportage, p. 2.

14 mai

6553 «Dans Saguenay - Lessard vise 70%
de Oui», reportage, p. 3.

6554 «Pour le ministre Lessard, le 20
mai est décisif», reportage, p. 2.

21 mai

6555 «Hubert Desbiens, député de Dubuc
à Les Escoumins», reportage, p. 24.
/Photographie avec légende/

28 mai

6556 «D'après Me Gagnon - Une dernière
chance offerte au fédéral», reportage, p. 8.

6557 «Pour les tenants du Oui - Ce n'est
que partie remise», reportage, p. 8.

LE PONT

23 avril

6558 «Le Oui dans Laviolette, 300 personnes au lancement de la campagne»,
P. Dubois, reportage, p. 6.

30 avril

6559 «Dire Oui. Notre première chance
de dire que nous sommes capables»,
C. Rompré, reportage, p. 6.
/Dîner causerie avec Parizeau/

7 mai

6560 «I will say Yes», G. Fontaine, opinion, p. 14.
/Opinion d'un étudiant francophone/

14 mai

6561 «Avec Biron, Charron, Lejeune,
Duhaime et Jolivet. Lévesque
accueilli par une foule délirante»,
P. Dubois, reportage, p. 6.

6562 «Ce n'est pas un Oui inconditionnel
que je donne à mon gouvernement...»
- Lise Payette», reportage, p. 13.

6563 «Denise Cyr dénonce Chrétien», reportage, p. 6.

6564 «L'éditorial. «Mais qu'est-ce qui
ne va pas?», A. Prince, éditorial,
p. 4.

6565 «30 avril historique pour les femmes en campagne référendaire», C.
Milette, libre opinion, p. 30.

28 mai

6566 «Conclusions personnelles sur le
référendum», C. Massicotte, commentaire, p. 18.

6567 «Gens du pays, à la prochaine»,
J.-P. Crête, libre opinion, p. 14.

LA PRESSE

15 avril

6568 «La date sera annoncée d'ici jeudi
en Chambre», P. Vincent, reportage,
p. A-9.

6569 «Léo Pearson dira Oui », P. Vincent,
reportage, p. A-9.

6570 «Lévesque commente le discours du
trône: Le Canada, un des pays les
plus mal administrés», P. Vincent,
reportage, p. A-16.

6571 «Parizeau devant les étudiants des
HEC - Le Québec va dans le sens
de l'histoire politique contempo-
raine», J. Bouchard, reportage,
p. A-8.

6572 «Québec refuse de négocier maintenant l'intégration des fonctionnaires», P. Vincent, reportage, p. A-8.

16 avril

6573 «Fonctionnaires mieux payés après
un Oui - Gendron évite de s'impli-
quer», reportage, p. C-6.

6574 «Godin: les premiers ministres
contribuent au Oui malgré eux», PC,
reportage, p. C-8.

6575 «Lise Payette et le succès des
Yvettes - Ça fait 25 ans que je dis
aux femmes de participer», C.
Tougas, reportage, p. C-7.

6576 «René Lévesque - «Si cette fois le
Québec sait parler fort, personne
ne saurait refuser de l'entendre»,
R. Lévesque, p. A-13.
/Discours de R. Lévesque/

6577 «Travaux suspendus jusqu'au 3 juin»,
P. Vincent, reportage, p. C-7.

6578 «Vive prise de bec au sujet de
l'éventuelle armée québécoise»,
G. Gauthier, reportage, p. A-2.

17 avril

6579 «Johnson se heurte aux craintes des
personnes âgées», F. Forest, reportage, p. A-12.

6580 «Léon Dion: Trudeau s'apprête à
être un usurpateur», G. Gauthier,
reportage, p. A-13.

6581 «Lévesque: l'esprit d'entreprise
est handicapé par le système fédéral», Y. Leclerc, reportage,
p. A-13.

6582 «La remontée de Lise Payette», L.
Gagnon, chronique, p. A-12.

18 avril

6583 «Léon Dion répond à M. Trudeau»,
M. Adam, chronique, p. A-6.

6584 «Lévesque remercie Trudeau de faire
avancer le débat», Y. Leclerc, reportage, p. A-11.

21 avril

6585 «Des centres d'accueil bâillonne-
raient les personnes âgées», N.
Beauchamp, reportage, p. A-12.

6586 «Lévesque: le problème du coût du
pétrole n'est pas pour demain»,
Y. Leclerc, reportage, p. A-10.

6587 «Le Père Ambroise s'explique»,
A. Lafortune, lettre, p. A-6.

6588 «Pour Parizeau, un Oui redevable
aux Lesage, Johnson et Trudeau»,
F. Bernard, reportage, p. A-11.

22 avril

6589 «Bourgault injurie Ryan et Mme
Chaput-Rolland», G. Gauthier,
reportage, p. A-13.

23 avril

6590 «Parizeau: le référendum n'inquiète pas les investisseurs», PC,
reportage, p. A-13.

6591 «René Lévesque dénonce Ottawa à
fond de train», Y. Leclerc, reportage, p. A-13.

24 avril

6592 «Joron répond à Lalonde - La menace
d'éventuelles hausses de prix est
abusive», R. Leroux, reportage,
p. A-13.

6593 «Lévesque promet aux Madelinots
que leur sel sera développé», Y.
Leclerc, reportage, p. A-11.

6594 «Morin: Ryan nous mène au statu
quo», G. Gauthier, reportage,
p. A-11.

6595 «Oscar Rhéaume: La cause des personnes âgées m'a motivé», N. Beauchamp, reportage, p. A-12.

6596 «Parizeau se fait rassurant», M.
Gagnon, reportage, p. A-10.

25 avril

6597 «Après un Oui, les affaires vont
continuer comme avant», M. Favreau,
reportage, p. A-11.

6598 «En campagne, Beaudoin fait des
boutades», G. Gauthier, reportage,
p. A-11.

6599 «Yves Martin est demeuré fidèle à
lui-même», C. Baril, reportage,
p. A-12.

26 avril

6600 «Centres d'accueil: Vive réplique
de Lazure aux dirigeants de l'association», N. Beauchamp, reportage,
p. A-4.

6601 «L'égalité dans les faits ça prend
souvent du temps...», C. Tougas,
reportage, p. A-9.

6602 «Parizeau critique l'incohérence
du fédéral», A. Dubuc, reportage,
p. A-9.

6603 «Le P.Q. et les minorités», L.
Gagnon, chronique, p. A-11.

6604 «Pas de «Merci» à ceux qui voteront
Non - Lévesque chez les Juifs: Un
avertissement poli mais ferme», Y. Leclerc, Laval le Borgne, reportage, p. A-?

6605 «Un retour prévu au marché mondial -
Léger minimise l'apport du pétrole
albertain», D. Dion, reportage,
p. E-18.

28 avril

6606 «Bédard: Chrétien adopte un compor-
tement indigne», G. Gauthier, reportage, p. A-11.

6607 «Il n'y a plus de danger de violence, pense Ménard», M. Girard, PC,
reportage, p. A-10.

6608 «Lévesque loue «l'instinct démocratique des Canadiens», Y. Leclerc,
reportage, p. A-12.

6609 «15,000 personnes pour le 40e anniversaire du droit de vote des femmes», C. Tougas, reportage, p. A-10.

6610 «Le sondage CROP - Claude Morin:
Un désaveu de l'establishment politique», G. Paquin, reportage,
p. A-12.

29 avril

6611 «Gilles Bourque: l'avènement du socialisme passe par le Oui au référendum», P. Vennat, reportage, p. A-12.

6612 «Jos Bouchard, «runneur» de vues - «Si je pouvais voter deux fois je le ferais», D. Marsolais, reportage, p. A-12.

6613 «Moisan: le fédéral a accéléré le déclin de Montréal», F. Bernard, reportage, p. A-13.

6614 «La question est un tout, un ensemble cohérent», R. Barberis, commentaire, p. A-8.

6615 «La tolérance et la dignité», L. Gagnon, chronique, p. A-13.

6616 «Trudeau et les premiers ministres sont des menteurs, dit Lévesque - Un Non conduirait à un long immobilisme», Y. Leclerc, reportage, p. A-11.

30 avril

6617 «Déménager les Communes? Lévesque propose le trou de la Place Guy-Favreau!», Y. Leclerc, reportage, p. A-11.

6618 «Jean-Paul L'Allier dit «Oui» - «Faudrait être masochiste pour penser qu'on perdrait notre liberté», C. Gravel, reportage, p. A-13.

1er mai

6619 «L'agence de perception des impôts communs - Parizeau: le pire recul depuis la guerre», G. Gauthier, reportage, p. A-10.

6620 «Handicapés physiques - Mise en garde servie aux deux camps», N. Beauchamp, reportage, p. A-10.

6621 «Lévesque dénonce le dernier Gallup - Corinne Côté choisit la Baie James pour son premier discours», Y. Leclerc, reportage, p. A-11.

6622 «Le mouvement des travailleurs chrétiens dit Oui», P. Vennat reportage, p. A-10.

2 mai

6623 «Budget de l'an 1 - Immoral et ridicule, dit René Lévesque», Y. Leclerc, reportage, p. A-1.

6624 «Le camp du Oui: notre formule est réaliste», J. Bouchard, P. P. Gagné, reportage, p. A-13.

6625 «La réforme fiscale n'est pas un cadeau déguisé, dit Tardif», F. Bernard, reportage, p. C-3.

3 mai

6626 «Les étudiants se tournent vers les gens âgés», N. Beauchamp, reportage, p. A-9.

6627 «Lévesque à Trudeau - «Si c'est Non on tournera en rond», Y. Leclerc, reportage, p. A-1.

6628 «Parizeau rassure les hommes d'affaires», J.-P. Charbonneau, reportage, p. A-13.

6629 «Une stratégie qui s'apparente à une guérilla intellectuelle», Y. Leclerc, reportage, p. A-10.

5 mai

6630 «Bourgault: l'attitude de Trudeau est une preuve qu'on est dominé par une autre collectivité», J. Bouchard, reportage, p. A-12.

6631 «Jean-François Bertrand: Quand on comprend le risque de dire Non, on comprend la nécessité de dire Oui», M. Favreau, reportage, p. A-13.

6632 «Lévesque à Saint-Hyacinthe - Le fédéral décourage les efforts du Québec en matière d'agriculture», Y. Leclerc, reportage, p. A-13.

6633 «La réponse de M. Lévesque à M. Trudeau convainc-t-elle?», M. Adam, commentaire, p. A-6.

6 mai

6634 «Hubert de Ravinel se préoccupe du 21 mai chez les personnes âgées», N. Beauchamp, reportage, p. A-11.

6635 «Lévesque donne un bon show», L. Corriveau, reportage, p. A-11.

6636 «Vandalisme, intimidation et violence - Lévesque rend publique une liste de 58 cas», N. Delisle, reportage, p. A-11.

7 mai

6637 «Bérubé: un «Non provoquera une fuite des capitaux», G. Gauthier, reportage, p. A-12.

6638 «Biron: si c'est Non, le Québec ne récoltera rien du fédéral», C.V. Marsolais, reportage, p. A-10.

6639 «Charron chez les travailleurs d'hôpitaux - Ryan cherche des troubles», reportage, p. A-12.

6640 «Doris Lussier répond au père Lévesque: «Mon Père je m'accuse...», D. Lussier, lettre, p. D-13.

6641 «Kierans veut nous faire le coup de la Brink's avec une trotinette - Lévesque», A. Dubuc, reportage, p. A-1.

6642 «Paquette en terrain difficile au Cegep Dawson», M. Gagnon, reportage, p. A-10.

6643 «La revue «Relations» opte pour le Oui», J. Béliveau, reportage, p. A-13.

8 mai

6644 «Amiante: Lévesque promet des nouvelles surprenantes», C. V. Marsolais, reportage, p. A-13.

6645 «C'est le temps des semences, Charbonneau se fait bref...», A. Pépin, reportage, p. A-14.

6646 «Douze raisons non partisanes de dire Oui», commentaire, p. A-16.

6647 «Michel Brunet s'engage pour le Oui - «Nous vivons dans une démocratie dirigée», C. Gravel, reportage, p. A-15.

6648 «Le PCQ se défend de faire preuve d'opportunisme», D. Marsolais, reportage, p. A-14.

9 mai

6649 «Lazure: «Le bien du Québec avant tout», M. Favreau, reportage, p. A-12.

6650 «Des liens de subordination ou des liens d'égalité», J.-L. Dion, commentaire, p. A-14.

6651 «Une solide majorité de Oui du côté des francophones (Lévesque)», C. V. Marsolais, reportage, p. A-11.

6652 «Vigneault: C'est pour mes enfants que je continue», M. Gagnon, reportage, p. A-12.

10 mai

6653 «Constitution: Morin craint un coup de force fédéral», G. Gauthier, reportage, p. F-1.

6654 «Lévesque demande à Trudeau s'il respectera un Oui des Québécois», C. V. Marsolais, reportage, p. A-11.

6655 «Lise Payette ne se lasse pas de reprendre les mêmes thèmes avec calme et assurance», P. Vincent, reportage, p. A-8.

6656 «Même son de cloche de Lévesque», G. Gauthier, reportage, p. F-1.

12 mai

6657 «Lévesque prédit un spectacle grandiose le 20 mai», C. V. Marsolais, reportage, p. A-9.

6658 «M. Lévesque et le rapatriement de la constitution - Une union révélatrice de M. Trudeau», R. Lévesque, p. A-12.
/Texte intégral de la déclaration de R. Lévesque concernant l'adoption d'une motion sur le rapatriement de la constitution/

6659 «Parizeau: les fonctionnaires n'ont rien à craindre d'un Oui», G. Paquin, reportage, p. A-11.

6660 «Le rapatriement de la constitution - «Plus grave que le coup de la Brink's» dit Lévesque», C. V. Marsolais, reportage, p. A-11.

6661   «Violente sortie du député Alfred contre le Dr Fortas», M. Gagnon, reportage, p. A-8.

13 mai

6662   «500 économistes pour le Oui dénoncent la campagne de peur», A. Dubuc, reportage, p. A-9.

6663   «Jacques Baril en campagne référendaire - Pas facile d'être député et agriculteur à la fois», P. Gingras, reportage, p. A-11.

6664   «Laurin: le regroupement des écrivains est une promesse de dynamisme», C. Gravel, reportage, p. A-8.

6665   «Morin: Québec ne fera pas appel à l'ONU si Ottawa refuse de négocier», P. St-Germain, reportage, p. A-12.

6666   «Le Oui-dire des chansonniers: Oui», B. Roy, commentaire, p. A-13.

6667   «Réplique au Père Lévesque», L. O'Neill, lettre, p. A-6.

6668   «13,000 personnes acclament Lévesque - «Le fédéral se déshonore avec sa publicité illégale», C. V. Marsolais, reportage, p. A-9.

6669   «Trois ex-présidents de la LDH - «Si Trudeau refuse de négocier nous aurons recours à l'ONU», A. Pépin, reportage, p. A-12.

14 mai

6670   «Ce qui est fondamental, c'est la survie du fait français», C. Gravel, reportage, p. A-10.

6671   «Insulte aux Canadiens français», M. Chaput, commentaire, p. B-2.

6672   «Lévesque insiste sur l'importance du deuxième référendum», P.-P. Gagné, reportage, p. A-8.

6673   «N'importe quand et n'importe où, rétorque Parizeau et Raynaud», A. Dubuc, reportage, p. A-10.

6674   «Oui optimiste de 500 économistes», A. Dubuc, reportage, p. A-8.

6675   «Trudeau en grande partie responsable - Selon Léon Dion il y a au Québec un risque de crise comme jamais auparavant», J. Bouchard, reportage, p. A-12.

15 mai

6676   «Biron vole la vedette aux tenors du PQ», A. Pépin, reportage, p. A-13.

6677   «En cas de Oui le 20 mai - L'Opposition pourra être partie aux négociations», Y. Leclerc, reportage, p. A-13.

6678   «Oui... On a le droit», S. Ménard, commentaire, p. A-8.

6679   «Parizeau: Un Oui signifie que la SA est un objectif valable», CP, reportage, p. A-13.

6680   «Le projet d'union monétaire est techniquement réalisable», R. Leroux, reportage, p. A-15.

6681   «Les raisons qui ont motivé M. Léon Dion», M. Adam, commentaire, p. A-6.

6682   «Le référendum n'est pas une question de vie ou de mort (André d'Allemagne)», C. Gravel, reportage, p. A-12.

16 mai

6683   «L'appui des agriculteurs est conditionnel à la rentabilité économique», J.-P. Bonhomme, reportage, p. A-12.

6684   «L'Allier à la croisée des chemins», P. Longpré, reportage, p. A-8.

6685   «Lévesque rappelle à Trudeau ses promesses oubliées», Y. Leclerc, reportage, p. A-1.

6686   «Ottawa a dépensé $5 millions en publicité illégale, dit Lévesque», Y. Leclerc, P. Vincent, reportage, p. A-9.

6687   «Le Québec a les éléments essentiels de la souveraineté», R. Barbeau, commentaire, p. A-13.

17 mai

6688 «Après s'être impliqué autant,
Trudeau devra tenir compte des
résultats», reportage, p. A-9.

6689 «Jean Garon trouve qu'on l'a trop
peu utilisé», P. Gingras, reportage, p. A-12.

6690 «Morin ne croit pas le dernier sondage», reportage, p. A-11.

6691 «Le Québec peut être l'égal du
Canada comme le Canada l'est face
aux États-Unis», reportage, p. A-8.

6692 «René Lévesque - Quoi qu'il advien-
ne, il restera pour les prochaines
élections», P. Gravel, Y. Leclerc,
reportage, p. A-9.

19 mai

6693 «Lévesque confiant de remporter la
victoire. «Faut pas lâcher si près
du but», Y. Leclerc, reportage,
p. A-9.

6694 «Nous croyons à l'autonomie locale»,
G. Tardif, lettre, p. B-6.

20 mai

6695 «Lévesque fait une dernière tournée
de comité du Oui», Y. Leclerc, reportage, p. A-9.

21 mai

6696 «L'après-référendaire, un défi au
premier ministre et au chef du PQ»,
P. Gravel, analyse, p. 11.

6697 «Lévesque: Pas question de se
laisser manger la laine sur le
dos», Y. Leclerc, reportage, p. 2.

6698 «Morin: les tenants du Non ne
tiendront pas leurs promesses»,
G. Gauthier, reportage, p. 9.

22 mai

6699 «D'Allemagne: un échec stratégique», J.-P. Bonhomme, reportage,
p. A-11.

LE PROGRÈS DE COATICOOK

23 avril

6700 «M. Jean-Louis Langlois aux partisans du Oui», J.-L. Langlois, p. 2.

7 mai

6701 «L'ignoble stratégie de Ryan»,
reportage, p. 2.

6702 «Le président du Oui à la télévision
communautaire et à ses troupes locales», reportage, p. 2.

14 mai

6703 «Interview de M. Langlois président
du Oui - Orford», reportage, p. 13.

6704 «Oui! Une affaire de coeur et de
raison», éditorial, p. 2.

LE PROGRÈS DE MAGOG

23 avril

6705 «Le comité du «Oui» officiellement
en campagne» «Pourquoi cet engagement personnel» (Jean-Louis Langlois,
président)», J.-L. Langlois, libre
opinion, p. 6.

7 mai

6706 «Le président du Oui s'en prend à
Ryan», reportage, p. 3.

6707 «La question!», T. Jean, commentaire,
p. 4.

6708 «Voter Oui... c'est le gros bon
sens» (Kevin Drummond)», reportage,
p. 3.

14 mai

6709 «... chercher à savoir? Y a rien
de plus normal...» - Jean-Louis
Langlois», reportage, p. 32.

6710 «Chronique référendaire (Thérèse Jean): «Enfin! nous y sommes», T. Jean, libre opinion, p. 2.

6711 «Dans le sport aussi: d'égal à égal!», J.-G. Dion, libre opinion, p. 25.

6712 «Oui» ou «Non» faut se brancher!» J. R. Sylvestre, éditorial, p. 4.

6713 «Une politique de théâtre», reportage, p. 2.

6714 «Québec mai 80», R. Lévesque, lettre, p. 10. /Lettre ouverte de René Lévesque/

28 mai

6715 «Malgré tout... un bilan positif», reportage, p. 3.

6716 «Sylvestre en «mots dits». «Retrousse tes manches, Québec», J. R. Sylvestre, éditorial, p. 4.

LE PROGRÈS DE ROSEMONT

23 avril

6717 «Deux présidents nommés au regroupement national pour le «Oui» pour le comté de Jeanne-Mance», Regroupement national pour le Oui du comté de Jeanne-Mance, communiqué, p. 24.

6718 «Oui... Ils vont négocier», Le regroupement pour le Oui de Viau, communiqué, p. 24.

30 avril

6719 «Nos outils pour notre développement», libre opinion, p. 26.

6720 «Pourquoi il faut dire «Oui», J. Bouchard d'Orval, communiqué, p. 28.

6721 «Une question honnête», Regroupement national pour le Oui de Jeanne-Mance, communiqué, p. 14.

7 mai

6722 «Le ministre Lazure dans Viau», Regroupement National pour le Oui Viau, reportage, p. 13.

14 mai

6723 «À l'occasion du référendum: Message du député Henri Laberge», H. E. Laberge député de Jeanne-Mance, communiqué, p. 32.

6724 «Oui au mandat de négocier - Charles Lefebvre, député de Viau», C. Lefebvre député de Viau, communiqué, p. 34.

6725 «Oui aux minorités francophones», Le regroupement du Oui de Viau, communiqué, p. 17.

6726 «La question référendaire: selon le Oui de Jeanne-Mance: une question claire... une démarche démocratique», Le Regroupement national pour le Oui comté de Jeanne-Mance, communiqué, p. 24.

LE PROGRÈS DE THETFORD

6 mai

6727 «Un contrat en faveur de la population», reportage, p. 6.

6728 «Référendum et agriculture», libre opinion, p. 6.

13 mai

6729 «À nous de choisir», libre opinion, p. 3.

6730 «Pourquoi la souveraineté-association plutôt que toute autre formule», libre opinion, p. 8.

6731 «Le Québec et l'Ontario paient pour la police des huit autres provinces», libre opinion, p. 8.

6732 «La surprise annoncée par le Premier ministre - l'achat des mines d'amiante Bell», reportage, p. 18.

LE PROGRÈS DE VILLERAY

29 avril

6733 «Pourquoi dire Oui?», J. Genest, libre opinoin, p. 16.

6734 «300 personnes lancent le Oui dans Laurier», communiqué, p. 13.

6 mai

6735 «Dire «Oui» à la continuité», C. Jasmin, libre opinion, p. 6.

13 mai

6736 «Un historien se prononce pour le Oui», C. Perreault, libre opinion, p. 13.

PROGRÈS-DIMANCHE

20 avril

6737 «Une question claire, honnête», M.-A. Bédard, lettre, p. 11.

11 mai

6738 «Le sens du Oui», M.-A. Bédard, lettre, p. 71.

6739 «Le temps d'agir». Un document catastrophique», J. Simard, reportage, p. 8.

18 mai

6740 «Après un Oui...», M.-A. Bédard, chronique, p. 41.

PROGRÈS-ÉCHO

16 avril

6741 «André Brassard dira Oui», reportage, p. A-13.

23 avril

6742 «Lancement de la campagne du Oui. «S'appartenir» (Lucien Lessard)», reportage, p. A-5.

30 avril

6743 «Je dis Oui au référendum», L. St-Pierre, président comité pour le Oui, lettre, p. A-4.

6744 «René Lévesque. L'évolution du Québec par l'Est», reportage, p. A-3.

7 mai

6745 «Je dirai Oui», B. Roy, communiqué, p. A-4.

6746 «Rodrigue Biron à Rimouski. «La pression politique va débloquer les négociations», R. Alary, reportage, p. A-5.

14 mai

6747 «Lise Payette à Rimouski. «Il nous faut un Oui massif», R. Alary, reportage, p. A-8.

6748 «Les Non sont vraiment à côté de la question», A. Dubé, lettre, p. A-4.

6749 «Nous voulons la médaille d'or». Lucien Lessard», R. Alary, reportage, p. A-8.

21 mai

6750 «Après le référendum. Il faut y penser...», F. Dumont sociologue, lettre, p. A-21.

6751 «Une défaite nationale du Oui. Une petite victoire à Rimouski», G. Thibeault, reportage, p. A-2.

28 mai

6752 «La victoire du Oui dans Rimouski. «Un appui à Alain Marcoux» - Lucien Saint-Pierre», R. Alary, reportage, p. A-12.

16 avril

6753 «Dion to vote «Yes» in referendum»,
reportage, p. 3.

23 avril

6754 «An open letter to Pierre Berton»,
E. Bantey, lettre, p. 4.

21 mai

6755 «Thoughts from Oui supporters»,
K. Elias, reportage, p. 3.

LE QUOTIDIEN DU SAGUENAY-LAC ST-JEAN

15 avril

6756 «Incapacité chronique selon Lévesque. Ottawa reste figé dans son
statu quo», PC, reportage, p. A-9.

6757 «Le Québec ne peut plus se conten-
ter de rapiéçages», PC, reportage,
p. A-7.

16 avril

6758 «L'armée dans un Québec souverain -
Pagé lance les hostilités», PC,
reportage, p. A-14.

6759 «Campagne de 35 jours - Le référendum fixé au 20 mai; Lévesque désire
un Oui massif», N. Delisle, PC, reportage, p. A-1.

6760 «Le deuxième référendum - Ce sera
le projet de constitution», PC,
reportage, p. A-15.

6761 «Lévesque prédit des suffrages de
55% en faveur du Oui», PC, reportage, p. A-14.

6762 «Négociations advenant un «Oui» au
référendum - Trop tôt pour décider
qui seront les interlocuteurs»,
PC, reportage, p. A-15.

17 avril

6763 «La position de Ryan et Trudeau
risque d'aggraver la crise canadienne - Léon Dion», PC, reportage, p. A-8.

6764 «Preuve à l'appui», PC, p. A-8.
/Photographie avec légende/

18 avril

6765 «Trudeau mêle les pommes et oranges - Lévesque», PC, reportage,
p. A-9.

19 avril

6766 «Un autre ancien ministre unioniste
dira Oui», PC, reportage, p. A-7.

6767 «Nouveaux pouvoirs fiscaux au
lendemain du référendum», PC,
reportage, p. A-7.

21 avril

6768 «Information - Inquiétude de Lévesque», PC, reportage, p. A-9.

6769 «Les ingénieurs disent Oui», PC,
reportage, p. A-9.

6770 «Le référendum est plus important
que l'élection fédérale», PC,
reportage, p. A-2.

6771 «Selon Jacques Godbout - Ryan est
un castor rouge», F. Côté, PC,
reportage, p. A-9.

22 avril

6772 «Adhésions au Oui», A. Brassard,
reportage, p. A-3.

6773 «Lévesque favorise la discussion
aux discours», PC, reportage,
p. A-11.

6774 «Lévesque refusera de commenter
les sondages», PC, reportage,
p. A-11.

6775 «Mettre cartes sur table», reportage, p. A-3.

23 avril

6776 «Indécision des entreprises -
Parizeau n'y voit pas d'inquiétude»,
PC, reportage, p. A-14.

6777 «Programmes à matière sociale.
Lévesque fait le bilan des réalisa-
tions du PQ», N. Delisle, PC, reportage, p. A-13.

6778 «Selon Bernard Landry - Un Oui
répondra au «What does Quebec want»,
PC, reportage, p. A-20.

24 avril

6779 «Les hommes d'affaires de Roberval
boudent la visite de Landry», reportage, p. A-3.

6780 «Le Québec manipulé», PC, reportage,
p. A-8.

25 avril

6781 «Quotidien anglophone occupé par
des partisans du Oui», PC, reportage, p. A-12.

26 avril

6782 «En tournée dans Dubuc - Biron s'en
prend aux prophètes de malheur»,
reportage, p. A-3.

6783 «Lévesque visite quatre hôpitaux»,
PC, reportage, p. A-11.

6784 «La violence a fait son temps», PC,
reportage, p. A-10.

28 avril

6785 «Une garantie», PC, p. A-7.
/Photographie avec légende/

6786 «Bédard dénonce l'intimidation»,
PC, reportage, p. A-7.

6787 «Bédard lance un avertissement»,
reportage, p. A-1.

6788 «Les femmes du Oui acclament le
premier ministre Lévesque», P.
Tourangeau, PC, reportage, p. A-10.

29 avril

6789 «Devant un groupe de l'Hydro-Québec
- Lévesque compare les nonnistes
à ses adversaires de 1962», P. Tourangeau, PC, reportage, p. A-11.

6790 «Drummond vient mousser la cause
du Oui», reportage, p. A-3.

30 avril

6791 «Les douze ans de «French Power»
n'ont rien changé au régime fédéral»
- Lévesque», PC, reportage, p. A-15.

6792 «Lévesque, Léonard et L'Allier -
Vibrant appel à la solidarité des
Québécois», P. Tourangeau, PC,
reportage, p. A-15.

1er mai

6793 «À la proposition de Ryan - Morin
souligne trois inconvénients ma-
jeurs», N. Delisle, PC, reportage,
p. A-12.

6794 «Agence pour percevoir les impôts -
Un recul à nul autre pareil - Parizeau», PC, reportage, p. A-11.

6795 «Refus de négocier - Lévesque met
en doute les résultats de la compagnie «Gallup of Toronto», PC,
reportage, p. A-12.

2 mai

6796 «Avec le Canada anglais - Garon
soutient qu'un Oui ferme signifie
de bonnes négociations», PC, reportage, p. A-9.

6797 «Effritement du front négatif - M.
Lévesque», PC, reportage, p. A-7.

6798 «Formation des contrôleurs aériens -
Morin dénonce la lenteur du fédéral»,
PC, reportage, p. A-9.

6799 «On s'interroge sur les lendemains
du référendum», B. Tremblay, commentaire, p. A-4.

6800 «Ryan doute déjà de son livre
beige» - Morin», PC, reportage,
p. A-7.

5 mai

6801 «Appui au Oui - Plus de 68,000 personnes ont signé la pétition», N. Delisle, PC, reportage, p. A-11.

6802 «Au référendum - L'agriculture a besoin d'un Oui», N. Delisle, PC, reportage, p. A-11.

6803 «Gatineau - Les esprits s'échauffent», PC, reportage, p. A-11.

6804 «Minorité tenace», PC, reportage, p. A-11.

7 mai

6805 «Démission de Kierans - Réplique de Parizeau», PC, reportage, p. A-1.

6806 «Un discours qui n'a pas plu - Le ministre Bérubé est chahuté», PC, reportage, p. B-12.

6807 «Dix-sept anciens députés de l'UN adhèrent au Oui», N. Delisle, PC, reportage, p. B-12.

6808 «L'élection générale se profile derrière le référendum», B. Tremblay, commentaire p. A-4.

6809 «Selon Me Serge Ménard - Il faut montrer que le Québec est sérieux et prêt à partir», PC, reportage, p. B-13.

8 mai

6810 «Les pétitions continuent à affluer vers Lévesque», N. Delisle, PC, reportage, p. A-11.

9 mai

6811 «Dans l'affaire de la Société Asbestos - «Le Barreau aurait dû intervenir» - Marc-André Bédard», P. Roberge, PC, reportage, p. A-5.

6812 «Lévesque croit que les lignes sont noyautées», PC, reportage, p. A-7.

6813 «Selon Claude Charron - Trudeau frappe sur notre complexe d'infériorité», PC, reportage, p. A-7.

6814 «7,000 partisans du Oui font le plein d'énergie», PC, reportage, p. A-7.

6815 «Solidarité à consolider - Marc-André Bédard», reportage, p. A-5.

10 mai

6816 «Si le Oui l'emporte - Lévesque somme Trudeau de préciser ses desseins», N. Delisle, PC, reportage, p. A-1.

12 mai

6817 «Dans Rimouski, un Oui pour le changement», F. Côté, PC, reportage, p. A-7.

6818 «On va gagner - Lévesque», R. Lefebvre, PC, reportage, p. A-1.

6819 «600 Almatois accueillent Corinne», R. Hénault, reportage, p. A-2.

13 mai

6820 «Ottawa prépare un coup de force» - Claude Morin», C. Fortin, reportage, p. A-2.

6821 «Selon René Lévesque - Illégalité dans les dépenses référendaires», PC, reportage, p. A-12.

14 mai

6822 «503 économistes adhèrent au Oui», PC, reportage, p. A-20.

6823 «Un Oui frappant», reportage, p. A-1.
/Photographie avec légende/

15 mai

6824 «Lévesque se dit prêt à négocier à la fin de l'été», N. Delisle, PC, reportage, p. A-12.

6825 «Pour le Oui», PC, reportage, p. A-13.

6826 «Pour le Oui - Question posée de façon pratique», A. Brassard, reportage, p. A-2.

16 mai

6827 «Pour le Oui - Les frères Maltais
croient à la souveraineté du
Québec», B. Munger, reportage,
p. A-7.

6828 «Les promesses de Trudeau - Cinglante réplique de Lévesque», N.
Delisle, PC, reportage, p. A-8.

17 mai

6829 «Lévesque accuse Ottawa d'agir en
«hors-la-loi», PC, reportage, p.
A-10.

20 mai

6830 «En faveur du Oui», PC, reportage,
p. B-7.

6831 «Lévesque demande de voter sur la
question», PC, reportage, p. A-10.

6832 «Lévesque se sent nerveux», PC,
reportage, p. B-7.

21 mai

6833 «À la joie succède une profonde
désolation», N. Delisle, PC, reportage, p. A-16.

6834 «L'audace des bâtisseurs répond
dans la région», reportage, p. A-8.

6835 «Défaite des têtes d'affiche du
Non - Claude Vaillancourt», reportage, p. A-3.

6836 «Il faut accepter le Non, sans se
laisser manger la laine sur le dos-
Lévesque», F. Côté, PC, reportage,
p. A-16.

6837 «Lévesque dit que c'était «la bonne question» à poser», PC, reportage, p. A-16.

6838 «Le message de Lévesque insuffisam-
ment entendu», reportage, p. A-3.

6839 «Message d'espoir du ministre
Bédard», reportage, p. A-3.

6840 «La stratégie étapiste de Claude
Morin n'a pas réussi», A. Bellemare,
PC, reportage, p. A-9.

6841 «Le triomphe de Robert Bourassa -
Pierre Bourgault», PC, reportage,
p. A-14.

31 mai

6842 «Jean-Paul L'Allier anticipe un
référendum pan-canadien», PC,
reportage, p. A-7.

THE RECORD

17 avril

6843 «Premier: Ottawa lied about F-18»,
CP, reportage, p. 1.

21 avril

6844 «Levesque dumps on refmonitor idea»,
N. Wyatt, reportage, p. 1.

22 avril

6845 «Payette: All women are basically
feminists», CP, reportage, p. 4.

23 avril

6846 «Dominique on SovAss: we want to
improve our position», CP, reportage,
p. 4.

6847 «Yes or No, we'll take Asbestos -
Parizeau», C. Bowers, reportage,
pp. 1, 2.

25 avril

6848 «Biron addresses East Angus Yeses»,
B. Verity-Stevenson, reportage,
p. 2.

29 avril

6849 «Levesque blasts federalist «liars»,
CP, reportage, p. 2.

2 mai

6850 «Opera star: it doesn't seem like
my country», CP, reportage, p. 4.

7 mai

6851 «Levesque: Kierans exit just a refplay», CP, reportage, p. 1.

8 mai

6852 «Roy predicts violence as No looking better», C. Treiser, reportage, p. 1.

13 mai

6853 «Levesque: Feds burning tax dollars on campaign», CP, reportage, pp. 1, 2.

6854 «Local yes forces challenge No irresponsibility charges», C. Treiser, reportage, p. 3.

14 mai

6855 «Johnson addressed Cowansville Yeses», reportage, p. 3.

6856 «Levesque exhorts final Oui assault», C. Treiser, reportage, p. 1.

15 mai

6857 «PM avoiding TV debate - Levesque», CP, reportage, p. 1.

16 mai

6858 «No forces widen read. PQ may contest result», CP, reportage, p. 1.

6859 «PQ government ready for job: Negociations represent task», CP, reportage, p. 6.

6860 «We've watched them get ahead». «Senior group back Yes», C. Treiser, reportage, p. 2.

20 mai

6861 «Levesque nervous as Yes side ahead», CP, reportage, p. 2.

6862 «Yes or No, Léon Dion sees separation scenario unfolding», D. Retson, reportage, p. 4.

21 mai

6863 «Next time...», CP, reportage, p. 1.

LE REFLET

16 avril

6864 «Un pays comme les autres...», D. Lussier, libre opinion, p. 9.

23 avril

6865 «Comité du Oui de Châteauguay», reportage, p. 28.

30 avril

6866 «La fierté québécoise», D. Lussier, libre opinion, p. 10.

6867 «Nous disons Oui au marché commun Canada Québec», Regroupement National pour le Oui Châteauguay, communiqué, p. 2.

7 mai

6868 «À l'hôpital Charles Lemoyne: Lise Payette dénonce la campagne de peur menée pas les tenants du Non», reportage, p. 6.

6869 «Compte rendu de l'assemblée publique du 29 avril 1980 à St-Antoine Abbé avec M. Pierre Marois, ministre d'état au développement social comme orateur du regroupement des Québécois pour le Oui du comté de Huntingdon», G. L. Bouchard, reportage, p. 38.

14 mai

6870 «À Saint-Philippe, le maire et l'ex-maire adhèrent au Oui», Comité du Oui Châteauguay, reportage, p. 6.

6871 «Le député Roland Dussault lance un appel à la population allophone du comté de Châteauguay», Comité du Oui Châteauguay, communiqué, p. 6.

6872 «Le référendum demande aux Québécois de reconnaître leur propre
existence», Comité du Oui Châteauguay, communiqué, p. 1.

LE RÉGIONAL DE L'OUTAOUAIS

30 avril

6873 «Lévesque dans l'Outaouais», reportage, p. 1.

7 mai

6874 «Lévesque définit la nature du référendum: Un outil remis aux citoyens
pour trancher une question», reportage, p. 3.

14 mai

6875 «Message de: Jean-Marc Rivest»,
J.-M. Rivest, commentaire, p. 6.

RELATIONS

mai

6876 «Développement économique et développement culturel», P. Harvey,
commentaire, p. 142.

6877 «Est-il possible de bâtir un Canada
à Deux», R. Arès, commentaire,
p. 150.

6878 «Des jeunes travailleurs et le référendum», commentaire, p. 149.

6879 «Mettre le cap sur l'essentiel», L.
Dion, reportage, p. 145.

6880 «La Politique est toujours un
rapport de force», J.-P. L'Allier,
commentaire, p. 137.

6881 «Le Québec en devenir», P. Vadeboncoeur, commentaire, p. 144.

6882 «Le référendum: un pas dans la
bonne direction», A. Beaudry, éditorial, p. 131.

LE RÉVEIL À JONQUIÈRE

21 mai

6883 «Hubert Desbiens. Demain on reprend
le combat», M. Simard, reportage,
p. 2.

6884 «Pour Claude Vaillancourt. Une
défaite contre Halley, Lessard et
Marceau...», C. Girard, reportage,
p. 4.

6885 «Pour Marc-André Bédard. Ce n'est
que partie remise», A. Ouellet,
reportage, p. 3.

6886 «Le président du Oui. Content
et... déçu», M. Simard, reportage,
p. 2.

LA REVUE

23 avril

6887 «Le lancement de la campagne du
«Oui» dans le comté de L'Assomption.
2,500 sympathisants y participent»,
reportage, p. 11.

30 avril

6888 «Parizeau à La Plaine. De petites
assemblées qui favorisent l'échange», reportage, p. 10.

7 mai

6889 «Le «Oui» L'Assomption fait le
point», reportage, p. 8.

6890 «René Lévesque dans le comté de
Terrebonne», reportage, p. 9.

14 mai

6891 «Les avantages de l'égalité politique», E. Fallu, commentaire, p. 15.

6892 «Parizeau à Lachenaie. «On sait
ce qu'on veut et on y tient»,
reportage, p. 15.

6893 «Parizeau, Fallu, Arel et Chevrette
à Terrebonne. «Non à la peur, Oui
à notre avenir», reportage, p. 14.

28 mai

6894 «Fallu satisfait du résultat du référendum», reportage, p. 11.

LA REVUE DE GATINEAU

23 avril

6895 «Les anglophones face au référendum», P. Morissette, chronique, p. 18.

30 avril

6896 «La vraie réponse du Non», P. Morissette, chronique, p. 14.

7 mai

6897 «La péréquation», P. Morissette, chronique, p. 16.

14 mai

6898 «Ce que ça change», P. Morissette, chronique, p. 18.

LA REVUE DE PAPINEAU

23 avril

6899 «Les anglophones face au référendum», P. Morissette, chronique, p. 6.

30 avril

6900 «Oui avec Paul Morissette/La vraie réponse du Non», P. Morissette, chronique, p. 10.

7 mai

6901 «Jean Alfred s'en prend à des tenants du «Non», reportage, p. 9.

6902 «Oui avec Paul Morissette», chronique, p. 12.

14 mai

6903 «Oui avec Paul Morissette/Ce que ca change», P. Morissette, chronique, p. 8.

LE RICHELIEU AGRICOLE

29 avril

6904 «Accroître l'auto-suffisance du Québec», reportage, p. 6.

6905 «Faits troublants provoqués par les politiques fédérales», reportage, p. 6.

13 mai

6906 «Garon exhorte les producteurs à dire Oui pour accroître l'auto-suffisance du Québec», G. Lévesque, reportage, p. 6.

6907 «Optimiste. Beauséjour entrevoit une éclatante victoire», G. Lévesque, reportage, p. 8.

6908 «Pour leurs initiatives. Jean Garon et Laurent Barré devront passer à l'histoire» - Jules Bessette», reportage, p. 7.

6909 «Le 20 mai prochain. Empêchons les cochons d'Ottawa de manger les volailles du Québec» - Jean-Paul Lasnier», G. Lévesque, reportage, p. 8.

LE RIMOUSKOIS

23 avril

6910 «Pierre Bourgault à Rimouski. «De quoi avons-nous peur?», R. Arguin, reportage, p. A-22.

30 avril

6911 «Le Québec a aussi droit à sa part» - René Lévesque», PC, reportage, p. A-3.

28 mai

6912 «La victoire du «Oui» dans le comté
de Rimouski: Une victoire morale -
Lucien St-Pierre», reportage,
p. A-11.

ST-LAURENT ÉCHO

16 avril

6913 «Après 300 ans, pour la première
fois, le peuple choisira», M.
Robitaille-Tremblay, reportage,
p. 9-A.

6914 «Une question honnête», J. Fournier,
Comité du Oui, communiqué, p. 3-A.

23 avril

6915 «Avec le système fédéral, une chance sur quatre!», J. Fournier, communiqué, p. 3-A.

30 avril

6916 «Cessons de nous taper dessus», J.
Fournier, Comité du Oui, lettre,
p. 3-A.

7 mai

6917 «Comté de Rivière-du-Loup, 2 pétitions de travailleurs pour le Oui»,
M. Robitaille-Tremblay, reportage,
p. 11-A.

6918 «Référendum: Non par peur et sou-
mission», L. Chassé, reportage,
p. 18-A.

14 mai

6919 «Une nouvelle entente basée sur la
réalité», J. Fournier, lettre,
p. 3-A.

21 mai

6920 «Fini la survivance, il faut maintenant vivre» Benoît Chabot», L.
Bossé, reportage, p. 14-A.

6921 «Voter Non, c'est tout donner à
l'Ontario - Jean Garon», L. Chassé,
reportage, p. 3-A.

28 mai

6922 «Une autre victoire de l'Armée
Rouge - C. E. Dionne», L. Bossé,
reportage, p. 12-A.

6923 «Commentaires des partisans du Oui»,
L. Chassé, reportage, p. 11-A.

6924 «Commentaires du Oui. Plus tard,
les québécois diront Oui», L. Chassé,
reportage, p. 10-A.

6925 «Les Oui gardent l'espoir», L. Chassé,
reportage.

6926 «Le référendum: Une campagne de
conscientisation», L. Bossé, reportage, p. 10-A.

6927 «La victoire du Non: «Encore une
fois, neuf contre un» - Léonard
Lévesque», L. Bossé, reportage.

THE ST. LAWRENCE SUN/ LE SOLEIL DU ST-LAURENT

23 avril

6928 «Position des tenants du Oui pour
le comté de Châteauguay», D. Masson,
Comité du Oui, reportage, p. A-14.

30 avril

6929 «La chronique du Père Damasse» -
«Raciste et référendum», Le Père
Damasse, commentaire, p. A-5.

6930 «Dire Oui, c'est vouloir devenir
co-propriétaire plutôt que locataire», Comité du Oui Châteauguay,
reportage, p. A-3.

7 mai

6930A «English Quebecers have a lot to
gain by voting «Yes» on referendum»
- Frank Remiggi», D. Rosenburg,
reportage, p. 1.

14 mai

6931 «Le député Dussault invite les citoyens à fuir la peur», Comité du Oui Châteauguay, reportage, p. C-4.

6932 «La souveraineté est un mécanisme non pas de défense mais de progrès» -Le ministre Parizeau à Châteauguay», Comité du Oui Châteauguay, reportage, p. A-1.

28 mai

6933 «Une victoire qui n'en était pas une», D. Boucher, libre opinion, p. 2.

LA SEIGNEURIE

23 avril

6934 «Le Comité du Non se cherche dans Chambly», D. Lazure, libre opinion, p. 52.

6935 «Il faut «départisanniser» le référendum», D. Lussier, libre opinion, p. 51.

6936 «Les Yvettes et le référendum», reportage, p. 29.

14 mai

6937 «Pour mon peuple et ma patrie: Oui», chronique, p. 40.

21 mai

6938 «Qu'est-ce qu'un référendum?», D. Lussier, libre opinion, p. 44.

LA SEMAINE

22 avril

6939 «Comité du Oui à L'Assomption. Près de 3,000 personnes accueillent L'Allier et Biron», reportage, p. 6.

6939A «Regroupement Lafontaine pour le Oui. Bâtir notre avenir ensemble», R. Soucy, lettre, p. 7.

6940 «Oui au mandat de négocier» - Marcel Léger», reportage, p. 5.

6 mai

6941 «Avec sa mauvaise politique du pétrole: Le fédéral endette le Québec sans le consulter. - Marcel Léger», reportage, p. 7.

6942 «Non: Dictature. Oui: Démocratie-Guy Chevrette», D. Legault, reportage, p. 10.

6943 «Un Oui au référendum c'est la fin de l'incertitude» - Marcel Léger», reportage, p. 4.

6944 «Saviez-vous que...», A. M. Caron, lettre, p. 4.

13 mai

6945 «Lisez bien la question avant de voter. - Marcel Léger», reportage, p. 6.

6946 «Message de M. René Lévesque à la population du Québec», R. Lévesque, lettre, p. 16.

6947 «Oui aux minorités francophones», Comité du Oui Lafontaine, lettre, p. 4.

27 mai

6948 «Pour le député de Lafontaine. «On aime monsieur Léger mais on veut donner une chance à Trudeau», commentaire, p. 5.

LA SENTINELLE DE CHIBOUGAMAU-CHAPAIS

30 avril

6949 «Le comité du Oui de Chibougamau», S. Labbé, communiqué, p. 12.

6950 «Oui, à la question référendaire», S. Labbé, communiqué, p. 12.

7 mai

6951 «Un Oui pour Chibougamau-Chapais», S. Labbé, communiqué, p. 12.

6952 «Sept questions à propos du référendum», reportage, p. 12.

6953 «La souveraineté-association», J. Inizan, communiqué, p. 12.

14 mai

6954 «   », F. Leclerc, p. 12.
/Poème de Félix Leclerc/

6955 «Les députés Bordeleau, Vaillancourt et Brassard dans la région afin de convaincre les indécis à dire Oui», reportage, p. 8.

6956 «Oui, pour la sécurité sociale», S. Labbé, libre opinion, p. 12.

6957 «Sens du Oui, sens du Non», A. Lemieux, libre opinion, p. 12.

21 mai

6958 «René Lévesque: «À la prochaine», reportage, p. 2.

LE SOLEIL

15 avril

6959 «Projet de constitution au 2e référendum», C. Vaillancourt, reportage, pp. A-1, A-2.

16 avril

6960 «Après un Oui le 20 mai. Lévesque se dit prêt à négocier en septembre», R. Giroux, reportage, pp. A-1, A-2.

6961 «Ce sera un Oui historique», R. Lévesque, p. A-8.
/Discours de René Lévesque/

17 avril

6962 «Biron menace de poursuivre la ministre Monique Bégin», reportage, p. B-3.

6963 «Le ministre Payette félicite les Yvettes de s'être exprimées politiquement», PC, reportage, p. B-2.

6964 «Un Oui changera rien et... tout, selon Lévesque», PC, UPC, reportage, p. B-1.

6965 «Pour Dion, le PLQ a été mal orienté depuis sept ans», R. Lacombe, reportage, p. B-2.

18 avril

6966 «Biron se fait cinglant», J.-J. Samson, reportage, p. B-2.

6967 «Entrevue avec le ministre Guy Tardif». «Une autre raison de mettre l'AANB au panier». «La souveraineté-association profiterait au monde municipal». «J'aurai préféré ne pas devoir imposer la démocratisation», D. Angers, reportage, p. A-3.

6968 «Trudeau reconnaît qu'un Oui à la question n'est pas un Oui à l'indépendance (Lévesque)», J.-J. Samson, reportage, pp. A-1, A-2.

19 avril

6969 «Pourquoi ils diront Oui», L. O'Neil, reportage, p. B-3.

21 avril

6970 «Ryan prône une censure inquiétante» (Lévesque)», PC, reportage, p. A-12.

22 avril

6971 «Les avocats du Oui scrutent les messages publicitaires fédéraux», C. Vaillancourt, J.-J. Samson, reportage, p. A-1.

6972 «On noie les Anglais de «cochonneries» soutient Lévesque», J.-J. Samson, reportage, p. B-1.

6973 «Plus de réponse au sujet des sondages», J.-J. Samson, reportage, p. B-3.

6974 «Une réponse positive que l'on souhaite contagieuse», J.-J. Samson, reportage, p. B-3.

23 avril

6975 «Haro sur Marchand, Ouellet, Maltais et Ottawa en général», reportage, p. B-3.

6976 «Mon voisin d'en face», L. Gaudreault, reportage, p. B-3.

24 avril

6977 «Payette distingue la cause du Québec des luttes menées par les femmes», G. Rhéault, reportage, p. B-3.

6978 «Le référendum ne nuirait pas au crédit de la province de Québec», P. Pelchat, reportage, p. B-6.

25 avril

6979 «Ottawa défavorise nos chantiers maritimes», PC, reportage, p. B-3.

26 avril

6980 «L'affaire de tout le monde», L. O'Neill, libre opinion, p. B-3.

6981 «Lévesque y va sans détour devant son auditoire juif», J.-J. Samson, reportage, p. B-6.

6982 «Parizeau: le cadre fédéral désorganisé», P. Pelchat, reportage, p. B-6.

28 avril

6983 «Lévesque acclamé par 15,000 personnes, «l'avenir de l'homme, c'est la femme», P. Tourangeau, PC, reportage, p. B-3.

29 avril

6984 «Les «fossoyeurs» de 1962 réapparaissent (Lévesque)», PC, reportage, p. A-13.

6985 «Le général Ménard dit Oui. L'égalité sans l'indépendance», J.-J. Samson, reportage, p. A-11.

6986 «Point de vue. Le rôle du Québec dans l'Alliance Atlantique», P. Painchaud, analyse, p. A-6.

30 avril

6987 «200 artistes de Québec s'engagent pour le Oui», D. Angers, reportage, p. B-2.

6988 «Lévesque s'esquive encore», M. Pépin, éditorial, p. A-6.

6989 «Lévesque suggère le trou Guy-Favreau aux communes», J.-J. Samson, reportage, p. B-3.

6990 «Québec défendra énergiquement sa politique scientifique à Ottawa», C. Tessier, reportage, p. F-2.

1er mai

6991 «Baie James: pétitions pour le Oui et pour la bière...», J.-J. Samson, reportage, p. B-3.

6992 «Lévesque lance un défi à Trudeau: un débat face à face», PC, reportage, p. 1.

6993 «Le mouvement des travailleurs chrétiens dit Oui», reportage, p. B-5.

6994 «Le Oui de Léon Dion», M. Pépin, commentaire, p. A-6.

6995 «Prévost dira Oui», R. Lacombe, reportage, p. B-1.

2 mai

6996 «Un budget de l'an 1: Lévesque s'indigne», J.-J. Samson, reportage, p. B-3.

6997 «Selon Morin, Ryan hésite», PC, reportage, p. B-1.

3 mai

6998 «C'est la poutre et la paille (Lévesque)», PC, reportage, p. B-6.

6999 «Comme dans le temps du «Cheuf», M. St-Pierre, analyse, p. B-1.

7000 «Le Oui affirme la vitalité québécoise», L. O'Neill, libre opinion,
p. B-3.

5 mai

7001 «Oui, mais «trompez-vous pas»,
lance Paul Couture», J.-J. Samson,
reportage, p. B-3.

7002 «S'il y a un Non, quelque chose va
péter» (Lévesque)», J.-J. Samson,
reportage, p. B-1.

7003 «Trudeau a touché à l'essentiel
(Charron)», PC, reportage, p. B-4.

6 mai

7004 «Lévesque reçoit sa plus longue
pétition de Oui», PC, UPC, reportage, p. B-3.

7 mai

7005 «Bérubé chahuté par les industriels
du sciage», P. Pelchat, reportage,
p. B-5.

7006 «Le fait français est toujours
menacé», R. Vézina, lettre, p. A-6.

7007 «M. Lévesque face à un Non», M. Pépin,
éditorial, p. A-6.

7008 «Le Oui des gens âgés: pour la
famille et pour un pays», D. Angers,
reportage, p. 1.

7009 «Pour Lévesque et Parizeau, le
départ de Kierans est politique»,
PC, reportage, p. E-1.

7010 «Trudeau a menti, affirme Bourgault»,
PC, reportage, p. B-5.

8 mai

7011 «Lévesque: une question de confiance en nous», R. Giroux, reportage,
p. B-3.

9 mai

7012 «Armée: la victoire des alliances»,
P. Boulet, commentaire, p. A-7.

7013 «Lévesque s'en prend au journal
«The Gazette», PC, UPC, reportage,
p. B-3.

7014 «Parizeau choqué des menaces des
hommes d'affaires», D. Angers,
reportage, p. B-2. ·

7015 «Payette: le féminisme n'a rien
contre la maternité», PC, reportage, p. A-9.

10 mai

7016 «Lévesque retourne à Trudeau sa
question», PC, reportage, p. B-5.

7017 «Mon cher René, c'est à ton tour»,
J.-J. Samson, reportage, p. B-4.

7018 «Le Non est-il québécois?», L.
O'Neill, libre opinion, p. B-3.

12 mai

7019 «Lévesque croit à sa victoire»,
R. Giroux, reportage, p. B-3.

7020 «Ottawa place le Non en position
intenable selon René Lévesque», PC,
reportage, p. A-2.

13 mai

7021 «Constitution et publicité: le Oui
s'attaque à Ottawa», R. Giroux,
reportage, p. B-3.

14 mai

7022 «La Capitale y perdrait avec le
livre beige (Claude Morin)», D.
Angers, reportage, p. B-2.

15 mai

7023 «Qu'Ottawa nous imite (Lévesque)»,
R. Giroux, reportage, p. B-3.

16 mai

7024 «Et le projet de capitale nationale», D. Angers, reportage, p. A-7.

7025 «Trudeau a eu tout le temps d'agir
- Lévesque», PC, UPC, reportage,
p. 1.

17 mai

7026 «Notre avenir dépend de vous», Nou-
vement étudiant pour le Oui, communiqué, p. D-14.

7027 «Ottawa n'a aucun sens de l'honneur,
lance Lévesque», PC, reportage,
p. B-7.

20 mai

7028 «Lévesque fait appel à la solidarité des francophones», PC, reportage, p. B-1.

21 mai

7029 «Une dure défaite, dit Lévesque.
La balle revient aux fédéralistes»,
R. Giroux, reportage, p. A-3.

7030 «Le problème du Québec reste
entier», G. Lesage, reportage,
p. A-7.

31 mai

7031 «Le regroupement pour le Oui se
saborde. Création d'une «ligue des
droits politiques du Québec», F.
Côté, PC, reportage, p. A-5.

LE SOLEIL DU ST-LAURENT

15 avril

7032 «À Huntingdon vendredi. «Un Non au
référendum, c'est l'insécurité la
plus complète» - Rodrigue Biron»,
M. Martel, reportage, p. A-1.

7033 «Ex-député libéral. M. René Emard
président du Comité du Oui dans
Vaudreuil-Soulanges», M. Martel,
reportage, p. A-3.

7034 «Lettre de Rodrigue Biron à Jacques
Cardinal - Je comprends que votre
fonction vous empêche de dire Oui»,
R. Biron, lettre, p. A-4.

7035 «Toute la question est là», M.
Leboeuf, Comité du Oui, communiqué,
p. A-8.

23 avril

7036 «Le député Cuerrier ne comprend pas
Paul Gérin-Lajoie», N. Morand,
reportage, p. A-10.

7037 «700 à 800 personnes. Une année
inscrite dans les manuels d'histoire des «petites cartes historiques»
et un livre d'or «historique»...»,
M. Martel, reportage, p. 1.

30 avril

7038 «L'autre côté a atteint un point
de confusion où un Non veut dire
Oui» - René Lévesque», M. Jolicoeur,
reportage, p. A-13.

7039 «Laurent Lavigne et Alphonse Caron
lancent un appel à la modération»,
M. Martel, reportage, p. A-8.

7040 «Pourquoi il a adhéré au Oui.
«L'exemple du port de Valleyfield
montre bien que le fédéralisme est
en voie de devenir une dictature» -
Robert Cauchon, président du port»,
M. Martel, reportage, p. A-8.

7041 «Selon Mme Jeannine Langevin.
Duplessis et Daniel Johnson auraient
été en faveur du Oui», M. Martel,
reportage, p. A-9.

7042 «Les tenants du Non prennent panique»... René Lévesque», M. Jolicoeur, reportage, p. A-13.

7 mai

7043 «À St-Louis de Gonzague. Garon veut
rassurer les agriculteurs et critique le «langage ordurier de Ryan»,
N. Morand, reportage, pp. A-1, A-17.

7044 «L'art d'être aveuglément partisan
c'est quoi?», lettre, p. A-4.

7045 «Les chèques de pension de vieillesse
sont intouchables», reportage, p. A-1

7046 Nil

7047 «Ex-candidat créditiste. Georges
Boulanger se prononce pour le Oui»,
M. Jolicoeur, reportage, p. A-5.

7048 «Le mouvement des travailleurs chrétiens opte pour le Oui», M. Côté, S.
Côté, lettre, p. C-9.

14 mai

7049 «Devant la chambre de commerce, le
ministre Joron explique le sens du
référendum», M. Jolicoeur, reportage, p. D-1.

7050 «Devant 900 personnes au CEGEP.
Jacques Parizeau démolit la thèse
du fédéralisme renouvelé», M.
Jolicoeur, reportage, p. 1.

7051 «En réplique au Dr Doucet. «Je
n'ai jamais été syphilitique»...
Robert Cauchon», M. Jolicoeur,
reportage, p. A-6.

7052 «En réponse à Gérald Laniel. «Je
n'ai pas la mémoire courte»...
Robert Cauchon», M. Jolicoeur,
reportage, p. A-6.

7053 «H.L.M. Melocheville. Visite de
Me Albert Lemieux et Robert
Cauchon», reportage, p. C-6.

7054 «Me Albert Lemieux fait appel à la
solidarité et à la fierté des québécois», reportage, p. C-4.

7055 «Le prix de l'énergie ne dépend pas
d'un Oui»... Guy Joron», M. Jolicoeur, reportage, p. A-11.

21 mai

7056 «Dans Huntingdon. «Les francophones ne sont pas allés voter»...
Gérald Pinsonneault, membre du
comité National pour le Oui»,
M. Martel, reportage, p. A-18.

7057 «Nous allons continuer à travailler
pour notre idéal»... Serge Deslières»,
N. Morand, reportage, p. A-18.

7058 «On s'est battu à deux contre un»
... Laurent Lavigne», reportage,
p. A-4.

7059 «Président du Oui. Alphonse Caron
craint le prochain scrutin général»,
N. Morand, reportage, p. A-6.

7060 «Vaudreuil-Soulanges. Mme Cuerrier
parle d'une dernière chance pour
Trudeau», M. Jolicoeur, reportage,
p. A-6.

LE SOMMET-ÉCHO DES LAURENTIDES

30 avril

7061 «À Sainte-Agathe-des-Monts Guy
Joron dénonce «la campagne de faussetés» des tenants du Non», reportage, p. 7.

7 mai

7062 «Avec L'Allier, Julie Cardinal,
Jacques Léonard et Lionel Villeneuve,
René Lévesque est accueilli par près
de 700 tenants du Oui», M. Desbiens,
reportage, p. 8.

14 mai

7063 «L'ex-député libéral Roger Lapointe
donne son adhésion au Oui», reportage, p. 16.

THE SUBURBAN

14 mai

7064 «Camil Laurin visits Saint-Laurent»
«English being fooled», B. D. Eisenthal, reportage, p. 16.

21 mai

7065 «The french press en anglais», F.
Belfer, P. Vadeboncoeur, revue de
presse, p. A-8.

28 mai

7066 «Fear of change defeated Yes
forces: Milner», C. Languedoc,
reportage, p. A-8.

LE SUDISTE

23 avril

7067 «250 partisans viennent acclamer
René Lévesque au comité central du
Oui à Longueuil», reportage, p. 9.

7 mai

7068 «À l'hôpital Charles-Lemoyne, Lise Payette dénonce la campagne de peur», reportage, p. 14.

7069 «90 ans... et elle dira Oui!», reportage, p. 5.

THE SUNDAY EXPRESS

20 avril

7070 «Levesque. «We're nick-and-nick», reportage.

27 avril

7071 «Yes» vote will be social and political tragedy», B. Shaw, libre opinion.

4 mai

7072 «Yes» forces alter strategy», reportage.

11 mai

7073 «Feds charged with illegal advertising», UPC, reportage, p. 2.

7074 «Levesque says No means «status quo», reportage, p. 2.

18 mai

7075 «Levesque lashes out at «strange» No arguments», reportage, p. 2.

7076 «Morin pleased - «Will change future politics», R. Linney, reportage, p. 4.

SUNDAY STAR

20 avril

7077 «Firm tried to use politics to sell F-16», R. Lowman, reportage.

7078 «Watchdog idea scorned», P. Doyle, reportage.

27 avril

7079 «Worry shown as Levesque attacks Ottawa», P. Doyle, reportage, p. A-6.

18 mai

7080 «The fight for separation is battle against history - No one takes Quebec for granted now», H. MacLennan, analyse, pp, B-1, B-5. /Analyse sociale des québécois/

7081 «Levesque curses Ottawa propaganda», P. Doyle, reportage, pp. 1, A-8.

LE TÉMISCAMIEN

16 avril

7082 «Commercialisation des viandes». «Le ministère de l'Agriculture s'en lave les mains», J. Lalonde, reportage.

7 mai

7083 «La campagne menée par le Non ressemble à la campagne de la peur de 1962» (selon René Lévesque)», J. Lalonde, reportage, p. 3.

7084 «Les fédéralistes oublient trop souvent les intérêts québécois» - M. Lévesque», J. Lalonde, reportage, p. 3.

14 mai

7085 «François Gendron, à Lorrainville: Le Québec emprisonné dans le Canada», J. Lalonde, reportage, p. 4.

7086 «Oui ou Non», M. Barrette, éditorial, p. 2.

TORONTO STAR

16 avril

7087 «Hatred of Ontario in west, Pequiste says», reportage, p. A-6.

7088 «13 years to make referendum a reality», CP, reportage, p. A-27.

17 avril

7089 «Levesque calls on all Quebecers to vote Yes», reportage, p. A-10.

18 avril

7090 «PM agrees with us: Levesque», P. Doyle, reportage, p. A-6.

19 avril

7091 «Davis speeches could help PQ. Levesque says», P. Doyle, reportage, p. A-14.

21 avril

7092 «World will force talks» - Levesque», CP, reportage, p. A-9.

22 avril

7093 «Separatist gets student's respect», R. McKenzie, reportage, p. B-6.

23 avril

7094 «Ottawa accused of «the big lie» - Plenty of puff», P. Doyle, reportage, p. A-6.

24 avril

7095 «Levesque puts local issues to good use», R. McKenzie, reportage, p. A-6.

25 avril

7096 «Seniors pledge Yes for «equality», R. McKenzie, reportage, p. A-6.

26 avril

7097 «Former MP opts for Yes», CP, reportage, p. A-10.

29 avril

7098 «Poll makes premiers liars, Levesque says», C. Goyens, reportage, p. A-12.

30 avril

7099 «Levesque turns attack on Ottawa», C. Goyens, reportage, p. A-6.

1er mai

7100 «Contradictory poll ruins Levesque's day», C. Goyens, reportage, p. A-6.

2 mai

7101 «Economic threats futile - Levesque», C. Goyens, reportage, p. A-6.

3 mai

7102 «No future in No vote -Levesque», C. Goyens, reportage, p. A-6.

7103 «PQ's ambiguity portrayed as its fatal weakness», R. McKenzie, reportage, p. A-6.

7104 «Shy Mrs. Levesque in husband's shadow», reportage, p. H-1.

5 mai

7105 «Federalist staged brawl - Levesque», P. Doyle, reportage, p. A-6.

6 mai

7106 «Levesque works old magic on TV show», R. McKenzie, reportage, p. A-6.

7107 «No forces guilty of death threats Levesque claims», P. Doyle, reportage, p. A-6.

7 mai

7108 «Kierans quit to hurt PQ - Levesque», P. Doyle, reportage, p. A-6.

7109 «Levesque praises Yes signatories», R. McKenzie, reportage, p. A-6.

8 mai

7110 «Ottawa «decadent» - Levesque»,
P. Doyle, reportage, p. A-6.

7111 «PQ ministers taunt Ryan», CP,
reportage, p. A-6.

9 mai

7112 «You'll keep pensions Levesque
tells elderly», P. Doyle, reportage, p. 12.

10 mai

7113 «A disappointing, frustating week
for Levesque», P. Doyle, reportage,
p. B-5.

12 mai

7114 «Constitution motion a godsend for
PQ», R. McKenzie, reportage,
p. A-7.

7115 «Victory is up to you Levesque
tells French-race tight - Levesque»,
P. Doyle, reportage, pp. 1, A-7.

13 mai

7116 «PQ attack on fat cats wins cheers»,
P. Doyle, reportage, p. 14.

14 mai

7117 «Quebec jobs on line: Morin», CP,
reportage, p. A-6.

7118 «Spending «orgy» won't stop Yes
Levesque says», C. Goyens, reportage, p. A-6.

15 mai

7119 «Levesque calls for Canadian referendum», P. Doyle, reportage,
p. A-6.

7120 «No renewal with Yes - PQ», CP,
reportage, p. A-6.

7121 «Pensive pair:», CP, p. 1.
/Photographie avec légende/

7122 «PQ promises keep peace after vote»,
CP, reportage, p. 1.

7123 «Referendum result could land in
court», R. McKenzie, reportage,
p. A-6.

16 mai

7124 «Levesque's already fighting next
round», R. McKenzie, reportage,
p. A-6.

7125 «May seek legal advice - Levesque»,
P. Doyle, reportage, p. A-6.

17 mai

7126 «A 20-years saga of discontent
that led to vote», G. Fraser, reportage, p. B-6.

7127 «Levesque takes Canada to the point
of no return», P. Doyle, reportage,
p. B-5.

7128 «Levesque turns defeat into argument
for Yes», P. Doyle, reportage,
p. A-6.

7129 «PQ faces strife if Levesque loses»,
R. McKenzie, analyse, p. A-6.

7130 «Separation: Quebec oil bill would
be huge», J. Saunders, reportage,
p. D-8.

19 mai

7131 «It's no time to relax says Rene
Levesque», P. Doyle, reportage,
p. A-1.

7132 «Levesque calls on francophones
for solid Yes», P. Doyle, reportage, p. A-6.

20 mai

7133 «No vote would shut door - Levesque»,
P. Doyle, reportage, p. A-14.

21 mai

7134 «Canada's got to make a move»,
J. Sutton, reportage, p. A-23.

7135 «Levesque still dreams of «rendez-vous with history - Defeat temporary, Levesque says», P. Doyle, reportage, pp. A-1, A-6.

TOWN OF MOUNT ROYAL WEEKLY POST

15 mai

7136 «Yes committee president is satisfied with TMR drive», S. Contenta, reportage, p. 1.

LE TRAIT D'UNION

14 mai

7137 «Comté de Terrebonne. Des poursuites possibles contre le comité du Non», reportage, p. 21.

28 mai

7138 «Le référendum dans L'Assomption. Une victoire bien méritée pour les tenants du Oui», reportage, p. 6.

LA TRIBUNE

15 avril

7139 «Réactions au discours du trône... «Sortir de l'inconscience pour entrer dans la fiction» - Lévesque», PC, reportage, p. B-3.

16 avril

7140 «Gaston Théroux prend la tête des forces du Oui dans Richmond», reportage, p. C-14.

18 avril

7141 «Le mandat référendaire prime sur tout mandat électoral» - René Lévesque», PC, reportage, p. B-1.

19 avril

7142 «Un ancien ministre unioniste adhère au groupe du Oui», PC, reportage, p. B-8.

7143 «Johnson dit comprendre les intérêts de Davis», reportage, p. B-8.

7144 «Le Oui, affirmation de l'esprit d'entreprise», L. Dion, reportage, p. B-11.

22 avril

7145 «Advenant un Oui, le seul qui refusera de négocier sera Trudeau» - Pierre Bourgault», PC, reportage, p. B-1.

7146 «Lévesque refusera de commenter les sondages», PC, reportage, p. B-1.

7147 «L'opinion des Québécois demeure stable», M. Adam, commentaire, p. B-2.

23 avril

7148 «Avec un résultat serré, le gouvernement aurait intérêt à déclencher une élection générale» - Yves Martin», F. Gougeon, reportage, p. B-1.

7149 «Parizeau à Asbestos. Les milieux financiers convaincus de la victoire du Oui», reportage, p. B-1.

24 avril

7150 «L'énergie ne coûtera pas plus cher», - Joron», PC, reportage, p. B-3.

7151 «Je vote Oui parce que je suis libéral», PC, reportage, p. B-3.

7152 «Le 40e anniversaire de l'accession des femmes au droit de vote. «En 1940, plus de 45,000 femmes avaient signé une pétition affirmant qu'elles ne désiraient pas le droit de vote», PC, reportage, p. B-1.

7153 «Québec assumera seul le développement des mines de sel des Îles de la Madeleine», N. Delisle, PC, reportage, p. C-9.

25 avril

7154 «Biron s'en prend à ceux qui
effraient les personnes âgées»,
L. St-Pierre, reportage, p. B-1.

7155 «Ottawa responsable de l'état déplorable des chantiers maritimes du
Québec. 1% des contrats en 5 ans
au Québec», PC, reportage, p. B-1.

26 avril

7156 «Lévesque s'en prend à Chrétien»,
PC, reportage, p. B-4.

28 avril

7157 «Johnson à Sherbrooke. Des craintes à apaiser», reportage, p. B-1.

7158 «40e anniversaire de l'obtention du
droit de vote pour les femmes.
Lévesque acclamé par 15,000 personnes au complexe Desjardins», PC,
reportage, p. B-1.

29 avril

7159 «L'Hydro-Québec: un exemple à
suivre» - Lévesque», PC, reportage,
p. B-1.

30 avril

7160 Déjà des effets positifs et... le
Oui n'a pas été prononcé», reportage, p. B-3.

7161 «12 ans de «French Power» n'ont
rien changé - Lévesque. «Les
Communes à Montréal: le coup de
la Brink's à l'envers», PC, reportage, p. B-1.

1er mai

7162 «Une agence fédérale pour percevoir
les impôts. Une atteinte à la capacité du Québec de se gouverner -
Parizeau», PC, reportage, p. B-1.

7163 «Gallup a manipulé les gens inter-
rogés - Lévesque», PC, reportage,
p. B-1.

2 mai

7164 «Il est très important de donner
un mandat clair de négocier» -
René Létourneau», Y. Rousseau,
reportage, p. B-3.

7165 «Jean-Paul L'Allier à Sherbrooke.
«Nous sommes rendus au point de
décider...», reportage, p. B-1.

7166 «Raynauld obligé d'admettre qu'un
Oui va débloquer les choses» - R.
Lévesque», PC, reportage, p. B-1.

3 mai

7167 «Jean-François Bertrand à St-Georges
de Windsor. Le temps n'est pas aux
histoires à faire peur», reportage,
p. B-4.

7168 «Kevin Drummond à Magog» «Une contradiction dans l'intérêt des fédéralistes», reportage, p. B-4.

7169 «Perception des taxes québécoises.
Morin demande à Ryan de retirer sa
proposition», PC, reportage, p. B-4.

7170 «Si le Non l'emporte le 20 mai, le
Québec continuera à tourner en rond-
Lévesque», PC, reportage, p. B-1.

5 mai

7171 «Ils n'ont pas l'intention d'effec-
tuer des changements à la constitution» - Vaugeois», reportage,
p. B-4.

7172 «Les tenants du Non s'en prennent
aux individus» - Pierre Marois»,
reportage, p. B-4.

7173 «Les tenants du Oui sont optimistes»,
M. Dubreuil, Regroupement pour le
Oui St-François, lettre, p. B-3.

6 mai

7174 «Violence et vandalisme: Ryan et
Chrétien les premiers responsables»
- Pierre Marois», reportage, p. B-3.

7175 «Violence, vandalisme et intimidation. 58 cas contre les partisans
du Oui. Lennoxville: un document
affirme qu'une victoire du Oui
transformerait le Québec en Cuba»,
PC, reportage, p. B-1.

7 mai

7176 «Bernard Landry à Victoriaville.
«Un Québec souverain ne sacrifiera
jamais les industries du meuble,
du textile, du vêtement, de la
chaussure. - Bernard Landry»,
reportage, p. B-3.

7177 «Claude Morin à Sherbrooke. Pourquoi dépensent-ils autant d'énergie
si le Oui ne veut rien dire -
Claude Morin», G. Fisette, reportage, p. B-1.

8 mai

7178 «L'avenir de l'amiante. Lévesque
promet une nouvelle intéressante
dans les prochains jours», reportage, p. B-1.

7179 «Lévesque aux gens d'East Angus.
«Jamais on ne vous abandonnera»,
F. Gougeon, reportage, p. B-1.

7180 «Lévesque en tournée dans
l'Estrie... accompagné de Fabien
Roy. «Je ne suis pas séparatiste,
je ne suis même pas membre du
PQ... et pourtant je vais voter
Oui», F. Gougeon, reportage,
p. B-1.

9 mai

7181 «Bédard semonce le Barreau», PC,
reportage, p. B-4.

7182 «Lévesque s'en prend au journal
«The Gazette». Lévesque reconnaît
le «courage» des Néo-Québécois qui
diront Oui en dépit de la «propagande», PC, reportage, p. B-1.

7183 «Un Oui majoritaire amènera une
véritable négociation - J.-M.
Boisvert», reportage, p. B-4.

10 mai

7184 «Lévesque presse Trudeau de se prononcer sur un gain du Oui. «Accep-
terez-vous le verdict des québécois?»,
PC, reportage, p. B-1.

7185 «M. Lévesque déforme l'histoire»,
éditorial, p. B-3.

7186 «Pour le président du Oui. Un
choix qui s'inscrit dans la recherche d'autonomie pour les québécois»
-Gévry», reportage, p. B-4.

7187 «La souveraineté-association: un
moindre mal», A. Beaudry, éditorial,
p. B-3.

12 mai

7188 «C'est le gouvernement qui pose la
question» - Lise Payette», reportage, p. B-3.

7189 «Lévesque confiant que le Oui va
l'emporter», PC, reportage, p. B-1.

13 mai

7190 «Gendron ne serait pas gêné de se
présenter à Ottawa avec une majorité
de 52%», L. Dion, reportage, p. B-3.

7191 «Gilles Roy dénonce les propos de
Mme Gagnon-Tremblay. «C'est une
tape en plein visage des gens ordi-
naires», reportage, p. B-3.

7192 «Gilles Roy: un long cheminement...
et une décision irréversible», F.
Gougeon, reportage, p. B-4.

7193 «Lévesque dénonce les dépenses
référendaires du gouvernement fédéral et des forces du Non», PC,
reportage, p. B-1.

7194 «Lucien Lessard à Asbestos. «Un
Non merci se traduirait davantage
par un rien merci», L. St-Pierre,
reportage, p. B-3.

7195 «Les produits Bellevue. Les instal-
lations devraient être remises aux
autorités régionales, selon Grégoire»,
reportage, p. B-3.

7196 «Théroux confiant que le Oui l'emportera», L. St-Pierre, reportage, p. B-3.

14 mai

7197 «Brève tournée de Landry», reportage, p. B-4.

7198 «Lévesque qualifie la campagne du Non de déshonorante. Devant 8,000 personnes en délire au Palais des sports», F. Gougeon, reportage, p. B-1.

7199 «Morin estime qu'un nombre important de services et d'instruments sont menacés par l'application du livre beige de Ryan», PC, reportage, p. B-1.

15 mai

7200 «Des négociations dès la fin de l'été avec un Oui», PC, reportage, p. B-1.

7201 «En agriculture, le Québec a toujours été la poubelle du Canada - Lévesque», D. Giroux, reportage, p. B-1.

7202 «Mon Oui n'est pas un chèque en blanc - Robert Routhier», F. Gougeon, reportage, p. B-4.

7203 «Québec aurait pu imiter Ottawa - Lévesque», G. Prince, reportage, p. B-1.

16 mai

7204 «Des personnes âgées au combat pour le Oui. «Le fédéral est croche en démon en faisant peur aux personnes âgées comme il le fait» - Mme Juliette O'Bready-Graham», F. Gougeon, reportage, p. B-5.

7205 «Doris Lussier répond au Père Lévesque», D. Lussier, lettre, p. B-2.

7206 «Lévesque devant 6,000 partisans. $4 à 5 millions de propagande illégale du fédéral», PC, reportage, p. B-1.

7207 «Lévesque se demande s'il faut croire aux intentions de Trudeau», PC, reportage, p. B-1.

17 mai

7208 «Je ne pourrai faire autrement que de voter Oui... à la surprise de mes amis libéraux» - Chapdelaine», F. Gougeon, reportage, p. B-6.

7209 «Lévesque accuse Ottawa d'avoir agi en «hors-la-loi», PC, reportage, p. B-1.

7210 «Un non apportera l'incertitude - Charron», G. Fisette, reportage, p. B-5.

7211 «Une société bloquée», L. Bissonnette, éditorial, p. B-3.

19 mai

7212 «La campagne dans le comté de Frontenac. Une démarche qui n'est pas féminine mais «politique» - Carole Emond-Bédard», reportage, p. B-3.

7213 «Guy Joron en appelle à la solidarité des francophones», L. St-Pierre, reportage, p. B-3.

7214 «Lévesque demande aux organisateurs de demeurer «vigilants», PC, reportage, p. B-1.

7215 «Le Québec condamné au statu quo avec un Non - Lévesque», PC, reportage, p. B-1.

7216 «Rien n'est joué, selon Morin», PC, reportage, p. B-1.

20 mai

7217 «L'économie au lieu des pensions de vieillesse», reportage, p. B-4.

7218 «Un Non serait mauvais pour le Québec et le Canada pendant longtemps - Lévesque», PC, reportage, p. B-1.

21 mai

7219 «La balle est dans le camp du fédéral», reportage, p. 1.

7220 «La balle est dans le camp du fédéral - Lévesque», PC, reportage, p. B-1.

7221 «Boucher déçu du vote francophone», reportage, p. A-6.

7222 «C'est le syndrome d'un peuple conquis (Gilles Roy)», reportage, p. A-3.

7223 «Ceux qui ont voté Oui n'ont pas perdu leur vote», reportage, p. A-10.

7224 «Clair déçu mais pas découragé», reportage, p. A-10.

7225 «Claude Morin: un échec qui peut lui coûter la mise», PC, reportage, p. B-3.

7226 «Les indécis ont voté pour la facilité (Pierre Turcotte)», reportage, p. A-8.

7227 «Pas une défaite, mais une étape. (Gilles Grégoire)», reportage, p. A-8.

7228 «Le peuple refuse de trancher», PC, reportage, p. B-3.

22 mai

7229 «Nous avons perdu une bataille mais pas la guerre - Yves Martin», F. Gougeon, reportage, p. B-4.

7230 «Les Québécois ont-ils choisi le défi d'être et de rester minoritaires? - Alban D'Amours», F. Gougeon, reportage, p. B-5.

L'UNION

15 avril

7231 «Le mouvement pour le «Oui» s'affirme», reportage, p. C-10.

22 avril

7232 «Le «Oui» dans la continuité vers l'égalité», L. Bellavance, Comité du Oui, communiqué, p. A-2.

7233 «Première assemblée convoquée par des tenants du «Oui». Nicole Beaudoin commence avec les femmes», reportage, p. A-10.

29 avril

7234 «Débat à la Chambre de commerce. «Est-il raisonnable après un demi-siècle, de parler encore de fédéralisme renouvelé» - Yves Duhaime, reportage, p. C-7.

7235 «Le ministre Clair à Saint-Albert. On discute «référendum», reportage, p. B-14.

6 mai

7236 «Devant 600 personnes à Asbestos. Parizeau répond au ministre Lalonde», reportage, p. B-2.

13 mai

7237 «À quelques jours du référendum. Lise Payette explique encore la souveraineté-association», reportage, p. A-10, A-11.

7238 «Baril s'en prend aux briseurs d'affiches», reportage, p. A-14.

7239 «Campagne référendaire. Deux ministres à Princeville», reportage, p. C-11.

20 mai

7240 «Un accueil chaleureux à René Lévesque», reportage, p. A-10.

7241 «Préparez l'héritage de vos enfants», reportage, p. B-1.

27 mai

7242 «C'est une victoire du fédéral, non pas une victoire des nonistes» - Nicole Beaudoin», reportage, p. A-9.

THE VAL-D'OR STAR

16 avril

7243 «Referendum on May 20», reportage, p. 7.

30 avril

7244 «Gendron denounces No campaign»,
reportage, p. 14.

7245 «Yes campaign gains momentum»,
R. Godin, reportage, p. 14.

21 mai

7246 «René Lévesque will keep an eye
on Trudeau», reportage, p. 3.

LA VALLÉE DE LA CHAUDIÈRE

23 avril

7247 «Le Premier ministre dans la Beauce:
Un «Oui» au référendum voudrait dire
un Oui à la négociation», I. Lamontagne, reportage, p. A-6.

30 avril

7248 «Dans Beauce-Sud - Gilles Bernier
dit «Oui», I. Lamontagne, reportage, p. 6.

7249 «En tournée référendaire dans la
Beauce - Lise Payette parle de Souveraineté-Association... et explique «l'incident» des Yvettes»,
I. Lamontagne, reportage, p. A-9.

7 mai

7250 «Fabien Roy dira Oui», I. Lamontagne, reportage, p. A-16.

7251 «Le miracle beauceron se produit à
la grandeur du Québec (Jacques
Parizeau)», I. Lamontagne, reportage, p. A-7.

14 mai

7252 «Beauce-Nord: 3 préfets de comté
et 6 maires expliquent leur adhésion au Oui», libre opinion, pp.
C-8, C-11.

7253 «Le Dr Roger Drouin explique son
adhésion au Oui», libre opinion,
p. C-10.

21 mai

7254 «Le Oui dans Beauce-Sud - «Tout
n'est pas réglé», I. Lamontagne,
reportage, p. A-21.

28 mai

7255 «Secondaire V - Discours - Tous
pour un nouveau pays!», reportage,
p. A-9.

LA VALLÉE DE LA DIABLE

7 mai

7256 «Lors de la visite du Chef du Oui
à Saint-Jovite. «Jacques Léonard
contredit les propos de Lalonde et
Dupras», reportage, p. 5.

THE VANCOUVER SUN

15 avril

7257 «Throne speech pious, fuzzy,
Levesque says», CP, reportage,
p. A-13.

16 avril

7258 «Levesque confident of talks
despite threats by premiers»,
reportage, p. A-1.

18 avril

7259 «I agree with Trudeau on mandate,
Rene says», PC, reportage, p. A-12.

19 avril

7260 «Striking out for «Yes» vote on referendum. Levesque dazzles with the oft repeated message», P. Hadekel, FP News Service, reportage, p. A-14.

23 avril

7261 «Pauline Julien: foreigner in her own land», L. Dikk, reportage, p. F-1.

25 avril

7262 «Students jam newsroom to protest coverage», PC, reportage, p. A-13.

29 avril

7263 «Levesque takes aim at «bars», PC, reportage, p. A-2.

1er mai

7264 «Evil spirits trying to defeat PQ», PC, reportage, p. A-10.

9 mai

7265 «No vote in referendum feared as much as Yes», FP News Service, analyse, p. A-13.
/Conséquences d'un Non au référendum/

12 mai

7266 «A glimpse of the union that the PQ foresees», P. Hadekel, analyse, p. 4.

13 mai

7267 «Opera star will vote Yes in referendum», S. Lamarche, reportage, p. B-7.

7268 «Scandalous use of tax dollars» «Levesque attacks federal ad campaign», PC, reportage, p. A-10.

14 mai

7269 «Levesque makes excuses for defeat despite exuberant crowds», P. Hadekel, reportage, p. B-7.

15 mai

7270 «Follow-up vote suggested», UPC, reportage, p. A-11.

16 mai

7271 «The niceness a bit late after all that nastiness», M. Valpy, libre opinion, p. 4.

17 mai

7272 «The Canada that made me», M. Reid, libre opinion, p. 6.
/Écrivain de Québec, partisan du Oui/

21 mai

7273 «A democratic defeat but no humiliation for Rene Levesque», M. Valpy, reportage, p. 4.
/Discours de M. Lévesque à l'aréna Paul Sauvé après sa défaite au référendum/

7274 «Quebec will say when the battle's over», D. Boyd, commentaire, p. A-3.
/Importance du 40% pour le Oui au référendum/

7275 «Rene's dream was an across-the-board no-no», A. Fotheringham, commentaire, p. 6.

7276 «We'll do it next time, says saddened Levesque», P. Hadekel, FP News Service, reportage, p. B-1.

LA VICTOIRE

17 avril

7277 «C'est parti pour le Oui depuis dimanche. Gilberte Sirois présidera la campagne», R. Binette, reportage, p. 3.

24 avril

7278 «Conversation sur un sandwich», P. de Bellefeuille, libre opinion, p. 6.

7279 «On devient actionnaire de notre propre affaire» - Claude Charron», T. Huard, reportage, p. 3.

7280 «Paul Sauvé voulait un Québec libre et autonome», G. Boileau, commentaire, p. 8.

1er mai

7281 «L'irréalisme du Conseil du Patronat», A. Charbonneau, commentaire, p. 19.

7282 «Les sondages ont quelque chose à dire», P. de Bellefeuille, commentaire, p. 6.

8 mai

7283 «Nous sommes canadiens français...», P. de Bellefeuille, libre opinion, p. 6.

7284 «La prudence du côté du Oui», A. Charbonneau, chronique, p. 13.

15 mai

7285 «À Pointe-Calumet: Guy Bisaillon défend le Oui», reportage, p. 6.

7286 «Le Canada doit-il renoncer à son indépendance?», P. de Bellefeuille, libre opinion, p. 6.

7287 «Il faut voter mardi prochain!», R. Binette, éditorial, p. 4.

7288 «Propriétaire chez-soi ou locataire d'un étranger! À nous de choisir», G. Boileau, libre opinion, p. 8.

LA VOIX DE L'EST

16 avril

7289 «Johnson - Daniel Gévry: un militant de l'UN à la tête du Oui», reportage, p. 7.

17 avril

7290 «La Beauce symbole de l'avenir - Lévesque», N. Delisle, PC, reportage, p. 1.

7291 «Un Oui s'égare dans le Non - Un silence qui fait du bruit», J. de Bruycker, reportage, p. 5.

7292 «Pour Normand Grégoire, de Bromont - La seule issue pour un Québec qui rêve d'être maître chez lui», J. de Bruycker, reportage, p. 5.

19 avril

7293 «Le président du Oui ne veut pas d'arrachage de pancartes - Shefford», A. Gazaille, reportage, p. 11.

21 avril

7294 «Brome-Missisquoi - Les Québécois ont peur» - Robert Norton», J. de Bruycker, reportage, p. 5.

7295 «Des souvenirs pour les troupes», A. Gazaille, reportage, p. 1.

7296 «Entrevue avec Dominique Michel - Elle dirait Oui à toute question quel que soit le parti qui la pose», M. Girard, PC, reportage, p. 4.

7297 «Huit personnalités expliquent leur Oui», A. Gazaille, reportage, p. 11.

7298 «J.-P. Lasnier: Oui», G. Tavernier, reportage, p. 6.

7299 «Shefford - La SNQ rejoint le comité du Oui», A. Gazaille, reportage, p. 11.

22 avril

7300 «Entre les deux... Et les pensions?», reportage, p. 5.

23 avril

7301 «Brome-Missisquoi - Pour Robert Norton - La question: tout est là», J. de Bruycker, reportage, p. 14.

24 avril

7302 «Serré! Des élections», reportage, p. 6.

28 avril

7303 «Brôme-Missisquoi. Le Oui sort de l'ombre», J. de Bruycker, reportage, p. 12.

29 avril

7304 «Entrevues avec un cinéaste et un avocat - Jacques Godbout: un Oui qui sera un Non au conservatisme de Ryan», F. Côté, PC, reportage, p. 4.

7305 «Quelques incidents dans la région de Bedford - Des vandales s'acharnent sur le Oui», J. de Bruycker, reportage, p. 5.

1er mai

7306 «Un geste impensable», V. Audy, éditorial, p. 4.

3 mai

7307 «Brome-Missisquoi - Célina Tremblay - Un Oui pour l'avenir», J. de Bruycker, reportage, p. 20.

5 mai

7308 «Brome-Missisquoi - Des unionistes qui n'ont pas craint d'embrasser le Oui», J. de Bruycker, reportage, p. 12.

7309 «Brôme-Missisquoi - Le Non à la négociation: c'est du bluff» - Kevin Drummond», J. de Bruycker, reportage, p. 6.

7310 «La chance d'effacer tous les mauvais souvenirs de notre histoire - Doris Lussier», A. Gazaille, reportage, p. 5.

7311 «Québécois pure laine», J. de Bruycker, A. Gazaille, reportage, p. 5.

6 mai

7312 «Brome-Missisquoi - On en revient toujours à la «substantifique moëlle»», J. de Bruycker, reportage, p. 6.

7313 «Entre les deux... Doris doit le regretter», A. Gazaille, reportage, p. 6.

7314 «Entre les deux... Lévesque prévoit 55%», F. Bélanger, A. Gazaille, reportage, p. 5.

7315 «Entre les deux... Maxime Choinière rejoint le Oui», F. Bélanger, A. Gazaille, reportage, p. 5.

7 mai

7316 «Entre les deux... Confiant», J. de Bruycker, A. Gazaille, reportage, p. 9.

7317 «Entre les deux... Des anciens se prononcent», A. Gazaille, reportage, p. 10.

7318 «Entre les deux... Labrador», J. de Bruycker, A. Gazaille, reportage, p. 9.

7319 «Entre les deux... La violence écartée», J. de Bruycker, A. Gazaille, reportage, p. 9.

7320 «Le référendum selon Raymond Barbeau - «Un sondage qui n'a qu'une signification morale», J. de Bruycker, reportage, p. 10.

8 mai

7321 «Entre les deux... Les Unionistes pour le Oui», A. Gazaille, reportage, p. 10.

7322 «Shefford - Consacrant sa journée aux personnes âgées - Le ministre Duhaime rassure son auditoire», A. Gazaille, reportage, p. 10.

9 mai

7323 «Entre les deux... le Oui appelle les artistes», A. Gazaille, reportage, p. 7.

7324 «Entrevue avec Me Serge Ménard - Le Québec doit être prêt à partir pour forcer les autres à négocier», M. Girard, PC, reportage, p. 4.

7325 «Shefford - Les gens du Oui écoeurés des menaces du vandalisme et des irrégularités», A. Gazaille, reportage, p. 5.

10 mai

7326 «Député unioniste en '36, René
LaBelle explique son Oui - Dans
un bar de Vancouver, je me suis
fait dire: Speak white please!»,
A. Gazaille, reportage, p. 24.

12 mai

7327 «C'est devenu la campagne du ridicule» - Jean-François Bertrand»,
F. Bélanger, reportage, p. 5.

7328 «Gilles Grégoire à Acton Vale -
«Quand on veut on est capable!»,
F. Bélanger, reportage, p. 5.

7329 «Le ministre Bédard saisit bien,
mais à sens unique», V. Audy,
reportage, p. 4.

7330 «On écoeure les gens avec les sondages - Pierre Marois», A. Gazaille,
reportage, p. 5.

7331 «Les 40 ans et plus n'ont rien à
craindre d'un Oui au référendum -
Rodrigue Biron», F. Bélanger,
reportage, p. 1.

13 mai

7332 «Brome-Missisquoi - Johnson s'en
prend aux «conteurs de pipes»,
J. de Bruycker, reportage, p. 5.

7333 «Shefford - Pierre Marois et Louise
Cuerrier le remplacent - Jacques
Parizeau fait faux bond», A. Gazail-
le, reportage, p. 12.

15 mai

7334 «Andrée Feretti: la peur habite
les gens âgés», J. de Bruycker,
reportage, p. 8.

17 mai

7335 «Brome-Missisquoi - Le Oui clôture
en couleurs sa campagne», J. de
Bruycker, reportage, pp. 27, 30.

7336 «Shefford - Pour l'auteur de Terre
Humaine - Un Oui pour le pays
qu'elle a choisi», A. Gazaille,
reportage, p. 28.

20 mai

7337 «Shefford - Clôture de la campagne
du Oui - L'enthousiasme a suppléé
à la foule», A. Gazaille, reportage, p. 8.

21 mai

7338 «Robert Norton: - Un demi-succès
pour les tenants du Oui», reportage,
p. 2.

22 mai

7339 «Dernier sursaut du vieux Québec» -
René Lévesque», F. Côté, PC, reportage, p. 8.

7340 «Des leçons à dégager» - Robert
Norton», J. de Bruycker, reportage,
p. 2.

7341 «Le Oui assez satisfait», J. de
Bruycker, reportage, p. 6.

23 mai

7342 «Pour le président du Oui de Johnson.
La victoire attribuable à la campagne de peur fédérale», F. Bélanger,
reportage, p. 2.

2 juin

7343 «Un organisme indépendant? - Le
Regroupement pour le Oui cède la
place à la Ligue des droits politiques», F. Côté, PC, reportage,
p. 4.

3 juin

7344 «Advenant l'échec des négociations -
L'Allier s'attend à ce que Trudeau
décrète un référendum pan-canadien»,
reportage, p. 4.

LA VOIX DES MILLE-ÎLES

16 avril

7345 «Oui au développement économique»,
E. Fallu, lettre, p. 4.

LA VOIX GASPÉSIENNE

23 avril

7368 «Entretien avec Yves Bérubé:
Pourquoi la souveraineté-association?», Y. Bérubé, libre opinion,
p. A-5.

30 avril

7369 «   », p. A-26.
/Photographie avec légende/

7370 «Entretien avec Yves Bérubé. Le
coût du fédéralisme», Y. Bérubé,
opinion, p. A-5.

7371 «René Lévesque: Avec un aussi
beau printemps...», R. Pelletier,
reportage, p. A-20.

7 mai

7372 «Entretien avec Yves Bérubé: La
peur et le fédéralisme», Y. Bérubé,
opinion. p. A-5.

7373 «Selon M. Claude Morin: Impossible
de songer à renouveler le fédéralisme», R. Pelletier, reportage,
p. D-19.

7374 «Selon Mme Denise Leblanc. Le
fédéral travaille contre nos
pêcheurs», D. St-Pierre, reportage,
p. A-24.

14 mai

7375 «Devant l'âge d'or, le discours
s'adoucit», reportage, p. A-28.

7376 «Entretien avec Yves Bérubé.
Réponse à la question», Y. Bérubé,
opinion, p. A-5.

7377 «Mme Payette dénonce la campagne
de peur du «Non», R. Pelletier,
reportage, p. A-24.

7378 «La violence et le référendum»,
L. Garneau, libre opinion, p. A-27.

28 mai

7379 «Savoir gagner, savoir perdre»,
G. Gagné, éditorial, p. A-4.

4 juin

7380 «Au nom de qui parle-t-il?»,
C. Otis, libre opinion, p. A-5.

LA VOIX MÉTROPOLITAINE

22 avril

7381 «Le fond de la question», A. Hains,
éditorial, p. 4.

29 avril

7382 «Dimanche, 4h30 à Fernand-Lefebvre.
Les L'Allier, Biron et Landry expli-
queront la nécessité de dire Oui
au référendum», reportage, p. 1.

7383 «La raison, autant que le coeur,
motivera le peuple, selon M. Martel»,
Y. Beaudry, reportage, p. 10.

7384 «Voter Oui, c'est se donner la
liberté - Pierre Marois, ministre
au Développement social», L.
Grégoire-Racicot, reportage, p. 3.

6 mai

7385 «Cessez de nous leurrer», libre
opinion, p. 10.

7386 «Des têtes d'affiche du Oui furent
accueillies par 600 personnes
dimanche», reportage, p. 1.

7387 «En optant pour le Oui, une reli-
gieuse de Sorel dénonce la campagne
de peur», reportage, p. 12.

7388 «Et si les Québécois disaient
Non... mais à M. Trudeau pour une
fois», Y. Beaudry, éditorial, p. 4.

7389 «Que la fête ait lieu au Québec le
20 mai et non en Ontario», reportage, p. 11.

7390 «Selon M. Biron. Un canadien français devrait être égal à un canadien anglais», reportage, p. 12.

7391 «Selon M. L'Allier. M. Trudeau
continue à nier l'évolution du
Québec», reportage, p. 11.

13 mai

7392 «Claire Martel croit que Québec
est assez grand pour décider lui-
même», reportage, p. 11.

7393 «Jeannot Vandal ne vous dira pas
pourquoi», J. Vandal, lettre,
p. 14.

7394 «Non à un vote contre nature»,
Y. Beaudry, libre opinion, p. 4.

7395 «Un oeil te regarde», N. Niquet,
libre opinion, p. B-9.

LA VOIX POPULAIRE

15 avril

7396 «La souveraineté-association ne
comporte aucun risque économique -
le député Lacoste», L. Pellerin,
reportage, p. 2.

29 avril

7397 «Mon «Oui» à moi», C. Marcil,
Comité du Oui Ste-Anne, lettre,
p. 14.

6 mai

7398 «Chaque Québécois a sa propre
raison de dire Oui», C. Marcil,
communiqué, p. 4.

7399 «Parizeau devant les Optimistes.
«La souveraineté-association est
économiquement possible», L. Pellerin, reportage, pp. 11, 12.

13 mai

7400 «Between friends», J. Oberman, CASA,
lettre, p. 12.

7401 «Trudeau: un chef dépassé», M.
Rioux, commentaire, p. 16.

LE VOLTIGEUR

22 avril

7402 «Le gouvernement fédéral adopte une
attitude anti-démocratique (Michel
Clair)», reportage, pp. 3, 5.

7403 «Les Québécois sont capables de
diriger leur destinée et de se
gouverner eux-mêmes (Germain Jutras)»,
reportage, pp. 10, 11.

29 avril

7404 «Les erreurs du passé», G. Jutras,
président du Comité du Oui, communiqué, p. 32.

7405 «Je veux être assuré d'un Canada
nouveau», reportage, p. 30.

7406 «Québécois pour le Oui», communiqué, p. 4.

13 mai

7407 «Faut-il ajouter foi aux propos de
M. Claude Ryan», G. Jutras, président du Regroupement du Oui, libre
opinion, pp. 10, 11.

LE VOYAGEUR

14 mai

7408 «Un anglophone se prononce», H.-L.
Bertrand, commentaire, p. 4.

28 mai

7409 «La bataille recommence», J.-C.
Lefebvre, lettre, p. 4.

THE WATCHMAN

14 mai

7410 «Voters for Oui explain their stand
at press conference», reportage,
p. 1.

ABSTENTIONS ET ANNULATIONS

7411 À 7491

THE CHRONICLE HERALD

14 mai

7411 «Quebecers wearing their hearts
on lapels during referendum
campaign», CP, reportage,
p. 12.

LE COURRIER DE SAINT-HYACINTHE

30 avril

7412 «En Lutte prône l'annulation»,
A. Rodier, reportage, p. A-10.

COURRIER LAVAL

16 avril

7413 «En lutte», reportage.

30 avril

7414 «La position de l'OMLC En Lutte
sur la question nationale», En
Lutte!, opinion, p. A-6.

7415 «Le référendum et les ouvriers»,
reportage, p. 2.

14 mai

7416 «L'Annulation», reportage, p. A-2.

COURRIER MAG

23 avril

7417 Le PCO aux travailleurs québécois:
annuler au référendum», L. Tremblay,
reportage, p. 16.

LE COURRIER RIVIÉRA

30 avril

7418 «Le PCO appelle à l'annulation
pour s'opposer aux options du
Oui et du Non», reportage, pp. 11,
17.

LE DEVOIR

7 mai

7419 «Pour un Oui, pour un Non -
Un voyage dans l'annulation», G.
Deshaies, reportage, pp. 1,12.

LE DROIT

24 avril

7420 «Avec le théâtre «À l'ouvrage» -
Une voix différente dans le débat
référendaire», M. Maltais, reportage, p. 49

L'ÉCHO ABITIBIEN

30 avril

7421 «Le G.S.T.Q. s'interroge sur le
Oui et le Non», G. Lyrette, reportage, p. 24-B.

7422 «Les Marxiste-Léninistes invitent
à l'annulation», reportage, p. 24.

ÉCHO DU NORD

23 avril

7423 «Le parti communiste ouvrier opte
pour l'annulation», reportage,
p. A-20.

30 avril

7424 «Abstention au référendum pour le
Groupe socialiste des travailleurs», C. Lamarche, reportage,
p. 18.

14 mai

7425 «Selon le Groupe socialiste des
travailleurs - Le Oui ne favorise pas la souveraineté du peuple
québécois», H. Prévost, reportage, p. A-15.

L'EXPRESS

29 avril

7426 «Le PCO propose d'annuler son
vote au référendum», reportage,
p. 23.

FLAMBEAU DE L'EST

6 mai

7427 «Pour le comité d'annulation,
c'est ni Oui ni Non!», reportage, p. 12.

13 mai

7428 «Dimanche 18 mai: Rassemblement des
partisans de l'annulation», OMLC
En Lutte!,communiqué, p. 13.

LA FRONTIÈRE

16 avril

7429 «Le PCO poursuit sa campagne»,
reportage, p. 3.

21 mai

7430 «Un groupe d'En Lutte accuse les
forces policières», reportage,
p. 5.

THE GAZETTE

17 avril

7431 «Ex-FLQ members linked to bombings»,
reportage, p. 1.

25 avril

7432 «Workers' call: Spoil ballots», PC,
reportage, p. 8.

THE GLEANER

23 avril

7433 «L'annulation prônée par le PCO
lors du référendum», reportage,
p. 17.

28 mai

7434 «Le problème québécois demeure
entier!», R. Lépine, lettre, p. 14.

L'INFORMATION

14 mai

7435 «L'oppression nationale c'est quoi?»,
M. Bernier, lettre, pp. A-25, A-26.

L'INFORMATION RÉGIONALE

7 mai

7436 «Au référendum, l'organisation
marxiste-léniniste du Canada
«En Lutte» veut qu'on annule»,
reportage, p. 18.

14 mai

7437 «La classe ouvrière doit prendre
position sur la question du référendum», J. Wood, lettre, p. 6.

JOLIETTE JOURNAL

7 mai

7438 «Le PCO invite les Québécois à
annuler leur vote», reportage,
p. A-14.

LE JOURNAL DE MONTRÉAL

1er mai

7439 «On «croc» dans le Canada», reportage, p. 25.

9 mai

7440 «Les chevaliers de l'indépendance
dénoncés par des groupes de gau-
che», M. Saindon, reportage, p. 30.

15 mai

7441 «À quoi s'attendre le lendemain du
20», P. Vincent, reportage, p. 6.

10 juin

7442 «Il existe trop de révolutionnai-
res de cafés-terrasses», F. Lebrun, reportage, p. 3.

7443 «3 ex-felquistes soupçonnés d'avoir
fait sauter des panneaux de «Pro-
Canada», F. Lebrun, reportage,
p. 3.

JOURNAL LE ST-FRANÇOIS

22 avril

7444 «Le P.C.O. recommande l'annulation du vote au référendum»,
reportage, p. 12.

24 avril

7445 «   », p. 30.
/Photographie avec légende/

6 mai

7446 «Selon un groupe de citoyens -
Les Québécois ne sont pas libres
d'opinion durant la campagne référendaire», reportage, p. 20.

27 mai

7447 «Selon les marxistes-léninistes -
Le problème du Québec demeure
entier», En Lutte!, communiqué,
p. 16.

MACLEAN'S

14 avril

7448 «Q et A: Pierre Vallières, A
cooling firebrand singes the
referendum», L. Black, D. Boyer,
reportage, pp. 7, 8.

LE MESSAGER DE LASALLE/
THE MESSENGER

22 avril

7449 «Causerie du comité d'annulation», reportage, p. B-9.

6 mai

7450 «Référendum - Le Parti communiste ouvrier rejette les deux options», communiqué, p. C-3.

LE MIRABEL

22 avril

7451 «Le Parti communiste ouvrier recommande l'annulation», reportage, p. 9.

6 mai

7452 «Annulons notre vote! Position de l'OMLC en Lutte face au référendum», M. Lapierre, OMLC en Lutte!, lettre, p. 6.

THE MONCTON TRANSCRIPT

13 mai

7453 «Marxist-Leninists want voters to spoil ballots», CP, reportage, p. 3.

LE NORD-EST

23 avril

7454 «Le parti communiste recommande aux gens d'annuler leur vote», reportage, p. 2.

NOUVELLES DE L'EST

15 avril

7455 «Le PCO appelle à l'annulation», reportage, p. 16.

22 avril

7456 «Colloque le 10 mai - Le comité pour l'annulation a été fondé», reportage, p. 18.

6 mai

7457 «Annulons notre vote», reportage, pp. 14,22.

13 mai

7458 «Les pro-annulation», reportage, p. 10.

LE NOUVELLISTE

16 mai

7459 «Le PCCML dit Non», reportage, p. 15.

THE OTTAWA JOURNAL

29 avril

7460 «We're being used, says May 20 abstainer», G. Lovelace, M. Morissette, reportage, p. 8.

13 mai

7461 «There's the Yes, the No and, of course, the Maybe», CP, reportage, p. 8.

11 juin

7462 «Former FLQ member devies bombing billboards», CP, reportage, p. 31.

LA PAROLE

16 avril

7463 «Même s'il est en faveur du droit à l'autodétermination: Le PCO recommande l'annulation du vote lors du référendum», reportage, p. 3.

LA PHARILLON-VOYAGEUR

30 avril

7464 «Pourquoi faut-il annuler?», reportage, p. 27.

PLEIN JOUR SUR LA MANICOUAGAN

20 mai

7465 «Qu'avons-nous à gagner? Qu'avons-nous à perdre?», J. Garon, chronique, p. 4.

LA PRESSE

19 avril

7466 «Comment voteront les anciens felquistes», M. Laurendeau, reportage, p. A-10.

24 avril

7467 «Les bas salariés ont d'autres problèmes», P. Vennat, reportage, p. A-12.

1er mai

7468 «Les accidentés du travail ne croient plus au Père Noël», P. Vennat, reportage, p. A-12.

2 mai

7469 «Deux universitaires communistes dénoncent les capitalistes du Oui», P. Vennat, reportage, p. A-10.

3 mai

7470 «Et maintenant ... le Comité pour l'annulation», P. Vennat, reportage, p. A-13.

8 mai

7471 «Pour la convocation d'une constituante», reportage, p. A-14. /Le GSTQ demande la formation d'une assemblée constituante du peuple québécois/

13 juin

7472 «Sous l'égide du GST. Colloque d'amorce aux états généraux pour l'indépendance», P. Vennat, reportage, p. B-11.

LE PROGRÈS DE THETFORD

13 mai

7473 «Le parti communiste fait appel pour le «Oui», reportage, p. 15.

PROGRÈS-ECHO

30 avril

7474 «Au référendum - Le PCO demande d'annuler», reportage, p. A-18.

LE QUOTIDIEN DU SAGUENAY-LAC ST-JEAN

17 avril

7475 «Référendum - Le Parti communiste recommande d'annuler son vote», reportage, p. A-7.

LE RIMOUSKOIS

30 avril

7476 «Au référendum l'Organisation
M.L.C. En lutte! propose l'annulation du vote», CP, reportage,
p. A-7.

LE SOLEIL

26 avril

7477 «Le Tour de la question-Vallières,
objecteur anarchiste», L.
Gaudreault, chronique, p. B-6.

LE SOLEIL DU ST-LAURENT

28 avril

7478 «Le Parti communiste ouvrier -
Le P.C.O. invite les travailleurs
québécois à annuler leur vote»,
M. Martel, reportage, p. D-1.

30 avril

7479 «Au Cegep. Débat référendaire où
l'émotivité était absente», N.
Morand, p. A-14.

7480 «Pendant la campagne référendaire
certains refusent d'être baillon-
nés», N. Morand, reportage,
p. A-16.

LE TÉMISCAMIEN

21 mai

7481 «Les tenants du «j'annule» dénoncent la répression policière», J.
Lalonde, reportage, p. 3.

LA TRIBUNE

24 avril

7482 «Le Parti communiste ouvrier vers
une confrontation avec la Loi sur
les consultations populaires», PC,
reportage, p. B-3.

L'UNION

15 avril

7483 «Référendum - Le Parti communiste
ouvrier demande à la population
l'annulation de son vote», reportage, p. B-3.

LA VOIX DES MILLE-ÎLES

7 mai

7484 «Départ de Ste-Thérèse - Colloque
sur le référendum», reportage,
p. 9.

LA VOIX MÉTROPOLITAINE

6 mai

7485 «Assemblée du PCO», reportage,
p. 11.

7486 «Le PCO et le référendum», reportage, p. 10.

13 mai

7487 «Le PCO propose l'Annulation au
référendum», reportage, p. 11.

LA VOIX POPULAIRE

29 avril

7488 «Annuler son vote au référendum
n'est pas une solution logique»,
L. Pellerin, éditorial, p. 8.

13 mai

7489 «Selon le P.C.O. et le comité
pour l'annulation , le référendum ne tient pas compte des
droits des travailleurs»,
L. Pellerin, reportage, p. 11.

LE VOLTIGEUR

15 avril

7490 «Le Parti communiste ouvrier
propose d'annuler au référendum», communiqué, p. 11.

28 mai

7491 «Ni la feuille d'érable, ni le
fleurdelisé...», reportage, p. 23.
/Position du groupe marxiste En
Lutte!/
